国家科学技术学术著作出版基金资助出版
中国科学院中国动物志编辑委员会主编

中国动物志

昆虫纲　第六十八卷

脉翅目

蚁蛉总科

王心丽　詹庆斌　王爱芹　著

科学技术部科技基础性工作专项重点项目
中国科学院知识创新工程重大项目
国家自然科学基金重大项目
（科学技术部　中国科学院　国家自然科学基金委员会　资助）

科学出版社
北京

内 容 简 介

蚁蛉总科隶属于昆虫纲脉翅目，包括蚁蛉科、蝶角蛉科、蝶蛉科、旌蛉科和细蛉科。本卷记载了中国蚁蛉总科 4 科 44 属 151 种，其中蚁蛉科 2 亚科 6 族 31 属 116 种，蝶角蛉科 2 亚科 11 属 29 种，蝶蛉科 1 属 5 种，旌蛉科 1 属 1 种。本卷分为总论和各论两大部分。总论部分包括以上 4 科的研究简史及分类系统、形态特征、区系分析、生物学、材料与方法；各论部分包括 44 属 151 种的形态描述及地理分布等内容。本卷编制了各类群成虫的分类检索表，提供了成虫彩色照片、外生殖器形态照片 38 版，以及形态插图。对一些没有得到检视标本的物种，做了简单的介绍，并就存疑问题作出说明，以利后续的研究。

本卷是中国脉翅目蚁蛉总科系统分类学研究在现阶段的全面总结，为昆虫学、进化生物学和生物地理学提供了基本研究材料，并可供生物多样性研究、环境保护、生物资源开发利用等领域的工作人员参考。

图书在版编目(CIP)数据

中国动物志. 昆虫纲. 第六十八卷，脉翅目、蚁蛉总科/王心丽，詹庆斌，王爱芹著. —北京：科学出版社，2018. 3

ISBN 978-7-03-056785-7

I. ①中… II. ①王… ②詹… ③王… III. ①动物志-中国 ②昆虫纲-动物志-中国 ③脉翅目-动物志-中国 ④蚁蛉总科-动物志-中国 IV. ①Q958. 52

中国版本图书馆 CIP 数据核字(2018)第 048299 号

责任编辑：韩学哲 矫天扬 赵小林 /责任校对：郑金红

责任印制：肖 兴 /封面设计：刘新新

科学出版社 出版

北京东黄城根北街 16 号

邮政编码：100717

http://www.sciencep.com

中国科学院印刷厂 印刷

科学出版社发行 各地新华书店经销

*

2018 年 3 月第 一 版 开本：787 × 1092 1/16

2018 年 3 月第一次印刷 印张：19 插页：20

字数：450 000

定价：198.00 元

Supported by the National Fund for Academic Publication in Science and Technology
Editorial Committee of Fauna Sinica, Chinese Academy of Sciences

FAUNA SINICA

INSECTA Vol. 68

Neuroptera

Myrmeleontoidea

By

Wang Xinli, Zhan Qingbin and Wang Aiqin

A Key Project of the Ministry of Science and Technology of China
A Major Project of the Knowledge Innovation Program
of the Chinese Academy of Sciences
A Major Project of the National Natural Science Foundation of China
(Supported by the Ministry of Science and Technology of China,
the Chinese Academy of Sciences, and the National Natural Science Foundation of China)

Science Press

Beijing, China

前　言

蚁蛉总科隶属于脉翅目 Neuroptera，包括蚁蛉科 Myrmeleontidae、蝶角蛉科 Ascalaphidae、蝶蛉科 Psychopsidae、旌蛉科 Nemopteridae 和细蛉科 Nymphidae。细蛉科仅分布于澳大利亚，另外的 4 科中国有分布。世界已知蚁蛉科 1500 余种，蝶角蛉科 400 余种，蝶蛉科 20 余种，旌蛉科 120 余种。蝶蛉科和旌蛉科是中国的珍稀昆虫，蚁蛉科和蝶角蛉科中国的物种较丰富。目前中国记述的蚁蛉科物种约占世界已记录种数的 7.7%，中国记述的蝶角蛉科物种约占世界已记录种数的 7.3%。蚁蛉的幼虫蚁狮有药用价值，某些蚁蛉的成虫对养蚕业有一定的危害。

我国对蚁蛉总科的分类研究始于 20 世纪初，胡经甫 (1935) 的《中国昆虫名录》中收录我国蚁蛉科 15 属 24 种，蝶角蛉科 7 属 11 种。这些标本绝大多数保存在国外。20 世纪 50 年代以后，杨集昆教授开始采集和积累中国的脉翅目标本，并为中国脉翅目的分类研究作出了重要贡献。21 世纪初我们对蚁蛉总科开始了系统的分类研究，目前收集到的蚁蛉标本已经覆盖全国所有的省 (自治区、直辖市)。先后参与蚁蛉总科分类研究的研究生有：万霞、鲍荣、孙明霞、王志良、敖伟光、詹庆斌、王爱芹和张杰。他们的研究为本卷的撰写打下了基础。

本卷记载了中国蚁蛉总科 4 科 44 属 151 种，其中蚁蛉科 2 亚科 6 族 31 属 116 种，蝶角蛉科 2 亚科 11 属 29 种，蝶蛉科 1 属 5 种，旌蛉科 1 属 1 种。全书分总论和各论两大部分，总论部分包括以上 4 科的研究简史及分类系统、形态特征、区系分析、生物学、材料与方法；各论部分包括 44 属 151 种的形态描述及地理分布等内容。本卷编制了各类群成虫的分类检索表，提供了成虫彩色照片、外生殖器形态照片 38 版，以及形态插图。对一些没有得到检视标本的物种，做了简单的介绍，并就存疑问题作出说明，以利后续的研究。

本卷的编写得到了俄罗斯科学院动物研究所的 Krivokhatsky 研究员，匈牙利索摩基博物馆 Ábrahám 馆长的支持，他们曾来华访问，在中国农业大学昆虫标本馆短期工作，协助鉴定蚁蛉科和蝶角蛉科标本，并赠送我们大量的文献资料和珍贵的标本。美国佛罗里达农业局的 Stange 研究员与我们交换标本，使我们得到了一些台湾物种的副模。美国得克萨斯农工大学的 Oswald 教授创建的 Lacewing Digital Library (LDL) 网站可以免费使用，对我们的工作有极大的帮助。对此，作者一并表示感谢。

致谢以下为我们提供模式标本照片的其他单位和个人：Peter Michalik (Zoologisches Institut und Museum，Greifswald, Ernst-Moritz-Arndt Universität, Germany), Niels P. Kristensen (University of Copenhagen & Natural History Museum of Denmark), Michael Ohl (Museum für Naturkunde Leibniz-Institut für Evolutions und Biodiversitätsforschung, Germany), Oliver Flint (Smithsonian Institution, USA), Dave Goodger (Natural History Museum London)。

向以下为我们提供研究标本的单位表示诚挚的谢意：中国科学院动物研究所、中山大学生物博物馆、河北大学博物馆、长江大学昆虫标本馆、西北农林科技大学昆虫标本馆、南开大学昆虫标本馆、上海昆虫研究所、河南科学技术学院、华南农业大学昆虫标本馆、台湾嘉义大学昆虫博物馆。

刘思靓为本研究制作标本，承担部分照片的拍照排版，以及参考文献的整理，作者对其表示衷心感谢。

本卷的研究标本大部分保存在中国农业大学昆虫标本馆。

我们的研究工作仍在继续，尚有许多问题有待核实和深入探索。本卷的不足之处欢迎读者及同仁批评指正，也盼望将来有机会做进一步的增补和修订。

王心丽

2016 年 8 月 27 日于北京

目　录

总　论

一、研究简史及分类系统

(一) 蚁蛉总科分类系统

按照 Withycombe (1925a)的分类系统，蚁蛉总科包括 5 科：蚁蛉科 Myrmeleontidae、蝶角蛉科 Ascalaphidae、蝶蛉科 Psychopsidae、旌蛉科 Nemopteridae 和细蛉科 Nymphidae。Withycombe 的分类系统强调了幼虫的特征。Aspöck U 和 Aspöck H (2008) 基于脉翅目生殖器骨片的比较研究了脉翅目科级系统发育关系，其结论支持蚁蛉总科由以上 5 科组成。

蚁蛉总科的成虫具备以下特征之一，触角端部膨大 (蚁蛉科与蝶角蛉科)；翅宽阔如蝶，前翅上有中肋，即 Sc、R_1 和 Rs 平行至翅痣下方 (蝶蛉科)；后翅特化为飘带形 (旌蛉科)；Sc 与 R_1 汇合后向后弯至翅顶点以内，与外阶脉相连，分隔出多翅室的中心区和几乎只有纵脉的外缘区 (细蛉科)。细蛉科仅分布于澳洲界。

(二) 蚁蛉科研究简史及分类系统

1. 蚁蛉科研究简史

Latreille 于 1802 年建立了蚁蛉科 Myrmeleontidae。1853 年 Walker 做了 217 个蚁蛉已知种的概述，他将这 217 种均放在蚁蛉属 *Myrmeleon* 中。1866 年 Hagen 发表了《蚁蛉科世界名录》，共列出 17 属 317 种。1866 年以后，蚁蛉科新属种的数量急剧增加，2004 年 Stange 出版了最新的一本《世界蚁蛉名录》 (*Catalog of the World Antlions*)，共记载世界蚁蛉科有效属 202 个，包括 10 个已灭绝的属，有效种 1522 个，含 13 个已灭绝种。

200 多年来，对蚁蛉科物种描述作出突出贡献的学者有：Banks (1892-1943)、Navás (1900-1940)、Esben-Petersen (1906-1939)、Stange (1963-)、Hölzel (1964-2008)、Mansell (1974-)、Miller (1985-)、New (1985-)、Kuwayama (1924-1966)、Okamoto (1905-1935)、杨集昆 (1986-2002)、Krivokhatsky (1990-) 等。其中 Navás 有关蚁蛉的论文达 323 篇之多，按 Stange (2004) 的统计，约占蚁蛉科文献总数的 6%。

欧洲是蚁蛉区系研究最深入的地区，早期的蚁蛉分类专家 Hagen (1817-1893) 一生发表有关蚁蛉的论文 33 篇，他的研究主要集中在欧洲和北美洲。Esben-Petersen (1869-1942) 一生发表有关蚁蛉的论文 56 篇，他的研究绝大部分是欧洲的种类，还有少量有关埃及、印度等地的物种。Aspöck H. 与 Aspöck U. 于 1980 年合作完成了《欧洲的脉翅目》一书，书中记述了蚁蛉科 19 属 40 种。2001 年他们又出版了《西古北区脉翅目名录》，该书中记述了蚁蛉科 47 属 268 种。Gepp 和 Hölzel 于 1989 年出版了《蚁狮和蚁蛉》，全面地介绍了蚁蛉各方面的知识，描述了分布在中欧的蚁蛉 13 属 17 种。Krivokhatsky 的研究工作主要集中在俄罗斯和中亚地区，他发表的有关蚁蛉的研究论文达 25 篇。

北美洲也是蚁蛉区系研究较深入的地区，1861 年 Hagen 发表了《北美洲脉翅目梗概和南美物种名录》。Banks (1868-1953) 一生发表有关蚁蛉的论文 77 篇，他研究的重点地区是北美洲，除此以外还有关于非洲、南亚地区蚁蛉的一些报道。Stange、Miller 和 Penny 是 3 位当代的北美洲的蚁蛉分类专家，Stange (2004) 出版了蚁蛉研究专著 *A Systematic Catalog, Bibliography and Classification of the World Antlions* (*Insecta*: *Neuroptera*: *Myrmeleontidae*)，这是截至目前对世界蚁蛉分类研究最全面的一本总结性的专著，对蚁蛉科的分类研究有着极其重要的指导意义。

澳大利亚蚁蛉区系分类研究也开始得较早，第一个被描述的澳大利亚蚁蛉物种是 *Myrmeleon tigrinum* Fabricius, 1775，此后，Leach (1814)，Rambur (1842)，Gerstaecker (1884, 1885)，McLachlan (1869, 1875a)，Esben-Petersen (1915, 1917, 1918a, 1923b)，Tillyard (1916)，Banks (1910, 1913c) 陆续描述和报道了澳大利亚的蚁蛉属种。1923 年在 Esben- Petersen 做的澳大利亚及周边地区的蚁蛉名录中，已有 89 种澳大利亚蚁蛉被记述。20 世纪 80 年代后，New 发表了大量有关蚁蛉的研究论文，1985 年 New 发表了系列研究论文，*A revision of the Australian Myrmeleontidae* (*Insecta*: *Neuroptera*) *I-III*，系统地介绍和修订了澳大利亚蚁蛉科 3 亚科，Myrmeleontinae [Myrmeleontini (23 种)，Protoplectrini (15 种)，Dendroleontini (83 种)，Distoleontini (64 种)]、Acanthaclisinae (16 种) 和澳大利亚特有的亮翅蚁蛉亚科 Stilbopteryginae (包括 2 属 10 种)。目前，澳大利亚区系蚁蛉物种数量应在 210 种以上 (New, 1985)。

非洲蚁蛉区系研究的代表人物是 Mansell，他从 1974 年开始发表有关蚁蛉的分类研究论文，记述了大量的非洲蚁蛉物种，他估计非洲的蚁蛉在 40 属 150 种以上 (Mansell, 1987)。

中国周边地区，除俄罗斯和一些中亚国家外，日本的 Nakahara 于 1913 年发表了 4 篇有关日本蚁蛉的研究论文，其中包括一个《日本蚁蛉名录》。Okamoto 在 1905-1935 年发表有关日本和朝鲜半岛蚁蛉研究论文 7 篇，Kuwayama 在 1924-1966 年发表有关蚁蛉研究论文 17 篇，他的研究重点在日本和朝鲜半岛，还涉及中国 (Kuwayama, 1961)、伊朗和阿富汗 (Kuwayama, 1966b)。印度地区的蚁蛉物种除 Esben-Petersen (1931, 1933b), Gerstaecker (1885) 做过记述外，近代作出突出贡献的是 Ghosh，他在 1977-1998 年发表有关印度蚁蛉的研究论文 16 篇。Navás (1914b, 1917b, 1919d) 发表了一系列有关中南半岛的脉翅目研究。

中国有关蚁蛉最早的记载见于李时珍 1578 年撰写的《本草纲目》，书中记述了蚁蛉幼虫的药用价值 (周汉辉和杨集昆, 2000)。

中国蚁蛉分类学研究始于 20 世纪初，由外国人开始发现并描述定名了最早一批中国的蚁蛉属种。Nakahara (1913a, 1971) 发表了 2 篇有关台湾的蚁蛉研究论文，记述了 5 种台湾的蚁蛉。Esben-Petersen (1923a) 依据采自中国 Tientsin (天津) 的标本定名了 *Dendroleon similis*。Banks 于 1937 年发表了 *Neuropteroid insects from Formosa*，记述了 7

种台湾的蚁蛉，1940 年他发表了 *Report on certain groups of Neuropteroid insects from Szechwan, China*，记述了中国大陆的蚁蛉物种，他根据采自中国 Szechwan (四川) 的标本，定名了 *Indoleon sinensis*。Navás (1913b, 1917a，1940) 先后记述了仅分布于中国的 *Bullanga* 3 种：*B. florida*, *B. binaria* 和 *B. insolita*。Navás (1923b，1930d) 分别根据中国标本定名了 *Heoclisis sinensis* 和 *Teula sinica*，后者的有效名已被修订为 *Euroleon coreanus* (Okamoto, 1926)。

胡经甫于 1935 年撰写的《中国昆虫名录》中记录了中国蚁蛉 15 属 24 种，这是中国最早的蚁蛉名录。胡经甫记述的 15 属中，*Balaga* Navás, 1912 已被确定是 *Baliga* Navás, 1912 的异名，*Grocus* Navás, 1925 已被确定是 *Myrmeleon* Linneaus, 1767 的异名 (Stange, 2004)。这 24 种蚁蛉目前确定其中有两个是同一个种的异名：*Dendroleon parabolicus* Navás, 1933 的有效名是 *Bullanga florida* Navás, 1913，*Glenurus floridus* Navás, 1913 的有效名也是 *Bullanga florida* Navás, 1913。因此，胡经甫实际收录了 23 种蚁蛉，目前尚有其中的 10 种我们没有收集到标本。

杨集昆教授从 20 世纪 50 年代开始从事蚁蛉分类研究的准备工作，收集整理了大量蚁蛉标本和资料，70 年代开始发表蚁蛉分类研究论文。1978-2002 年共发表有关蚁蛉分类研究的论文 12 篇，重点对云南、西藏、长江三峡库区、湖南、福建及海南等地的蚁蛉进行了研究，共记述了中国蚁蛉 34 属 61 种，其中包括 7 新属 44 新种，1 新亚种。2000 年杨集昆教授与周汉辉教授合作出版的《谜一般的蚁蛉》一书中，撰写了“蚁蛉的分类”部分，分别介绍了云南的蚁蛉 16 种，长江三峡库区的蚁蛉 11 种、福建的蚁蛉 22 种、海南的蚁蛉 10 种 1 亚种。还编写了 7 种蚁蛉幼虫的检索表，介绍了幼虫的识别特征。

20 世纪末，Miller、Stange 和王效岳合作对台湾的蚁蛉开展了研究，1998 年春他们在台湾采集了 4 周，收集了 500 号蚁蛉幼虫标本，180 号成虫标本。这一年 Stange 和王效岳合作出版了《认识台湾的昆虫》(第 18 册)，书中记述了 12 种台湾的蚁蛉。Miller 等于 1999 年发表了研究论文，*New species of antlions from Taiwan* (*Neuroptera*: *Myrmeleontidae*)，记述了台湾的蚁蛉 5 属 12 新种。2003 年，Stange、Miller 和王效岳 3 人合作出版了《台湾的蚁蛉》，共记述台湾的蚁蛉 5 族 12 属 22 种。

2. 蚁蛉科分类系统

Banks (1911) 将蚁蛉的属归入族和亚科，Markl (1954) 总结了 Esben-Petersen (1918b) 的工作，将蚁蛉的属分为 23 族，但没有分亚科。Hölzel (1972) 根据成虫翅脉特征，将蚁蛉科分为 3 亚科：Palparinae、Echthromyrmicinae、Myrmeleoninae；Aspöck 等 (1980) 将 Echthromyrmicinae 并入 Palparinae。New (1985) 将澳大利亚的蚁蛉分为 3 亚科：Acanthaclisinae、Myrmeleoninae 和 Stilbepteryginae，其中 Stilbepteryginae 是澳大利亚特有的亚科。Stange (1970b, 1994, 2004) 基于对成虫翅脉、生殖器特征及幼虫的形态，逐步形成了 3 亚科 14 族 11 亚族的分类系统，这是目前得到广泛使用的蚁蛉分类系统。

蚁蛉科分类系统 (Stange，2004)：

Subfamily Stilbopteryginae 亮翅蚁蛉亚科 (澳大利亚特有)

Subfamily Palparinae 须蚁蛉亚科 (主要分布在非洲)

Tribe Palparidiini
Tribe Palparini*
Tribe Pseudimarini
Tribe Dimarini
Subfamily Myrmeleontinae 蚁蛉亚科 (世界分布)
Tribe Maulini
Tribe Dendroleontini*
Subtribe Acanthoplectrina
Subtribe Dendroleontina
Subtribe Nuglerina
Subtribe Periclystina
Subtribe Voltorina
Tribe Nemoleontini*
Subtribe Dimarellina
Subtribe Nemoleontina
Subtribe Neuroleontina
Subtribe Obina
Tribe Brachynemurini
Tribe Gnopholeontini
Tribe Lemolemini
Tribe Myrmecaelurini*
Tribe Nesoleontini*
Tribe Myrmeleontini*
Subtribe Myrmeleontina
Subtribe Porrerina
Tribe Acanthaclisini*

*表示中国有分布

(三) 蝶角蛉科研究简史及分类系统

1. 蝶角蛉科研究简史

Schäffer 于 1763 年描述了世界上第一种蝶角蛉 *Libelloides* (单名种)；1764 年林奈描述了另外一种蝶角蛉 *Hemerobius longicornis*，1767 年他将该种移至蚁蛉属 *Myrmeleon*，并在蚁蛉属中增加了另外一种蝶角蛉 *Myrmeleon barbarum*。Scopoli (1763)、Denis 和 Schiffermüller (1775) 曾把这两个种放到鳞翅目凤蝶属 *Papilio* 中。Fabricius (1775) 根据 *Myrmeleon barbarum* 建立了蝶角蛉属 *Ascalaphus*，包括 7 种。Burmeister (1839) 在

Handbuch der Entomologie 中提到了这个类群的 18 种，并将原来的 *Ascalaphus* 中复眼无横沟的一些种分出来，建立了 *Haploglenius*。

Lefèbvre (1842) 在 Guèrin 的 *Magasin de Zoologie* 中首次把蝶角蛉定为科，包括 10 属，但这些属大多只给出了一个模式种，没有发表有关形态学的描述。同年 Rambur 发表了 *Histoire Naturelle des Névroptères*（《脉翅目自然历史》），该文记述了蝶角蛉科 9 属，并对 31 种进行了形态描述。这以后的分类工作者对谁建立了蝶角蛉科持两种不同意见，一些人认为蝶角蛉科是 Rambur 建立的，另一些人认为是 Lefèbvre 建立的。目前多数学者赞同第 2 种意见。

古北界：18-19 世纪的生物学家 Schäffer、Fabricius、Lefèbvre 和 McLachlan 等最早记述了古北界的蝶角蛉属种。20 世纪初，Weele (1908) 发表了 *Ascalaphiden Monographisch Bearbeitet*（《蝶角蛉科专题研究》），这是一部极为重要的蝶角蛉分类研究专著。书中总结了蝶角蛉研究历史，描述了一些古北界的蝶角蛉属种。1910 年 Okamoto 记述了日本的蝶角蛉 6 属 6 种，1926 年又记述了 2 种分布在朝鲜半岛的蝶角蛉。Navás 于 1913-1927 年记述古北界蝶角蛉 6 属 6 种，并给两种在欧洲大陆发现的化石蝶角蛉 *Ascalaphus proavus* Hagen, 1858 和 *A. edwardsi* Oustalet, 1870 分别起了新的属名，即 *Borgia* 和 *Ricartus*。

近年来 Krivokhatsky 对俄罗斯的蝶角蛉进行了研究，他在 1995 年和 1998 年分别核查了俄罗斯博物馆和莫斯科州立大学昆虫博物馆的蝶角蛉模式标本，对 McLachlan 鉴定的蝶角蛉做了修订，并记述了俄罗斯的蝶角蛉 5 属 9 种。Aspöck H.、Aspöck U. 和 Hölzel 是近代著名的脉翅目分类专家，1976-2001 年他们共发表了 6 篇有关蝶角蛉的研究论文。1980 年由 Aspöck H.、Aspöck U. 和 Hölzel 合作撰写的 *Neuropteren Europas*（《欧洲脉翅目》），记录了欧洲蝶角蛉 4 属 15 种 5 亚种。1987 年 Aspöck U. 和 Aspöck H. 报道了曾被认为在欧洲已灭绝的 *Puer maculatus* (Olivier)的再次发现。2001 年 Aspöck U.、Aspöck H. 和 Hölzel 发表的 *Kommentierter Katalog der Neuropterida der Westpaläarktis*（《西古北区脉翅目名录》）中将欧洲的蝶角蛉种类增加到 8 属 44 种，并且列出了 27 个异名。匈牙利学者 Ábrahám 近 10 多年来对伊朗、巴基斯坦、尼泊尔及中国台湾的蝶角蛉进行了研究，发表了一些新的属种。

东洋界：Lefèbvre 在 1842 年建立蝶角蛉科的时候，列出了 8 属，其中 3 属分布在东洋界。Westwood 于 1848 年建立了 *Ogcogaster*，并描述了几个印度的新种。McLachlan 在 1871 年记述了东洋界的蝶角蛉 4 属。Weele 在 1908 年的专著中描述了一些东洋界的蝶角蛉属种。Needham 于 1909 年研究了印度博物馆的蝶角蛉标本，发表了 9 属 11 种。Navás、Esben-Petersen 和 Okamoto 也记述过东洋界的蝶角蛉。近期研究亚洲和太平洋岛屿地区蝶角蛉的还有杨集昆、Ghosh、Hölzel 和 Sziráki。

非洲界：McLachlan 在 1871-1891 年先后发表了非洲蝶角蛉 7 新属。Karsch 在 1889 年记述了非洲的蝶角蛉 2 新属 2 新种。Weele 在 1908 年的专著中描述了非洲的蝶角蛉 29 属 62 种。Kimmins 在 1950 年根据非洲的蝶角蛉，建立了 1 新属，并发表了 4 新种。Tjeder 从 20 世纪初开始研究世界范围内的脉翅目昆虫。在 1977 年发表的 *Distal abdominal segments and sclerotized of genitalia in Ascalaphidae*（《蝶角蛉的腹末节和生殖器的骨化》）

中，通过对 36 属 65 种蝶角蛉的解剖研究，总结了蝶角蛉雌雄的识别方法，描述了生殖器的结构，并附有蝶角蛉生殖器结构的术语。1980 年他发表了塞内加尔和冈比亚的蝶角蛉，在这篇文章中建立了 1 新属 *Cirrops*，描述了 2 新种 *Cirrops kumari* 和 *Tmesibasis royi*，并报道了前者的雌雄二型现象。同时报道的还有其他 4 种，并简单介绍了这些属种的地理分布及生物学习性。1986 年后又陆续发表了一些分布在非洲的蝶角蛉新属种。1992 年 Tjeder 对非洲热带地区的蝶角蛉做了总结性的研究，与 Hansson 合作发表了《非洲热带地区的蝶角蛉》一文。Mansell 和 Michel 近年来的研究使非洲界蝶角蛉的种类又有所增加。Ábrahám (2010) 记述了摩洛哥和马达加斯加的蝶角蛉物种。

澳洲界：澳大利亚发现的第一种蝶角蛉是 *Suhpalacsa flavipes* Leach, 1814，19 世纪末又有 10 种被发现并记载。Weele (1908) 报道过 1 种蝶角蛉、Navás 在 1919 年和 1931 年报道过 2 种蝶角蛉。New 是对脉翅目分类研究有突出贡献的一位澳大利亚学者，他于 1984 年发表的 *Revision of the Australian Ascalaphidae* (*Insecta*: *Neuroptera*) (《澳大利亚蝶角蛉的修订》)是一部非常重要的蝶角蛉研究专著，书中共描述了 15 属 35 种，其中包括 11 新属 25 新种。Smithers 于 1984 年描述了巴罗岛的 1 新种。

新北界和新热带界：Rambur 在 1842 年建立了 3 属，均分布于美洲。Banks 在 1901-1938 年发表了 3 篇文章，建立了 1 新属，记述了美洲的 5 新种，并对加勒比海的列斯群岛的蝶角蛉进行了研究。Navás (1912a) 发表了南美的蝶角蛉名录，包括 6 族 12 属 49 种，其后又报道过本地区的 2 种。Weele 在 1908 年发表的专著中描述了新北界的蝶角蛉 7 属 24 种，新热带界 11 属 48 种。

Penny 在 1981-2002 年研究了南美洲的脉翅目，重点在亚马孙河流域。1981 年他做了新世界蝶角蛉科属级分类修订，对亚马孙河流域的蝶角蛉进行了描述。1991 年，Penny 和 Oswald 发表了 *Genus-group names of the Neuroptera, Megaloptera and Raphidioptera of the world* (《世界脉翅目、广翅目、蛇蛉目属名》)；1992 年，Penny、Henry 及 Adams 合作发表了 *The Neuropteroid orders of Central America* (*Neuroptera and Megaloptera*) (《中美洲的脉翅类》)，2002 年 Penny 还发表了哥斯达黎加的蝶角蛉 7 属 17 种。

中国：1935 年胡经甫撰写的《中国昆虫名录》中共收录了中国的蝶角蛉 7 属 11 种，这是中国最早的蝶角蛉名录。美国的脉翅目分类专家 Stange 于 1998 年到台湾进行调查工作，发表了台湾第一本脉翅目彩色图鉴《认识台湾的昆虫》 (第 18 册)，书中记录了台湾的蝶角蛉 6 属 7 种。杨集昆教授从 20 世纪 50 年代开始对中国的脉翅目进行分类研究，1978 开始发表有关蝶角蛉的研究论文，报道了云南、西藏、湖南、福建等地发现的蝶角蛉 8 属 21 种。90 年代末王心丽协助杨集昆教授研究了长江三峡库区、浙江天目山、河南鸡公山和海南的蝶角蛉，报道了 6 属 8 种。孙明霞于 2006 年完成了硕士学位论文《中国蝶角蛉科分类学研究》。

2. 蝶角蛉科分类系统

1842 年，Lefèbvre 首次把蝶角蛉定为科时，这个科就包括了两大类群：完眼蝶角蛉亚科 Holophthalminae 和裂眼蝶角蛉亚科 Ascalaphinae。1853 年，Walker 描述了 81 种，并把它们全放回了 *Ascalaphus* 中。Weele (1908) 认为 Walker 的工作重新给蝶角蛉的分类造成了混乱。

1908 年，Weele 在 *Ascalaphiden Monographisch Bearbeitet*（《蝶角蛉科专题研究》）这部专著中对蝶角蛉的分类系统做了一些变动，他把 *Stilbopteryx* 与 *Albardia* 两个属合并建立了一个新亚科——原蝶角蛉亚科 Protascalaphinae，该亚科与完眼蝶角蛉亚科 Holophthalminae 和裂眼蝶角蛉亚科 Ascalaphinae 并列，同时 Weele 把 Ascalaphinae 更名为 Schizophthalminae。原蝶角蛉亚科 Protascalaphinae 分成 2 族：Stibopterygini（澳大利亚）和 Albardini（美洲）。完眼蝶角蛉亚科 Holophthalminae 的属种划分有明显的地域特点。Weele 首次把裂眼蝶角蛉亚科 Schizophthalminae 分成 7 族。

Navás 在 1912 年发表了《南美蝶角蛉名录》，把蝶角蛉科分为完眼蝶角蛉亚科 Holoftalmos 和裂眼蝶角蛉亚科 Esquizoftalmos，即将美洲分布的 Protascalaphinae 的 Albardini 并入完眼蝶角蛉亚科 Holophthalminae。1919 年他又将 Acmonotini 并入 Suhpalacsini。

另外，Tjeder 在 1992 年发表的文章中将非洲的完眼蝶角蛉亚科分成了 6 族：Proctolyrini、Melambrotini、Campylophlebini、Tmesibasini、Allocormodini 和 Ululomyiini。

完眼蝶角蛉亚科与裂眼蝶角蛉亚科的划分分歧意见不大，但不同的研究者使用的亚科名称有所不同，Haplogleniinae Newman, 1853、Holophthalminae Weele, 1908、Holoftalmos Navás, 1912 和 Neuroptyngini Handlirsch, 1925 均指完眼蝶角蛉亚科，Ascalaphinae Lefèbvre, 1842、Schizophthalminae Weele, 1908 和 Esquizoftalmos Navás, 1912 均指裂眼蝶角蛉亚科。近期的研究者对完眼蝶角蛉亚科多使用 Haplogleniinae Newman, 1853，裂眼蝶角蛉亚科多使用 Ascalaphinae Lefèbvre, 1842。

蝶角蛉科分类系统（Tjeder, 1992）：

Subfamily Albardiinae 短角蝶角蛉亚科　（仅分布在南美洲）

Subfamily Haplogleniinae 完眼蝶角蛉亚科

Subfamily Ascalaphinae 裂眼蝶角蛉亚科

不同学者（Weele,1908; Navás, 1912f; Tjeder, 1992）对族的划分分歧意见较大，并且族的划分强调地域性，因此，本书暂不采纳族的分类。

（四）蝶蛉科分类系统

Navás 于 1916 年建立蝶蛉科 Psychopsidae，Kimmins (1939) 做了比较全面的修订，将蝶蛉科分为 8 属：*Megapsychops* Tillyard，*Psichopsis* Newman，*Cabralis* Navás，*Notopsychops* Tillyard，*Wernzia* Navás，*Magallanes* Navás，*Balmes* Navás 和 *Silveira* Navás。New (1988) 研究了澳洲界和东洋界的蝶蛉，提出了 5 属的分类系统，他认为 *Balmes*、*Magallanes* 和 *Wernzia* 应该并入 *Psichopsis*。Oswald (1995) 发表了关于蝶蛉科研究论文，他重新将 *Balmes* 修订为有效属。本卷采纳 Oswald (1995) 的观点，将蝶蛉科分为 6 属，世界已知 27 个现生种。

(五) 旌蛉科分类系统

Burmeister (1839) 建立旌蛉科 Nemotopteridae, Brauer (1852) 将此学名改为 Nemopteridae。旌蛉科分为两个亚科：Nemopterinae Burmeister, 1839 (后翅飘带状，端部扩展)，Crocinae Navás, 1910 (后翅线状，端部不扩展)。目前世界约有 40 属 130 种，其中 Crocinae 约有 37 种 (Aspöck *et al*., 1980)。

二、形 态 特 征

(一) 蚁蛉科形态特征

1. 成虫形态特征

头部 (图版 I：1)：复眼发达，半球形，两复眼的间距较宽。无单眼。触角棒状，不超过前翅长的 1/3，基部有明显的间距，有些物种两触角相距很近，小于柄节的直径，如溪蚁蛉属 *Epacanthaclisis*。柄节 (scape)、梗节 (pedicel) 较短，鞭节 (flagellum) 端部渐渐膨大，通常分为 25-50 个极短的小节。头顶 (vertex) 隆起，额 (frons) 平坦。下口式，唇基 (clypeus) 发达，上唇 (labrum) 短宽。上颚 (mandible) 发达，近似三角形，端部略向内弯，尖利；下颚须 (maxillary palpus) 5 节，下唇须 (labial palpus) 3 节，端节常略膨大。

胸部 (图版 I：2)：前胸发达，多与复眼的间距等宽，长度与中胸约等。前胸背板 (pronotum) 的形状和颜色斑纹常作为分类特征。中、后胸通常比前胸宽，分为盾片 (scutum) 和小盾片 (scutellum)。

步行足，或细长或短粗，其上着生刚毛。有些种的腿节上有一种极长的刚毛 (长于普通刚毛的数倍)，称为感觉毛 (sensory hair)。胫节末端有 1 对端距，端距的长短、弯直是重要的鉴别特征。跗节分 5 节，多数物种第 5 跗节最长，但也有些类群第 5 跗节短于第 1 跗节，如尼蚁蛉族 Nesoleontini。爪 (claw) 一般为弧形向下弯曲，有些类群的爪极度向后弯曲，爪端部接近第 5 跗节，如 *Bullanga*。

翅多数为狭长形，翅的轮廓有很多细节上的变化，尤其是翅的端区和基部的差异较大。翅脉网状，脉序的变化是重要的鉴别特征。因长期以来脉序名称使用十分混乱，极易造成形态特征理解错误，王心丽研究室从 2003 年后一直使用 Wang (2003) 的脉序名称系统 (图版 II：1)。表 1 为本名称系统与其他名称系统的对照。

前斑克氏线 (anterior Banksian line) (图版 II：3)：指 Rs 脉的分支间若干条脉的一段相互连接形成的一条直线，有时看似一条凹痕。此特征的名称来源于脉翅目分类学家 Banks 的名字。前斑克氏线的发达程度是重要的分类依据。

后斑克氏线 (posterior Banksian line) (图版 II：3)：指 CuA1 与 CuA2 之间的区域，由若干条脉折曲的一段连接形成的一条直线，有时看似一条折痕。后斑克氏线的有无是重要的分类特征。

表 1　蚁蛉科翅脉主干名称对比表

Tab. 1　Comparison of main longitudinal veins name of Myrmeleontidae

翅基发出的纵脉	Aspöck 等 (1980)			Wang (2003)		
	前翅		后翅	前翅		后翅
第 1 条	Sc		Sc	Sc		Sc
第 2 条	R		R	R		R
第 3 条	MP1+2		MP1	M		M
第 4 条	CuA		MP2	CuA		CuA
第 5 条	CuP+1A (两脉合并时)	CuP	CuA	CuP+1A (两脉合并时)	CuP	CuP
第 6 条	2A	1A	CuP+1A	2A	1A	1A

基径中横脉 (presectoral crossvein)：指 Rs 分叉点前连接 R 脉与 M 脉之间的横脉。后翅基径中横脉的数量是蚁蛉分族和分属的重要依据。

前缘区 (costal area)：指亚前缘脉 Sc 与前缘脉 C 之间的区域。此区域的宽窄、小室分几排、双排或多排小室占翅痣 (stigma) 至翅基总长的比例都是重要的分类依据。在 Acanthaclisini 的 *Syngenes* 和 *Synclisis* 中，前翅前缘区小室多为 2 排，而且前后两排小室基本等大。Acanthaclisni 其他属前翅前缘区小室多为 1 排，如有两排小室，前排小室明显小于后排小室。

痣下室 (hypostigmatic cell)：指翅痣下方，与翅痣相邻的翅室。痣下室的长宽比是分类鉴别特征。例如，树蚁蛉族中，*Nuglerus* 的痣下室长为宽的 2 倍，而蚁蛉绝大多数类群，痣下室长至少为宽的 4 倍，这也是蚁蛉区别于蝶角蛉的重要特征之一。

中脉亚端斑 (rhegma) (图版Ⅱ：2)：指 M 脉与 CuA1 脉平行至亚端区，开始多分叉的那一个位置。这个位置上的斑纹称中脉亚端斑。中脉亚端斑的有无、形状是分种的鉴别特征。

肘脉合斑 (anastomosis place of CuA and CuP+1A) (图版Ⅱ：2)：指 CuA2 与 CuP+1A (或 CuP) 汇合位置上形成的斑。肘脉合斑的有无、形状是分种的鉴别特征。

轭坠又名臀坠 (pilula axillaris) (图版Ⅰ：2, 3)：指雄性蚁蛉后翅腋索处一个球状多刚毛的结构，由轭坠冠 (knob) 和轭坠柄 (pedicel) 构成，轭坠冠上有刚毛。轭坠的形状，轭坠冠上刚毛的长短、疏密程度存在种间差异。轭坠的主要作用是发散性激素，吸引异性 (Elofsson & Löfqvist, 1974)。轭坠是蚁蛉雄性重要的第二性征之一。但很多类群雄性无轭坠，有轭坠的类群，轭坠的形态种间差异也较显著，是重要的分属和分种特征，也是一部分类群性别的标志。

腹部：蚁蛉腹部细长，共 10 节。有些类群雌雄腹部长度有显著差异，通常雄性腹部较长，雌性腹部较短。雌雄腹部末端结构的差别主要在第 8 腹节，雌性第 8 腹节宽大于长，背侧片向下延伸至腹面，气门着生在第 8 背侧片近下缘的位置。雄性第 8 腹节长大于宽，气门着生在背侧片与腹片之间的膜上。腹部常有如下一些特殊的构造。

腹腺 (abdominal gland) (图版 I：5)：指雄性第 4 腹节背面的一处带毛的分泌黏液的凹陷。腹腺周围密集着生的刚毛被描述为毛簇 (hair tuft)，整齐成行，如射线状的刚毛，称为射线状刚毛 (actinomorphic setae)。溪蚁蛉属 *Epacanthaclisis* 的雄性常有这一特征。

毛刷 (hair pencils，简称 pls 或 scent-brushes) (图版 I：4)：指雄性腹部一些节的两侧着生的较长而密的一束具柄的刚毛，形如毛笔。有时毛刷仅外露一部分，雄性兴奋时毛刷伸出，甚至会耸立张开如一丛茅草。此构造与性诱物质的散发有关。囊蚁蛉族 Myrmecaelurini 和大多数棘蚁蛉族 Acanthaclisis 的种具此特征。

雄性生殖器 (图版III：1-3)：雄性生殖器主要由第 9-10 节构成，侧面观第 9 节上方骨片称背片 (tergite 9，缩写 T9)，下方骨片称腹片 (sternite 9，缩写 S9)。S9 多为基部分开、端部相连的一块，常不同程度地向后突伸。第 10 节只有背片，无腹片。

肛上片 (ectoproct，简称 epr)：指第 10 节的背片。肛上片变化很大，有些种的肛上片仅为短宽的片状，如 *Euroleon nostras* (♂)；有些种的肛上片向下后方延伸成短突状，如 *Myrmeleon zigan* (♂)；有些种的肛上片向后方延伸呈长枝状，如格双蚁蛉 *Mesonemurus guentheri* (♂)。

生殖弧阳基侧突复合体 (gonarcus-parameres-complex)：位于第 9-10 节的一个骨化结构。由生殖弧 (gonarcus，缩写 gs)、阳基侧突 (parameres，缩写 pa) 和生殖中片 (mediuncus，缩写 med) 3 部分组成。生殖弧通常是弧形，弧度有大有小，骨化程度差异很大。阳基侧突是 1 对骨片，有的宽大如耳，有的细小如钩叉等形状。生殖中片是位于生殖弧中间的 1 块骨片，有些种生殖中片不明显，有些种生殖中片是宽大的长方形并强骨化，有些如三角形，有些呈叉状。生殖弧阳基侧突复合体是物种最重要的鉴别特征之一。

雌性生殖器 (图版III：4，5)：雌性生殖器主要由第 8 腹节上的 2 对生殖突和第 9 腹节上的 2 对生殖突，以及第 10 腹节的肛上片构成。大多数学者称第 9 腹节内侧的生殖突为侧生殖突，第 8 腹节上的两对生殖突称为前生殖突和后生殖突，但对这两对生殖突的前后位置学者理解不同，同一对生殖突，有些学者称为前生殖突，而另一些学者称为后生殖突。为了避免名称混乱造成形态特征理解的错误，王心丽研究室提出一套新的名称 (表 2) (Wang, 2012)。

表 2　蚁蛉科雌生殖器结构名称对比表

Tab. 2　Comparision of female genitalia structure name

Wang *et al.*, 2012	描述	Stange, 1994	New, 1985	Aspöck *et al.*, 1980	Mansell, 1985
前生殖片 pregenital plate (pp)	位于第 8 节中间，靠近第 7 腹板的 1 块骨片	pregenital plate	pregenital plate (p.p.)	未标注	pregenital plate (Prg)
8-内生殖突 8-interior gonapophysis (8-ig)	位于第 8 节腹面内侧的 1 对突起，有些较小如瘤突，有些发达如指状，有些种无此对生殖突	anterior gonapophysis	anterior gonapophysis (a.g.)	(sg)	posterior gonapophysis (Gp)

续表

Wang *et al.*, 2012	描述	Stange, 1994	New, 1985	Aspöck *et al.*, 1980	Mansell, 1985
8-外生殖突 8-external gonapophysis (8-eg)	位于第 8 节腹面外侧 1 对骨片，多为指形，发达，有些具挖掘毛	posterior gonapophysis	posterior gonapophysis (p.g.)	(ga)	anterior gonapophysis (Ga)
生殖间片 gonapophyseal plate (glp)	位于 8-内生殖突与 8-外生殖突之间的 1 对小骨片。常不明显	gonapophyseal plate	未画出	(gpl)	未画出
9-内生殖突 9-interior gonapophysis (9-ig)	位于第 9 腹节腹面内侧 1 对骨片，常较发达，远端靠近，或合并为一体，具较多的挖掘毛	lateral gonapophysis	lateral gonapophysis (l.g.)	(gl)	lateral gonapophysis (Gl)
9-外生殖突 9-external gonapophysis (9-eg)	位于第 9 腹节腹面外侧的 1 对瘤状突起，多不发达或消失	未画出	未画出	(gp)	未画出
肛上片 ectoproct (epr)	指第 10 腹节背片，常具较多的挖掘毛	ectoproct	ectoproct (ect)	(epr)	ectoproct

2. 蛹形态特征

蚁蛉的蛹为离蛹 (exarate pupae)，瘦长，蜷缩成弯弓形，5-26 mm。Gepp 和 Hölzel (1989) 记述：*Euroleon nostras* ♀ 蛹 9.5-12.5 mm，♂蛹 7-10.2 mm；*Myrmeleon formicarius* ♀蛹 11-13 mm，♂蛹 9-11.5 mm。朝鲜东蚁蛉 *Euroleon coreanus* 的蛹头比胸窄，复眼大而突出，黑色。口器似成虫，但上颚更尖而突出。触角乳白色，多节，置于头部两侧，末端超过前胸背板向外弯。胸部分节明显，两对翅芽紧贴体侧，乳白色，翅芽末端达腹部第 7 节。足细长，乳白色，向后紧贴体腹面。腹部分节明显，除腹末外各节约等长。

地面做穴的蚁蛉吐丝粘沙织成球形茧，蛹藏于其中。

3. 幼虫形态特征 (图 1：a)

幼虫体形扁宽，分为两个体段，头部是第 1 体段，近似方形或鸭蛋形；胸腹部为第 2 体段，纺锤形，背面隆起。

头部宽大，1 对眼着生在头前缘的两侧，眼由若干小眼面构成，如 *Euroleon nostras* 幼虫的眼由 7 个小眼构成 (Gepp & Hölzel, 1989)。触角细小，位于头背面复眼的内侧。捕吸式口器 (grasping-sucking mouthparts)，上颚长，前伸，基部宽，端部尖利向内对弯，内侧具齿。下颚较窄，紧贴上颚腹面的凹槽，形成吸管。头部腹面还可见 1 对下唇须。头斑的有无及形状，上颚的长短、宽度、弯曲度、间距，内侧齿的大小、数目及间隔距离，下唇须的长短，上颚外侧缘毛的长短等是重要的分族分属特征。

胸部从前向后逐渐加宽，前胸最窄。3 对足细小，末端尖。中、后胸侧缘常有瘤突，中胸瘤突上气门是否骨化、中胸盾片中部毛丛的有无是重要的分类特征。

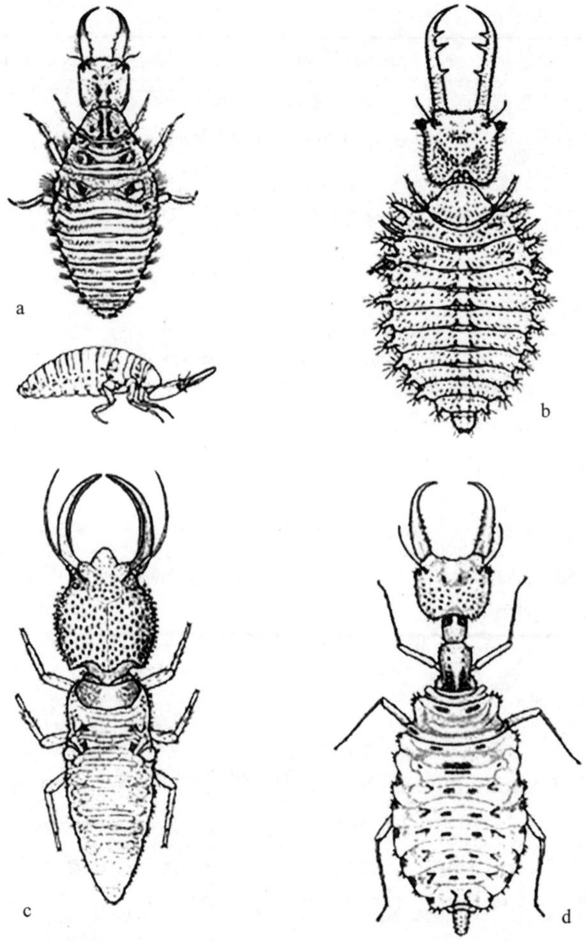

图 1 幼虫 (Larvae)

a. 蚁蛉科 Myrmeleontidae (by Quick in New, 1991b)；b. 蝶角蛉科 Ascalaphidae (by Quick in New, 1991b)；c. 蝶蛉科 Psychopsidae (by Hasting in New, 1991b)；d. 旌蛉科 Nemopteridae (by Mansell in New, 1991b)

腹部共 10 节，可见 9 节，从前向后逐渐变窄。第 8 腹板上亚中齿 (submedian tooth) 的有无和发达程度、第 9 腹板挖掘毛 (submedian digging setae) 的有无和长短是亚科的鉴别特征。

4. 卵形态特征

卵圆形。*Euroleon nostras* 的卵长 1.30-1.58 mm ，宽 0.82-0.94 mm。卵表浅绿色，卵壳上有细刻纹。刚产下的卵外面有一层黏液粘着细小的沙粒 (Gepp & Hölzel, 1989)。

(二) 蝶角蛉科形态特征

1. 成虫形态特征

头部：头短宽，复眼发达，裂眼蝶角蛉亚科 Ascalaphinae 复眼中部有 1 个横沟，将复眼分为上下两半，复眼下半部通常小于上半部，但有些种类上下两半等大。无单眼。触角球杆状，一般长于前翅的一半，少数种类触角长于前翅，短角蝶角蛉亚科 Albardiinae 触角短于前翅长的 1/3。触角窝靠近，柄节短，多数宽大于长。梗节小，多与鞭节基部的亚节等宽。鞭节由很多亚节组成，通常每个亚节长大于宽，端部 10-11 个亚节加宽形成触角膨大部，触角膨大部有纺锤形、梨形和扁圆形等。咀嚼式口器，上唇横宽，上颚发达，端部尖利，下颚小，下颚须 5 节，下唇须 3 节。

胸部：前胸背板通常很短，宽大于长，前缘与后缘常向上隆起。中胸发达，占胸部的 2/3 以上，背板分为前盾片、盾片、小盾片和后背片。后胸短宽，分为盾片和小盾片。

足通常短，胫节具 1 对粗的端距，跗节 5 节，其侧面和腹面具刺状毛，第 5 跗节较长。爪 1 对，爪间有时具 2-4 根长刚毛，如同爪间突。

翅 (图版Ⅴ：3, 4)：翅的形状有丰富的多样性，有长椭圆形、三角形、足形、细柄形等。前翅多长于后翅，有些属前翅臀区向外突出形成一个腋角 (axillary or anal angle)，腋角钝圆或细而尖，后翅无腋角。翅痣一般呈梯形或三角形，其内具数量不等的横脉。Sc 脉与 R 脉在翅痣下汇合，向后延伸至翅后缘，由 Sc+R 分出的翅顶端区域称端区 (apical area)，端区小室的排数是重要的分类特征。翅膜透明或具色斑。脉上常有稀疏的短毛。

脉序是蝶角蛉科重要的分类特征。从翅基发出的主纵脉有 6 条，从前向后依次为 Sc、R、M、CuA、CuP 和 A。Sc 脉与 R 脉在翅痣下汇合成 Sc+R，向后弯曲，到达翅后缘。R 脉多在翅中部以前分出 Rs，Rs 再经多次分支达到翅的外缘，Rs 分支的区域称 Rs 区，Rs 区分几支是重要的分类特征。M 脉多与 CuA1 平行伸达翅的外缘。CuA 在翅中部以内分为 2 支，前支为 CuA1，后支为 CuA2。CuA1 与 CuA2 之间的区域称 Cu 区。Cu 区具多排翅室，翅室的排数是重要的分类特征。前翅的 CuP 从基部发出，常与 CuA2 在近翅后缘处汇合，有时 CuP 不与 CuA2 汇合，直接伸达翅后缘。美洲的 Ululodini 后翅的 CuA2 不显著。A 脉变化较多，有时与 CuP 合并一段。蝶角蛉脉序有若干种命名法，本卷的脉序名称参考王心丽 (2003)《蚁蛉科脉序名称研究》，对以前蝶角蛉脉序名称进行了修订，提出的这套脉序命名法特点是前后翅主干脉名称相同 (Sun & Wang, 2006)。表 3 为 3 种脉序名称对比。

表 3 蝶角蛉翅脉主干名称对比

Tab. 3 Comparison of main longitudinal veins name of Ascalaphidae

翅基发出的纵脉	Sun & Wang, 2006		Tjeder, 1992		New, 1984	
	前翅	后翅	前翅	后翅	前翅	后翅
第 1 条	Sc	Sc	Sc	Sc	Sc	Sc
第 2 条	R	R	R	R	R_1	R_1
第 3 条	M	M	M	M	MP	MP_1
第 4 条	CuA	CuA	Cu_1	Cu_1	CuA	MP_2
第 5 条	CuP	CuP	Cu_2	Cu_2	CuP	CuA
第 6 条	A	A	1A	1A	1A	CuP+1A

腹部：腹部为 10 节。第 1-2 腹节较短，第 3-7 节较长。雌性第 8 节显著短于第 7 节，背板向下延伸，气门位于背侧片上。雄性第 8 节约与第 7 节等长，气门位于侧膜上。具有雌雄两型现象的物种，雄性腹部多细长，雌性腹部较短粗。

雄性生殖器 (图版Ⅳ：1, 2, 4, 5)：包括肛上片、生殖弧、阳基侧突、盾状片和垫突 5 个主要部分 (表 4)。

表 4 雄性生殖器结构名称

Tab. 4 Morphological terms of male genitalia

中文	英文	缩写
肛上片	ectoproct	ep
生殖弧	gonarcus	ga
阳基侧突	paramere	pa
盾状板	pelta	plt
垫突	pulvini	pv
生殖毛	gonosetae	gs

肛上片 (ectoproct)：即第 10 背板，分为两片。雄性肛上片常有各种特化：短尾突形，如 *Acheron*；长尾突形，如 *Ascalohybris*；带旁支的长尾形，如 *Bubopsis*；有些是简单的片状，如 *Protidricerus elwesii*；有些在下方有一个毛突，如 *Protacheron philippinensis*；有些种肛上片下方形成指状突，如 *Maezous jianfanglinganus*。

生殖弧 (gonarcus)：一般隐藏在第 9 腹板内侧，多为宽拱形，也有各种特化。

阳基侧突 (paramere)：多与生殖弧形成 1 个复合体，位于生殖弧两侧端部。有时与生殖弧以膜相连。

盾状板 (pelta)：在阳基侧突之间，1 个直立的骨片，中部具毛，有不同的形状。有些属无盾状板。

垫突 (pulvinus)：在生殖弧的两侧各有 1 个突起称垫突。常为袋状、瘤状或指状。垫突上较粗的长刚毛称生殖毛 (gonosetae)。有些种垫突色浅，较小，不显著。

第 9 腹板 (9th sternite)：有些为简单的片状，有些后缘中部像后突伸到肛上片下方，有些中部凹陷，形成两个瓣。

雌性生殖器 (图版Ⅳ：3, 6)：主要由腹瓣、内齿、舌片、端瓣及肛上片构成 (表 5)。

腹瓣 (ventrovalvae)：第 8 腹板分为 2 片，形成 1 对腹瓣，中间由膜相连，通常为亚三角形，其上多刚毛。

内齿 (interdens)：在两个腹瓣之间 1 个向下直立的齿形小骨片称内齿。

舌片 (linguella)：腹瓣后面 1 个或 1 对弱骨化的长片结构，多为舌状。

端瓣 (distivalvae)：由第 9 腹板形成的 1 对瓣状构造，通常紧挨着舌片，圆形或长片状，在 Allocormodini 中为圆柱状。

肛上片 (ectoproct)：即第 10 背板，分为 2 片，通常为长片状。有些属肛上片在腹面略延长。雌性肛上片的变化小于雄性。

表 5　雌性生殖器结构名称

Tab. 5　Morphological terms of females genitalia

中文	英文	缩写
端瓣	distivalvae	dv
内齿	interdens	id
舌片	linguella	lg
腹瓣	ventrovalvae	vv

2. 蛹形态特征

茧圆形，双层，外层常混杂小谷粒、小石子、叶片、地衣等 (Tjeder, 1992)。

根据 Henry (1977) 对 *Ululodes mexicana* 蛹的描述，蛹的复眼大，上颚强骨化，有缘齿，复眼内侧的触角向后盘绕在复眼边上，顶端朝向腹面。

3. 幼虫形态特征 (图 1：b)

1 龄幼虫体扁平，2 龄和 3 龄幼虫体背面隆起。

头部：强烈骨化，方形，后缘中部向前深凹，前缘中部向后浅凹。头部在 1 龄期约占体长的 1/2，随龄期的增加头部占体长的比例减小，至 3 龄时，头部约占体长的 1/4。触角短，丝状多节，柄节圆柱状，梗节不明显，鞭节极细。头前方两侧具 1 对眼突，每个眼突上有 7 个小眼。上唇宽，中部微凹。下唇须 3 节，外咽缝 (gular line) 有时很长，伸达头的后缘。双吸式口器，下颚镶嵌在上颚腹面的凹槽中形成吸管，上颚端部向内弯曲，中部有齿状突。

胸部：前胸较窄，由短环状的颈部、盾片和小盾片构成。1 对气门着生在侧板上。中胸短而宽，背板多纵向分为 2 块或为完整的 1 块。侧缘具 2 对刺枝 (scolus)，通常前面的刺枝长于后面的刺枝。有些种仅有 1 对退化的刺枝或无刺枝。刺枝的长短、形状在不同种中有变化。后胸与中胸相似，侧缘具 2 对刺枝，后 1 对刺枝常较退化，有些种腹面具第 3 对刺枝。

3 对胸足。足分为基节、转节、腿节、胫节和跗节，基节宽大，跗节为 1 节，爪细小。胫节无端距，爪无中垫。后足胫节与跗节合并，有时 1 龄幼虫前、中足的胫节与跗节合并。

腹部：共 10 节，前端与胸等宽，后面的节逐渐变窄，有些种第 3 和 4 节最宽。第 1-8 节宽大于长，第 9 节延长。第 10 节呈管状，藏于第 9 节内，围绕后肠形成吐丝器。

背板具毛瘤或乳突。第 1-8 节体侧各有 1 对背刺枝 (dorsal scolus)，其形状有扁平形、圆柱形或圆锥形。有些种刺枝退化或消失。有时第 2-8 节或 3-8 节还有后生的背刺枝 (addition dorsal scolus)，也称次生刺枝 (secondary scolus)。有些种第 1-7 节具第 3 对刺枝，位于初生刺枝的后面。有时刺枝位于背刺枝的下面称腹刺枝 (ventral scolus)，腹刺枝的数量常有变化。第 9 腹节无刺枝。第 1-8 腹节各有 1 对气门，位于侧板上。

顶饰毛：蝶角蛉幼虫的头、体躯和足上均有一些粗毛 (macrotrichia)，其顶端开叉或形成各种形状，这类顶端特化的毛称为顶饰毛 (dolichaster)。Withycombe (1925b) 描述了一种顶饰毛为喇叭状 (trumpet-shaped)，Henry (1976) 描述了更多形状的顶饰毛，有棍棒状、高脚杯状、鳞状、羽毛状和顶端星状。有些蝶角蛉幼虫顶饰毛的端部具 2-3 个小齿。据 Withycombe (1925a) 报道，南非一种树栖蝶角蛉幼虫 *Tmesibasis* sp.及美国的完眼蝶角蛉亚科 2 种蝶角蛉 *Ascalobyas albistigma* 和 *Ascaloptynx furciger* 地面生活的 2-3 龄幼虫，其背部的顶饰毛颜色含糊不清，极似栖息地的颜色。Henry (1977) 认为，这些幼虫正是用顶饰毛形成保护色，隐蔽自己。顶饰毛是否还有其他功能有待进一步研究。Tjeder (1992) 认为顶饰毛可以作为幼虫重要的分类特征，但至今尚无人应用其进行分类。

4. 卵形态特征

通常为卵圆形、椭圆形、长椭圆形、圆柱形，白色 (灰白色、纯白色)、浅黄色、深褐色。雌性在不同批次产的卵，其数量和大小变化非常明显。卵的数量多数为 40-80 粒。在完眼蝶角蛉亚科中，目前发现最大的卵为 2.30 mm×1.25 mm。在裂眼蝶角蛉亚科中，卵最大为 2.0 mm×1.0 mm。卵的两端各有 1 个卵孔，比卵壳的颜色浅，有的卵孔略凸出如手柄。卵壳光滑。

(三) 蝶蛉科形态特征

1. 成虫形态特征

头部短小，复眼大，无单眼。触角短，线状或念珠状，短于前翅长的 1/2。咀嚼式口器，上颚发达，端部尖，中部有齿，有时左右不对称；下颚须 5 节，下唇须 3 节。前胸短而窄，中胸背板宽大，分为前盾片 (前方 1 块)、盾片 (中央 2 块) 和小盾片 (后方 1 块)，后胸背板稍小。足细而短，前足基节很长，各足胫节均有 1 对短的端距。跗节 5 节，爪弯而尖，中垫宽而弱。翅宽阔似蛾蝶的翅形，后翅比前翅窄小，翅膜上多微毛，翅缘和纵脉上有时毛较长。翅具缘饰 (位于翅边缘，翅脉间的毛点)，无翅痣，Sc、R_1、Rs 平行至翅痣下方称中肋 (vena triplica)，中肋两侧密布斜的、相互平行的脉，阶脉 (gradate series) 2-3 组 [内阶脉组 (internal gradate series)，中阶脉组 (middle gradate series)，外阶脉组 (terminal gradate series)]，前缘区有 1 组纵向排列的阶脉 [前缘阶脉组 (costal gradate series)]，常与外阶脉组相连 (图版Ⅴ：1)。腹部短小，气门 8 对，前 7 对位于侧膜上，第 8 对位于背侧片上。雌性腹末端呈球状，雄性腹末端细。

2. 蛹形态特征

蛹在茧内，形态不明。茧双层，外层疏松，内层细密。

3. 幼虫形态特征 (图 1：c)

头大，约占体长的 1/3。头前端两侧各有 2 个小眼，双刺吸式口器，上颚发达前伸，弯刀形相对。触角线状，约与上颚等长。前胸较宽，中、后胸较窄，3 对步行足，跗节 1

节，爪 1 对。腹部约与胸部等长或略长，前端与胸等宽，向后渐渐变细。

4. 卵形态特征

卵圆形。

(四) 旌蛉科形态特征

1. 成虫形态特征 (图版Ⅴ：2)

头较小，复眼位于两侧，发达，无单眼。口器突伸为喙状。触角多为丝状，短或长，Crucinae 和 Nemopterinae 中的 *Derhynchia* 触角端部加宽；上颚不发达，下颚与喙延长。前胸背板小，多为宽大于长，中胸背板宽大，分为前盾片 (前方 1 块)、盾片 (中央 2 块) 和小盾片 (后方 1 块)，后胸短于中胸的 1/2。3 对步行足，跗节 5 节，爪 1 对。前翅狭长或宽阔，7-35 mm，Sc 与 R_1 脉平行至翅痣下方，Rs 分叉主支上斜向分出 5-7 条次支，M 与 CuA1 平行至翅外缘，CuA2 外侧的脉多斜向分出，CuA2 与 CuP 逐渐靠近，有些在到达翅缘前汇合。后翅长，19-90 mm，飘带形，有时在末端局部加宽，加宽部分有斜脉。腹部细，长于胸部。雌雄两性第 8 节气门均在侧膜上，但雄性第 8 腹板 (8th sternite) 几乎与第 8 背板 (8th tergite) 等大，而雌性第 8 腹板明显小于第 8 背板 (Sziráki, 2011；Aspöck *et al.*, 1980)。

2. 蛹形态特征

不明。

3. 幼虫形态特征 (图 1：d)

头大，横阔，三角形或长方形。头前缘两侧各有 1 组小眼，触角线状，10-12 节，着生在小眼组内侧。双刺吸式口器，上颚发达前伸，弯刀形相对，内侧面有 1 个或 1 列齿，下唇须 2-3 节。前胸与头部之间有 1 个显著的颈部，方形、圆形或长方形，前胸窄，长大于宽；中胸突然加宽，长短于宽；后胸长短于宽。3 对步行足，跗节 1 节，爪 1 对。腹部前方较宽，末节窄如前胸，或比前胸更窄。

4. 卵形态特征

不明。

三、区系分析

(一) 蚁蛉科区系分析

蚁蛉科中亮翅蚁蛉亚科 Stilbopteryginae 仅分布于澳大利亚。须蚁蛉亚科 Palparinae 主要分布在非洲、西亚和南亚，欧洲仅有 1 种，中国目前仅发现 1 种：中华长须蚁蛉

Palpares sinicus Yang, 1986。

蚁蛉亚科 Myrmeleontinae 分 10 族 (Stange, 2004)，Maulini 仅分布于南非，Lemolemini 仅分布在南美洲，Brachynemurini 仅分布在西半球，Gnopholeontini 仅分布于新北界，Myrmecaelurini 分布在古北界和非洲，Nesoleontini 仅澳大利亚没有分布，Dendroleontini 仅南美洲尚未发现，Acanthaclisini、Myrmeleontini 和 Nemoleontini 为全球分布。中国目前已发现 2 亚科 (Palparinae 和 Myrmeleontinae)，其中 Myrmeleontinae 分布在中国的有 6 族：Dendroleontini、Nemoleontini、Myrmecaelurini、Nesoleontini、Myrmeleontini 和 Acanthaclisini (表 6)。

表 6　蚁蛉亚科 Myrmeleontinae 族的分布表

Tab. 6　Tribes distribution of Myrmeleontinae

	古北界	新北界	东洋界	非洲界	新热带界	澳洲界
Maulini				●		
Dendroleontini*	●	●	●	●		●
Nemoleontini*	●	●	●	●	●	●
Brachynemurini		●			●	
Gnopholeontini		●				
Lemolemini					●	
Myrmecaelurini*	●			●		
Nesoleontini*	●	●	●	●	●	
Myrmeleontini*	●	●	●	●	●	●
Acanthaclisini*	●	●	●	●	●	●
族合计	6	7	5	7	6	4

注：●表示有分布；* 表示中国有分布

(二) 蝶角蛉科区系分析

蝶角蛉主要分布在热带和亚热带，少数种类分布在温带，北纬 30°-50°分布着的蝶角蛉原始种类，它们大多数也在热带被发现 (表 7) (Weele,1908)。

表 7　蝶角蛉科 Ascalaphidae 亚科分布表

Tab. 7　Subfamilies distribution of Ascalaphidae

亚科	古北界	新北界	东洋界	非洲界	新热带界	澳洲界
Albardiinae					●	
Haplogleniinae	●	●	●	●	●	
Ascalaphinae	●	●	●	●	●	●

注：●表示有分布

蝶角蛉 3 亚科中，短角蝶角蛉亚科 Albardiinae 仅分布在南美洲，完眼蝶角蛉亚科 Haplogleniinae 澳大利亚没有分布，非洲属种最丰富，马达加斯加有着丰富的特有属种，它们大约占了非洲属种的一半，美洲的热带和亚热带地区完眼蝶角蛉属种丰富，亚洲的西亚地区完眼蝶角蛉属种较丰富，欧洲的完眼蝶角蛉目前仅发现 1 属 1 种：*Ascaloptynx oligocenica* Nel, 1991，分布在法国 (表 8)。裂眼蝶角蛉亚科 Ascalaphinae 全球分布 (表 9)。

表 8　完眼蝶角蛉亚科 Haplogleniinae 分布数量统计表

Tab. 8　Distribution statistics of Haplogleniinae

	古北界	新北界	东洋界	非洲界	新热带界	澳洲界
属数量	7	6	2	17	5	0
种数量	15	13	12	50	22	0

表 9　裂眼蝶角蛉亚科 Ascalaphinae 分布数量统计表

Tab. 9　Distribution statistics of Ascalaphinae

	古北界	新北界	东洋界	非洲界	新热带界	澳洲界
属数量	7	3	16	31	4	15
种数量	34	25	82	111	45	39

(三) 蝶蛉科区系分析

蝶蛉科很小，世界已知现生的蝶蛉 6 属 26 种 (表 10)。古北界、新北界和新热带界未发现蝶蛉，蝶蛉物种最多的是澳洲界 13 种，其次是非洲界 8 种，最少的是东洋界 5 种。蝶蛉科化石目前已发现 3 属 5 种，其中 *Propsychopsis* 有 3 种在欧洲被发现，*Beipiaopsychops* 的 1 种和 *Sinopsychops* 的 1 种分布在中国。

表 10　蝶蛉科 Psychopsidae 现生物种分布数量统计表

Tab. 10　Distribution statistics of Psychopsidae

	古北界	新北界	东洋界	非洲界	新热带界	澳洲界
Balmes			5 种			
Cabralis				1 种		
Megapsychops						1 种
Psychopsis						12 种
Silveira				4 种		
Zygophlebius				3 种		
	0	0	1 属 5 种	3 属 8 种	0	2 属 13 种

(四) 旌蛉科区系分析

旌蛉科分布在地中海、西亚、印度、非洲、澳大利亚和南美。北美洲只发现了化石旌蛉。西亚和南非种类最丰富，欧洲仅有 5 种，分布在伊比利亚半岛上 (Aspöck *et al.*, 1980)。中国目前仅发现 1 种：中华旌蛉 *Nemopistha sinica* Yang, 1986，分布在云南。

四、生 物 学

(一) 蚁蛉科生物学

蚁蛉科属于完全变态类昆虫，其发育过程经历卵、幼虫、蛹和成虫 4 个阶段。

1. 生活世代

自然界中蚁蛉不同的属种间完成一代的时间有很大差别，个体大的物种完成一代需要 2-3 年，如闪烁哈蚁蛉 *Hagenomyia micans*，个体小的物种完成一代需要 1-2 年，如泛蚁蛉 *Myrmeleon formicarius*、钩臀蚁蛉 *Myrmeleon bore*。即使同一物种同一批孵化的幼虫，完成生长发育所需时间也会出现大的差异，这种差别是由种的遗传特性和环境条件交互影响而形成的。在人工饲养条件下，满足食物、光照和温度的条件，钩臀蚁蛉 *Myrmeleon bore* 可以在一年内完成 3 个世代 (周汉辉和杨集昆, 2000)。

2. 产卵

幼虫在沙地栖息的蚁蛉类群，卵多产在沙土中，如 *Myrmeleon bore*。也有些蚁蛉将卵产在沙地表面、植物体上或岩石上 (Stange *et al.*, 2003)，一般成虫选择的产卵生境与蚁蛉幼虫的生境一致。日本分布的 *Gatzara jezoensis* 与我国台湾分布的 *Gatzara petrophila* 的幼虫生活在裸岩上，它们的卵也产在这样的生境中。

Euroleon nostras 在沙中产卵，Piotrowski (1969) 观察到 *Euroleon nostras* 成虫的卵巢中有 70 粒未完全成熟的卵，一周最多产 11 粒卵，两次产卵间隔 1-2 周 (Gepp & Hölzel, 1989)。然而同样有着在沙中产卵习性的 *Myrmeleon bore* 成虫却可以在 30cm^2 的方形范围内，5 min 产卵 10 次 (周汉辉和杨集昆, 2000)。

周汉辉和杨集昆 (2000) 描述了 *Myrmeleon bore* 的产卵过程："成虫在晚上 8 时多开始飞到沙面上产卵，它腹部向下弯曲，腹端弯向沙面轻轻地突刺，逐渐插入沙中，同时双翅微微地上下颤动，持续 4-5 min，产卵深度约 1 cm，然后离开另换地方产卵。"对 *Myrmeleon bore* 雌性的解剖结果显示，其总卵量为 200 粒左右。

Stange 等 (2003) 观察到我国台湾的蚁蛉多将卵产在地表面，雌性将腹部伸进沙土中，只是在探测沙的成分和深度，探测后将卵产在地表，然后用生殖突敲击地面，扬起沙尘，让沙尘落在具有黏液的卵壳上，形成保护层。卵被沙粒包被，不易暴露。他还观察到，在岩石表面产卵的物种，雌性在产卵前，会用生殖突上的挖掘毛清理产卵位置的杂物。还有一些蚁蛉，如分布在美国的 *Psammoleon*，雌性用腹部末端将卵弹出几英尺 (1 英尺=0.3048 m) 远。

3. 幼虫期

蚁蛉幼虫称为蚁狮。幼虫有 3 个龄期，其时间的长短取决于捕到的食物及生境条件。

生境：有做穴习性的幼虫生境分两类，一类是有掩挡物的，以石头或植物作遮挡物，遮挡住阳光和雨水，如山洞内、洞口、路边或河床的探头石 (即突出的石头) 下、屋檐下、石凳下等上面有遮挡物、下面土质较疏松的地方。另一类是无遮挡物的，如沙滩、河滩、海滩等，这类生境的特点是水很容易下渗，不易长时间积水。Stange 等 (2003) 观察到，有些栖息地会同时居住数种蚁蛉，但每个物种各自形成自己的群落。

不做穴的蚁蛉幼虫有关记载较少，*Gatzara* 幼虫生活在裸岩上，以青苔作伪装 (Stange *et al.*, 2003)。New (1985) 记述在澳大利亚的蚁蛉物种中做穴的仅占少数，多数澳大利亚的蚁蛉幼虫生活在树基部疏松的落叶下，洞内、悬起的石头下、疏松的沙地上，但不做穴，少数生活在树皮下。树蚁蛉族的一些种生活在树洞中或突岩下方等很小的生境中。蚁蛉属 *Myrmeleon* 有几种居住在洞穴地面的蝙蝠粪或树洞的碎叶片中。

捕食：蚁蛉幼虫均为捕食性。其捕食方法非常独特，不是主动寻找目标，捕捉猎物，而是隐蔽潜伏、被动等候猎物。有关做穴蚁蛉的报道很多，蚁狮通常潜伏在自己建造的漏斗形或其他形状的陷阱中，当猎物经过或落入陷阱时，迅速将其捕获。如果猎物反抗挣脱，它们还会抛掷沙粒击打猎物。捕到猎物后，将双捕吸式口器插入猎物体内，注入毒液，使其麻痹，采用体外消化的方式吸取食物，吸食后将猎物残体抛出陷阱。有些蚁狮不建造陷阱，只是潜伏于地表隐蔽物下，如藏在沙子下，当猎物经过，突然出击。还有一些蚁狮生活在地衣或树皮上，它们的身体上没有遮盖物，只是凭借很好的保护色，静静地等候猎物出现。有些生活于树洞或探头石下方的蚁狮，很少移动甚至完全不活动，有人推测它们是靠胸背板特化的刚毛簇附着一些杂物团引诱猎物的 (Stange *et al.*, 2003)。Mansell 认为，蚁狮的捕猎方式可能是这样的进化途径：最初只是藏于地表隐蔽物下“拦路抢劫”，然后进化到藏在沙土表层下，利用沙土作掩护，发起对猎物的攻击；最后发展到建造陷阱，改造陷阱，取得更好的捕猎战果 (周汉辉和杨集昆, 2000)。

食性：蚁狮的名字会让人误以为它们最喜欢捕食蚂蚁，其实蚁狮被动的捕猎行为决定了它们不可能对食物有太多的挑剔，只要能捕获得住的小动物，都可以成为它们的食物。周汉辉和杨集昆 (2003) 统计蚁狮的食物包括昆虫 12 个目，还有蜘蛛纲、甲壳纲、重足纲和唇足纲等多种节肢动物。有些物种偶尔也会食花粉。

4. 结茧与化蛹

幼虫完成营养生长后，不再取食，准备化蛹。化蛹前它们要先吐丝作茧，末龄幼虫的尾部伸出一个细长的纺织突，随着纺织突的左右摇摆，细丝被不断挤出，并织成球形网，球形网粘着了沙土或沙粒形成球形沙茧，老熟幼虫就隐蔽在其中。那些不生活在沙土中的幼虫，如何作茧尚未见报道。

完成作茧的老熟幼虫，在茧内静卧休息几天后，化为裸蛹。蛹期为 3-5 周 (Stange *et*

al., 2003)。

5. 羽化和成虫习性

羽化前裸蛹首先要把茧咬破一个口，从茧中钻出，此时裸蛹并未蜕去蛹壳，停息一段时间后，蛹将皮蜕掉，完成羽化。有些物种蛹皮就留在茧的破口处。初羽化的成虫爬上周围低矮的植物，慢慢舒展开双翅和身体的其他部分。一些种羽化发生在前半夜 (如日本的一些种)，另一些种羽化发生在后半夜，如 *Myrmeleon bore*。

身体舒展开的成虫，随即排出一大粒粪便，粪便呈长椭圆形，质地密而硬，表面灰褐色而略带光泽。由于蚁蛉幼虫是体外消化的进食方式，不能在消化道内消化的残渣很少，而且消化道末端特化成纺织突，失去了排泄粪便的功能，因此，蚁蛉在整个幼虫期不排便，这次排便是整个幼虫期排泄物的积累。蚁蛉有的要经历 2-3 年才排一次便，因此，这次排便称为宿便 (meconium) (周汉辉和杨集昆, 2000)。

羽化的成虫白天停息在植物的枝条上，只有触角轻微地摆动。傍晚后它们才开始活动。成虫是夜行昆虫，并有趋光性。

食性：成虫需要一定的营养补充，才能完成卵的发育。Stange (1970a) 通过对 21 种野外采集的蚁蛉成虫进行解剖，得到以下结果：7 种胫节没有距的种类，有一种取食蚜虫，一种消化道内含有花粉，其他 5 种则在消化道内找到各种小昆虫的混杂物。有胫端距的 14 种中，除 1 种取食花粉外，13 种成虫消化道的内含物有：小型蝇类、蝽类、小蛾类、寄生蜂、小甲虫、鳞翅目幼虫等的残骸。这说明蚁蛉成虫也像幼虫一样，以肉食性为主，少数种类取食花粉。田国华 (2003) 报道，在我国内蒙古呼伦贝尔发现蚁蛉成虫夜间捕食柞蚕幼虫，使养蚕业受到严重影响。

求偶：Eltringham (1926)发现一些蚁蛉仅仅雄性带有可以被人闻到的特殊气味，他认为这种气味是由蚁蛉雄性特有的结构“轭坠”产生的。Elofsson 和 Löfqvist (1974) 发现轭坠并不产生信息素，信息素是第一腹节两侧的凹陷产生的。蚁蛉静止时，翅合拢呈屋脊状，后翅基部的轭坠正好嵌合在这个凹陷内，轭坠表面便携带了信息素。当展翅飞行时，轭坠暴露，便在空气中释放出信息素，吸引雌性。因为蚁蛉的求偶交配行为均发生在夜晚，所以，有关记录很少。轭坠只在部分物种中存在，大多数蚁蛉求偶行为尚不清楚。我们发现蚁蛉雄性除轭坠外，还有一些其他的第二性征，如腹部的毛刷、腹部背板上的腺体等。有些种腹部的毛刷可以收缩，如 *Acanthaclisis pallida* 的雄性，当毛刷全部伸出时很大，犹如毛笔头，然而很多标本的这对毛刷缩入体内，只露出很少一点。我们推测毛刷很可能与蚁蛉的求偶行为有关。Gepp 和 Hölzel (1989) 也做过这样的推测。

交配方式：周汉辉和杨集昆 (2000) 观察到 *Myrmeleon bore* 的交尾时间是晚上 10-11 时，每次交尾延续 20 min 至半小时。其姿势是雌性依附在下垂的物体上，尾端朝下，雄性尾端与雌性尾端相接，交尾时雄性倒悬于雌性下端。

6. 天敌

蚁蛉捕食性天敌包括鸟、鸡、蛙类等 (周汉辉和杨集昆, 2000)。据 Stange 等 (2003) 的记述，攻击蚁蛉幼虫的昆虫有：双翅目虻科 Tabanidae *Scaptia* 的幼虫、剑虻科 Therevidae

幼虫和食虫虻 Asilidae 成虫；蚁蛉幼虫具有同类相食的习性，有些蚁蛉幼虫 (如 *Vella americana*) 在沙中专门捕食其他蚁蛉幼虫。捕食蚁蛉成虫的昆虫目前只报道了膜翅目泥蜂科 Sphecidae *Bembix*，此外，某些蚁蛉成虫会成为其他物种蚁蛉的天敌，如 Stange (1970a) 记述 *Eremoleon* 蚁蛉成虫捕食其他蚁蛉；蜘蛛也会捕食蚁蛉成虫。

蚁蛉寄生性天敌包括：双翅目蜂虻科 Bombyliidae，膜翅目小蜂科 Chalcididae 和姬蜂科 Ichneumonidae 的一些种类。寄生性天敌主要以蚁蛉的幼虫和蛹作为寄生对象。另外，棘蚁蛉属 *Acanthaclisis* 的虫体上，还分离出一种原生动物 (*Actinocepalus acanthaclisis* Margues & Ormieres) (Stange *et al.*, 2003)。

(二) 蝶角蛉科生物学

1. 生活世代

幼虫通常有 3 龄，南美的 *Ululodes mexicana* 和 *Ascaloptynx furciger* 在实验室内一年完成 2 个世代，*Libelloides* 的种发育时间较长，2 年才能完成一个世代 (Tjeder, 1992)。

2. 产卵

产于不同地方的卵块形态不同。产在突出物的下方和岩石上的卵块为不规则形，产在小枝的端部、草上或植物细秆上的卵块为双行排列，产在叶子上的卵块为单行排列，还有些卵块环绕死树枝紧密排列。

卵孵化前颜色变深。幼虫孵化时没有破卵器，卵沿着卵帽的边缘裂开。

卵杆体 (repagula) 是蝶角蛉雌性伴随卵产下的一种特殊物质，也称败育卵 (abortive egg)。卵杆体多产于卵块下方，紧挨卵块或与卵块有一定距离。卵杆体有些形状与正常卵相同，有些则与正常卵有明显的区别。*Ululodes* 的卵杆体呈杆状或哑铃状，其外表红褐色且发亮，没有卵孔，卵杆体外有一种发光的液体，这种液体在卵杆体产出之后 3-4 周不凝固也不蒸发。*Ascaloptynx* 和 *Ascalobyas* 的卵杆体很小，和卵一样具有卵孔，外面没有液体包被 (Henry, 1972, 1978a, 1978b)。

New (1971) 研究了卵杆体，认为卵杆体是由变形的卵巢管 (modified ovariole) 产生的类似卵的物质，不能孵化为幼虫。据 Guilding (1827) 报道，卵杆体有预防卵被天敌捕食的功能，有些卵杆体是初孵化幼虫的第一顿食物 (Henry, 1972)。

至今蝶角蛉的卵杆体仅在美洲被发现，发现卵杆体的类群有：完眼蝶角蛉亚科的 *Ascalobyas*、*Amoea* 和 *Ascaloptynx* 和裂眼蝶角蛉亚科的 *Ululodes*、*Cordulecerus*、*Ameropterus* 和 *Ascalorphne*。美洲以外的地区尚未发现蝶角蛉产下卵杆体的现象。

3. 幼虫期

栖息地：刚孵化出来的幼虫在孵化的地方聚集一段时间，然后分散。有的幼虫生活在地面的落叶或干草中；有的仍然待在它们孵化的树上或灌木上，在树叶上、苔藓里、茎干的裂缝里或者死树的树皮下生活，还有的隐藏在圆形木材、石块下面，或在突出物的下面捕捉进入领地的昆虫。

伪装：大多数地面生活的种类有用沙子、尘土粒、叶子或残骸碎片堆积在自己背上作伪装的习性，它们用颚和前足把碎物抛到背上 (Wheeler, 1930；Henry, 1977)。但美国两种地面生活的幼虫 *Ascalobyas albistigma* 和 *Ascaloptynx furciger* 及树栖的蝶角蛉幼虫均无堆积碎物的习性，它们依靠顶饰毛进行伪装。

食性：蝶角蛉幼虫均为捕食性。Someren (1925) 对内罗毕的一种蝶角蛉幼虫 *Allocormodes* sp.进行了食性的试验观察，发现这种蝶角蛉幼虫的食物包括双翅目的水虻科 Stratiomyidae、蝇科 Muscidae、花蝇科 Anthomyiidae 和寄蝇科 Tachinidae，蜚蠊目的 *Phyllodromia germanica*，直翅目的蝗科 Acrididae 和蟋蟀科 Gryllidae，以及体表光滑的蝶类幼虫 *Papilio dardanus* 和 *Artitropa* sp.；它们拒食脉翅目的昆虫，也不食蚜虫、蜡蝉、具难闻气味的蝽类、芫菁，以及体上被有鳞片或刺突、刚毛的虫体。

北美的两种幼虫 *Ululodes mexicana* 和 *Ascaloptynx furciger* 不主动去寻找食物，它们静止不动，张开大颚等待食物；只要一种合适的食物接触它们的体躯，它们的大颚马上合拢捕抓食物。巴西的蝶角蛉幼虫具有在它们附近主动寻找食物的习性 (Penny, 1981a)。

蝶角蛉幼虫捕捉猎物时，先将大颚的端部刺入猎物，随之注入毒液，有时在 3 s 内就能使猎物麻痹。Henry (1977) 认为毒液可能是由中肠分泌，而不是由头部特殊的毒腺产生的。由于毒液的麻痹作用，蝶角蛉幼虫可以捕食比自己大且重的食物，扁平的体躯和扩展的刺枝可以帮助幼虫在捕食大的猎物时保持体躯的稳定，在进食的过程中，有些幼虫还会前后打量捕到的猎物，以便从其他可能的部位再次吸食猎物。

天敌：关于蝶角蛉的天敌尚无报道。Tjeder (1992) 推测小蜂等寄生蜂和寄生蝇可能寄生蝶角蛉幼虫。

龄期：蝶角蛉科幼虫一般为 3 龄，只有一头被描述过 4 龄 (Zaki, 1917)。有关研究较少，幼虫各龄期长短因环境差异变化较大。以下是 5 种蝶角蛉在实验室饲养条件下的龄期观察记录 (表 11)。

有幼虫期观察记录的 5 种中，幼虫发育完成之后只有 2 种 *Ululodes mexicana* 和 Sri Lankan species (该种未定名) 直接化蛹 (表 11)，Tjeder (1992) 推测这 2 个种可能一年发生 2 代。

表 11 幼虫平均龄期

Tab. 11 The average duration of the larva

研究人	种名	幼虫分布地	幼虫的平均龄期 (天)			注释
			1 龄	2 龄	3 龄	
Henry (1977)	*Ululodes mexicana*	美国	35	25	30	3 天后化蛹
Henry (1977)	*Ascaloptynx furciger*	美国	34	32	30	没有化蛹
Westwood (1888)	Sri Lankan species	斯里兰卡	7	13	14	4 天后化蛹
Ghosh (1913)	*Ascalaphus dicax*	印度	54	215	23	在 2 龄越冬
Rousset (1973)	*Libelloides* sp.	法国南部	60	195	?	没有化蛹

完成了幼虫发育的种 *Ascaloptynx furciger* 没有化蛹 (Henry, 1977)，好像是进入了滞育期，也可能是越冬。

4. 化蛹

结茧：当蝶角蛉幼虫准备化蛹时，首先选择适合的地方，在地面、树皮的裂缝中或在矮草的枝杈上结茧。织茧时，吐丝器通过肛门挤出液体，该液体在接触空气后马上凝固成丝。结茧开始时，幼虫腹部前后移动，茧被粘在一个固体上，底部呈杯状。茧为双层，里层是幼虫织的浓密的丝袋，外层是石块、树叶、苔藓等小颗粒或碎片。茧表面粗糙。结茧过程需要 16-24 h (Henry, 1977)。

化蛹：幼虫吐丝结茧停止标志着预蛹期的开始，预蛹期为 9-10 天。

蛹具强烈骨化的大颚，大颚中部具齿。触角折叠在复眼的后面。Tjeder (1992) 提到，Withycombe (1925a) 描述的一种蝶角蛉 *Libelloides* sp.蛹的触角很短，没有明显的膨大部分。

带有齿的颚在羽化时用于切开茧，以便顺利羽化。Ghosh (1913) 曾观察到这种切割行为。Someren (1925) 观察了一只肯尼亚的蝶角蛉蛹羽化的过程，发现茧被咬开一个口。Henry (1977) 观察了 *Ululodes* 空的茧，其破裂口呈锯齿状。

不同种蛹期的长短有明显的差异，同一种也因气候和环境不同而有差异。Westwood (1888) 提到斯里兰卡的一个种，蛹期只有 14 天，Ghosh (1913) 观察印度的一种蝶角蛉 *Helicomitus dicax* 蛹期大约 17 天。Gravely 和 Maulik (1911)记录了印度孟买的一种蝶角蛉 *Pseudoptynx* sp.蛹期为 15 天。Henry (1977) 研究了美国一种蝶角蛉 *Ululodes mexicana* 大约 80 个蛹，在温度为 26-28℃时，蛹期平均为 18 天。Someren (1925) 研究过一种非洲蝶角蛉 *Allocormodes* sp.，观察其蛹期为 52 天。Froggatt (1902) 报道了澳大利亚的一个种 *Acmonotus sabulosus*，其蛹期为 3 个月。

5. 成虫期

日出型：这些种在白天飞行、取食、交配，并且在太阳落山前寻找晚上休息的地方。它们停在草秆上，头朝上，翅平展或向上直立。

日出型主要为裂眼蝶角蛉亚科 Ascalaphinae 的种类，如古北界 *Libelloides* 中的一些种和 *Phalascusa pardalis*，以及南美洲分布在亚马孙河上游的 *Haploglenius*。Henry (1977) 总结了一些属于日出型的种类：裂眼蝶角蛉亚科有 *Puer*、*Bubopsis*、*Ascalaphodes*、*Deleproctophylla*、*Libelloides*、*Suhpalacsa*、*Suphalomitus*、*Glyptobasis*；完眼蝶角蛉亚科 Haplogleniinae 有 *Balanopteryx* 和 *Haploglenius* (Fraser, 1957; McLachlan, 1871)。

夜出型：这些种在太阳落山之后或者在太阳刚升起时出来飞行、捕食等。亚马孙河的一些种和大多数澳大利亚的种是夜出型的 (New, 1984)。

由于这个类群在夜间活动，它们的飞行和交配行为很难观察到，因此被了解得很少。MacNeill (1962) 和 Henry (1977) 研究了 Ululodini 中的一个美国属 *Ululodes* 的种，每天晚上只有一段很短的飞行时间。Henry 研究了 *Ululodes mexicana*，在太阳升起之后大约 20 min 开始飞行，飞行大约 45 min 就突然停止。

非洲的夜出型种类被了解得多一点 (Tjeder, 1992)。Skaife (1953) 发表了 *Proctarrelabis capensis* 的照片，成虫停息在一直立的树干上，头朝上，腹部与树干成一定的角度，翅向下折叠但远离躯体。在博茨瓦纳，Pinhey 博士拍到一张 *Ascalaphus* sp. 雌性的照片，其头朝上停息在直立的小枝上，它的腹部没有与小枝成一定的角度，只是腹部稍高于小枝；翅折叠着，端部放在小枝上。在南非祖鲁兰的北部，Stuckenberg 博士拍到一些停息着的蝶角蛉 (种名未知)，这种蝶角蛉在南非的东部很常见，它们有的停息在直立的小枝上，有的停息在水平的小枝上。停息在直立的小枝上的种类头朝下，腹部与小枝成一定的角度，触角合拢在一起，顺着小枝向下，翅折叠着，也向下顺着小枝的方向；在水平小枝上停息的种类悬挂在小枝下，腹部与小枝大约成 65°角，触角顺着小枝方向但不合拢，翅端抱着小枝。Henry (1977) 发表了 *Ululodes mexicana* 图片，成虫也具有相同的停息姿势。

但是，不是所有的夜出型种类白天都停息在小枝或树干上。McLachlan (1871) 曾提到巴西东部纳塔尔的一种蝶角蛉 *Proctarrelabis annulicornis* 白天待在老树皮的裂缝里，Rudebeck 在安哥拉采集到 2 头蝶角蛉都藏在树皮的裂缝里。Stuckenberg 曾看到比较隐蔽的地方，比如悬垂堤岸或突出的岩石下，或树干的阴凉地带也有蝶角蛉停息。

飞行：大部分蝶角蛉的飞行能力比脉翅目的其他种类及蜻蜓 (Odonata: Anisoptera) 的飞行能力都强 (Henry, 1977)。瑞典的昆虫学家描述 *Libelloides* 的种飞行像蜻蜓。它们要么飞得很高，要么突然降到离地面仅有几米高的地方飞行。有些飞得很慢，在空中上下盘旋。这类蝶角蛉有 *Libelloides coccajus*、*L. ottomanus* 和 *L. longicornis*。

在非洲，白天活动的种仅进行短距离的飞行，不时地停在小木枝上、草上或者莎草上。非洲夜出型种类的飞行还没有被描述过。美国的夜出型属 *Ululodes* Currie 被 MacNeill (1962) 完整地描述过，在亚利桑那的蝶角蛉太阳升起之后飞行大约 20 min，一开始飞得很高，特别是在比较高的橡树四周或者顶部飞行，不低于距地平面 4 m，在飞行的后面阶段主要在离地面 0.3 m 左右飞行，几秒后又上升到 3 m 的高度，在结束飞行前重新在近地面的高度飞行，整个过程持续了 30 min。该种飞行特别像蜻蜓，但比蜻蜓飞行速度慢些。

Henry (1977) 研究了一种蝶角蛉 *Ululodes mexicana* 的飞行情况，在太阳升起之后 20 min 开始飞行，大约 45 min 之后突然停止飞行。它们飞行的速度很快，飞行很长时间，能够看到在空中盘旋，快速飞行的动作很不规律。Henry 也观察了夜出型种 *Ascaloptynx furciger*，该种较强壮，飞行敏捷。

蝶角蛉当停息了很长一段时间后，起飞比较困难，它需要加热飞行肌等组织器官，美国的夜出型属 *Ululodes* 和 *Ascaloptynx* 在起飞之前要快速振动翅膀大约 10 min，Henry (1977) 观察到了这个情况。

食性：蝶角蛉成虫均为捕食性，在飞行中捕食，其猎物尚不十分清楚，仅有少量相关的报道。Stelzl (1991) 对一种蝶角蛉 *Libelloides coccajus* 的食物进行研究，解剖了 52 头成虫的肠道，发现这种蝶角蛉的猎物包括双翅目、膜翅目、鳞翅目、鞘翅目、缨翅目昆虫及螨类，但无蚜虫、蜜蜂、孢子植物，也未检查到花粉等植物组织。Tjeder (1992) 发现在 *Imesibasis* 蝶角蛉的 2 个雄性标本的后肠中有花粉，而中肠内无花粉，他认为这类蝶角蛉成虫取食花粉，并且最先被消化。

交配：蝶角蛉求爱在空中进行，雄性追赶雌性。美国的 *Ululodes* 雌雄交配前有时相互配合，两个蝶角蛉中的一个在另一个垂直上方好几英尺的地方飞行 (MacNeill, 1962)。

在飞行的过程当中蝶角蛉进行交配，然后停在植被上，继续交配，雄性在雌性的下面悬挂着静止不动 (如 *Libelloides*)。在交配的过程中，雄性将一个或多个精囊注入雌性的生殖腔。交配之后，精囊通常被整体保存，Tjeder (1992) 曾在古北界的 *Deleproctophylla* 和 *Bubopsis* 中看到突出的精囊，在 *Deleproctophylla* 中一般有 2 个精囊，但是他曾见过有的种类具有 1 个或者 3 个甚至 4 个精囊；精囊放在热的 KOH 溶液中可溶解消失。

交配行为是否能够重复进行，以及一个雄性蝶角蛉产生的精囊数量尚不清楚。Sandhall 曾经拍摄到 2 个雄性同时与 1 个雌性交配的照片 (Tjeder, 1992)。

趋光性：非洲地区的大部分蝶角蛉具趋光性，一些白天活动的种 *Phalascusa vassei* 和 *Phalascusa pardalis* 也具有趋光性 (Tjeder, 1992)。但是古北界白天活动的属 *Libelloides* 和 *Deleproctophylla* 没有趋光性(Aspöck *et al.*, 1980)；东洋界的属 *Suphalomitus* 和 *Suhpalacsa* 中的一些种具有趋光性，它们喜在光源附近光线较暗的地方停息。

领地习性：Henry (1977) 观察了夜出型种 *Ululodes mexicana* 的行为。有的雄性在距地面 6 m 高的地方巡视，把正闯入它领地的其他雄性蝶角蛉赶走，或与它们在空中搏斗，但雌性进入领地之后没被驱赶，而是经常被雄性在其稍后的位置追逐。Lund 观察到西班牙的日出型属 *Libelloides* 的一头雄性在一条路上巡逻，当一头雄性试图要穿过马路时，它马上冲上去与那只雄性蝶角蛉展开搏斗，不久闯入的蝶角蛉飞离此地，原来那头蝶角蛉继续在其领地上空巡视 (Tjeder, 1992)。这些观察说明夜出型和日出型种类都具有守卫领地的习性，然而这种习性目前尚未在完眼蝶角蛉亚科中发现。

警戒色与性诱方式：Weele (1909) 观察到在完眼蝶角蛉亚科中，美国的 *Ascalobyas* 和 *Haplogenius* 雄性昆虫前胸背板有一个帽边似的特殊构造，此构造在有些种的雄性中很明显。

Eisner 和 Adams (1975) 在美国科罗拉多州用黑光灯采集时，观察到 *Haploglenius luteus* 每次被捕捉时，就会突然暴露它们前胸背板上的一种白色的片状物，这种颜色与其体上其他部位的褐色形成鲜明对比。观察者认为这种颜色是一种警戒色，可惊吓敌人达到自卫的目的。他们同时分析这种特殊的结构也应具有招引异性的功能。Penny (1982) 观察了这一结构，认为这种构造与释放性外激素有关。Tjeder (1992) 观察到非洲的裂眼蝶角蛉一些种的雄性也有这种白色片状构造，只是与南美的 *Haplogenius costatus* 和 *H. luteus* 相比，白色片状物小一些。

蝶角蛉在被捕捉时，常会发出一种强烈的麝香 (musk-like) 味 (Tillyard, 1926)，非洲的采集者发现了这种情况。Tjeder (1992) 回软一只采自津巴布韦的蝶角蛉，当他打开回软器时，一种强烈的麝香味遍及了整个屋子。他认为这种味道可能具有自卫的功能，也可能是一种性诱剂。

鸣声：Riek (1967) 认为鸣声可能是由前翅臀区或腋角腹面微刺和后胸盾片之间摩擦引起的。他用一种雄性 *Acmonotus* sp.的前翅，表示出可能发声的部位。

天敌：Penny (1981b) 报道蜻蜓捕食飞行中的蝶角蛉，在夜间蝙蝠可能也会捕食蝶角蛉。

集群行为：Gomes-Filho (2000) 在巴西西南部观察到一种蝶角蛉 *Cordulecerus alopecinus* 具有集群行为。他选择了 3 个昆虫的栖息地，每个栖息地中有 4 种不同科的树。他将栖息地中的昆虫分别做了标记，以调查这些昆虫每日的数量变化及流动幅度。结果发现这种蝶角蛉 *Cordulecerus alopecinus* 比其他脉翅目昆虫个体流动幅度低，而且雌性更倾向于集群。他的结论是这种蝶角蛉 *Cordulecerus alopecinus* 有集群性。

(三) 蝶蛉科生物学

有关蝶蛉科的生物学研究较少，根据 New (1991b) 报道：蝶蛉成虫主要在夜间活动，有些成虫的寿命是 1-2 个月。卵为卵圆形，附着在植物的枝条上。幼虫生活在桉树粗厚的树皮下，幼虫期很长。少数观察过的种类，完成一代需要 2 年。幼虫在岩石缝隙中化蛹。

(四) 旌蛉科生物学

有关旌蛉科的生物学研究较少，New (1991b) 报道：旌蛉的成虫以花为食，幼虫是捕食性的，在小洞的地面尘土和沙子中或在探头石下生活。Aspöck 等 (1980) 报道，Crocinae 的卵单产于地上，幼虫有 3 龄，生活于洞穴的粉尘中，有些可以静止不动潜伏着等待猎物。化蛹前用粉尘和沙粒做成茧。Crocinae 的发育期是 1-3 年，*Nemoptera* sp. 发育期是 2 年。成虫食花粉，Nemopterinae 成虫在白天、黎明、黄昏或者夜晚都有活动，Crocinae 的成虫主要在黎明、黄昏或者夜晚活动，对灯光有很强的趋性。飞翔动作有时比较轻盈缓慢，有时如同翱翔，推测后翅有控制方向的功能。翅在静止时，展开向上直立。很多种有庞大的种群密度，常集群出现，特别是 Crocinae。

五、材料与方法

1. 研究标本

本卷的检视标本主要来源于中国农业大学昆虫标本馆 (CAU)，其他标本来自以下单位：中国科学院动物研究所 (IZCAS)、南开大学 (NKU)、中山大学生物博物馆 (BMSYS)、长江大学 (YZU)、河北大学 (HBU)、华南农业大学 (SCAU)、中国科学院上海昆虫博物馆 (SEMCAS)(表 12)。美国的 Stange 博士赠送给我们一些台湾的标本，其中包括 6 个副模。

表 12 标本保存单位

Tab. 12 Specimens depositories

缩写	全称
BMSYS	Biological Museum, Sun Yat-Sen University, Guangzhou, Guangdong, China (中国广东广州，中山大学生物博物馆)
CAU	China Agricultural University, Beijing, China (中国北京，中国农业大学)
HBU	Hebei University, Baoding, Hebei, China (中国河北保定，河北大学)
IZCAS	Institute of Zoology, Chinese Academy of Sciences, Beijing, China (中国北京，中国科学院动物研究所)

续表

缩写	全称
NKU	Nankai University, Tianjin, China (中国天津，南开大学)
SCAU	South China Agricultural University, Guangzhou, Guangdong, China (中国广东广州，华南农业大学)
SEMCAS	Shanghai Entomological Museum, Chinese Academy of Sciences, Shanghai, China (中国上海，中国科学院上海昆虫博物馆)
YZU	Yangtze University, Jingzhou, Hubei, China (中国湖北荆州，长江大学)

2. 标本采集

成虫采集：主要是白天网捕和夜晚的灯诱，蚁蛉成虫夜晚被灯光诱来后，常停落在与灯有一定距离的昏暗处。少数成虫标本由幼虫饲养得到。

幼虫的采集：目前只采到过沙栖型幼虫，连沙土一起装入容器带回。

3. 标本保存

成虫制作成针插标本，一部分展翅，另一部分 (个体数量较多的种) 不展翅。用四联标签卡 (王心丽等，2010)，其上包括采集标签、标本号签 (中国农业大学标本馆数据库编号)、鉴定标签、性别签、模式标签等。

成虫解剖标本浸泡在甘油中，封存在小型离心管内，管内放置标本号 (与被解剖标本的标本号一致)，将封存解剖标本的离心管用昆虫针穿过离心管帽带的夹缝，插在被解剖标本的旁边。

幼虫标本浸泡于 70%的乙醇中保存。

4. 外生殖器解剖

选中待解剖的标本，在解剖前留下该标本完整的照片 (整体照片、腹末照片)，以记录标本完整的体长和腹末外观。从腹部第 7 节剪下腹部末端，浸入 10%KOH 的溶液中，用酒精灯加热处理 5-10 min，待肌肉和脂肪大部分溶解、色泽变淡时取出，清水漂洗后，在体视显微镜下进行解剖观察。

5. 特征拍照

标本整体拍照：将标本放在静物拍照灯箱中或拍照台上，使用数码相机直接拍摄。

标本局部特征拍照：使用佳能 EOS500D 数码相机，连接 Olympus U-CTR30-2 体视显微镜，应用光学共聚焦电控合成系统软件 (北京和众视野有限公司生产)，进行多层照片叠加。

6. 照片后期处理

利用 Adobe Photoshop 软件调整照片的明暗、色阶，以消除背景的杂物，调整图像方向、图像大小、画布大小、标注文字，进行排版。

各　论

科检索表

1　触角端部膨大，锤状或棒状 ……………………………………………………………………………2
　触角端部不膨大 ……………………………………………………………………………………………3
2　触角棒状，不超过体长的 1/3 ……………………………………………… **蚁蛉科 Myrmeleontidae**
　触角锤状，大多超过体长的 1/2 ……………………………………………… **蝶角蛉科 Ascalaphidae**
3　后翅细长，飘带形 …………………………………………………………………… **旌蛉科 Nemopteridae**
　后翅非飘带形 ………………………………………………………………………………………………4
4　翅宽阔如蝶翅，前翅有中肋 (即 Sc、R_1 和 Rs 平行至翅痣下方) ……………… **蝶蛉科 Psychopsidae**
　翅不宽阔如蝶翅，前翅无中肋，仅分布于澳大利亚 ……………………………… **细蛉科 Nymphidae**

一、蚁蛉科 Myrmeleontidae Latreille, 1802

Myrmeleontidae Latreille, 1802: 281 (as myrmeleonides). **Type genus:** *Myrmeleon* Latreille, 1802.

蚁蛉科世界已知 1522 现生种，13 化石种 (Stange, 2004)。分 3 亚科：蚁蛉亚科 Myrmeleontinae、亮翅蚁蛉亚科 Stilbepteryginae 和须蚁蛉亚科 Palpirinae。其中亮翅蚁蛉亚科 Stilbepteryginae 仅分布在澳大利亚，须蚁蛉亚科 Palpirinae 主要分布在非洲，其他动物地理界仅有零星记录，蚁蛉亚科 Myrmeleontinae 全球分布。

亚科检索表

1　前翅 CuP 与 1A 合并 (图 2a) ……………………………………………… **蚁蛉亚科 Myrmeleontinae**
　前翅 CuP 与 1A 分离 (图 2b) ……………………………………………………………………………2
2　后翅 1A 有 5 条或更多达到翅缘的分支，仅分布于大洋洲 (图 2c) ………………………………
　……………………………………………………………………………… **亮翅蚁蛉亚科 Stilbepteryginae**
　后翅 1A 上达到翅缘的分支不超过 4 条 (图 2d) …………………………… **须蚁蛉亚科 Palpirinae**

注：依据 Stange (1994) 检索表改编。

(一) 蚁蛉亚科 Myrmeleontinae Latreille, 1802

蚁蛉亚科是蚁蛉科最大的亚科，占蚁蛉科已知物种的 87%。Stange (2004)将蚁蛉亚科分为 10 族，其中的 Dendroleontini 分为 5 亚族，Nemoleontini 分为 4 亚族，Myrmeleontini 分为 2 亚族。长须蚁蛉族 Maulini 仅分布于非洲南部，必蚁蛉族 Brachynemurini 分布在西半球，季蚁蛉族 Gropholeontini 分布在北美洲，大多数物种采自墨西哥，雷蚁蛉族 Lemolemini 分布在南美洲。其余 6 族分布较广 (表 13)。

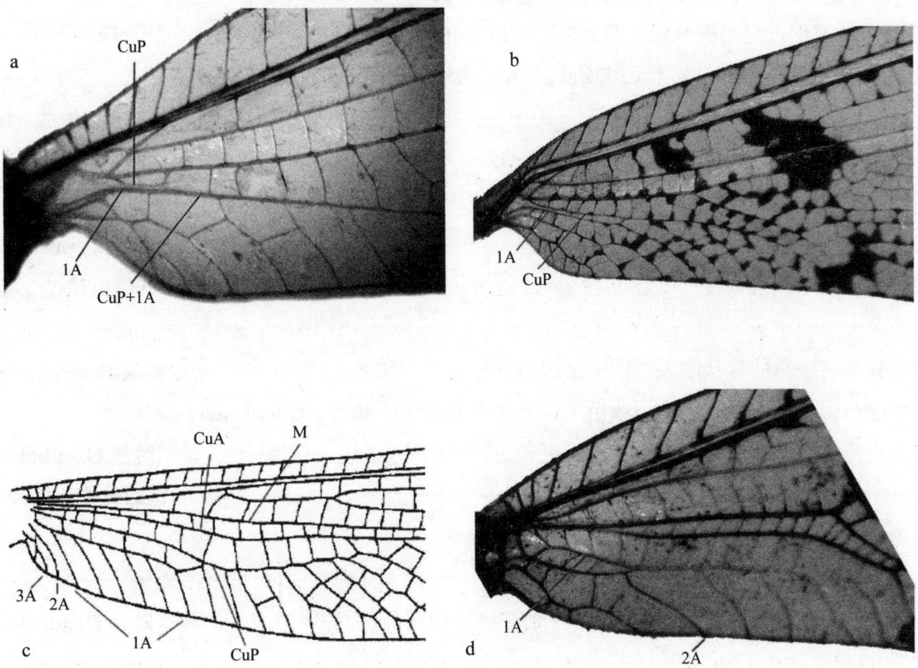

图 2　翅基部 (Base of wing)

a. 蚁蛉亚科 Myrmeleontinae 前翅基部；b. 须蚁蛉亚科 Palpirinae 前翅基部；c. 亮翅蚁蛉亚科 Stilbepteryginae 后翅基部 (仿 New, 1985)；d. 须蚁蛉亚科后翅基部

表 13　蚁蛉亚科族的分布

Tab. 13　Distribution of tribes

	古北界	新北界	东洋界	非洲界	新热带界	澳洲界
Maulini				●		
Dendroleontini	●	●	●	●		●
Nemoleontini	●	●	●	●	●	●
Brachynemurini		●			●	
Gnopholeontini		●				
Lemolemini					●	
Myrmecaelurini	●			●		
Nesoleontini	●	●	●	●	●	
Myrmeleontini	●	●	●	●	●	●
Acanthaclisini	●	●	●	●	●	●
族合计	6	7	5	7	6	4

注：根据 Stange (2004) 统计

族检索表

[依据 Stange (1994, 2004) 检索表改编]

1 前翅 CuP 发出点与基横脉间有明显距离，或 CuP 脉不明显；2A 平滑地弯向翅后缘……………2
前翅 CuP 发出点正对着或紧靠基横脉；2A 多变……………6
2 下唇须长于头宽，感觉毛伸达端部……………**长须蚁蛉族 Maulini**
下唇须短于头宽，感觉毛不伸达端部……………3
3 触角间距大于柄节的宽度；雌性 9-内生殖突较大，挖掘毛长超过生殖突的宽……………***囊蚁蛉族 Myrmecaelurini**
触角间距小于柄节宽度；雌性 9-内生殖突中小型，无挖掘毛，若有挖掘毛，其长不超过生殖突的宽……………4
4 前足腿节有成排的棒状刚毛；或中足腿节感觉毛长于腿节……………**必蚁蛉族 Brachynemurini**
前足腿节无成排的棒状刚毛；或中足腿节感觉毛远短于腿节，*Gnopholeon* 除外……………5
5 足无距，或中足感觉毛与腿节等长或更长……………**季蚁蛉族 Gropholeontini**
足有距，或中足感觉毛不超过腿节的 1/2……………**雷蚁蛉族 Lemolemini**
6 前翅 2A 很平缓地弯向 3A……………7
前翅 2A 与 1A 在基部靠近，然后急转向 3A……………9
7 后翅 Rs 分叉先于 CuA 分叉，通常 1-2 条基径中横脉……………***树蚁蛉族 Dendroleontini**
后翅 Rs 分叉后于 CuA 分叉……………8
8 距强弯……………***棘蚁蛉族 Acanthaclisini**
距不强弯……………***囊蚁蛉族 Myrmecaelurini**
9 后翅径分横脉在 Rs 分叉前 1-3 条，雄性无轭坠……………***恩蚁蛉族 Nemoleontini**
后翅径分横脉在 Rs 分叉前多于或等于 4 条，雄性有轭坠或无……………10
10 后足第 1 跗节长于第 5 跗节；前足基节具白色长刚毛；雌性 9-内生殖突有许多长而弯曲的挖掘毛……………***尼蚁蛉族 Nesoleontini**
后足第 1 跗节短于第 5 跗节；前足基节无白色长刚毛；雌性 9-内生殖突无长而弯曲的挖掘毛……………***蚁蛉族 Myrmeleontini**

*表示中国有分布。

树蚁蛉族 Dendroleontini Banks, 1899

树蚁蛉族 Dendroleontini 目前世界已记录 35 属，根据 Stange (2004) 的观点，这个族的衍生性状主要表现在幼虫的特征上，幼虫中胸盾片的中央有 1 毛束，该毛束有时具柄；幼虫的上颚向上翻 (upturned)。这两个特征可以在以下属中找到：*Austrogymnocnmia*、*Bankisus*、*Cymothales*、*Dendroleon*、*Glenoleon* 和 *Tricholeon*。然而，*Gatzara* 的幼虫因为生活在裸露的岩石上，幼虫特征显著不同，其上颚不向上翻，中胸盾片的中央无毛束。树蚁蛉族还有很多属的幼虫阶段至今未知。

Stange (1976) 根据雌性生殖器结构将树蚁蛉族分为 5 个亚族，并遗留了一些未归入任何亚族的属种，称为“没有位置的属种”。New (1985) 修订了澳大利亚的树蚁蛉族，Mansell (1985, 1988) 对非洲的树蚁蛉族进行了修订，Penny 等 (2000) 对各亚族下的属做了一些改动，将部分“没有位置的属”归入 5 个亚族中。截至目前，树蚁蛉族的系统发育地位及族下分类系统仍存在很多争议，需要进一步修订和完善。

已记录的 35 属中，其中 15 属分布在澳洲界，7 属分布在东洋界，5 属分布在非洲界，古北界和新北界分布的属较少，新热带界尚无树蚁蛉族的报道。

树蚁蛉族 Dendroleontini 在中国已记录 6 属：*Bankisus*、*Bullanga*、*Dendroleon*、*Epacanthaclisis*、*Gatzara* 和 *Layahima*。

族征 前翅 CuP 起点与基横脉相接，或接近；2A 平滑地弯向 3A。后翅 Rs 分叉点先于 CuA 分叉点；基径中横脉 1-2 条。距和爪通常不强烈弯曲；雌性 9-内生殖突大多为中等长，挖掘毛如果存在，不超过 9-内生殖突的宽。

属检索表

1　胫节无距 ………………………………………… **无距蚁蛉属 *Bankisus***

　胫节有距 ………………………………………… 2

2　爪强弯，其端部靠近第 5 跗节的毛垫 ………………………… **帛蚁蛉属 *Bullanga***

　爪不强弯，其端部远离第 5 跗节的毛垫 ………………………… 3

3　雄性无轭坠，雌性无 8-内生殖突 ………………………… **雅蚁蛉属 *Layahima***

　雄性有轭坠，雌性有 8-内生殖突 ………………………… 4

4　触角间距小于柄节的直径，雄性腹部常有一节膨大，具毛刷或腹腺，翅狭长 ………………………… **溪蚁蛉属 *Epacanthaclisis***

　触角间距大于柄节的直径，雄性腹部无膨大节、毛刷或腹腺，翅较宽 ………………… 5

5　雌性 8-内生殖突短于 8-外生殖突 ………………………… **树蚁蛉属 *Dendroleon***

　雌性 8-内生殖突长于或等于 8-外生殖突 ………………………… **锦蚁蛉属 *Gatzara***

1. 无距蚁蛉属 *Bankisus* Navás, 1912

Bankisus Navás, 1912d: 45. **Type species:** *Bankisus oculatus* Navás, 1912; by original designation.

Navasius Esben-Petersen, 1936: 202. **Type species:** *Navasius elegantulus* Esben-Petersen, 1936; by original designation. Synonymized by Markl, 1954: 221.

世界已知 7 种，中国分布 1 种。

属征 前胸背板长大于宽，足细长，无距。翅透明有褐斑，前翅 Rs 起点先于 CuA 分叉点；雌性 8-内生殖突卵圆形或无。

分布 中国，阿曼，也门，非洲。

(1) 无距蚁蛉 *Bankisus sparsus* Zhan & Wang, 2012 (图版XIX: 5)

Bankisus sparsus Zhan & Wang, 2012: 41. Type locality: Guangxi.

雌性：前翅 24 mm，后翅 22 mm，体长 15 mm，腹部 11 mm。

雄性：未知。

头顶与额黑色，有褐斑，唇基、上唇、下颚须、下唇须黄色，复眼深色，有一些黑斑；触角柄节、梗节黑色，鞭节缺失。

前胸背板长大于宽，黄色，被稀疏的长毛，中、后胸黑色被稀疏的长毛。

足细长，前足腿节黄色，中部黑色，被黑白两色刚毛，胫节黄色，密被刚毛，无距；跗节黄褐色，端部渐深，1-5 跗节均较长，爪向后弯；中足胫节略膨大，后足与前足相似。

前翅狭长，透明，散布许多褐色斑点和斑块，Rs 起点先于 CuA 分叉点，Rs 起点至痣下室之间有 16 横脉和 5 褐斑，在翅痣内侧有 1 大褐斑，前斑克氏线隐约可见，无后斑克氏线；CuA 后方在分叉前有横脉 10 条，2A 与 3A 平行；中脉亚端斑褐色、较大，肘脉合斑为褐色斜弧线。后翅略短于前翅，透明，除翅痣前有 1 个较大的褐斑，翅痣后有两个小褐斑，几乎无斑，Rs 起点远先于 CuA 分叉点，基径中横脉 1 条，前斑克氏线隐约可见，无后斑克氏线。

雌性腹部短于后翅，黑色与暗黄色相间。

雌性生殖器：肛上片瓣状，具褐色刚毛，8-内生殖突短宽，被深色刚毛；8-外生殖突粗指状，具长刚毛；9-内生殖突瓣状，具较多的挖掘毛；无 9-外生殖突。

检视标本 1♀，正模，广西象州，1980.Ⅸ，李法圣，CAU-N100208。1♀，副模，广西宁明垄瑞，1984.Ⅴ.24, 180 m, 李法圣，CAU-N100209。

分布 广西。

2. 帛蚁蛉属 *Bullanga* Navás, 1917

Bullanga Navás, 1917b: 15. **Type species:** *Bullanga binaria* Navás, 1917; by original designation and monotypy.

这个属目前全世界仅有 3 种，仅分布于中国。3 种均由 Navás 定名，但除模式种外，另 2 种是由 Stange (1976, 2004) 分别从其他属移至这个属的。关于这个属的记述很少，对属征的掌握目前还比较模糊。

属征 距发达，爪向后强弯；前翅 Rs 起点先于 CuA 分叉点；翅膜凸出如水泡 (这个特征来自 Navás 的原始描述，但 *Bullanga florida* 的模式标本照片无此特征。很可能这个特征只是模式种的特征)。

分布 中国。

(2) 币帛蚁蛉 *Bullanga binaria* Navás, 1917 问题种

Bullanga binaria Navás, 1917b: 15. Type locality: Chapa, Tonkin, China.

雌性：体长 30 mm，前翅长 40 mm，后翅长 42 mm。

雄性：体长 28 mm，前翅长 35.5 mm，后翅长 37 mm。

头部红棕色，额有大斑。触角黑色。胸部棕色，具金色斑。腹部棕色，3-4 节基部锈红色 (译自 Navás 原始描述部分内容)。

检视标本　无。

分布　中国或越南。

讨论　该种由 Stange 在 1976 年确定了选模，记述其分布在中国，但其选模采集地 Chapa (越南的老挝街) 和 Tonkin (越南北部) 都在越南境内。我们判断采集记录可能存在中越两国边境划分的历史问题。选模保存在西班牙巴塞罗那动物博物馆 (Musum Zoology, Barcelona, Spain)。

(3) 长裳帛蚁蛉 *Bullanga florida* (Navás, 1913) (图版Ⅰ：7，图版Ⅵ：2)

Glenurus florida Navás, 1913c: 10. Type locality: Ningpo.

Bullanga florida: Stange, 2004: 78.

雌性：前翅 36-41 mm，后翅 38-43 mm，体长 36-40 mm，腹部 21-24 mm。

雄性：前翅 34-42 mm，后翅 36-45 mm，体长 36-40 mm，腹部 21-24 mm。

头顶隆起，黄褐色 (不同个体深浅有一定差异)，具黑色短毛；复眼灰色，部分个体上有黑斑；额黄色，有稀疏的黄色长毛；触角窝间有大块黑斑；唇基黄色；下颚须基部黑褐色，端部黄色；下唇须黄白色，端部膨大有黑毛；触角棒状，细长，赭色至黑色，有较浓密的黑色短毛，鞭节约 38 小节，每小节基部黄色、端部赭色，棒状部分黑色。

前胸背板黄褐色，长大于宽，具稀疏黑、白色长毛；背板中央有 1 黑色中带，两侧各有 1 褐色侧带 (个体间深浅有一定的变化幅度)；中、后胸主要呈黑褐色，有黄褐色斑带；中胸有稀疏黑毛，后缘有 2 撮白色刚毛，后胸有极少的白色刚毛。

足细长，有稀疏的黑色长毛和较密的黑色短毛；前足基节细而内弯，有较密的黑色、白色刚毛；腿节、胫节大部分黑褐色；腿节基部、胫节端部和第 1 跗节黄褐色；第 2-5 跗节黑色；第 1 跗节的长度约等于第 5 跗节；距黄褐色，有小黑斑，较平直，伸达第 2 跗节的 1/2 处 (有些雄性个体的距仅伸达第 1 跗节)；爪褐色，细长，向后方强弯，与第 5 跗节的夹角小于 80°。中足胫节基部黄褐色，第 1 跗节长于第 5 跗节，其他特征似前足；后足胫节黄色，有窄的褐色长斑，第 1、2 跗节黄白色；距伸达第 1 跗节，其他特征似中足。

前翅狭长，肘脉合斑处有 1 黑色向后弯的弧形纹；其后方有 1 黑褐色纵纹，伸向亚端区 (不同个体长短有差异)，翅后缘基部有一些小黑斑，近外缘和后缘的区域散布着细小的褐斑；前缘横脉有不规则的分叉，无明显小室；Rs 分叉点远先于 CuA 分叉点，前缘区宽约为 R 和 Rs 间距的 2 倍；前、后斑克氏线都比较清晰；Rs 脉 8-12 分支，基径中横脉 3-4 条，Rs 分叉前偶有 1-2 不规则小室；翅痣灰白色，不明显；痣下室狭长，有 1-2 横脉。后翅比前翅略长、略窄，无明显斑纹；Rs 分叉点远先于 CuA 分叉点，前缘区宽约等于 R 和 Rs 间距；基径中横脉 1 条；中脉亚端斑黑色，短线状，无肘脉合斑。翅外缘下方有些小褐斑点；痣下室较前翅狭长。雄性有轭坠。

腹部短于后翅，黄褐色至黑褐色，背板中央和腹板有褐色或黑色中纵斑，形成背中央的黑色纵带；背板的其他部分和侧片黄白色。

雄性生殖器 (图版XXIX：1)：生殖弧骨化弱，阳基侧突宽片状，端部骨化强，相互接触，生殖中片强骨化，较大。

雌性生殖器 (图版XXV：2)：肛上片卵圆形，有浓密的长毛；9-内生殖突近似长三角形，具粗而稀疏的挖掘毛；9-外生殖突短小，8-外生殖突指状，向内弯曲，长而粗壮，8-内生殖突短小。

检视标本 1♀，浙江庆元百山祖，800 m，1993.Ⅷ.1，吴鸿，CAU-N100067；1♀，福建坑上，1982.Ⅸ.8，汪？江 (标签不清)，CAU-N100061；1♂，福建三港，1980.Ⅹ.11，江凡，CAU-N100063；1♀，河南嵩县白云山 (灯诱)，1300 m，2002.Ⅶ.22，鲍荣，CAU-N100058；1♀，河南嵩县白云山，1300 m，2000.Ⅷ.15，申、任、刘、王，CAU-N100066；1♀，湖北兴山共大，1300 m，1980.Ⅶ.20，杨集昆，CAU-N100060；1♀，四川峨眉山九老洞，1961.Ⅷ.23，杨集昆，CAU-N100069；1♀，四川万县王二包，1200 m，1993.Ⅷ.10，杨星科，CAU-N100068；1♂，贵州梵净山护国寺 (灯诱)，1340 m，2001.Ⅶ.27，万霞，CAU-N100064；1♂，贵州农学院，其他信息不详，CAU-N100058；1♀，贵州思南，1974.Ⅷ.25，王贵庆，CAU-N100062；1♂，陕西镇巴，1981.Ⅳ.7，缺腹端，采集人不详，CAU-N100065。

分布 河南、陕西、浙江、湖北、湖南、福建、四川、贵州、云南；爪哇。

(4) 英帛蚁蛉 *Bullanga insolita* (Banks, 1940)

Dendroleon insolita Banks, 1940: 193. Type locality: Szechwan.
Bullanga insolita: Stange, 1976: 289.

目前找不到该种的描述资料，仅在 Stange (2004) 的《蚁蛉世界名录》中看到该种的引证。Holotype ♀, Doung Men Wai, 10 miles west of Weichow, Szechwan, China, 1933.Ⅶ.8. 保存在美国华盛顿史密森尼研究所 (Smithsonian Institution,Washington, D.C., USA)。

检视标本 无。

分布 四川。

3. 树蚁蛉属 *Dendroleon* Brauer, 1866

Dendroleon Brauer, 1866b: 42. **Type species:** *Myrmeleon pantherinus* Fabricius, 1787; by subsequent designation by Hagen, 1873a: 394.

Neglurus Navás, 1912b: 171. **Type species:** *Neglurus vitripennis* Navás, 1912b; by original designation and monotypy. Synonymized by Stange, 1976: 292.

Borbon Navás, 1914g: 111. **Type species:** *Borbon regius* Navás, 1914; by original designation and monotypy. Synonymized by Stange, 1976: 292.

Pantherleon Yang, 1986: 431. **Type species:** *Pantherleon longicruris* Yang, 1986; by original designation. Synonymized by Stange, 2004: 83.

树蚁蛉属 *Dendroleon* 是蚁蛉科中除全球分布的蚁蛉属 *Myrmeleon* 外，分布最广的属，东半球所有大陆及西半球的北美洲均有分布。该属世界已知 20 种，中国已确认 9 种。

属征　体小到中型，翅狭长，前翅前缘横脉简单，仅在翅痣处有不规则的分叉；Rs 分叉点先于 CuA 分叉点，并且两分叉点之间相距较远；前斑克氏线比较明显；雄性有轭坠。触角细长，足细长，距较纤细而平直，伸达第 2 跗节，偶有稍短的现象。雌性肛上片和 9-内生殖突上有较密而明显的挖掘毛，8-外生殖突大而弯曲，无浓密刚毛；8-内生殖突短小，一般不超过 8-外生殖突的 1/2。

分布　东半球，北美洲。

种检索表

1　前翅肘脉合斑处无弓形纹 ······ 2
　前翅肘脉合斑处有弓形纹 ······ 3
2　前胸背板黄色，无斑，后翅端区和近外缘处有浅褐色大斑 ······ **李氏树蚁蛉 *D. lii***
　前胸背板黄色，有 1 对褐斑，后翅几乎无斑 ······ **长腿树蚁蛉 *D. longicruris***
3　雄性腹部长于后翅，后翅外缘内凹 ······ **镰翅树蚁蛉 *D. falcatus***
　雄性腹部短于后翅，后翅外缘不内凹 ······ 4
4　后翅痣下室处无斑 ······ **少纹树蚁蛉 *D. esbenpeterseni***
　后翅痣下室处有大斑 ······ 5
5　前翅肘脉合斑处的弓形纹不间断地伸达翅后缘 ······ **扑树蚁蛉 *D. pupillaris***
　前翅肘脉合斑处的弓形纹间断地伸达翅后缘 ······ 6
6　后翅基半部有斑 ······ **丽翅树蚁蛉 *D. callipterum***
　后翅基半部无斑 ······ 7
7　后翅中脉亚端斑为云形大斑，前胸背板盾沟前窄，如圆葱形 ······ **墨脱树蚁蛉 *D. motuoensis***
　后翅中脉亚端斑为圆形小斑，前胸背板盾沟前非圆葱形 ······ 8
8　翅上斑纹深褐色，后翅端部和外缘斑纹清晰 ······ **褐纹树蚁蛉 *D. pantherinus***
　翅上斑纹浅褐色，后翅端部和外缘斑纹不清晰 ······ **中华树蚁蛉 *D. similis***

(5) 丽翅树蚁蛉 *Dendroleon callipterum* Wan & Wang, 2004 (图版Ⅰ：1，图版Ⅵ：1)

Dendroleon callipterum Wan & Yang, 2004: 502. Type locality: Guangxi.

雌性：前翅 38-40 mm，后翅 36-38 mm，体长 35-37 mm，腹部 22-24 mm。

雄性：前翅 36-37 mm，后翅 35-36 mm，体长 34-35 mm，腹部 22-23 mm。

头顶隆起，黄褐色，具黑色短毛，后方有 1 对黑色小圆斑；复眼灰色；额黄褐色，具稀疏的褐色长毛，触角窝间黑色；唇基黄褐色；下颚须和下唇须黄褐色，有黑毛；下唇须端部膨大，褐色，具黑毛；触角黑色，棒状，具黑色短毛，梗节端部有黄色环，鞭节约 36 小节。

前胸背板黄褐色，长大于宽，具稀疏的黑色长毛；前缘中部有 1 倒三角形小黑斑，侧后角各有 1 黑斑 (有时不明显)。中、后胸黄褐色，有稀疏黑色长毛；中胸中央有 2 黑斑，前面的较小，后面的较大，心形；两侧各有 1 串黑斑。后胸黑色，有 1 对黄条斑，有时这两条黄斑后端相连呈“U”形，小盾片后缘黄色。

足细长，黑褐色，有稀疏的黑色短毛和长刚毛；前足基节内弯，外侧黑色，内侧黄褐色；腿节基部、胫节端部黄褐色；腿节基部有 1 短感觉毛；跗节黑褐色；距、爪黄色，距平直仅端部稍弯曲，伸达第 2 跗节；距长于爪的 2 倍，中、后足似前足，但中足胫节基部黄褐色；后足腿节基部无感觉毛。

前翅宽大，基部密布黑褐色短横纹，中部以外横纹逐渐扩展成大斑块，肘脉合斑褐色，斜线状，翅中部CuA1后隐约可见眼状斑；前缘区为单排小室，Rs分叉点先于CuA分叉点；R和Rs间距约与前缘区等宽；前斑克氏线较清晰，后斑克氏线不明显；Rs脉约10分支，基径中横脉3条，Rs分叉前偶有不规则小室；翅痣黄白色，痣下室狭长。后翅比前翅略短、略窄；翅痣内侧有1褐色大斑，其后有1大斑从中脉亚端斑扩展至翅外缘，斑内常有透明区域，端区有不规则的褐斑，翅中部有淡褐色云斑，有时几乎消失，翅基部有些横脉色深，其色不同程度地向外扩展。R与Rs间距宽于前缘区，前斑克氏线清晰，后斑克氏线不明显，基径中横脉1条；翅痣白色，痣下室较长。雄性有轭坠。

腹部短于后翅，黑黄相间，被稀疏而均匀的黑色短毛。

雄性生殖器 (图版XXVIII：11)：生殖弧弱骨化，阳基侧突片状，基部远离，顶端强骨化靠近，生殖中片强骨化，较小。

雌性生殖器 (图版XXV：1)：肛上片腹面有挖掘毛；9-内生殖突近三角形，有稀疏的挖掘毛，无 9-外生殖突；8-外生殖突长指状内弯，8-内生殖突短指状，约为 8-外生殖突的 1/2 长。

检视标本　1♂，正模，广西那坡德孚，1350 m，2000.Ⅵ.21，姚建，CAU-N101283。1♂，副模，广西金秀圣堂山，900 m，1999.Ⅴ.17，李文柱，CAU-N101284；1♀，副模，广西金秀罗香，200 m，1999.Ⅴ.13，高明媛，CAU-N101285；1♀，副模，广西金秀罗香，200 m，1999.Ⅴ.15，高明媛，CAU-N101287；1♀，副模，广西金秀圣堂山，900 m，1999.Ⅴ.18，黄复生，CAU-N101286；1♀，广西灵田水库，1982.Ⅴ，李法圣，CAU-N101288。

分布　广西。

(6) 少纹树蚁蛉 *Dendroleon esbenpeterseni* Miller & Stange, 1999

Dendroleon esbenpeterseni Miller & Stange, 1999: 48. Type locality: Taiwan.

体长 29 mm，前翅长 35 mm，后翅长 37 mm。整体浅褐色。头部除了触角周围均为亮黑色，触角褐色，约 39 节。前胸背板浅褐色，具深褐色中纹。翅脉深褐色与浅褐色相间，亚前缘区有浅黑色斑，前翅肘脉合斑与中脉亚端斑清晰。腹部浅褐色与深褐色相间 (译自 Miller 等的原始描述部分内容，并依据原始发表的彩图描述)。

检视标本　无。

分布　台湾。

(7) 镰翅树蚁蛉 *Dendroleon falcatus* Zhan & Wang, 2012 (图版Ⅹ：1)

Dendroleon falcatus Zhan & Wang, 2012: 64. Type locality: Tibet.

雌性：前翅 43-44 mm，后翅 45-46 mm，体长 38-40 mm，腹部 28-30 mm。

雄性：前翅 39-40 mm，后翅 40-41 mm，体长 52-53 mm，腹部 45-46 mm。

头顶隆起，黄褐色，有豹纹状褐斑和 1 细的黄色中线；额、颊及唇基的上部黑色，唇基下部和唇黄色，下颚须黄褐色，下唇须基部褐色，其余部分黄色；复眼灰褐色；触角基部和端部黑色，中间大部黄色，鞭节约 34 小节。

前胸背板长大于宽，梯形，前缘稍窄于后缘；胸背板黄色，1 深褐色中条斑从前胸一直伸达后胸。胸侧黄色，有两条黑色纵条斑。

足细长，黄色与褐色相间，有稀疏的黑色刚毛；胫端距红棕色，平直，伸达第 2 跗节末端；前足第 5 跗节为第 1 跗节的 2 倍，中、后足第 5 跗节为第 1 跗节的 1-1.5 倍；爪红棕色，平直。

前翅宽阔，最宽处在翅痣附近，外缘略内凹，翅顶角尖锐。翅上有杂乱的褐色斑纹和斑块，肘脉合斑处有显著的弓形纹，中脉亚端斑月牙形，深褐色；Rs 起点远先于 CuA 分叉点，基径中横脉 4 条，简单无分叉，Rs 分支 10-11 条；翅痣浅色，两端有褐色斑块，前斑克氏线清晰，无后斑克氏线。后翅略长于前翅，外缘内凹，翅端区呈弯刀状；翅上有斑驳的褐色斑点和斑块，中脉亚端斑大、不规则形，深褐色，延伸达翅后缘，无肘脉合斑；前缘区约等于 R 与 Rs 的间距，Rs 起点远先于 CuA 分叉点，基径中横脉 1 条，Rs 分支 10-11 条，前斑克氏线清晰，无后斑克氏线。雄性轭坠近圆形，冠毛长。

雄性腹部略长于后翅，雌性腹部短于后翅，棕色，被稀疏的短毛。

雄性生殖器 (图版XXX：4)：生殖弧弱骨化，阳基侧突片状，基部远离，顶端强骨化靠近，生殖中片强骨化，较小。

雌性生殖器 (图版XXVI：11)：8-内生殖突短指状，约为 8-外生殖突的 1/2 长，8-外生殖突长指状内弯，9-内生殖突较小，无挖掘毛，有瘤状 9-外生殖突；肛上片侧面观椭圆形，无挖掘毛。

检视标本　1♂，正模，西藏墨脱县汗密，2005.Ⅷ. 25, 周达康，CAU-N100691。3♂，副模，西藏墨脱县汗密，2005.Ⅷ. 26，周达康，CAU-N100692、CAU-N100693、CAU-N100694；1♀，副模，西藏墨脱县汗密，2005.Ⅷ. 26，黄灏，CAU-N100695；1♀，副模，西藏墨脱县汗密，2005.Ⅷ. 26，汤亮，CAU-N100696。

分布　西藏。

(8) 李氏树蚁蛉 *Dendroleon lii* Wan & Wang, 2004 (图版Ⅵ：3)

Dendroleon lii Wan & Wang, 2004: 502. Type locality: Guangxi.

雌性：前翅 42 mm，后翅 40 mm，体长 30 mm，腹部 22 mm。

雄性：前翅 41-43 mm，后翅 39-41 mm，体长 32-34 mm，腹部 24-26 mm。

头顶隆起，黄色，有黑色短毛，前、后各有1对小黑斑；复眼金黄色或青灰色，具金属光泽，有小黑点；额黄色，具稀疏的黑色长毛；触角窝之间黑色；唇基黄色；下颚须和下唇须黄色，有黑毛；下唇须端部膨大，黄褐色，有黑毛；触角黑色，棒状，具黑色短毛，柄节、梗节略呈黄褐色，鞭节约35小节。

前胸背板黄色，长大于宽，无斑，具稀疏的黑色短毛；中、后胸黄色，有稀疏的黑毛；中胸中央有1大黑斑，两侧各有1对小黑圆斑，前缘有1小黑斑；后胸中部黑色，两侧各有 1不明显的小圆黑斑。

足细长，大部分黑色，有稀疏的黑色短毛；前足基节内弯，基节、转节及腿节的基部为黄色，其余部分黑色；腿节基部有1根短感觉毛；跗节黑色；距、爪红褐色，距平直仅端部稍弯曲，伸达第2跗节；距长大于2倍爪长；中、后足似前足，但后足腿节基部无感觉毛。

前翅宽大，基部及M脉前方密布褐色短横纹，近外缘和后缘附近密布褐色斑点，短斑纹和斑点区之间有宽窄不同的无斑区；Rs分叉点远先于CuA分叉点；R和Rs间距稍宽于前缘区；前斑克氏线较清晰，后斑克氏线不明显；Rs脉约11分支，基径中横脉3-4条；翅痣白色，其内侧有1浅褐色长方形斑块；痣下室狭长。后翅比前翅略短、略窄，基部2/3透明无斑，端部有几块褐色大斑伸向外缘，痣下室基部有1小褐斑；R和Rs间距宽于前缘区；前斑克氏线清晰，后斑克氏线不明显。基径中横脉1条。雄性有轭坠。

腹部短于后翅，黄褐色，第1-4腹节颜色较淡，其余各节褐色，除第2腹节有长而明显的白毛外，其余各节上都为稀疏的褐色短毛。

雄性生殖器 (图版XXIX：2)：生殖弧弱骨化，阳基侧突宽片状，端部骨化强，相互靠近；生殖中片强骨化，片状。

雌性生殖器 (图版XXV：3)：肛上片有浓密的长毛，腹面具挖掘毛，9-内生殖突倒锥形，挖掘毛较密，无9-外生殖突，8-外生殖突指状，8-内生殖突圆突状，约为8-外生殖突的1/2长。

检视标本 1♂，正模，广西弄岗，1982.Ⅴ.20，李法圣，CAU-N100071。1♂，副模，广西弄岗，1982.Ⅴ.20，李法圣，CAU-N100072；1♀，副模，广西金秀，720 m，1982.Ⅵ.13，李法圣，CAU-N100073。

分布 广西。

(9) 长腿树蚁蛉 *Dendroleon longicruris* (Yang, 1986) (图版Ⅰ：2，图版Ⅵ：4)

Pantheroleon longicruris Yang, 1986: 424. Type locality: Yunnan (Yongde).

Dendroleon perlistigma Wan & Wang, 2004: 505. Synonymized by Wang, 2008: 42.

Dendroleon longicruris: Stange, 2004: 84.

雌性：前翅37-43 mm，后翅35-40 mm，体长32-34 mm，腹部22-23 mm。

雄性：前翅41 mm，后翅38 mm，体长33 mm，腹部24 mm。

头顶隆起，黄色，无斑，被褐色短毛；复眼青灰色，有小黑点；额黄色，有稀疏褐色长毛和白色短毛；触角间黑色，黑色延伸至触角前；额与唇基黄色；下颚须和下唇须黄色，有黑毛；下唇须端部膨大，黄褐色，有黑毛；触角黑色，棒状，具黑色短毛，柄节、梗节略呈黄褐色，鞭节约 36 小节。

前胸背板长大于宽，黄色，后缘两侧各具 1 黑斑，具稀疏的白色短毛和黑色长毛；中、后胸黄色，光滑，几乎无毛；中胸有 5 个斑：中央 1 大黑斑近方形，周围 4 小黑斑；后胸与中胸相似，但中斑为长方形。

足细长，以黑色为主，被稀疏的黑色短毛和长毛。前足基节内弯，基节、转节和腿节的前 1/3 为黄色，其余部分黑色；腿节基部有 1 短感觉毛；跗节全黑；距、爪红褐色，距平直仅端部稍弯曲，伸达第 2 跗节；距长于爪的 2 倍；中、后足似前足，但后足腿节的前 1/2 为黄色，基部无感觉毛。

前翅宽大，密布褐色横向短斑纹，近翅外缘和后缘的区域密布褐色斑点，翅中部以内和以外各有 1 无斑区。Rs 分叉点远先于 CuA 分叉点；R 和 Rs 间距稍宽于前缘区；前斑克氏线清晰，后斑克氏线不明显；Rs 脉约 9 分支，基径中横脉 3 条；翅痣黄色，翅痣内侧的前缘区上有一些小褐斑，痣下室短宽。后翅比前翅略短、略窄，透明，基本无斑，仅在痣下室中有 1 小褐斑，中脉亚端斑隐约可见；前斑克氏线清晰，后斑克氏线不明显。R 和 Rs 间距宽于前缘区；基径中横脉 1 条。雄性有轭坠。

腹部黄色 (有些个体做成标本后变黑)，除第 2 腹节有长而明显的白毛外，其余各节上都为稀疏的黑短毛；肛上片长宽，有浓密的长刚毛；第 9 腹板简单，有浓密黑毛。

雄性生殖器 (图版XXIX：3)：生殖弧弱骨化，阳基侧突宽片状，边缘及端部骨化强，端部靠近，生殖中片强骨化。

雌性生殖器 (图版XXV：4)：肛上片短宽，有浓密的长毛，腹面有明显的挖掘毛；9-内生殖突呈倒锥形，挖掘毛较密，无 9-外生殖突；8-外生殖突指状，8-内生殖突瘤突状。

检视标本　1♀，正模，云南永德县德党镇 (灯诱)，1661 m，1980.Ⅴ.26，樊亚甫，CAU-N101291。1♂，广西龙胜白岩，1150 m，1963.Ⅵ.22，中国科学院王春光，CAU-N101290；1♀，海南鹦哥岭红坎水库 (灯诱)，600 m，2009.Ⅳ.22，敖伟光，CAU-N102033。

分布　海南、广西、云南。

(10) 墨脱树蚁蛉 *Dendroleon motuoensis* Wang & Wang, 2008 (图版Ⅶ：5)

Dendroleon motuoensis Wang & Wang, 2008: 43. Type locality: Tibet.

雌性：前翅 33 mm，后翅 32 mm，体长 28 mm，腹部 20 mm。

雄性：未知。

头顶隆起，棕色，具稀疏模糊条纹；复眼棕色，有小黑点；额黄色，触角窝周围黑色；额与唇基黄色；下颚须、下唇须黄色，下唇须端部膨大，黄色，有黑毛；触角棒状，细长，约等于头胸之和，柄节、梗节呈黑褐色，鞭节各节黑黄相间，以黑色为主，棒状部分黑色，约 34 小节。

前胸细长，被 1 横沟分成明显的两部分，前半部分洋葱形，后半部分梯形；胸部背板浅棕色，中央颜色略深，无显著斑纹，具稀疏黑色短毛；腹板黄色，侧面在足基节与翅基部之间有 1 纵向条纹，生有稀疏白色柔毛。

足细长，黑褐色与黄色相间，具黑色刚毛；前足基节内侧黄色，外侧黑色，生有白色长毛；腿节基部 1/3 黄色，其余部分黑褐色；胫节端部 1/2 黄色，其余部分黑褐色；第 1 跗节与第 5 跗节约等长；距与爪红棕色，距平直仅端部稍弯曲，伸达第 2 跗节末端；中、后足似前足，但腿节、胫节仅端部黄色，其余部分黑褐色。

前翅狭长，翅基部散布一些褐色短横纹和斑点，翅端区有不规则斑块、斑纹和小斑点，翅痣内侧有 1 褐色大斑块，翅中部 CuA1 后方有褐色眼状斑；Rs 分叉点先于 CuA 分叉点，深浅相间；前缘区宽度与 R 和 Rs 间距约等宽，前缘横脉简单，偶有分支；前斑克氏线清晰，后斑克氏线不明显；Rs 分支为 11-13 条；基径中横脉 4 条，简单无分支；翅痣白色不明显。后翅与前翅约等长，稍窄；基部 2/3 透明无斑，翅端部有 1 弯向翅缘的弧形斑，其后方有 1 不规则形小褐斑，痣下室内侧有 1 褐色斑块，中脉亚端斑云状，大于痣下室内侧褐斑。前缘区与 R 和 Rs 间距约等宽；前斑克氏线清晰，后斑克氏线不明显；Rs 分叉点先于 CuA 分叉点；Rs 分支 11 条；基径中横脉 1 条；翅痣白色不明显。

雌性腹部明显短于后翅，深褐色，具稀疏黑色短毛。

雄性生殖器：未知。

雌性生殖器 (图版XXV：5)：肛上片被黑色短毛；9-内生殖突圆突状，无挖掘毛；9-外生殖突小，瘤突状，8-外生殖突长指形，8-内生殖突瘤突形，约为 8-外生殖突长度的 1/2，均有黑色短毛。

检视标本 1♀，正模，西藏墨脱县背崩乡，800 m，1995.Ⅸ，黄灏，CAU-N100119。

分布 西藏。

(11) 褐纹树蚁蛉 *Dendroleon pantherinus* (Fabricius, 1787) (图版Ⅵ：5)

Myrmeleon pantherinus Fabricius, 1787: 249. Type locality: Austria.

Myrmeleon ocellatum Borkhausen, 1791: 161. Synonymized by Hagen, 1888: 185.

Dendroleon pantherinus: Brauer, 1866b: 42.

雌性：前翅 24-40 mm，后翅 23-38 mm，腹部 15-17 mm，体长 22-26 mm。

雄性：前翅 24-30 mm，后翅 23-28 mm，腹部 15-23 mm，体长 22-32 mm。

头顶褐色，隆起，中央有 1 对黑褐色横斑，后方有 1 对近圆形的黑褐纵斑；复眼灰黑色，有小黑斑；额在触角附近黑色，下方褐色，有稀疏长毛；唇基褐色；下颚须、下唇须黄色；下唇须端节稍膨大有短褐毛；触角棒状，黄褐色，柄节、梗节黑褐色，棒状部分黑色，鞭节约 35 小节。

前胸背板梯形，长大于宽，黄褐色，密被黑色短毛，无明显中带，有些个体有隐约的黑色中线。中、后胸黄褐色至黑褐色，有稀疏的黑色刚毛；中胸的小盾片端部颜色更深；后胸中央颜色深，小盾片几乎全黑。

足细长，大部分黑褐色。前足基节和腿节外侧黑色，内侧黄色；胫节黄色，端部黑色，胫节中央有小块黑斑；跗节黄色至褐色；距和爪红棕色，距平直，仅端部稍弯曲，伸达第 2 跗节，爪小；中、后足与前足相似，但后足颜色更淡，胫节中央无黑斑。

前翅狭长，翅中部 CuA1 后有明显的眼状斑，弧形眼缘线中间有部分间断，眼状斑与翅基部之间有 1 小褐斑，亚端区有 1 不规则形褐斑，常延伸至外缘，翅痣外侧有 1 向外弯的浅弧形斑，翅痣内侧有 1 不规则形褐斑，中脉亚端斑褐色，短斜线状，翅上还有一些沿翅脉形成的褐色短纹；Rs 分叉点远先于 CuA 分叉点；前缘区略宽于 R 和 Rs 间距；前斑克氏线清晰，后斑克氏线不明显；Rs 脉 11-13 分支；基径中横脉 3-4 条，Rs 分叉前无不规则小室；翅痣白色，痣下室狭长；后翅比前翅略窄、略短；翅基部 3/5 透明无斑，痣下室内侧有 1 大褐斑，常伸达翅前缘，翅端区有 1 C 形大斑块，伸达翅顶角和外缘，C 形斑后还有 2 小褐斑，紧靠翅外缘，中脉亚端斑点状。前缘区略窄于 R 和 Rs 的间距；基径中横脉 1 条；痣下室明显比前翅的长。雄性有轭坠。

腹部短于后翅，黑褐色，有较密的褐色毛；第 1、3、4 节背板中央黄白色。

雄性生殖器 (图版 XXIX：4)：生殖弧弱骨化，阳基侧突宽片状，端部骨化强，相互靠近，生殖中片强骨化。

雌性生殖器 (图版 XXV：6)：肛上片较短宽，有浓密的长毛；9-内生殖突倒锥形，有较密的挖掘毛；9-外生殖突很小；8-外生殖突的指状内弯，端部较圆；8-内生殖突瘤突状，短于 8-外生殖突的 1/2。

检视标本　1♀，北京昌平黑山寨，2005.Ⅷ.31，李静，CAU-N101280；1♀，北京，1947.Ⅺ.29，采集人不详，CAU-N100156；1♀，北京妙峰山，1954.Ⅶ.6，任？年 (标签不清)，CAU-N100153；1♀，北京百望山公园，2005.Ⅸ.4，刘惠红，CAU-N101273；1♀，北京，195？.Ⅶ.28 (标签不清)，杨集昆，CAU-N100161；1♀，北京上庄水库，2004.Ⅸ.11，周瑞波，CAU-N100147；1♀，北京中国农业大学 (西校区) 校园，2004.Ⅸ.8，顾本国，CAU-N100148；1♀，北京青龙峡，2004.Ⅶ.7，周瑞波，CAU-N100149；1♀，北京，1947.Ⅺ.21，王敏华，CAU-N100162；1♀，北京南苑槐房，1959.Ⅵ.10，杨集昆，CAU-N100166；1♀，北京青龙峡，2004.Ⅶ.30，苏樱钗，CAU-N100150；1♀，北京，1964.Ⅶ.6，采集人不详，CAU-N100058；1♀，河北三河县，1976，采集人不详，CAU-N100157；1♀，山西中条山，1981.Ⅷ.4，李法圣，CAU-N101268；1♀，内蒙古伊克昭盟*鄂尔多斯石龙庙，2005.Ⅶ.6，李波，CAU-N101275；1♀，湖北兴山，采集时间及采集人不详，CAU-N100107；1♀，浙江庆元百山祖，800 m，1993.Ⅷ.17，吴鸿，CAU-N100097；1♀，山东昆嵛山，1973.Ⅶ.9，刘胜利，CAU-N100170；1♂，湖北神农架松柏，700-800 m，1984.Ⅵ.20，杨集昆，CAU-N100100；1♀，福建南坪西芹，1988.Ⅴ，吴志远，CAU-N100094；1♀，闽西梅花山丘山，700 m，1988.Ⅶ.24，杨集昆，CAU-N100096；1♂，福建清流，1986.Ⅶ.29，鄢仁杨，CAU-N100095；1♂，陕西终南山太乙宫，1956.Ⅵ.26，冯连阁，CAU-N100159；1♀，陕西佛坪窑沟，870-1000 m，1998.Ⅶ.25，中科院动物所陈军，CAU-N101269；1♀，陕西甘泉六里峁，1971.Ⅶ.2，杨集昆，CAU-N100110；1♀，陕西洋县，1985.Ⅶ.18，李法圣，CAU-N100109；1♂，陕西周至殿广电村，980 m，2006.Ⅶ.15，采集人不详，CAU-N101279；1♂，陕西宁强，1974.Ⅸ.29，西北家常院，吴志清，CAU-N100111；1♀，甘

* 伊克昭盟，为鄂尔多斯市的旧称

肃文县，1985.Ⅷ，刘松林，CAU-N100106；1♀，甘肃甘谷，1980.Ⅶ.26，李法圣，CAU-N100079；1♀，宁夏农科所室内窗下，1975.Ⅶ.22，采集人不详，CAU-N100091；1♀，福建邵武黄坑，1963.Ⅶ.8，周尧，CAU-N100167；1♂，东北金山，1950.Ⅶ.29，时福安，CAU-N100164；1♂，采集信息不详，CAU-N100163；1♀，川埠山下，1988.Ⅵ.30，采集人不详，CAU-N100169；1♀，采集信息不详，CAU-N100151； 1♀，昆肖山，2005.Ⅶ.24，顾丰，CAU-N101278。

分布 内蒙古、北京、河北、山西、山东、陕西、甘肃、宁夏、浙江、湖北、福建；俄罗斯，奥地利，阿塞拜疆，巴尔干半岛，保加利亚，高加索地区，克罗地亚，捷克，斯洛伐克，芬兰，法国，格鲁吉亚，德国，匈牙利，意大利，马耳他，波兰，罗马尼亚，斯洛文尼亚，瑞士，土耳其，乌克兰，塞尔维亚，黑山。

(12) 中华树蚁蛉 *Dendroleon similis* Esben-Petersen, 1923 (图版Ⅵ：6)

Dendroleon similis Esben-Petersen, 1923a: 89. Type locality: Tianjin.

雌性：前翅21-33 mm，后翅20-32 mm，体长23-28 mm，腹部17-20 mm。

雄性：前翅21-33 mm，后翅20-32 mm，体长23-28 mm，腹部17-20 mm。

头顶黄褐色，隆起，上有短毛，中央具1对黑褐色斑；复眼灰黑色，有小黑斑；额在触角附近黑色，其下面部分、唇基及上唇黄褐色，被褐色长毛；下颚须、下唇须黄褐色；下唇须端节稍膨大有褐色短毛；触角棒状，黄褐色，柄节、梗节黑褐色，棒状部分黑色，鞭节约35小节。

前胸背板长大于宽，黄褐色，有稀疏的褐色短毛和弯曲的长毛，无明显中带，有些个体有隐约的黑色中线。中、后胸黄褐色至黑褐色，局部颜色较深，有稀疏的黑色毛。

足细长，大部分黑褐色，有稀疏的黑毛。前足基节和腿节外侧黑色，内侧黄色；胫节黄色，端部黑色，胫节中央有小块黑斑；跗节黄色至褐色；距和爪红棕色，距平直，仅端部稍弯曲，伸达第 2 跗节；中、后足似前足，但后足色更淡。

前翅狭长，翅中部 CuA1 后有眼状斑，弧形眼缘线中间有部分间断，眼状斑与翅基部之间有 1 小褐斑，亚端区不规则形褐斑极淡，翅痣外侧有 1 向外弯的浅弧形斑，翅痣内侧有 1 不规则形褐斑，中脉亚端斑褐色，短斜线状，翅上还有很少沿翅脉形成的褐色短纹；Rs 分叉点先于 CuA 分叉点；前缘区略宽于 R 和 Rs 的间距；前斑克氏线清晰，后斑克氏线不明显；Rs 11-13 分支；基径中横脉 3 条；翅痣白色，痣下室狭长；后翅比前翅略窄、略短。翅基部 3/5 透明无斑，痣下室内侧有 1 大褐斑，不伸达翅前缘，翅端区有 1 褐斑，形状多变，不伸达翅顶角和外缘，中脉亚端斑点状，其他斑极浅，几乎看不到；Rs 分叉点先于 CuA 分叉点；前缘区略窄于 R 和 Rs 间距；基径中横脉 1 条；前斑克氏线清晰，后斑克氏线不明显；翅痣下小室明显比前翅的长。雄性有轭坠。

雌性腹部短于后翅，黄色至黑褐色，有较密的褐色毛；第 1 腹节淡黄色，中央颜色较深，第 3-4 节背板中央色较浅，其余腹节褐色。雄性与雌性相似，第 9 腹板片状，很宽，密被长毛。

雄性生殖器 (图版XXIX：5)：生殖弧弱骨化，阳基侧突宽片状，端部骨化强，相互靠近，生殖中片强骨化。

雌性生殖器 (图版XXV: 7)：肛上片短宽，有浓密的长毛；9-内生殖突呈纵向的长三角状，有较密的挖掘毛；9-外生殖突很小；8-外生殖突指状，端部较圆，有稀疏的长毛；8-内生殖突较小，有较密的长毛。

检视标本 1♂，北京，1973.Ⅶ.8，张学敏，CAU-N100126；1♂，北京，1972.Ⅶ.17，采集人不详，CAU-N100128；1♂，北京，1947.Ⅶ.8，杨集昆，CAU-N100127；1♂，北京农大，1979.Ⅶ.10，闫大平，CAU-N100123；1♀，北京，1947.Ⅵ.12，王安强，CAU-N100120；1♀，北京香山，1962.Ⅶ.18，沈力生，CAU-N100135；1♀，北京农大，1981.Ⅵ.20，王心丽，CAU-N100078；1♀，河北万全县 (灯诱)，1974.Ⅶ.14，谢以铨，CAU-N100132；1♂，河北迁西县，1998.Ⅶ.26-27，任秋壮，CAU-N100084；1♂，河北昌黎，1949.Ⅵ.23，杨集昆，CAU-N100184；1♂，辽西兴城 (今辽宁兴城)，1951.Ⅶ.3，李伟华，CAU-N100125；1♂，辽西兴城 (今辽宁兴城)，1951.Ⅶ.19，李伟华，CAU-N100178；1♂，辽宁沈农园艺室，1963.Ⅵ.17，采集人不详，CAU-N100139；1♀，山东农学院 (山东济南)，1955.Ⅴ.5，采集人不详，CAU-N101267；1♀，甘肃甘谷，1230 m，1980.Ⅶ.26，李法圣，CAU-N100079。

分布 辽宁、北京、河北、山东、甘肃；蒙古，印度尼西亚。

讨论 该种与褐纹树蚁蛉 *Dendroleon pantherinus* (Fabricius, 1787) 极相似，Esben-Petersen (1923a) 依据在中国 Tientsin (推测是天津) 采的标本，定名了 *Dendroleon similis*，他指出 Gestaecker 于 1893 年提及的北京褐纹树蚁蛉 *Dendroleon pantherinus* 很可能就是 *Dendroleon similis*。我们的研究发现这两种几乎找不到显著的差异，包括生殖器结构。因此，怀疑这两种之间存在异名关系，在核对模式标本之前，暂不做变动。*Dendroleon pantherinus* (Fabricius, 1787) 的模式标本保存在德国基尔大学 (Universitat Kiel, Kiel, Germany)；*Dendroleon similis* Esben-Petersen, 1923 的模式标本保存在丹麦哥本哈根大学动物博物馆 (Zoologisk Museum, University of Copenhagen, Copenhagen, Denmark)。

(13) 扑树蚁蛉 *Dendroleon pupillaris* (Gerstaecker, 1893)

Glenurus pupillaris Gerstaecker, 1893: 120. Type locality: Japan (Yokohama); Esben-Petersen, 1923a: 90; Kuwayama, 1962: 382.

Dendroleon pupillaris: Okamoto, 1914: 249.

据 Kuwayama (1962)的记述，该种翅展 60-70 mm，后翅有显著的横带，由 3 圆斑构成，从痣下室伸达后缘。Esben-Petersen (1923a) 给出了该种的前后翅图，图上除 Kuwayama (1962)记述的特征外，前翅在 CuA1 后方有 1 向后缘弯曲的弧线，似眼状斑，但只有眼缘线，无眼缘线下的斑。中脉亚端斑明显，翅痣内侧有 1 不规则形大斑，M 与 CuA1 间及 A 区散落着一些小斑。该种与墨脱树蚁蛉 *Dendroleon motuoensis* Wang, 2008 相似，但前者后翅端区仅有 1 C 形褐斑，后者后翅端区在 C 形褐斑后方还有 1 褐斑。

检视标本 无。

分布 中国 (无分布地详细记录)；日本。

讨论 该种主要分布在日本，只有 Kuwayama (1962)提到该种分布在中国，但没有给出具体的分布地。

4. 溪蚁蛉属 *Epacanthaclisis* Okamoto, 1910

Epacanthaclisis Okamoto, 1910a: 285. **Type species:** *Epacanthaclisis moiwanus* Okamoto, 1905; by original designation.

Epicanthaclisis Banks, 1940: 194. Misspelling. Synonymized by Stange, 2004: 87.

Botuleon Yang, 1986: 423. **Type species:** *Botuleon maculosus* Yang, 1986; by original designation. Synonymized by Stange, 2004: 87.

溪蚁蛉属 *Epacanthaclisis* 世界已知 13 种，目前中国已确定有 9 种。

属征 前翅 Rs 分叉点先于 CuA 分叉点，CuP 发出点与基横脉相连，2A 平缓地弯向 3A；前翅前缘区有 2-3 排小室 (班克溪蚁蛉 *E. banksi* 有 3 排小室)，基径中横脉 4-6 条。前斑克氏线较明显，后斑克氏线不清晰；后翅前缘区单排小室，基径中横脉 1-2 条；雄性有轭坠；距发达；触角间距小于柄节直径；一些种的雄性腹部 4-5 节膨大，具毛刷或毛腺。

分布 中亚，东亚。

种检索表

1 翅上密被明显的褐色斑点和短斑纹；前胸背板前 1/3 有 2 黑色大斑或几乎全黑，后 2/3 有 2 侧纵纹 ……2

翅除中脉亚端斑与肘脉合斑外，其他斑纹不明显；前胸背板有 4 黑色纵条纹 ……3

2 前翅基部斑点显著多于翅端部，前胸背板前半部色暗，黑斑不显著 …… **多斑溪蚁蛉 *E. maculosus***

前翅上斑点分布较均匀，前胸背板黄色，前 1/3 有 2 黑色大斑 …… **小斑溪蚁蛉 *E. maculatus***

3 中脉亚端斑与肘脉合斑点状或不明显 ……4

中脉亚端斑与肘脉合斑斜线状 ……5

4 前、中足距伸达第 2 跗节端部，后足距伸达第 1 跗节端部；前胸背板有 2 对黑色纵条斑，侧条斑几乎与中条斑等宽，直，分为两段 …… **隐纹溪蚁蛉 *E. amydrovittata***

前、中足距至少伸达第 3 跗节端部，后足距至少伸达第 2 跗节端部；前胸背板有 2 对黑色纵条斑，侧条斑明显比中条斑细，弯曲 …… **闽溪蚁蛉 *E. minanus***

5 雄性腹部有毛刷 ……6

雄性腹部无毛刷 ……8

6 中脉亚端斑、肘脉合斑与痣下室等长或更长，前胸背板深褐色侧纵纹直而细 …… **班克溪蚁蛉 *E. banksi***

中脉亚端斑、肘脉合斑短于痣下室，前胸背板深褐色侧纵纹弯曲 ……7

7 头顶与后头深褐色，无斑，前胸背板 1 对深褐色中纵纹几乎完全合并，侧纵纹宽；雌性 8-内生殖突为 8-外生殖突的 1/3 …… **宁陕溪蚁蛉 *E. ningshanus***

头顶与后头深褐色，具黄斑，前胸背板 1 对深褐色中纵纹后面合并，前面分开，侧纵纹细；雌性 8-内生殖突为 8-外生殖突的 1/4 …… **陆溪蚁蛉 *E. continentalis***

8　前胸背板黄色，有 2 对黑色条带 ……………………………………………墨溪蚁蛉 *E. moiwanus*
　前胸背板褐色，侧后角各有 1 大黄斑 ……………………………………巴塘溪蚁蛉 *E. batangana*

(14) 隐纹溪蚁蛉 *Epacanthaclisis amydrovittata* Wan & Wang, 2010 (图版Ⅷ：1)

Epacanthaclisis amydrovittata Wan & Wang, 2010: 47. Type locality: Gansu.

雌性：前翅 44-45 mm，后翅 42-43 mm，体长 35-36 mm，腹部 27-28 mm。

雄性：未知。

头顶隆起，黄褐色，具白色短毛；复眼黑褐色，有明显的小黑斑；额黄色，有稀疏长褐毛，在触角下方有黑色区域；唇基与上唇黄色；下颚须黄白色，下唇须基部黄白色，端部黑褐色，膨大如纺锤状，有黑毛；触角黄褐色，棒状，柄、梗节黄色，具小褐斑和白色短毛，鞭节约 36 小节，每小节基部黑褐色，端部黄色，棒状部分黑褐色。

前胸背板黄色，宽显著大于长，密被白色长毛，间有稀疏的黑色长毛；1 对黑色中带宽，后半部极靠近，前半部距离渐远；两侧具前后 2 对黑斑，前面 1 对大，后面 1 对小；中、后胸主要为黑褐色，具隐约的黄褐条斑。

足黄褐色，具浓密的黑、白色长刚毛。前足基节内弯，黄褐色，覆有浓密长白毛；腿节黑褐色，端部颜色更深，基部有 2-3 根长感觉毛；胫节黄色，有 2 黑褐色环带；跗节黑褐色，仅第 1、5 跗节基半部黄白色；距、爪红色，距端部稍弯曲，伸达第 2 跗节；中、后足似前足，后足腿节基部无感觉毛，距伸达第 1 跗节。

前翅狭长，翅脉深浅不同，似麻网，沿翅的外缘及后缘有一些小麻斑。前缘区宽于 R 与 Rs 的间距，小室以 2 排为主，间有 3 排；Rs 分叉点与 CuA 分叉点相对；前、后斑克氏线均不明显；Rs 脉 10-12 分支，基径中横脉 5-6 条，Rs 分叉前有 4-6 不规则小室；中脉亚端斑与肘脉合斑极小；翅痣大，乳白色，基部有 1 小褐斑，痣下室狭长。后翅比前翅略短、略窄；Rs 分叉点略先于 CuA 分叉点；前缘区约与 R 和 Rs 的间距等宽，前斑克氏线较清楚，后斑克氏线不明显，基径中横脉 2 条，Rs 分叉前有 1-3 不规则小室；翅痣下小室更长而窄。

腹部黑褐色，1-4 节密被白色长毛；其余各节密被黑色长毛。

雄性生殖器：未知。

雌性生殖器 (图版XXV：12)：肛上片卵圆形；9-内生殖突长，有短粗的挖掘毛；无 9-外生殖突；8-外生殖突粗壮，指状；8-内生殖突约为 8-外生殖突的 1/3。

检视标本　1♀，正模，甘肃迭部腊子口，1700 m，1980.Ⅷ.12，杨集昆，CAU-N100002。1♀，副模，四川南坪九寨，2000 m，1986.Ⅶ.16，陈刚，CAU-N100003。

分布　甘肃、四川。

(15) 班克溪蚁蛉 *Epacanthaclisis banksi* Krivokhatsky, 1998 (图版Ⅶ：2)

Epacanthaclisis banksi Krivokhatsky, 1998b: 47. Type locality: Sichuan.

雌性：前翅 33-37 mm，后翅 33-37 mm，体长 36-40 mm，腹部 20-22 mm。

雄性：前翅 37 mm，后翅 36 mm，体长 40 mm，腹部 22 mm。

头顶隆起，黑褐色，具白色短毛，靠近复眼处有 1 对黄斑；复眼灰色；额浅褐色至黑褐色，有稀疏的白色长毛，触角窝周围黑色，唇基黄褐色；下颚须、下唇须黄白色，下唇须端部膨大，黑色，具短毛。触角棒状，褐色，柄节、梗节黄褐色，具白色短毛，鞭节约 37 节，每节基部黄色，端部黑褐色。

前胸背板黄色，长约等于宽，密被白色短毛，间有稀疏的褐色长毛；具 1 对深褐色中纵带，中纵带宽，后面合并，前面分开，中纵带两侧有 1 对黑褐纵纹，细而直；前胸背板侧缘中后部黑色。中、后胸暗褐色，密被白色间褐色长毛。

足黄褐色，间有黑褐色，有黑、白色刚毛。前足基节向内弯曲，有浓密白色长刚毛；腿节黄褐色，端部黑色，基部有 2-3 长感觉毛；胫节黄色；跗节褐色，第 1、2、5 跗节的端部黄白色；距和爪红色，距端部稍弯曲，伸达第 4 跗节。中、后足似前足，后足腿节基部有 1 短的感觉毛，距伸达第 3 跗节。

前翅狭长，脉深浅不同，似麻网；前缘区具 2-3 排小室，Rs 分叉点先于 CuA 分叉点，前斑克氏线较清晰；Rs 约 12 分支；基径中横脉 4-6 条。中脉亚端斑与肘脉合斑长斜线状，等于或长于痣下室；翅痣白色，基部有 1 小褐斑。后翅比前翅狭窄；基径中横脉 2 条；无中脉亚端斑和肘脉合斑；翅痣色淡，不明显。

腹部 1-4 节浅黄色，具白色长毛，5-9 节黑色，具黑色长毛，有 1 黑褐色背中线和 1 对黑褐色侧线；雄性第 4 腹节膨大，有 1 对毛刷。

雄性生殖器 (图版 XXIX：6)：生殖弧中央膜质，两端强骨化，阳基侧突片状，边缘骨化较强，无生殖中片。

雌性生殖器 (图版 XXV：8)：肛上片卵圆形，有浓密长毛；9-内生殖突长，有较长的挖掘毛；无 9-外生殖突；8-外生殖突粗壮，端部较细；8-内生殖突约为 8-外生殖突的 1/4。

检视标本 1♀，四川南坪九寨，1986.Ⅷ.6，2000 m，陈刚，CAU-N100040；1♀，四川南坪九寨，1986.Ⅶ.17，2000 m，张晓春，CAU-N100037；4♀1♂，四川南坪九寨，2002.Ⅷ.2-17，石福明，CAU-N100031，CAU-N100032，CAU-N100033，CAU-N100034，CAU-N100038；2♀，甘肃文县刘家坪，2100 m，1998.Ⅵ.27，中科院动物所，袁德成，CAU-N100036，CAU-N100039；1♀，四川巴塘，2650 m，1982.Ⅷ.13，张学忠，CAU-N100035。

分布 甘肃、四川。

(16) 巴塘溪蚁蛉 *Epacanthaclisis batangana* Yang, 1992

Epacanthaclisis batangana Yang, 1992a: 447. Type locality: Sichuan.

雌性：未知。

雄性：前翅 44 mm，后翅 42 mm，体长 36 mm。

头部褐色，唇基以下及两颊黄色，头顶具有小黄斑及灰色粉板；触角暗褐色，长与头胸之和约等。

胸部褐色，前胸背板两侧具黄边，后角有大黄斑，前半有 3 黄纹，呈“小”字形排列；中、后胸多灰黄色碎斑。

足褐色，胫节中部和基部具黄环，胫节的端距呈爪状，伸达第 3 跗节端部，第 5 跗节很长，约等于前 4 节之和，足上疏生白色及黑色长毛。

翅透明，略带淡烟色，翅痣黄白色，内侧具褐斑；前翅的翅脉除 Sc 脉呈黑白间断带两色外，其他脉均为黑褐色，但位于白斑处的脉呈白色。中脉亚端斑与肘脉合斑斜线状。

腹部短于后翅，暗褐色，具灰粉及白色长毛，背板后缘有中断的细黄边。

雄性生殖器：未知。

雌性生殖器：未知。

检视标本　无。

分布　四川。

讨论　杨集昆教授于 1992 年依据雄性单模发表了该种，遗憾的是模式标本丢失了。以上描述根据杨集昆 (1992a) 原始文献。在原始文献中杨集昆提到了该种与墨溪蚁蛉 *Epacanthaclisis moiwanus* 的比较，认为该种的翅比墨溪蚁蛉更狭长。Okamoto (1910a) 记述墨溪蚁蛉前翅长 41 mm，后翅长 40 mm，体长 33 mm。我们将该种的原始发表照片与墨溪蚁蛉对比，发现翅形和翅斑都很相似，前胸背板的色斑有一些差异，但这很可能是个体间的差异。在无法核对模式标本的情况下，暂不做修订。墨溪蚁蛉的选模保存在日本札幌的北海道大学 (Hokkaido University, Sapporo, Japan)。

(17) 陆溪蚁蛉 *Epacanthaclisis continentalis* Esben-Petersen, 1935 (图版Ⅱ：2，图版Ⅶ：1)

Epacanthaclisis continentalis Esben-Petersen, 1935: 233. Type locality: Kataklik, Shyok Valley, Sillem.

雌性：前翅 36-38 mm，后翅 34-37 mm，体长 29-33 mm，腹部 19-23 mm。

雄性：前翅 35-40 mm，后翅 34-39 mm，体长 30-34 mm，腹部 20-24 mm。

头顶隆起，中部有 1 对横向黄斑，后侧有 1 对黄色小纵斑；复眼青灰色，有许多小黑斑；额黄褐色，有稀疏长毛，靠近触角有黑色斑带；下颚须、下唇须黄色；下唇须端部稍微膨大，黑褐色，有黑毛；触角黑褐色，柄、梗节黄褐色，有白短毛；鞭节约 35 小节，每小节基部黑褐色，端部黄白色。

前胸背板黄褐色，长约等于宽，前缘宽于后缘，密被黑色长毛，间有稀疏的白色长毛；具 1 黑色中纵带，中纵带较宽，且中部有 1 黄白色细纹；中纵带两侧有 1 对黑色侧条斑，细如线，多弯折。中、后胸主要呈黑褐色，有稀疏的黑色长毛和不明显的褐斑。

足黄褐色，间有褐色线，有黑、白色刚毛。前足基节粗壮向内弯曲，有浓密的白色长毛；腿节黄褐色，端部黑色，基部有 1-3 长的感觉毛；胫节黄色，有 2 长的黑色环带；跗节黑色，第 1、5 跗节的基部黄白色；距和爪红色，基部有小黑斑；距端部稍弯伸，伸达第 3 跗节。中、后足似前足，后足腿节基部有 1 短的感觉毛，距伸达第 2 跗节。

前翅狭长，脉深浅不同，似麻网，翅外缘附近多细碎的麻斑；前缘区具 2 排小室，Rs 分叉点远先于 CuA 分叉点；前、后斑克氏线均较清晰；Rs 约 10 分支，基径中横脉 4-6 条，Rs 分叉前有 3-8 不规则小室；中脉亚端斑与肘脉合斑斜线状，短于痣下室；翅痣污白色，基部有 1 黄褐色小斑。后翅比前翅狭窄；基径中横脉 2 条，Rs 分叉前有 2-3 不规则小室，无中脉亚端斑和肘脉合斑；翅痣色淡，不明显。

腹部黑褐色，背腹板上有浓密的黑色长毛，侧片上有浓密的白色长毛；雄性第 4 腹节膨大，有 1 对毛刷。

雄性生殖器 (图版XXIX：7)：生殖弧中央膜质，两端强骨化，阳基侧突片状，边缘骨化较强，无生殖中片。

雌性生殖器 (图版XXV：9)：肛上片卵圆形，有浓密长毛；9-内生殖突长，有较长的挖掘毛；无 9-外生殖突；8-外生殖突粗壮，呈指状；8-内生殖突约为 8-外生殖突的 1/4。

检视标本 1♀，北京小龙门，1990.Ⅶ.21，陈萌，CAU-N100009；1♂，北京小龙门，1992.Ⅷ.1，张威威，CAU-N100005；1♀，山西霍县七里裕，1550 m，1972.Ⅶ.28，王书永，CAU-N100011；1♀，河南灵宝亚武山，1200 m，1996.Ⅷ.21，申效城，CAU-N100013；1♀，河南西峡寨根，700 m，1996.Ⅷ.26，申效城，CAU-N100007；2♀，河南嵩县白云山，2002.Ⅶ.25，鲍荣，CAU-N100010，CAU-N100012；1♀1♂，河南内乡宝天曼，1350 m，2004.Ⅶ.23，王志良，CAU-N100187，CAU-N100186；1♂，河南嵩县天池山，1000 m，2004.Ⅶ.13，王志良，CAU-N100188；1♂，河南嵩县白云山，1500 m，2004.Ⅶ.14，王志良，CAU-N100192；1♂，海南，1998.Ⅷ，具体采集人及地点不详，CAU-N100006；1♀，陕西宁陕，1984.Ⅷ.14，西北农学院，CAU-N100008。

分布 北京、山西、河南、陕西、海南、四川、云南、西藏；塔吉克斯坦，阿富汗，印度。

(18) 多斑溪蚁蛉 *Epacanthaclisis maculosus* (Yang, 1986) (图版Ⅶ：4)

Botuleon maculosus Yang, 1986: 423. Type locality: Yunnan (Tengchong).

Epacanthaclisis maculosus: Stange, 2004: 88.

雌性：未知。

雄性：前翅 46 mm，后翅 43 mm，体长 46 mm，腹部 22 mm。

头顶隆起，黑色，具黑色短毛；复眼灰色，有小黑斑；额黄色，有稀疏长毛；触角下有大黑斑；下颚须和下唇须黄色，有褐毛，下唇须端节黑褐色，稍膨大有黑毛；触角棒状，柄节、梗节黄褐色，具黑色短毛，鞭节全黑，约 37 小节。

前胸背板主要呈黑褐色，后缘的中部黄色，长略大于宽，具稀疏的黑色长毛；无明显的中纵带，具 1 对黑色侧条纹；中、后胸主要呈黑褐色，具稀疏的黑褐色刚毛。

足黑色，较粗壮，具浓密的黑、白色长刚毛。前足基节及腿节基部黄褐色，基节密被黑色长毛；腿节大部及胫节、跗节黑色，腿节基部有 1 长感觉毛；距、爪红色，有黑色小斑，距末端略弯，伸达第 4 跗节；中、后足似前足，后足腿节基部无感觉毛，距伸达第 3 跗节。

前翅狭长，外缘下方略内陷，黄褐色，密布小褐斑，基部斑点显著多于端部；Rs 分叉点与 CuA 分叉点相对；前、后斑克氏线均较清晰；Rs 脉约 12 分支，基径中横脉 3-4 条，Rs 分叉前有 2-3 不规则小室；中脉亚端斑与肘脉合斑黑褐色，短斜线状；翅痣黄白色，基部有 1 黑褐色小斑。后翅比前翅略短、略窄、斑点更稀少；基径中横脉 2 条。

雄性腹部第 1-3 节淡褐色，密被褐色长毛；第 4-6 节污黄色、膨大，第 4 节背板黑褐色，内凹并有浓密的黑色毛丛，第 5 节前缘有 1 呈放射状排列的黑色刚毛丛，第 7-9 腹节暗褐色。

雄性生殖器 (图版XXIX：8)：生殖弧中央膜质，两端强骨化，阳基侧突片状，后侧有片状突起，边缘骨化较强，无生殖中片。

雌性生殖器：未知。

检视标本　1♂，正模，云南省保山地区腾冲县 (灯诱)，1194 m，1979.Ⅵ.14，采集人不详，CAU-N101709。1♂，副模，云南腾冲西山坝，1800 m，1979.Ⅵ.2，采集人不详，CAU-N100001。

分布　云南。

(19) 小斑溪蚁蛉 *Epacanthaclisis maculatus* (Yang, 1986) (图版Ⅶ：6)

Botuleon maculatus Yang, 1986: 424. Type locality: Yunnan (Huaning).

Epacanthaclisis maculatus: Stange, 2004: 88.

雌性：未知。

雄性：前翅 43 mm，后翅 42 mm，体长 15 mm (腹部从第 4 腹节以后缺失)。

头顶隆起，黑色，具黑色短毛；复眼具黄色金属光泽；额黄褐色，有稀疏长毛；触角下有大块黑斑；下颚须、下唇须黄色毛，下唇须端节黑褐色，膨大有黑毛；触角棒状，柄节、梗节黑褐色，具黑色短毛，鞭节约 37 小节，第 1-13 小节基部黑褐色，端部黄白色，其余各小节全部黑色。

前胸背板黄白色，长约等于宽，具稀疏黑色长毛；前 1/3 区域有 1 对大黑圆斑，具 1 对黑色侧纵条纹；中、后胸主呈黑褐色，具不明显的黄褐斑和稀疏的黑色长毛。

足大部分黑色，较粗壮，具浓密的黑色长刚毛。前足基节内弯，密被黑色长毛；基节、转节和腿节基部黄褐色；腿节大部、胫节、跗节黑色；腿节基部有 2 长感觉毛；距、爪黄褐色，距末端略弯，伸达第 4 跗节；中、后足似前足，但后足腿节基部无感觉毛，距伸达第 3 跗节。

前翅狭长，淡黄色，外缘下方稍内凹，均匀密布小褐斑。Rs 分叉点与 CuA 分叉点相对；前、后斑克氏线均明显；基径中横脉 5 条，Rs 分叉前有 2-3 不规则小室；Rs 脉约 10 分支；中脉亚端斑与肘脉合斑褐色，短小；翅痣白色不明显，基部有 1 褐色小斑；痣下室狭长。后翅比前翅略短、略窄，仅有零星小斑点；基径中横脉 1 条。

雄性腹部第 1-3 节褐色，密被长毛，其余各节缺损；从第 3 节残余末端能看出有膨大迹象。

雄性生殖器：未知。

雌性生殖器：未知。

检视标本　1♂，正模，云南玉溪地区华宁县，1800 m，1980.Ⅵ.30，张格高，CAU-N100004。

分布　云南。

(20) 闽溪蚁蛉 *Epacanthaclisis minanus* (Yang, 1999) (图版Ⅰ：5，图版Ⅶ：3)

Botuleon minanus Yang, 1999b: 145. Type locality: Fujian.
Epacanthaclisis minanus: Stange, 2004: 88.

雌性：前翅 43-46 mm，后翅 43-46 mm，体长 30-35 mm，腹部 15-18 mm。

雄性：前翅 38-42 mm，后翅 40-44 mm，体长 35-40 mm，腹部 17-30 mm。

头顶隆起，暗褐色，具黑色短毛，中央有 1 对小黄斑；复眼灰色，有小黑斑；额黄色，有稀疏短毛；触角下有黑褐色带；下颚须和下唇须黄色，端节暗褐色；触角棒状，基节黄色，梗节黑褐色，鞭节褐色，约 37 小节，每节基部黑褐色，端部黄色。

前胸背板黄色，长稍大于宽，具稀疏的黑色和白色长毛；有 2 对黑色纵条斑，隐约可见黄色十字线分割中条斑，侧条斑明显比中条斑细，弯曲；中、后胸呈暗褐色，有不明显的黄色斑带及黑、白色长毛。

足大部分黑色，粗壮，具浓密的黑、白色长刚毛。前足基节内弯，密被长白毛；基节、转节和腿节大部分黄色，腿节端部、跗节、胫节黑色 (有些个体的端部浅褐色)；腿节基部有 1-2 长感觉毛；距、爪棕红色，距末端略弯，伸达第 4 跗节；中、后足似前足，后足腿节基部无感觉毛，距伸达第 3 跗节。

前翅狭长，翅脉深浅相间。Rs 分叉点略先于 CuA 分叉点或与之相对；前、后斑克氏线均明显；Rs 脉约 13 分支，基径中横脉 5-7 条，Rs 分叉前有 3-6 不规则小室；中脉亚端斑与肘脉合斑黑褐色，点状；翅痣白色，基部有 1 褐色小斑。后翅比前翅略窄、色淡；基径中横脉 2 条，Rs 分叉前偶有 2 不规则小室。

腹部黄色，具黑色和白色长毛；雄性第 4 腹节端部膨大，有 1 内凹的大黑斑，上覆浓密黑色长毛丛；第 5 腹节膨大，前缘处有 1 排放射状黑色刚毛；第 7-9 节黑褐色；雌性各腹节暗褐色，均匀无膨大，节间具黄褐色边。

雄性生殖器 (图版XXIX：9)：生殖弧中央膜质，两端强骨化，阳基侧突片状，后侧有片状突起，边缘骨化较强，无生殖中片。

雌性生殖器 (图版XXV：10)：肛上片卵圆形，有浓密长毛；9-内生殖突长，有较长的挖掘毛；无 9-外生殖突；8-外生殖突粗壮；8-内生殖突约为 8-外生殖突的 1/3。

检视标本 1♂，正模，福建武夷山三港，1982.Ⅷ.24，汪家社，CAU-N100016。1♀，配模，福建武夷山三港，1981.Ⅷ.6，汪家社，CAU-N100028；2♀，副模，福建武夷山，1980.Ⅸ.17，林科所，CAU-N100029，CAU-N100030；2♂，副模，福建武夷山先锋岭，1987.Ⅸ.19，汪家社，CAU-N100015，CAU-N100017；1♂，副模，福建三港，1979.Ⅸ.25，柳晶莹，CAU-N100018；1♂，浙江安吉龙王山，1998.Ⅶ.30，吴鸿，CAU-N100019；1♂，浙江天目山，2006.Ⅷ.19，史宏亮，CAU-N102003；1♀，浙江天目山三亩坪 (灯诱)，1998.Ⅵ.30，赵明水，CAU-N100022；1♀，浙江天目山七星亭 (灯诱)，1998.Ⅷ.3，赵明水，CAU-N100023；1♀，浙江天目山大杨路，1998.Ⅸ.7，赵明水，CAU-N100021；1♀，福建江砀，1979.Ⅸ.29，官金兴，CAU-N100027；1♂，湖北神农架红坪镇，1200 m，2004.Ⅷ.13，谭晓玲 (YZU)；1♂，湖北神农架红坪镇，1200 m，2004.Ⅷ.14，鲁腊梅 (YZU)；

1♂，湖北神农架红坪镇，1200 m，2004.Ⅷ.15，张海霞 (YZU)；1♀，湖北神农架木鱼镇，1200 m，2004.Ⅷ.12，彭景阳 (YZU)；1♀，湖北神农架木鱼镇，1200 m，2004.Ⅷ.12，邹凤玲 (YZU)；1♀，广西龙胜天平山，1981.Ⅷ.13，童新汪，CAU-N100026；1♂，贵州道真大沙河 (灯诱)，1400 m，2004.Ⅷ.24，贾春枫，CAU-N102001；1♀，贵州大沙河前丰村 (灯诱)，1350-1500 m，2004. Ⅷ.19，朱雅君，CAU-N102002；3♀，陕西林业研究所，具体时间地点不详，CAU-N100020，CAU-N100024，CAU-N100025；1♀，陕西周至板房子乡，1050 m，2006.Ⅶ.20，李艳磊，CAU-N102004。

分布　陕西、浙江、湖北、福建、广西、贵州。

(21) 墨溪蚁蛉 *Epacanthaclisis moiwanus* (Okamoto, 1905) (图版Ⅶ：7)

Acanthaclisis moiwanus Okamoto, 1905: 115. Type locality: Japan.

Acanthaclisis moiwasana Okamoto, 1910a: 286. Synonymized by Stange, 2004: 89.

Epacanthaclisis moiwanus: Stange, 2004: 89.

雌性：前翅 45 mm，后翅 43 mm，体长 43 mm，腹部 31 mm。

雄性：未知。

头顶隆起，黑褐色，具白色短毛，中央有 1 对黄斑；复眼灰色，密布小黑斑；额黑色一直扩展至触角下方，有稀疏长毛；唇基与上唇黄色；下颚须和下唇须黄白色；下唇须端部黑褐色，膨大如纺锤状有黑毛；触角棒状，柄、梗节黄褐色，具白色短毛，鞭节约 36 小节，每节基部黑褐色，端部黄白色。

前胸背板黄褐色，长宽相近，具稀疏黑色长毛；1 对黑色中纵带极宽，后面部分合并，前面部分相离，两侧各有 1 黑色纵带，中间粗，两端细，其末端向外弯曲；中、后胸主要呈黑褐色，具不明显的褐色条斑。

足黄褐色，粗壮，具浓密的黑、白色长刚毛。基节黄褐色，有浓密白色长毛；腿节黑褐色，基部有 2-3 长感觉毛；胫节上有 2 黑褐色环带；第 1 跗节黄褐色，其余各跗节黑褐色；距、爪红色，距端部稍弯曲，伸达第 3 跗节；中、后足似前足，后足腿节基部无感觉毛；距伸达第 2 跗节。

前翅狭长，外缘稍尖，透明微黄，脉深浅不同，似麻网状。前缘区小室 2-3 排；Rs 分叉点略先于 CuA 分叉点；前、后斑克氏线均清晰；Rs 脉约 12 分支，基径中横脉 4-5 条，Rs 分叉前有 2-4 不规则小室；中脉亚端斑与肘脉合斑黑褐色，斜线状，短于痣下室；翅痣白色，基部有褐斑。后翅比前翅略短、略窄、色更淡；基径中横脉 2 条。

腹部黑色，密被白色长毛，各背板后缘微呈黄褐色；雄性腹部无毛刷或毛丛 [据 Krivokhatsky (1998a) 描述]。

雄性生殖器：未知。

雌性生殖器 (图版XXV：11)：肛上片卵圆形，有浓密黑色长毛；9-内生殖突长，有较长的挖掘毛；无 9-外生殖突；8-外生殖突粗壮，圆柱状；8-内生殖突约为 8-外生殖突的 1/4。

检视标本　1♀，四川南坪九寨，1987.Ⅶ.17，2000 m，张晓春，CAU-N100014。

分布　四川；日本。

(22) 宁陕溪蚁蛉 *Epacanthaclisis ningshanus* Wan & Wang, 2010 (图版Ⅷ：2)

Epacanthaclisis ningshanus Wan & Wang, 2010: 47. Type locality: Shaanxi.

雌性：前翅 35-39 mm，后翅 33-37 mm，体长 30-36 mm，腹部 21-24 mm。

雄性：前翅 35-37 mm，后翅 33-35 mm，体长 30-35 mm，腹部 21-23 mm。

头顶隆起，黑色，具白色短毛，中央近眼处有 1 对黄色新月状纵斑；复眼黑褐色，有小黑斑；额褐色，有稀疏长毛，靠近触角的下方有 1 近三角形黑斑；唇基与上唇黄色；下颚须、下唇须黄褐色，下唇须端部黑褐色，膨大呈纺锤状，有黑毛；触角棒状，黑褐色，柄节、梗节具白色短毛，鞭节约 34 小节，每节的基部黑褐色，端部黄褐色，棒状部分黑褐色。

前胸背板黄褐色，宽大于长，密被白色长毛，间有稀疏黑色长毛；中央具 1 对黑色中纵带，几乎完全合并，两侧各有 1 黑色纵带，较宽，在前端与中纵带通过 1 横向黑色条带连接在一起；侧缘前部黄褐色，后部黑色；中、后胸主呈黑色，具隐约的褐色斑和稀疏的黑、白色长毛。

足黑褐色，具浓密的黑、白色长刚毛。前足基节内弯，褐色，有浓密长白毛；腿节黑褐色，端部颜色更深，基部有 2-3 长感觉毛；胫节黄色，有 2 黑褐色环带；第 1 跗节黄白色，其余各节黑褐色；距、爪深红色，基部有 2 小黑斑；距端部稍弯曲，伸达第 3 跗节。中、后足似前足，后足腿节基部有 1 短感觉毛，距伸达第 2 跗节。

前翅狭长，脉深浅不同，似麻网，外缘和后缘附近散布较多的小麻斑；Rs 分叉点稍先于 CuA 分叉点；前斑克氏线较清晰，后斑克氏线不清晰；Rs 脉约 10 分支，基径中横脉 5 条，Rs 分叉前有 4-5 不规则小室；中脉亚端斑与肘脉合斑黑褐色，斜线状，短于痣下室；翅痣白色，基部有 1 黑褐色小斑；痣下室狭长。后翅比前翅略短、略窄，色更淡；基径中横脉 2 条，Rs 分叉前常有不规则小室；无中脉亚端斑及肘脉合斑；痣下室更狭长。

腹部短于后翅，黑色，密被黑色长毛；雄性第 4 腹节膨大有 1 对黑色毛刷。

雄性生殖器 (图版ⅩⅩⅨ：10)：生殖弧中央膜质，两端强骨化，阳基侧突片状，边缘骨化较强，无生殖中片。

雌性生殖器 (图版ⅩⅩⅥ：1)：肛上片卵圆形，短宽，有浓密的黑色长毛；9-内生殖突短而粗壮，有稀疏的挖掘毛；无 9-外生殖突；8-外生殖突粗壮，指状；8-内生殖突约为 8-外生殖突的 1/2。

检视标本　1♂，正模，陕西宁陕火地塘，1979.Ⅷ.5，1620 m，韩寅生，CAU-N100043。1♀，副模，陕西宁陕火地塘，1984.Ⅷ.16，西北农学院王安民，CAU-N100046；1♀，副模，陕西宁陕火地塘，1984.Ⅷ.16，西北农学院左广胜，CAU-N100041；1♀，副模，陕西宁陕，1984.Ⅷ.18，西北农学院侯江龙，CAU-N100042；1♀，副模，陕西宁陕，1984.Ⅷ.14，西北农学院，CAU-N100044；1♀，副模，陕西宁陕火地塘 (灯诱)，1998.Ⅷ.14，1580 m，中科院动物所袁德成，CAU-N100047；1♂，陕西佛坪凉风垭，1750-2150 m，1999.Ⅵ.28，中科院动物所姚建，CAU-N100045。

分布　陕西。

5. 锦蚁蛉属 *Gatzara* Navás, 1915

Gatzara Navás, 1915b: 385. **Type species:** *Gatzara jubilaea* Navás, 1915; by original designation and monotypy.

Gatsara Zoological Record (Insecta), 1918: 193. Misspelling. Synonymized by Stange, 2004: 90.

在 Stange (2004) 的《世界蚁蛉名录》中锦蚁蛉属 *Gatzara* 有 6 种，其中的 1 种记述分布在我国台湾。目前在中国发现了 *Gatzara* 的 6 种，但其中的 5 种并未收录在 Stange (2004) 的名录中。

属征　CuP 发出点与基横脉相连，2A 平缓地弯向 3A；前翅 Rs 分叉点略先于 CuA 分叉点；翅狭长，端部略尖，外缘常略内凹；前翅前缘区单排小室；雌性 8-内生殖突与 8-外生殖突等长或更长。雄性阳基侧突片状。

这个属与树蚁蛉属 *Dendroleon* 很相似，区别在于其雌性的 8-内生殖突与 8-外生殖突等长或更长，而 *Dendroleon* 雌性的 8-内生殖突明显小于 8-外生殖突。Stange (1999) 认为"尽管 *Gatzara* 与 *Dendroleon* 的成虫很相似，但幼虫区别相当大：与 *Dendroleon* 的幼虫相比，*Gatzara* 的幼虫中胸盾片上无特殊的刚毛丛和翻转的上颚，有次生颚齿和非常显著的侧枝刺"。

分布　中国，日本，印度。

种 检 索 表

1　前翅中脉亚端斑线状，后翅端区无云形斑……………………………………………………2
　前翅中脉亚端斑近圆点状，后翅端区有云形斑…………………………………………………3
2　后翅有黑色顶角线，前翅中脉亚端斑弯月形，前后翅外缘内凹较明显 … **黑脉锦蚁蛉 *G. nigrivena***
　后翅无黑色顶角线，前翅中脉亚端斑斜线形，前后翅外缘几乎不内凹 ……………………………
　……………………………………………………………………………… **角脉锦蚁蛉 *G. angulineura***
3　头顶具 1 对横纹，1 对纵纹，1 对靠近复眼的斑点………………………………………………4
　头顶斑纹复杂如豹纹 ………………………………………………………………………………5
4　前翅眼状斑完整，臀区褐斑不显著，后翅中脉亚端斑略大于前翅的中脉亚端斑 ……………………
　……………………………………………………………………………… **琼花锦蚁蛉 *G. qiongana***
　前翅无眼状斑或眼状斑缺少一半，臀区褐斑显著，后翅中脉亚端斑至少大于前翅中脉亚端斑的 2 倍 ……………………………………………………………………… **小华锦蚁蛉 *G. decorilla***
5　前翅眼状斑缺少一半，臀区褐斑显著，头顶斑似豹纹 ……………………… **华美锦蚁蛉 *G. decorosa***
　前翅眼状斑完整，臀区褐斑不显著，头顶有 5 浅褐色和 5 深褐色横条纹 ……………………………
　……………………………………………………………………………… **丽纹锦蚁蛉 *G. petrophila***

(23) 角脉锦蚁蛉 *Gatzara angulineura* (Yang, 1987) (图版Ⅸ：2)

Dendroleon angulineura Yang, 1987a: 212. Type locality: Tibet.
Gatzara angulineura: Wang, 2012: 34.

雌性：前翅 37 mm，后翅 35 mm，体长 28 mm，腹部 21 mm。

雄性：未知。

头顶隆起，黄色，具短褐毛，有 2 对褐色横斑和 1 对褐色纵斑；复眼灰至褐色，有小黑斑；额黄白色，触角间及触角的下方黑色；唇基和上唇黄褐色；下颚须、下唇须深褐色，下唇须端节稍膨大；触角棒状，黄褐色，柄节、梗节黑褐色，鞭节约 33 小节，棒状部分黑色。

前胸背板长大于宽，褐色，有黑色短毛和弯曲的黑色长毛，有 1 深褐色中纵纹和 1 对波浪形侧纵纹。中、后胸主呈黄褐色，有稀疏黑色长刚毛；中胸前盾片有 1 对小黑圆斑，盾片上各有 1 黑纵斑，小盾片几乎全黑；后胸前盾片黄褐色，盾片上有 1 对黑色纵斑，小盾片中后部黑色。

足细长，前足基节稍弯，基部黑色，端部黄褐色，有稀疏的黑色、白色长毛；腿节黄褐色，端部黑褐色，胫节黄褐色，基部、端部黑褐色；第 1、2 跗节黄白色，其余各跗节黑褐色；距、爪红褐色，距端部 2/3 处黑褐色；距伸达第 2 跗节；中、后足似前足，但后足色略淡。

前翅狭长，脉颜色深浅不同似麻网；Rs 分叉点远先于 CuA 分叉点，R 和 Rs 间距与前缘区约等宽；前斑克氏线清晰，后斑克氏线不清晰；Rs 约 11 分支；基径中横脉 3 条，有 2 不规则小室；中脉亚端斑及肘脉合斑褐色、斜线状；翅痣黄色，痣下室狭长；后翅比前翅略窄、略短、淡色脉更多；Rs 分叉点远先于 CuA 分叉点，R 和 Rs 间距宽于前缘区；前斑克氏线清晰，后斑克氏线不清晰；Rs 约 10 分支；基径中横脉 1 条；中脉亚端斑褐色，点状，无肘脉合斑，痣下室末端有 1 小褐斑。

腹部短于后翅，具稀疏黑色毛；第 2 节黑褐色，有黑色、白色长毛；第 3、4 节中部黄色，基、端部黑色，其余各节黑色。

雄性生殖器：未知。

雌性生殖器 (图版 XXVI：6)：肛上片短宽，有稀疏的黑色短刚毛；9-内生殖突近似倒三角形，端部密生挖掘毛；9-外生殖突短小；8-外生殖突指状，8-内生殖突粗指状，明显长于 8-外生殖突。

检视标本 1♀，正模，西藏吉隆，2400 m，1975.Ⅶ.22，黄复生，CAU-N100048。

分布 西藏。

(24) 小华锦蚁蛉 *Gatzara decorilla* (Yang, 1997) (图版Ⅸ：3)

Dendroleon decorilla Yang, 1997: 615. Type locality: Hubei (Shennongjia).
Gatzara decorilla: Wang, 2012: 34.

雌性：前翅 27-35 mm，后翅 26-37 mm，体长 25-34 mm，腹部 16-17 mm。

雄性：前翅 27-35 mm，后翅 26-37 mm，体长 25-34 mm，腹部 16-17 mm。

头顶隆起，浅黄色，具黑色短毛，头顶具 1 对褐色横斑和 1 对褐色纵斑，还有 1 对小圆斑靠近复眼 (有些个体中不太明显)；复眼灰褐色，有小黑斑；额黄色，有稀疏的黄褐色毛，触角间和靠近触角的区域黑色；唇基和上唇黄色，下颚须黑褐色，下唇须黄色，端部黑色；触角棒状，柄节、梗节黑褐色，鞭节约 28 小节，每小节基半部褐色至黑色、端半部白色至褐色 (体色深的个体中不明显)，棒状部分黑色。

前胸背板长大于宽，后缘宽于前缘，有稀疏的黑色、白色长毛，黄色，中央具 1 黑色纵纹，中部以后有 1 对黑色侧条纹。中、后胸主黄色，有稀疏的黑色、白色长刚毛；中胸前盾片有 1 对黑斑，其后有 1 黑纵带一直伸达后胸末端，中胸两侧各有 1 褐色纵条斑；后胸小盾片几乎全黑。

足细长。前足基节稍弯，基节黄色；腿节内侧黄色，外侧黑色；胫节黄色，中部有 1 不连续黑斑，端部黑色；第 1、2 跗节黄白色，其余各跗节黑色；距、爪黄色，距长而直，偶有 1-2 小黑斑，伸达第 2 跗节。中、后足似前足，但后足色稍淡。

前翅狭长，中部较宽，翅端较尖。翅脉颜色深浅不同，有成片的浅色区和深色区。中脉亚端斑褐色，圆形，其外侧有一片浅褐色；CuA1 后方有 1 褐色大斑，似眼状斑缺失了一半；臀区有 1 色斑。前缘区横脉简单，仅在翅痣前后稍有分叉；R 和 Rs 间距宽于前缘区；Rs 分叉点远先于 CuA 分叉点；前斑克氏线清晰，后斑克氏线不明显；Rs 脉 9-12 分支；基径中横脉 3-4 条，Rs 分叉前无不规则小室；翅痣白色，不明显，基部有一片褐色；痣下室狭长。后翅比前翅略短、略窄；中脉亚端斑褐色，圆形，约比前翅中脉亚端斑大 2 倍，无肘脉合斑，翅端区及外缘内有云状褐斑，翅顶角下方有 1 瘦长的白色斑块。R 和 Rs 间距宽于前缘区；Rs 分叉点远先于 CuA 分叉点；前斑克氏线清晰，后斑克氏线不明显；Rs 脉约 8 分支；基径中横脉 1 条；翅痣白色，不明显，基部有一片褐色，痣下室狭长。雄性后翅有轭坠。

腹部短于后翅，黄褐色，各节后缘及侧片褐色，有细小的黑毛。

雄性生殖器 (图版XXX：2)：生殖弧弱骨化，阳基侧突片状，基部远离，顶端强骨化靠近，生殖中片强骨化，较小。

雌性生殖器 (图版XXVI：7)：肛上片被长刚毛，无挖掘毛；9-内生殖突长片形，有较粗而密的挖掘毛；9-外生殖突圆片形；8-外生殖突指状，8-内生殖突粗指状，长于 8-外生殖突指状。

检视标本　1♂，正模，湖北神农架大九湖，1977.Ⅵ.9，刘胜利 (天津自然历史博物馆)，CAU-N100055。1♂，浙江乌岩岭，650 m，2005.Ⅷ.4，王志良，CAU-N101292；1♀，河南栾川龙峪湾，1996.Ⅶ.14，杨集昆，CAU-N100049；1♂，河南栾川龙峪湾，1996.Ⅶ.14，杨集昆，CAU-N100054；1♀，陕西秦岭，1961.Ⅷ.8，杨集昆，CAU-N100056；1♀，河南内乡宝天曼，1350 m，2004.Ⅶ.23，王志良，CAU-N100174；2♂，河南内乡宝天曼，1350 m，2004.Ⅶ.23，王志良，CAU-N100177，CAU-N100175；1♂，河南内乡宝天曼，1350 m，2004.Ⅶ.24，王志良，CAU-N100176；1♀，河南嵩县白云山，1996.Ⅶ.16，申效诚，CAU-N100051；1♀，河南鸡公山水帘洞，2000.Ⅸ.11，申、任，CAU-N100050；1♂，

陕西，1961.Ⅷ.8，杨集昆，CAU-N100056；1♂，陕西宁陕火地塘，1580 m，1998.Ⅶ.11，中科院动物所袁德成，CAU-N100053；1♂，甘肃康县县城，1200 m，1998.Ⅶ.11，中科院动物所姚建，CAU-N100052。

分布 河南、陕西、甘肃、浙江、湖北。

(25) 华美锦蚁蛉 *Gatzara decorosa* (Yang, 1988) (图版Ⅸ：4)

Dendroleon decorosa Yang, 1988: 207. Type locality: Xizang (Motuo).
Gatzara decorosa: Wang, 2012: 34.

雌性：前翅 38-40 mm，后翅 39-41 mm，体长 28-30 mm，腹部 19-20 mm。

雄性：前翅 38-39 mm，后翅 39-40 mm，体长 28-29 mm，腹部 19-20 mm。

头顶隆起，黄底色上密布杂乱的黑斑如豹纹，有黑色短毛；复眼灰褐色，有小黑斑；额在触角间与触角下方黄褐色，其余部分黄色，有稀疏黄褐色毛；唇基与上唇黄色；下颚须黑褐色，下唇须黄色，端部黑色；触角棒状，柄节、梗节黑褐色，鞭节黄色褐色相间，膨大部分黑色，约 35 小节。

前胸背板长大于宽，后缘宽于前缘，有稀疏黑色、白色长刚毛，黄褐色，有 1 黑色中带，两侧各有 1 不明显的、较短的褐色纵带。中胸前盾片有 1 对黑斑，其后有 1 黑色纵带，两侧黑纹不明显，小盾片中部黑色。后胸中部大片黑色，两侧黄色，小盾片全黑。

足细长，黄色，有黑斑，有稀疏的黑色刚毛。前足基节稍弯曲，基节黄色；腿节的内侧黄色，外侧黑色，中部及近端部有黄斑；胫节黄黑两色相间；第 1 跗节黄色，其余各跗节黑褐色；距、爪黄色，距长而直，偶有 1-2 小黑斑，伸达第 2 跗节。中、后足与前足相似。

前翅狭长，端部较尖，外缘内凹较明显。翅脉颜色深浅不均。中脉亚端斑褐色，近圆形，其外侧有一片褐色区；CuA1 后方眼状斑缺少外侧一半，臀区有明显的褐斑；翅痣淡色，其内外两侧有大片的浅褐色区。前缘区横脉简单，仅在翅痣前后稍有分叉；R 和 Rs 间距宽于前缘区；Rs 分叉点远先于 CuA 分叉点；前斑克氏线清晰，后斑克氏线不明显；Rs 脉 9-12 分支；基径中横脉 3-4 条，Rs 分叉前无不规则小室；痣下室狭长。后翅比前翅略短、略窄；端区褐色，顶角下方有 1 不规则形浅色斑；中脉亚端斑褐色，扩展至翅缘，比前翅中脉亚端斑大数倍；无肘脉合斑。R 和 Rs 间距宽于前缘区；Rs 分叉点远先于 CuA 分叉点；前斑克氏线清晰，后斑克氏线不明显；Rs 脉约 9 分支；基径中横脉 1 条；痣下室狭长。雄性有轭坠。

腹部短于后翅，黄褐色至深褐色，末端颜色渐深，具黑色短毛。

雄性生殖器 (图版XXX：3)：生殖弧弱骨化，阳基侧突片状，基部远离，顶端强骨化靠近，生殖中片强骨化，较小。

雌性生殖器 (图版XXVI：8)：肛上片侧面观近三角形，9-内生殖突肾形，具挖掘毛，9-外生殖突较短小，8-内生殖突与 8-外生殖突等长，均为指状。

检视标本 1♀，正模，西藏墨脱格当，2000 m，1982.Ⅸ.15，韩寅恒，CAU-N100076。1♀，西藏汉密，2200 m，2005.Ⅷ.26，周达康，CAU-N101296；2♂，

西藏阿尼桥，2005.Ⅷ，黄灏，CAU-N101297，CAU-N101298。

分布　西藏。

(26) 黑脉锦蚁蛉 *Gatzara nigrivena* Wang, 2012 (图版Ⅸ：5)

Gatzara nigrivena Wang, 2012: 34. Type locality: Xizang (Hanmi).

雌性：前翅 40-41 mm，后翅 39-41 mm，体长 29-32 mm，腹部 21-24 mm。

雄性：未知。

头顶隆起，黄色，有 1 对黑色横纹，其后面为 1 对倒三角形黑斑连接在一起，靠近前胸背板处具 1 对黑色横纹；复眼黑褐色；额黄色，触角间及下方黑色，唇基黄色，上唇褐色，具稀疏黑色刚毛；下颚须亮黑色，下唇须深色；触角棒状，大部分黑色，鞭节 28 小节，膨大部前面一段棕色。

前胸背板长大于宽，后缘略宽于前缘，黄色，有稀疏的黑色短毛，具 1 中纵带，两侧前部各有 1 黑斑，其后方各有 1 黑色纵纹，末端向外侧转为横纹。中、后胸黄色，黑色斑纹多集中于前缘与侧缘。

足细长，黑黄相间，生有黑色刚毛。前足基节内侧黄色，外侧黑色，生有黑色长毛；胫节长于腿节，基部外侧有 1 略凸起的亮棕色圆斑；第 1 跗节黄色，第 2-5 跗节黑色，第 5 跗节长度为第 1 跗节的 2 倍；距、爪红棕色，距平直，常伸至第 2 跗节末端。中、后足似前足，但中、后足的第 5 跗节长度为第 1 跗节的 1-1.5 倍。

前翅中部外侧较宽，顶端较尖，外缘略内凹。翅脉深浅不同，深色脉更多，翅外缘内侧有密集的褐色麻斑；中脉亚端斑弯月形，肘脉合斑细弧线形。前缘横脉简单，偶有分支；R 与 Rs 间距与前缘区约等宽，Rs 分叉点先于 CuA 分叉点；前斑克氏线清晰，后斑克氏线不明显；Rs 分支为 10 条，基径中横脉 4 条，简单无分支；翅痣白色，内侧有黑斑。后翅略短于或等于前翅；浅色脉更多；顶角有 1 清晰的黑色纵纹，其内侧有一些黑点排列成内弯的弧形；中脉亚端斑深褐色，多分叉；无肘脉合斑。R 与 Rs 间距与前缘区约等宽；Rs 分叉点先于 CuA 分叉点；前斑克氏线较清晰，后斑克氏线不明显；Rs 分支 9-11 条；基径中横脉 1 条；翅痣白色。

腹部短于后翅，黑色，具棕色斑纹，生有稀疏短毛。

雄性生殖器：未知。

雌性生殖器 (图版ⅩⅩⅥ：9)：肛上片侧面观上窄下宽，生有黑色长毛；9-内生殖突肾形，挖掘毛短而密，9-外生殖突较明显；8-内生殖突与 8-外生殖突等长，均为指状。

检视标本　1♀，正模，西藏汗密，2200 m，2005.Ⅷ.24，周达康，CAU-N101294。1♀，副模，西藏汗密，2200 m，2005.Ⅷ.26，周达康，CAU-N101295。

分布　西藏。

(27) 丽纹锦蚁蛉 *Gatzara petrophila* Miller & Stange, 1999

Gatzara petrophila Miller & Stange, 1999: 50. Type locality: Taiwan.

虫体浅褐色为主。头部在触角之间亮黑色，头顶有 5 淡褐色和 5 深褐色横纹，侧前方有较大的深褐色带，中央有 2 深褐色纵纹，其后半段相互愈合。前胸背板浅褐色，中央具 1 清晰的深褐色纵纹，其两侧有深褐色弯纹，在盾沟处间断。翅脉白色与深褐色交替，前翅在前缘区、端区及 CuA 分叉区多褐斑。后翅基半部几乎无斑，端半部多褐斑和白斑 (译自 Miller 等原始描述部分内容)。

检视标本 无。

分布 台湾。

讨论 该种是 Miller 等 (1999)根据台湾的标本定名的，从原始描述及标本照片看，该种与分布在西藏的华美锦蚁蛉 *G. decorosa* (Yang, 1988)的翅形和翅上斑纹比较相似，但华美锦蚁蛉前翅臀区有 1 明显的褐斑，头顶斑似散乱的豹纹，而丽纹锦蚁蛉前翅臀区无褐斑，头顶有 5 淡褐色和 5 深褐色横纹，侧前方有较大的深褐色带，中央有 2 深褐色纵纹，其后半段相互愈合。目前大陆尚未发现该种。

(28) 琼花锦蚁蛉 *Gatzara qiongana* (Yang, 2002) (图版Ⅸ：6)

Dendroleon qiongana Yang, 2002: 296. Type locality: Hainan.

Gatzara qiongana: Wang, 2012: 34.

雌性：前翅 33 mm，后翅 32 mm，体长 24 mm，腹部 21 mm。

雄性：未知。

头顶隆起，黄色，有 1 对黑色横纹，其后有 2 对褐斑。复眼灰色；额黄色，触角间及下方黑色，唇基黄色，上唇黑色；下颚须和下唇须褐色，下颚须端部膨大，呈黑褐色；触角的柄、梗节黑褐色，鞭节残缺。

前胸背板长大于宽，后缘略宽于前缘，黄褐色，具稀疏褐色长毛，具 1 黑色中纵带，其前方 1/3 处略有间断，1 对黑色侧纵带从前方 1/3 处伸达前胸背板后缘，前 1/3 部分有密集的褐色小斑点。中胸前盾片有 1 对黑色圆斑和 1 对黑色纵条斑；1 黑色中纵带直伸到小盾片的端部，两侧各有 1 黑色弯曲的条斑。后胸中央黑褐色，两侧隐约可见黑色纵纹；小盾片几乎全黑。

足细长，褐色，有稀疏黑色短刚毛。前足基节黄色；腿节内侧黄色，外侧褐色，端部黑色；胫节的基部、端部黑色；第 1 跗节黄白色，其余各跗节黑色；距、爪黄褐色，距长而直，有 1-2 小黑斑，伸达第 2 跗节。中、后足似前足，后足色稍淡。

前翅狭长，顶端较尖，外缘略内凹；翅脉颜色深浅不同，浅褐色脉占多数；中脉亚端斑褐色，圆点状，CuA1 后方有完整的眼状斑，翅端区和近外缘区有斑驳的褐色，翅痣内侧有 1 褐色区。前缘区横脉简单，仅在翅痣前后稍有分叉；R 和 Rs 间距与前缘区约等宽；Rs 分叉点远先于 CuA 分叉点；前斑克氏线清晰，后斑克氏线不明显；Rs 约 12 分支，基径中横脉 3 条；翅痣淡粉色，不明显；痣下室狭长。后翅比前翅略短、略窄；中脉亚端斑褐色，圆形，略大于前翅的中脉亚端斑，无眼状斑，翅端区大片褐色包围着 1 白色长形纵斑。R 和 Rs 间距略宽于前缘区；Rs 分叉点远先于 CuA 分叉点；前斑克氏线清晰，后斑克氏线不明显；Rs 约 10 分支，基径中横脉 1 条。

腹部短于后翅，黄色，背板中央有 1 不连续的黑色纵带，侧片端部黑褐色，有稀疏长黑毛。

雄性生殖器：未知。

雌性生殖器 (图版XXVI：10)：肛上片短钝圆形，有稀疏而短的黄色刚毛，无挖掘毛；9-内生殖突近椭圆形，挖掘毛短而稀，9-外生殖突较小，8-外生殖突与 8-内生殖突均为指状，8-内生殖突明显大于 8-外生殖突。

检视标本　1♀，正模，海南五指山尖峰岭 (灯诱)，1981.Ⅻ.4，林龙洞，CAU-N100057。

分布　海南。

6. 雅蚁蛉属 *Layahima* Navás, 1912

Layahima Navás, 1912d: 36. **Type species:** *Layahima nebulosa* Navás, 1912; by original designation.

Noues Navás, 1919c: 13. **Type species:** *Noues zonatus* Navás, 1919c; by original designation. Synonymized by Stange, 1976: 309.

Asialeon Yang, 1997: 614. **Type species:** *Asialeon validum* Yang, 1997; by original designation. Synonymized by Wan, 2006: 35.

雅蚁蛉属 *Layahima* 世界已记录有 7 种，目前中国已确定 5 种。

属征　CuP 发出点与基横脉相连，2A 平缓地弯向 3A；前翅 Rs 分叉点略先于 CuA 分叉点或与之相对；前翅前缘区多具双排小室；前、后斑克氏线不显著；足短粗，第 5 跗节约等于第 1-4 跗节的和；距长至少超过第 1 跗节；雌性 8-外生殖突大，宽片状，无 8-内生殖突，9-内生殖突刚毛密而整齐。雄性无轭坠。

分布　中国，印度，越南。

种检索表

1　前翅前缘区单排小室 ………………………………………………………………2

　前翅前缘区在翅痣内侧有较长距离的双排小室 ……………………………………3

2　后足距直，超过第 4 跗节 ………………………… **五指山雅蚁蛉 *L. wuzhishanus***

　后足距弯曲，伸达第 2 跗节 ………………………………… **美雅蚁蛉 *L. elegans***

3　后足距达第 3 跗节，前翅前缘区双排小室区段约占翅痣至翅基距离的 2/5 …… **杨雅蚁蛉 *L. yangii***

　后足距达第 2 跗节，前翅前缘区双排小室区段长于翅痣至翅基距离的 1/2 ……………4

4　前翅前缘区双排小室区段约为翅痣至翅基距离的 2/3，前胸背板黄色，有黑色条斑 ………………
　…………………………………………………………………… **澜沧雅蚁蛉 *L. chiangi***

　前翅前缘区双排小室区段略超过翅痣至翅基距离的 1/2，前胸背板黑色，两前侧角色淡 …………
　…………………………………………………………………… **强雅蚁蛉 *L. validum***

(29) 澜沧雅蚁蛉 *Layahima chiangi* Banks, 1941 (图版Ⅷ：3)

Layahima chiangi Banks, 1941: 1. Type locality: Yunnan.

雌性：前翅 31-34 mm，后翅 29-32 mm，体长 22-25 mm，腹部 15-17 mm。

雄性：前翅 30-32 mm，后翅 28-30 mm，体长 21-24 mm，腹部 14-16 mm。

头顶隆起，具短毛，黄褐色，有 1 对倒三角形黑斑；复眼灰色，偶有小黑斑；额黑褐色，有稀疏的褐色短毛，中段黄色，唇基和上唇黄褐色；下颚须黄褐色，下唇须基部黄褐色，端部黑褐色，膨大呈纺锤状；触角棒状，黄褐色至黑褐色，有黑色短毛，较粗壮，鞭节约 34 小节。

前胸背板宽大于长，具稀疏黑色短毛和白色弯曲长毛，褐色，有 6 黑斑，排成前后两排，两侧各有 1 黑色条斑。中、后胸黄褐色，有较密的黑斑和极稀疏的白短毛。

足较粗壮，上有密的白毛和稀疏的黑毛；前足基节内弯，灰白色，有较密白色长毛，中部有 1 褐斑；腿节外侧褐色，基部、内侧灰白色，中部有 1 褐色斑带；腿节基部有 1 短感觉毛；第 1 跗节白色，其余各节深褐色；距、爪红褐色，距弯曲，伸达第 2 跗节中部；中、后足似前足，但后足腿节基部无感觉毛，腿节、胫节颜色更浅。

前翅狭长，透明无斑，脉深浅相间，多数横脉黄褐色；Rs 分叉点稍先于 CuA 分叉点；前缘区双排小室区段约为翅痣至翅基距离的 2/3，前缘区宽约等于 R 和 Rs 的间距；基径中横脉 4-6 条，Rs 分叉前有 2-4 不规则小室；Rs 脉约 9 分支；前、后斑克氏线均不清晰；翅痣大，白色，基部有小褐斑；痣下室狭长。后翅比前翅略短、略窄，颜色更淡，无斑；Rs 分叉点先于 CuA 分叉点，基径中横脉 1 条，斑克氏线不清晰；R 和 Rs 间距宽于前缘区。雄性无轭坠。

腹部短于后翅，背板褐色至深色，有黑色短毛，腹板以黄色为主；雄性第 9 腹板呈弯曲细指状。

雄性生殖器 (图版XXIX：11)：生殖弧弓形，中强骨化；阳基侧突宽片状，基部远离，端部强骨化，靠近；生殖中片长卵形，中强骨化。

雌性生殖器 (图版XXVI：2)：肛上片上有浓密的长毛；9-内生殖突弯片状，其上挖掘毛密而整齐；无 9-外生殖突；8-外生殖突宽片状；无 8-内生殖突。

检视标本 1♀，云南迪庆德钦霞若 (灯诱)，2070 m，1979.Ⅴ.16，严向群，CAU-N100200；1♂，云南德钦梅里雪山，3180 m，1982.Ⅶ.22，中科院动物所王书永，CAU-N101311；1♀，西藏芒康盐井，2600 m，1976.Ⅵ.7，采集人不详，CAU-N100199；1♂，西藏芒康盐井，2600 m，1976.Ⅵ.6，中科院动物所韩寅恒，CAU-N101310。

分布 云南、西藏。

(30) 美雅蚁蛉 *Layahima elegans* (Banks, 1937) (图版Ⅷ：4)

Noues elegans Banks, 1937: 285. Type locality: Sakahen, Formosa, Gressitt.

Dendroleon melanocoris Yang, 1999a: 616. Synonymized by Wan, 2006: 35.

Dendroleon tripuntatus Yang, 2002: 297. Synonymized by Wan, 2006: 35.

Layahima elegans: Stange, 1976: 310.

雌性：前翅 29 mm，后翅 26 mm，体长 22 mm，腹部 15 mm。

雄性：前翅 28-31 mm，后翅 25-28 mm，体长 21-24 mm，腹部 14-17 mm。

头顶隆起，黄褐色，有1对大的黑色圆斑，被黑色短毛；复眼黑灰色，有小黑斑；额黄褐色，有稀疏褐色长毛，触角窝间及周围黑色；唇基与上唇黄褐色；下颚须和下唇须黄褐色；下唇须端部膨大呈纺锤状，具稀疏的黑色短毛；触角棒状，粗壮，具黑色短毛；柄节、梗节黄色，有褐色短毛，鞭节褐色至黑色 (少数个体在基部几小节有窄褐环)，约34小节。

前胸背板长稍大于宽，具稀疏的黑色弯曲长毛，黄色，中央有1条黑色细纵纹，两侧缘的后2/3黑色，近前缘处常有1对褐色圆斑 (多数个体很不明显)。中、后胸黄褐色，均光滑少毛，两侧盾片上有黑色斑块。

足黄色至褐色，较粗，有密的黑色短毛和稀疏的黑色刚毛。前足基节内弯，有稀疏的黑色长毛；腿节端部及外侧黑色，胫节端部及外侧大部分黑色；腿节基部有1长感觉毛，但短于腿节长；第5跗节端半部黑色，基半部和其余各跗节黄白色；距、爪红褐色，距弯曲，伸达第2跗节中部；中、后足似前足，但后足腿节基部无感觉毛，腿节、胫节色更浅，距伸达第2跗节。

前翅中部略宽，Sc与R间有1排褐色短条斑，从翅基部延伸达痣下室，短条斑间距不等；中脉亚端斑、肘脉合斑隐约可见；Rs分叉点稍先于CuA分叉点；前缘区单排小室，仅在翅痣内侧有些小分叉，前缘区宽约等宽于R和Rs的间距；基径中横脉3-5条，Rs分叉前偶有不规则小室；Rs脉约9分支；前、后斑克氏线均不清晰；翅痣白色，基部有小褐斑；痣下室狭长。后翅比前翅略短、略窄，颜色更淡，Rs分叉点先于CuA分叉点，基径中横脉1条；R和Rs间距宽于前缘区；中脉亚端斑淡褐色，片状 (有些个体此斑不明显)。雄性无轭坠。

腹部短于后翅，黄褐色至黑褐色，具黑色短毛，各背板主要为黄色，仅前端黑褐色；雄性第9腹板呈扁平的五边形。

雄性生殖器 (图版XXIX：12)：生殖弧弓形，中强骨化；阳基侧突宽片状，基部远离，端部强骨化，靠近；生殖中片较小。

雌性生殖器 (图版XXVI：3)：肛上片较窄，有较密的长毛，9-内生殖突弯月状，边缘有整齐浓密的挖掘毛；无9-外生殖突；8-外生殖突宽片状，基部几乎与端部等宽，有细密的刚毛；无8-内生殖突。

检视标本 1♂，福建太平僚，1988.Ⅵ.9，陈伟，CAU-N100196；1♀，湖北巴东山峡林场，130 m，1993.Ⅵ.26，李鸿兴，CAU-N100197；1♂，广西金秀罗香，1999.Ⅴ.15，400 m，中科院动物所李文柱，CAU-N101313；1♂，海南尖峰岭 (灯诱)，1983.Ⅳ.29，中国林科院顾茂彬，CAU-N101312；1♂，四川峨眉山清音阁，800-1000 m，1957.Ⅵ.25，中科院动物所朱复兴；2♂，贵州册亨，800 m，采集时间、采集人不详，CAU-N100195，CAU-N100198。

分布 湖北、福建、台湾、海南、广西、四川、贵州。

讨论 该种的模式标本产自台湾，Stange等 (2003) 及Stange和Wang (1998) 对该种做了极简单的描述，但提供了彩色照片。从照片看与大陆分布的标本略有不同，台湾标本前翅除Sc与R间有1排褐斑外，M与CuA间也有1排褐斑。而大陆标本M与CuA间的褐斑极淡。这一差别有可能只是个体间的差异。该种模式标本保存在美国哈佛大学

比较动物学博物馆 (Museum of Comparative Zoology, Harvard, Cambridge, Massachusetts)。

(31) 强雅蚁蛉 *Layahima validum* (Yang, 1997) (图版Ⅷ：5)

Asialeon validum Yang, 1997: 614. Type locality: Hubei (Shennongjia).

Layahima validum: Wan, 2006: 40.

雌性：前翅 34-35 mm，后翅 32-33 mm，体长 30-32 mm，腹部 18-19 mm。

雄性：前翅 32 mm，后翅 30 mm，体长 28 mm，腹部 18 mm。

头顶隆起，黑色，具白色短毛；复眼黑色，有小黑斑；额黑色，局部色较浅，有稀疏的褐色长毛和白色短毛；唇基与上唇黄色；下颚须和下唇须黄色，端节黑褐色；下唇须端部膨大呈纺锤状，有稀疏黑色短毛；触角棒状，有黑色短毛，较粗壮，柄节黄色，有白短毛，基部有窄的黑褐斑，梗节基部黑褐，端部褐色，鞭节约 34 小节，每小节基部黑色、端部黄褐色。

前胸背板长稍大于宽，具稀疏黑色短毛和白色弯曲长刚毛，黑色，两前缘角各有 1 灰白大斑；中胸黑色，隐约可见两对淡色斑，有极疏的白色刚毛，后胸黑色。

足黑褐色，较粗壮；前足基节内弯，黑褐色，有密的白色长毛；腿节、胫节外侧有密的黑色刚毛，内侧有密的白色刚毛；腿节、胫节的中部和端部黑褐色，其余部分黄白色，第 1、2 跗节黄白色，第 3、4 跗节及第 5 跗节端部黑褐色；腿节基部有 1 长感觉毛；距、爪红褐色，距弯曲，伸达第 2 跗节中部；中、后足似前足，但后足腿节基部无感觉毛，腿节、胫节内侧无白色刚毛，距伸达第 2 跗节。

前翅狭长，透明无斑；Rs 分叉点稍先于 CuA 分叉点；前缘区双排小室区段约占翅痣至翅基距离的 2/3，前缘区宽约等宽于 R 和 Rs 的间距；基径中横脉 5 条，Rs 分叉前偶有不规则小室；Rs 脉约 10 分支；前、后斑克氏线均不清晰；翅痣白色，内侧有小褐斑；痣下室狭长。后翅比前翅略短、略窄，无斑；Rs 分叉点先于 CuA 分叉点，基径中横脉 1 条，R 和 Rs 间距宽于前缘区。雄性无轭坠。

腹部短于后翅，黑色，有密的白色短毛；雄性第 9 腹板呈扁平的五边形。

雄性生殖器 (图版XXX：1)：生殖弧弓形，中强骨化；阳基侧突宽片状，基部远离，端部强骨化，靠近；生殖中片横条状。

雌性生殖器 (图版XXⅧ：12)：肛上片较窄，有较密的长毛；9-内生殖突弯片状，有整齐浓密的挖掘毛；9-外生殖突片状，很短；8-外生殖突片状，有浓密的细长毛；无 8-内生殖突。

检视标本 1♀，正模，湖北神农架松柏镇 (灯诱)，960 m，1980.Ⅶ.28，杨集昆，CAU-N100194。2♀，副模，湖北兴山龙门河 (灯诱)，1350 m，1993.Ⅶ.18，宋士美，CAU-N101308，CAU-N101309；1♂，广西宁明垅瑞，180 m，1984.Ⅵ.25，李法圣，CAU-N100193。

分布 湖北、广西。

讨论 本研究中发现杨集昆于 1997 年描述的新属 *Asialeon* 的属征与本属一致，两性外生殖器解剖特征也证明其与本属为异名关系。

(32) 五指山雅蚁蛉 *Layahima wuzhishanus* (Yang, 2002) comb. nov. (图版Ⅷ：6)

Dendroleon wuzhishanus Yang, 2002: 297. Type locality: Hainan.

雌性：前翅 28 mm，后翅 27 mm，体长 22 mm，腹部 15 mm。

雄性：未知。

头顶隆起，具黑色短毛，近触角处有小块黑斑，其后方有 1 对黑斑；复眼黄色，有小黑斑，具金属光泽；触角窝间黄色，额上部黑色，有稀疏黑色长毛，下部及唇基黄褐色；下颚须、下唇须黄褐色，下唇须稍膨大有褐色短毛；触角的柄节、梗节黄色，有黑色短毛，鞭节缺失。

前胸背板长稍大于宽，密被黑色短毛和弯曲的黑色长刚毛；黄褐色，有 1 对褐色纵条斑，其间有 1 小褐斑，侧缘中部黑色；中胸中央黄褐色，周边黑色，有稀疏的黑色刚毛；后胸褐色。

足黄色，较粗壮，有黑色短毛和稀疏的黑白两色长刚毛；前足基节稍弯，有稀疏白色长毛；腿节、胫节端部黑色，腿节基部有 1 很长的感觉毛，约与腿节等长；跗节黄色，各节端部深褐色；距、爪深红色，距长而直，伸达第 4 跗节，爪小，短于距长的 1/2。中、后足似前足，中足的爪有些畸形，后足腿节基部无感觉毛。

前翅中部较宽，脉颜色深浅不同；Sc 与 R 之间有 1 排褐斑，中脉亚端斑、肘脉合斑褐色较小。Rs 分叉点稍先于 CuA 分叉点；前缘横脉从域的中部开始分叉但没有形成明显规则的小室；R 和 Rs 间距宽于前缘区；基径中横脉 5 条；Rs 脉约 8 分支；斑克氏线不清晰；翅痣褐色，痣下室狭长。后翅比前翅略短、略窄，无斑；Rs 分叉点先于 CuA 分叉点，基径中横脉 1 条，R 和 Rs 间距宽于前缘区。

腹部短于后翅，黑褐色，有较密的褐色毛。

雄性生殖器：未知。

雌性生殖器 (图版XXVI：4)：肛上片较窄，有稀疏的长毛；9-内生殖突弯片状，有整齐浓密的挖掘毛；无 9-外生殖突；8-外生殖突宽片状，无 8-内生殖突。

检视标本　1♀，正模，海南五指山国际度假寨 (灯诱)，800 m，1997.Ⅵ.1，杨集昆、程桂芳，CAU-N100201。

分布　海南。

讨论　杨集昆和王心丽 (2002) 根据雌性单模发表该新种时，将其放在树蚁蛉属 *Dendroleon* 中，万霞于 2003 年解剖了这个模式标本的雌性生殖器，发现该种没有 8-内生殖突，而且雌性生殖器整体构造与雅蚁蛉属 *Layahima* 高度一致，因此，将其移至雅蚁蛉属。然而，Wan 等 (2006)发表的有关中国雅蚁蛉属的研究中，没有提及该种，主要原因是考虑到对单模种做学名修订要尽可能慎重。近期我们又进一步研究了雅蚁蛉属，不仅将该种与中国的 4 种进行了比较，还与另外分布在中国周边国家的雅蚁蛉属 2 种进行了比较 (目前雅蚁蛉属世界仅记述 2 种分布在中国以外)，确定 *Dendroleon wuzhishanus* Yang, 2002 应移至雅蚁蛉属。

五指山雅蚁蛉 *L. wuzhishanus* 与分布在印度的 *L. nebulosa* (Navás, 1912g) 比较，五指

山雅蚁蛉前翅基径中横脉 5 条，Rs 分支前无不规则小室，Rs 起点与 Cu 分叉点几乎不分先后。*L. nebulosa* 前翅基径中横脉 8 条，Rs 分支前有不规则小室，Rs 起点远先于 Cu 分叉点。

五指山雅蚁蛉 *L. wuzhishanus* 与分布在越南的 *L. zonata* (Navás, 1919c) 比较，*L. zonata* 前翅宽，后翅窄，基部极窄。五指山雅蚁蛉前后翅约等宽。

(33) 杨雅蚁蛉 *Layahima yangii* Wan & Wang, 2006 (图版Ⅰ：6，图版Ⅸ：1)

Layahima yangii Wan &Wang, 2006: 42. Type locality: Guangxi.

雌性：前翅 35-36 mm, 后翅 34-35 mm, 体长 28-31 mm，腹部 18-19 mm。

雄性：前翅 35 mm, 后翅 34 mm, 体长 28 mm，腹部 18 mm。

头顶微隆，黄色，具 3 对褐斑，被褐色短毛；复眼呈淡铜绿色，有小黑斑；额黑褐色，有稀疏的白色和褐色短毛；唇基和上唇深褐色，下颚须黄色，下唇须基部黄色，端部褐色，膨大呈纺锤状，有较密的黑色短毛；触角棒状，较粗壮，黄褐色，柄节、梗节浅黄色，有白色短毛，内侧中部各有 1 褐斑，鞭节约 34 小节，棒状部分及邻近几节黑褐色。

前胸背板长大于宽，有稀疏的黑色短刚毛和白色弯曲的长刚毛，前缘处的黑短刚毛排列整齐；黄色，具 3 条深褐色纵条斑，侧缘中部黑色。中、后胸黄色与深褐色形成较复杂的图案。

足黄色，较粗，有稀疏黑色、白色刚毛；前足基节内弯有稀疏的白色长毛，中部有小褐斑；腿节端部及外侧黑褐色，胫节中部及端部黑褐色，第 4 跗节和第 5 跗节端部褐色，腿节基部有 1 长感觉毛，与腿节几乎等长；距、爪淡褐色，端部颜色更深，距弯曲，伸达第 4 跗节；中、后足似前足，后足腿节基部无感觉毛，距伸达第 3 跗节。

前翅狭长，脉深浅不同，似麻网，外缘和后缘内侧有较多在脉分叉点形成的褐色叉状斑点；Rs 分叉点远先于 CuA 分叉点；前缘区双排小室区段约占翅痣至翅基距离的 2/5，前缘区稍宽于 R 和 Rs 的间距；基径中横脉 4-5 条，Rs 分叉前有 2-3 不规则小室；Rs 脉约 9 分支；前、后斑克氏线均不清晰；中脉亚端斑及肘脉合斑褐色，隐约可见；翅痣白色，较大，基部有小褐斑；痣下室狭长。后翅比前翅略短、略窄、颜色更淡，Rs 分叉点远先于 CuA 分叉点，基径中横脉 1 条，R 和 Rs 间距稍宽于前缘区；无肘脉合斑，中脉亚端斑褐色，隐约可见。雄性无轭坠。

腹部短于后翅，黄褐色，第 2 节背板黑褐色，其余各背板中央黄色，两端黑褐色；雄性第 9 腹板呈扁平的五边形；肛上片微呈三角形。

雄性生殖器：生殖弧弓形，中强骨化；阳基侧突宽片状，基部远离，端部强骨化，靠近；生殖中片横条状 [雄性标本的外生殖器丢失，描述参考 Wan 等 (2006)]。

雌性生殖器 (图版XXVI：5)：肛上片有较密的长毛；9-内生殖突片状弯曲，有整齐浓密的挖掘毛相对而生；9-外生殖突小；8-外生殖突片状，有浓密的长细毛；无 8-内生殖突。

检视标本　1♀，正模，广西凭祥，1963.Ⅴ.16，杨集昆，CAU-N101318。1♀，副模，广西宁明垅瑞，180 m，1984.Ⅵ.17，李法圣，CAU-N101206；1♀，副模，广西那坡德孚，

1350 m，2000.Ⅵ.18，中科院动物所陈军，CAU-N101319；1♂，副模，广西弄岗，1982.V.20，李法圣，CAU-N101205。

分布　广西。

棘蚁蛉族 Acanthaclisini Navás, 1912

棘蚁蛉族幼虫不造陷阱，但少数属（*Vella*、*Phanoclisis*）的一些种有倒退行走习性。根据 Stange(2004)《世界蚁蛉名录》，棘蚁蛉族有 16 属，广布于世界各动物地理区。中大蚁蛉属 *Centroclisis* Navás 是该族最大的属，包括 41 种。中国目前已记述 5 属 6 种。

族征　棘蚁蛉族多为大型种，体粗壮多毛。前翅 CuP 起点与基横脉相接，或接近；2A 平滑地弯向 3A。Rs 分叉点后于 CuA 分叉点；距多数强弯。

属检索表

1　距弧形缓缓弯曲……2

　距强弯几乎成直角，常有凸缘……3

2　后翅有 2 显著的大色斑，后足腿节有长感觉毛……**硕蚁蛉属 *Stiphroneura***

　后翅无显著的大色斑，后足腿节无长感觉毛……**亥蚁蛉属 *Heoclisis***

3　前翅前缘区以单排翅室为主，仅在翅痣附近有双排翅室……**中大蚁蛉属 *Centroclisis***

　前翅前缘区以双排翅室为主……4

4　后足腿节无长感觉毛，爪无凸缘；雄肛上片短尾状，长为宽的 2 倍以下……**击大蚁蛉属 *Synclisis***

　后足腿节有长感觉毛，爪有凸缘；雄肛上片长尾状，长为宽的 3 倍以上……

　……**棘蚁蛉属 *Acanthaclisis***

7. 棘蚁蛉属 *Acanthaclisis* Rambur, 1842

Acanthaclisis Rambur, 1842: 378; **Type species:** *Myrmeleon occitanicum* Villers, 1789; by subsequent designation. Synonymized by Stange, 2004: 340.

Acanthoclisis Agassiz, 1847: 2. Misspelling. Synonymized by Stange, 2004: 340.

Acanthalysis Zahradka, 1904: 89. Misspelling. Synonymized by Stange, 2004: 340.

Acanthadisis Navás, 1934a: 499. Misspelling. Synonymized by Stange, 2004: 340.

棘蚁蛉属 *Acanthaclisis* 已知世界上有 7 种，目前中国已确定有 1 种。

属征　前翅前缘区以双排翅室为主，胫端距有凸缘并强烈弯曲近乎直角，后足腿节基部有长的感觉毛，爪小于胫节距，雄性生殖器的肛上片延长为 1 对尾突，长为宽的 3 倍以上。

分布　中国，印度，中东，欧洲，非洲。

(34) 尾棘蚁蛉 *Acanthaclisis pallida* Mclachlan, 1887 (图版Ⅰ：4，图版Ⅰ：8，图版Ⅱ：3，图版Ⅹ：2)

Acanthaclisis pallida Mclachlan, 1887: 453; Hözel, 1970b: 128; Krivokhatsky, 1996a : 15. Type locality: Centra Asia.

Acanthaclisis pallida rufa Navás, 1931b: 62. Synonymized by Stange, 2004: 342.

雌性：前翅 37-40 mm，后翅 35-37 mm，体长 43-45 mm，腹部 32-33 mm。

雄性：前翅 38-42 mm，后翅 35-39 mm，体长 45-47 mm，腹部 33-34 mm。

头部隆起，浅褐色，具白色长毛；复眼金黄色，有小黑斑，额黄色密生白毛；唇基黄色，下颚须黄色，下唇须黄色末端锥突状生有短毛。触角间距小；触角窝、柄节、梗节黄色，鞭节黄色、褐色相间排列，约 50 小节。

前胸背板黄色，密生白色长毛，长宽约等，中央有两条褐色中纵带，中纵带两侧各有 1 略细的褐色纵带延伸至后缘两侧角；中、后胸黄色，有一些黑褐色纵条斑。

足黄色。前足胫节外侧有一些褐色斑，距、爪红棕色。腿节基部有两根长的感觉毛，长度与腿节直径约等。距强弯成直角，有凸缘；爪强弯，伸达第 3 跗节端部，第 5 跗节长约为第 1-4 跗节之和。中、后足腿节外侧褐色，胫节外侧有褐斑。后足有 1 长的感觉毛。

前翅无色透明，沿 CuA1 脉有 1 明显的褐色纵纹 (有些个体此纵纹不明显)，纵脉多为黄、褐色段相间排列，横脉多为黄色；前缘区为双排小室，上排小室小于下排小室；Rs 分叉点后于 CuA 分叉点；前缘区较 R 和 Rs 间距略宽；前、后斑克氏线均清晰；Rs 脉约 9 分支；基径中横脉 8 条，Rs 分叉前无不规则小室；中脉亚端斑明显，无肘脉合斑；翅痣白色，基部有 1 褐色斑，痣下室狭长。后翅短于前翅，外缘下方略内凹，Rs 分叉点后于 CuA 分叉点；基径中横脉 5 条；前、后斑克氏线清晰；有些个体沿 CuA1 脉有 1 褐色细纵纹，但比前翅的色淡，无中脉亚端斑及肘脉合斑，雄性有轭坠。

腹部深褐色，密布白色毛。雄性腹部第 6 和第 7 节之间有 1 对可伸缩的毛刷 (图版Ⅰ：4)，肛上片长尾状，其长为宽的 3 倍以上，被有白色和黑色刚毛。

雄性生殖器 (图版XXX：5)：生殖弧强骨化，桥形；阳基侧突宽片状，端部强骨化；生殖中片较窄。

雌性生殖器 (图版XXVI：12)：肛上片卵圆形，有黑色刚毛；9-内生殖突长，生有挖掘毛；无 9-外生殖突；8-外生殖突指状；8-内生殖突小。

检视标本 1♂，内蒙古阿拉善盟额济纳旗森防站，采集时间不详，关永强，CAU-N100285；1♀1♂，新疆巴楚县其盖卖旦农三师，1996.Ⅵ.4，蒋明翔，CAU-N100268，CAU-N100265；3♂，新疆哈密，1981.Ⅵ，薛世来，CAU-N100270，CAU-N100281，CAU-N100284；1♀，新疆吐鲁番，1964.Ⅷ.20，田向，CAU-N100279；1♀，新疆吐鲁番，1979.Ⅷ.25，李法圣，CAU-N100282；1♀，新疆吐鲁番，1979.Ⅷ.26，采集人不详，CAU-N100264；1♀，新疆吐鲁番，1979.Ⅷ.26，杨集昆，CAU-N100289；1♀，新疆和田 (灯诱)，1981.Ⅶ.21，刘志兵，CAU-N101330；1♂，新疆和田 (灯诱)，1981.Ⅵ，杨生明，CAU-N100262；3♀，新疆和田，1979.Ⅸ.9，采集人不详，CAU-N100266，CAU-N100275，

CAU-N100283；1♀，新疆和田，1979.Ⅸ.9，李法圣，CAU-N100277；1♀1♂，新疆沙湾县，1956，黄大文，CAU-N100267，CAU-N100274；1♀，新疆喀什，1980.Ⅵ.24，郭尚北，CAU-N100288；4♂4♀，新疆阿克苏，1100 m，2005.Ⅶ.17，白晓栓，CAU-N101335，CAU-N101336，CAU-N101337，CAU-N101339，CAU-N101332，CAU-N101333，CAU-N101334，CAU-N101338；5♂6♀，新疆，采集时间、采集人不详，CAU-N100271，CAU-N100273，CAU-N100278，CAU-N100280，CAU-N100292，CAU-N100263，CAU-N100272，CAU-N100286，CAU-N100287，CAU-N100290，CAU-N100291；1♀，宁夏额旗公园，1991.Ⅶ.30，杨彩霞，CAU-N100269。

分布　内蒙古、宁夏、新疆；蒙古，俄罗斯，哈萨克斯坦，土库曼斯坦，伊拉克，伊朗。

讨论　尾棘蚁蛉 *A. pallida* 具有两种色型，一种色型前翅沿 CuA1 脉有 1 条明显的褐色纵纹，另一种色型前翅的 CuA1 脉上只有一些褐色的小段，没有形成明显的褐色纵纹。

8. 中大蚁蛉属 *Centroclisis* Navás, 1909

Centroclisis Navás, 1909b: 71. **Type species:** *Centroclisis lanosa* Navás, 1909b; by original designation and monotypy.

Neboda Navás, 1911a: 116. **Type species:** *Neboda negligens* Navás, 1911a; by original designation and monotypy. Synonymized by Markl, 1954: 231.

Sogra Navás, 1911b: 240. **Type species:** *Sogra perversa* Navás, 1912; by monotypy. Synonymized by Esben-Petersen, 1916: 13.

Neoclisis Navás, 1914e: 205. **Type species:** *Neoclisis lineata* Navás, 1914; by original designation. Synonymized by Banks ,1930: 1046.

Sograssa Navás, 1924a: 71. **Type species:** *Sogra superba* Navás, 1912; by original designation and monotypy. Synonymized by Esben-Petersen, 1928: 77.

Sogrossa Fraser, 1951: 352 (misspelling of *Sograssa*). Synonymized by Stange, 2004: 343.

Stenoclisis Navás, 1932a: 62. **Type species:** *Stenoclisis media* Navás, 1932a; by original designation and monotypy. Synonymized by Markl, 1954: 231.

Alloclisis Yang, 2002: 299. **Type species:** *Alloclisis hainanica* Yang, 2002. Synonymized by Bao, 2004: 510.

中大蚁蛉属是棘蚁蛉族中最大的1属，目前世界已知有41种，中国已确定有1种。Stange 等 (2003) 在记述台湾的蚁蛉时，给这个属起的中文名是“二齿蚁蛉属”，这个名字来源于幼虫的形态特征。该属幼虫的大颚只有 2 齿，第 3 齿微小或无。Stange 和 Miller (1985)曾报道该属幼虫在沙漠地区常捕食体较坚硬的昆虫，它们行动缓慢，只在夜间捕食，白天藏在沙地的深处。

属征　前翅前缘区大部分为单排翅室，复眼眼眶周围生有白色长刚毛 (长于柄节)；距强烈弯曲近乎直角，前足有较多的白色长毛，中足腿节基部至少有 2 长感觉毛，后足腿节基部多有 1 长感觉毛。

分布 中国，亚洲，欧洲，非洲。

(35) 单中大蚁蛉 *Centroclisis negligens* (Navás, 1911) (图版Ⅹ：3)

Neboda negligens Navás, 1911a: 116. Type locality: Hongkong.

Alloclisis hainanica Yang, 2002: 299. Synonymized by Bao, 2004: 510.

Centroclisis negligens: Markl, 1954: 231.

雌性：前翅 47-48 mm，后翅 43-44 mm，体长 40-42 mm，腹部 21-22 mm。

雄性：前翅 42-46 mm，后翅 38-42 mm，体长 38-40 mm，腹部 20-21 mm。

头顶隆起，黑褐色，有较密的黑色毛，具不规则的亮红棕色凸斑，沿中缝左右对称；复眼褐色，有小黑斑；额、唇基黄色，有浓密的黑色、白色长毛；下颚须黄色，末端褐色，下唇须褐色，密生黑色短毛。触角间距小，触角窝黄色，下方有 1 黑色环形斑，触角黄色、褐色相间排列，鞭节约 44 小节。

前胸背板黄色，宽略大于长，密生黑色长毛，中央具 1 黑色较宽的中纵带，中纵带两侧各有 1 细的黑色纵条纹延伸至后缘两侧角，两侧缘有黑色纵条带。中、后胸黑色，有不太明显的黄色纵条斑，中胸背板上有较密的黑色长毛，中、后胸背板后缘有浓密的白色长毛。

足褐色，密布白色和黑色长毛。前足基节、转节黄色，胫节外侧有黄斑，腿节基部有 2 长的感觉毛，长度与腿节约等。距强烈弯曲近乎直角，有凸缘，伸达第 4 跗节端部；第 5 跗节长约为第 1-4 跗节之和。中、后足褐色，中足腿节基部有两根长的感觉毛，有些个体后足腿节有 1 长感觉毛 (5 个检视标本中，3 个标本后足腿节无长感觉毛，2 个标本仅一侧腿节基部有 1 黑色的长感觉毛)。

前翅无色透明。纵脉多为黄、黑色段相间排列，横脉多为褐色或黄色；前缘区为单排翅室，仅在靠近翅痣处有一些小分叉形成双排翅室；Rs 分叉点后于 CuA 分叉点；前缘区与 R 和 Rs 间距约等宽，Rs 约 9 分支，基径中横脉 10 条，Rs 分叉前无不规则小室；Sc 和 R 之间、M 和 CuA1 之间有 1 列小褐斑，中脉亚端斑小，褐色，翅亚端区有一些散乱的小褐斑；前斑克氏线较清晰，后斑克氏线不清晰；翅痣黄白色，痣下室狭长。后翅较前翅短，没有褐斑；Rs 分叉点后于 CuA 分叉点；R 和 Rs 间距略宽于前缘区；基径中横脉 7 条；前斑克氏线较清晰，后斑克氏线不明显；翅痣黄白色，痣下室狭长。雄性有轭坠。

腹部黑色与褐色夹杂，密生白色短毛；雄性腹部肛上片下端延伸为短尾状。

雄性生殖器 (图版ⅩⅩⅩ：6)：生殖弧强骨化，阳基侧突并接呈 V 形，生殖中片小。

雌性生殖器 (图版ⅩⅩⅦ：1)：肛上片卵圆形生有黑色刚毛；9-内生殖突圆形有黑色挖掘毛；无 9-外生殖突；8-外生殖突细长指状；无 8-内生殖突。

检视标本 1♀，广东电白小良，1982.Ⅵ.12-17，谢映书，CAU-N100248；1♂，海南省吊罗山，1997.Ⅴ.24，杨集昆、程桂芳，CAU-N100247；1♀，海南省尖峰岭，1982.Ⅵ.22，顾茂彬，CAU-N100250；1♀，海南那大，1964.Ⅵ.9，平正明，CAU-N100249；1♂，海南省吊罗山，2006.Ⅴ.25，鲍荣，CAU-N101344。

分布　台湾、广东、海南、香港；马来西亚。

9. 亥蚁蛉属 *Heoclisis* Navás, 1923

Heoclisis Navás, 1923b: 12. **Type species:** *Myrmeleon fundatus* Walker, 1853; by original designation. Synonymized by Stange, 2004: 351.

亥蚁蛉属 *Heoclisis* 已知世界上有 10 种，目前中国已确定有 1 种。

属征　胫节距微弯，后足腿节无长感觉毛，前翅前缘区宽，从基部起具双排小室，后翅端部不内凹，痣下室长为宽的 7 倍。

分布　亚洲，澳大利亚。

(36) 中华亥蚁蛉 *Heoclisis sinensis* Navás, 1923

Heoclisis sinensis Navás, 1923b: 13. Type locality: West China, Chen-Chia-Tchareng, Mecquenam.

体长 34 mm，前翅长 48 mm，后翅长 43 mm (译自 Navás 原始描述部分内容)。

检视标本　无。

分布　中国。

讨论　该种以中国的地名+形容词后缀-ensis (含义是中国的) (*sinensis*) 命名，但自从 Navás 于 1923 年发表该种后，再无后续关于该种的报道。Holotype ♀, West China, Chen-Chia-Tchareng, 1913, P. de Mecquenam，保存在法国巴黎自然历史博物馆 (Museum National d'Histoire Naturelle, Paris, France)。

10. 击大蚁蛉属 *Synclisis* Navás, 1919

Synclisis Navás, 1919a: 218. **Type species:** *Acanthaclisis baetica* Rambur, 1842; by original designation. Synonymized by Stange, 2004: 358.

Sinclisis Steinmann, 1963: 215. Misspelling. Synonymized by Stange, 2004: 358.

击大蚁蛉属 *Synclisis* 目前世界已知有 4 种，中国已确定有 2 种。Stange 等 (2003)在记述台湾的蚁蛉时，给该属起的中文名是“三齿蚁蛉属”，这个名字来源于幼虫的形态特征。该属幼虫的大颚有 3 齿。幼虫行动和挖洞均较迅速，喜欢在开阔的沙地栖息。行动时向前疾跑，捕到猎物时向后退行。

属征　前翅近长卵形，前缘与后缘几乎平行；后翅短于前翅；前翅前缘区宽，双排翅室，距强弯，几乎成直角，中足腿节有 1 感觉毛，后足腿节基部没有长感觉毛。雄性肛上片延长成短尾突状。

分布　亚洲，欧洲，非洲。

种检索表

前胸背板有明显的斑纹，前后翅前斑克氏线极清晰，如 1 连贯的纵脉 ……**追击大蚁蛉** ***S. japonica***

前胸背板斑纹模糊，前后翅前斑克氏线均不清晰 ……………………………… **南击大蚁蛉** ***S. kawaii***

(37) 追击大蚁蛉 *Synclisis japonica* (McLachlan, 1875) (图版Ⅹ：5)

Acanthaclisis japonica McLachlan, 1875a: 174. Type locality: Japan; Matsumura, 1900: 17; Okamoto, 1910a: 284.

Synclisis japonica: Hagen, 1866: 378.

Heoclisis japonica: Navás, 1923b: 13.

雌性：前翅 50-55 mm，后翅 44-50 mm，体长 39-44 mm，腹部 28-29 mm。

雄性：前翅 48-54 mm，后翅 41-47 mm，体长 38-43 mm，腹部 28-29 mm。

头顶隆起，黑色，表面粗糙，有黑褐色斑点。额、唇基黄色，生有黑色、白色毛。下颚须黄色，下唇须黄色端部色深，密布黑色短毛；触角窝黄色，柄节黄色基部褐色，梗节黄褐色，鞭节褐色、黑色相间排列，约 45 小节。

前胸背板黄色，宽略大于长，密布白色、黑色长毛，中央有两条黑色纵带，两侧各有 1 细的黑色纵带延伸至后缘两侧角，两侧缘有宽的黑色纵带。中、后胸背板黑色，有不规则的黄色纵斑。

足黑褐色，密布白色、黑色长毛。前足基节、转节黄色，腿节基部黄色，胫节有一些黄斑，腿节基部有长的感觉毛，长度与腿节约等。距、爪粗硬弯曲，距伸达第 3 跗节端部，第 5 跗节长约为第 1-4 跗节之和。中足腿节基部有两根长的感觉毛，后足腿节基部没有长的感觉毛。

前翅无色透明，翅脉多为黄、黑色段相间排列；前缘区为双排翅室，上、下排翅室约等大；Rs 分叉点后于 CuA 分叉点；前缘区宽约等于 R 和 Rs 间距；前、后斑克氏线均清晰；Rs 11-12 分支，基径中横脉 10 条；中脉亚端斑黑褐色，点状，无肘脉合斑；翅痣明显，白色，基部黑色，痣下室狭长。后翅明显短于前翅，前缘区为单排翅室；Rs 分叉点后于 CuA 分叉点；R 和 Rs 间距略宽于前缘区；前、后斑克氏线均清晰；基径中横脉 6 条；中脉亚端斑不明显，无肘脉合斑；翅痣明显，白色，基部黑色，痣下室狭长。

腹部背面灰黑色，腹面黄色。雄性第 5 背板有霜状白斑，肛上片延长成短尾突状，被短刚毛。

雄性生殖器 (图版ⅩⅩⅩ：8)：生殖弧强骨化，宽阔，阳基侧突内缘呈弧线形骨化，生殖中片长小于宽。

雌性生殖器 (图版ⅩⅩⅦ：3)：肛上片卵圆形，上有黑色长刚毛；9-内生殖突细长；无 9-外生殖突；8-外生殖突指状，无 8-内生殖突。

检视标本 1♀，北京密云，2002.Ⅷ.9，采集人不详，CAU-N100234；1♀，北京农大 (灯诱)，1961，采集者不详，CAU-N100219；1♂，北京，1947.Ⅷ.7，杨集昆，CAU-N100226；1♀，北京，1947.Ⅷ.21，杨集昆，CAU-N100227；1♀，河北兴隆，1971.Ⅶ.24，天津自

然博物馆，CAU-N100245；3♀1♂，河北昌黎，1953.Ⅷ.19，冯连阁，CAU-N100211，CAU-N100210，CAU-N100217，CAU-N100218；2♀1♂，河北涿县*，1965.Ⅷ.1，杨集昆，CAU-N100212，CAU-N100225，CAU-N100239；1♂，河北涿县 (灯诱)，1965.Ⅶ.17，李法圣，CAU-N100246；1♂，河北涿县，1965.Ⅷ.1，李法圣，CAU-N100240；1♀，河北涿县，1965.Ⅷ.8，李法圣，CAU-N100236；1♂，河北涿县，1965.Ⅷ.21，杨集昆，CAU-N100224；1♀，河北涿县，1965.Ⅷ.26，杨集昆，CAU-N100241；1♀，河北涿县，1965.Ⅸ.25，杨集昆，CAU-N100231；1♂，河北涿县，1970.Ⅷ.25，杨集昆，CAU-N100237；1♀，河北涿县 (灯诱)，1974.Ⅷ.18，李法圣，CAU-N100238；1♂，河北涿县 (灯诱)，1974.Ⅷ.19，采集人不详，CAU-N100213；1♂，河北涿县 (灯诱)，1974.Ⅸ.17，采集人不详，CAU-N100214；1♀，河北涿县，1965.Ⅶ.20，吴维均，CAU-N100221；1♀，河北涿县，1965.Ⅸ，采集人不详，CAU-N100230；1♀，河北涿县，1965.Ⅸ.18，王，CAU-N100229；1♂，河北井陉县南掌寺，1998.Ⅶ.28-29，田新生等，CAU-N100220；1♂，河北迁西县，1998.Ⅶ.26-27，任秋壮，CAU-N100228；1♀，浙江舟山，2002.Ⅷ.12，张舟娜，CAU-N100232；1♀，河南商城黄柏山，200 m，1999.Ⅶ.14，申效诚、任应党，CAU-N100233；1♂，陕西白马工厂，1980.Ⅸ.12，张步振，CAU-N100244；1♀，陕西洛南，1981.Ⅶ.29，田华，CAU-N100223；1♀，旅大 (今大连)，1950.Ⅶ.25，采集人不详，CAU-N100215；2♀3♂，采集信息不详，CAU-N100216，CAU-N100222，CAU-N100235，CAU-N100242，CAU-N100243。

分布　辽宁、北京、河北、河南、陕西、浙江；俄罗斯，韩国，日本。

(38) 南击大蚁蛉 *Synclisis kawaii* (Nakahara, 1913) (图版Ⅰ：9，图版Ⅹ：4)

Acanthaclisis kawaii Nakahara, 1913a: 297. Type locality: Formosa, Banshoryo.

Synclisis kawaii: Miller *et al*., 1999: 73.

Heoclisis kawaii: Banks, 1937: 288.

雌性：前翅 47-54 mm，后翅 41-47 mm，体长 42-48 mm，腹部 29-30 mm。

雄性：前翅 47-52 mm，后翅 41-45 mm，体长 42-46 mm，腹部 29-30 mm。

头顶隆起，深褐色，有一些不规则的黑色斑。额黄色生有白色长毛，唇基黄色，下颚须黄色，下唇须黄色末端锥突状色深。复眼黄色或深褐色，有小黑斑。触角窝黄色，基部褐色，柄节内侧黄色，鞭节黄色、黑色相间排列，约 48 小节，触角间距小。

前胸背板黄色，宽略大于长，密布白色、黑色长毛，有不规则的黑色条带和黄色斑。中、后胸有一些不规则的黑色、黄色斑。

足褐色，有浓密的白色长毛。前足胫节外侧有黑斑，腿节基部有 1 长的感觉毛，与腿节长度约等。距、爪红褐色弯曲，距伸达第 3 跗节端部，跗节黑色，第 5 跗节长约为第 1-4 跗节之和。中足腿节基部有 2 长的感觉毛，后足腿节基部没有长感觉毛。

前翅无色透明，翅脉多为黄、黑色段相间排列，前缘区为双排翅室，上、下排翅室约等大；Rs 分叉点后于 CuA 分叉点；前缘区宽于 R 和 Rs 间距；前、后斑克氏线隐约可

* 涿县，为涿州市的旧称

见；Rs 8-9 分支，基径中横脉 10 条；中脉亚端斑黑褐色，不明显，点状，无肘脉合斑；翅痣明显，白色，基部黑色，痣下室狭长。后翅短于前翅，前缘区为单排翅室；Rs 分叉点后于 CuA 分叉点；R 和 Rs 间距略宽于前缘区；前、后斑克氏线隐约可见；基径中横脉 6 条；无中脉亚端斑及肘脉合斑；翅痣明显，白色，基部黑色，痣下室狭长。雄性有轭坠。

腹部背面黑色，腹部黄色；雄性第 5 背板有黄斑。肛上片延长成短尾状，被短刚毛。

雄性生殖器 (图版XXX：7)：生殖弧强骨化，宽阔，阳基侧突内缘呈弧线形骨化，生殖中片长大于宽。

雌性生殖器 (图版XXVII：2)：肛上片卵圆状具黑色长刚毛；9-内生殖突细长，有挖掘毛；无 9-外生殖突；8-外生殖突指状有黑色长刚毛；无 8-内生殖突。

检视标本　1♀，福建省黄田，1978，李任，CAU-N100255；2♀，福建林下，1980.Ⅷ，黄水势，CAU-N100256，CAU-N100257；1♂，海南省尖峰岭 (灯诱)，1982.Ⅴ.21，顾茂彬，CAU-N100252；1♀，海南吊罗山，1937.Ⅴ.25，采集人不详，CAU-N100253；1♂，海南省那大，1964.Ⅵ.9，平正明，CAU-N100254；1♀，海南尖峰岭天池，1983.Ⅴ.12，陈焕强，CAU-N100258；1♀，海南尖峰岭天池 (灯诱)，1982.Ⅳ.20，陈焕强，CAU-N100259；1♀，海南尖峰岭天池，1982.Ⅸ.17，梁少营，CAU-N100260；1♂，海南省吊罗山 (灯诱)，1997.Ⅴ.25，采集人不详，CAU-N101341；1♂，海南琼中吊罗山，2006.Ⅴ.26，鲍荣，CAU-N101342；1♀，海南乐东尖峰岭，2006.Ⅴ.21，鲍荣，CAU-N101343；5♂，海南尖峰岭天池 (灯诱)，800 m，2009.Ⅳ.27，敖伟光，CAU-N102022，CAU-N102023，CAU-N102028，CAU-N102029，CAU-N102032；3♀，海南鹦哥岭红坎水库 (灯诱)，600 m，2009.Ⅳ.21-22，敖伟光，CAU-N102024，CAU-N102025，CAU-N102031；2♀1♂，海南尖峰岭避暑山庄，957 m，敖伟光，2009.Ⅳ.24-25，CAU-N102026，CAU-N102027，CAU-N102030。

分布　福建、台湾、海南。

11. 硕蚁蛉属 *Stiphroneura* Gerstaecker, 1885

Stiphroneura Gerstaecker, 1885b: 91. **Type species:** *Myrmeleon inclusa* Walker, 1853; by original designation and monotypy. Synonymized by Stange, 2004: 357.

Neriga Navás, 1926b: 79. **Type species:** *Neriga oculata* Navás, 1926; by original designation and monotypy. Synonymized by Markl, 1954: 231.

Stiphroneuria Miller & Stange, 1985: 33. Misspelling. Synonymized by Stange, 2004: 357.

硕蚁蛉属 *Stiphroneura* 目前世界已知仅 1 种，中国有分布。

属征　体大型，距轻微弯曲，后足腿节基部有长的感觉毛，后翅的 CuP 脉与后缘间的距离小于或等于基径中横脉区的最宽处，后翅有 2 显著的黑色大斑，一个在翅痣附近，另一个在翅长的 2/3 处。

分布　中国，印度，缅甸，越南，泰国。

(39) 黎母硕蚁蛉 *Stiphroneura inclusa* (Walker, 1853) (图版Ⅹ：6)

Myrmeleon inclusa Walker, 1853: 327. Type locality: East Indies.
Neriga oculata Navás, 1926b: 80. Synonymized by Stange, 2004: 357.
Neriga limoiana Yang, 2002: 297. Synonymized by Bao, 2004: 509.
Acanthaclisis inclusa: Hagen, 1860: 363.
Stiphroneura inclusa: Gerstaecker, 1885: 91.

雌性：前翅 72 mm，后翅 73 mm，体长 54 mm，腹部 40 mm。

雄性：前翅 74 mm，后翅 75 mm，体长 59 mm，腹部 42 mm。

头顶隆起，乌黑色；复眼灰色；触角以下及口器黄色，下颚须和下唇须黄色，下唇须端部膨大；触角黑色，棒状，具黑色短毛，鞭节约 80 小节。

前胸背板黑褐色，无斑，长约等于宽，具稀疏的黑色长毛；中胸黑褐色，后胸背板灰褐色，有 1 “V” 形亮黑色斑。

足较粗，大部分黑色，密被黑色短毛和长刚毛；前足基节内弯，黄色；腿节基部有 1 短感觉毛；跗节黑色；距、爪红棕色，距弯曲，伸达第 2 跗节；中、后足似前足，但后足胫节基部黄褐色，腿节基部有 1 长感觉毛。

前翅透明，略带烟色；脉序多为黑色；前缘区为双排小室，Rs分叉点后于CuA分叉点；R和Rs间距宽与前缘区约等；前、后斑克氏线均清晰；Rs脉约11分支，基径中横脉14-15条，Rs分叉前有4-5不规则小室；Sc和R之间、M和CuA1之间有1列小褐斑，中脉亚端斑褐色，点状，无肘脉合斑，翅缘多褐色斜纹斑；翅痣黄白色，痣下室狭长。后翅与前翅约等长，比前翅窄，颜色淡；R和Rs间距宽约等于前缘区，Rs分叉点后于CuA分叉点；前斑克氏线不明显，后斑克氏线清晰，基径中横脉11-12条；Sc和R之间有1列小褐斑，中脉亚端斑黑褐色，大而圆，无肘脉合斑；翅痣白色，痣下室狭长，其外侧有1褐色大斑。雄性有轭坠。

腹部褐色，腹面微黄色，被稀疏而均匀的黑色短毛；雄性腹部肛上片下端延伸成长的指状突，被黑色刚毛。

雄性生殖器 (图版XXX：9)：生殖弧强骨化，较窄，与阳基侧突骨化的内缘相连，生殖中片不显著。

雌性生殖器 (图版XXⅦ：4)：肛上片卵圆形；9-内生殖突有挖掘毛；无 9-外生殖突；8-外生殖突指状，粗大；无 8-内生殖突。

检视标本　1♀，海南黎母山，1984.Ⅴ.26，顾茂彬，CAU-N100251；1♂，海南乐东尖峰岭，2006.Ⅴ.17，鲍荣，CAU-N101346；1♀，海南乐东尖峰岭，2006.Ⅴ.21，鲍荣，CAU-N101347；1♀，云南绿春县，1984.Ⅹ.12，陈又青，CAU-N101345。

分布　海南、云南；印度，缅甸，越南，泰国。

蚁蛉族 Myrmeleontini Latreille, 1802

蚁蛉族目前已记述 9 属 210 余种，其中蚁蛉属 *Myrmeleon* 是最大的属，包括 177 种，全球分布。哈蚁蛉属 *Hagenomyia* 世界已知 19 种，东蚁蛉属 *Euroleon* 世界已知 6 种，其他 7 属均只有 1-3 种。蚁蛉族有过幼虫期记载的种类均能建造陷阱，并且有倒退行走的习性，但分布于台湾的沙井蚁蛉 *Myrmeleon punctinervis* Banks 可以迅速向前方移动(Stange *et al.*, 2003; Stange, 2004)。

族征 前翅 CuP 起点与基横脉相接，或接近；2A 与 1A 在基部靠近，然后急转向 3A；后翅基径中横脉在 Rs 分叉前多于或等于 4 条；后足第 5 跗节长于第 1 跗节。

属检索表

1 前翅 CuP+1A 与 CuA2 长距离平行，相交点近翅中部……………………………**东蚁蛉属 *Euroleon***

前翅 CuP+1A 与 CuA2 不平行，相交于翅基约 1/4 处……………………………………………2

2 前翅前缘区单排翅室……………………………………………………………**蚁蛉属 *Myrmeleon***

前翅前缘区在翅痣内侧有一段双排翅室……………………………………**哈蚁蛉属 *Hagenomyia***

12. 东蚁蛉属 *Euroleon* Esben-Petersen, 1918

Euroleon Esben-Petersen, 1918b: 125. **Type species:** *Myrmeleon europaeus* McLachlan, 1873; by original designation. Synonymized by Stange, 2004: 301.

Teula Navás, 1930a: 5. **Type species:** *Teula sinica* Navás, 1930a; by monotypy. Synonymized by Hölzel, 1970b: 128.

Euvoleon Navás, 1932b: 186. Misspelling. Synonymized by Stange, 2004: 301.

东蚁蛉属 *Euroleon* 在 Stange (2004) 的《世界蚁蛉名录》中被记载了 6 种。2006 年鲍荣在 *Zootaxa* 上发表的论文，将其中的三峡东蚁蛉 *E. sanxianus* Yang, 1997 修订为朝鲜东蚁蛉 *E. coreanus* (Okamoto, 1926)的异名。黄体东蚁蛉 *E. flavicorpus* Wang 是 2009 年发表的 1 新种。截至目前，东蚁蛉属世界共有 6 种，其中 5 种在中国有分布，只有瑙东蚁蛉 *E. nostras* 广泛分布于欧洲，尚未在中国发现。

属征 前翅 Rs 分叉点后于 CuA 分叉点，CuP 发出点与基横脉相连，2A 与 1A 在基部靠近，然后急转向 3A；前翅前缘区仅 1 排翅室，靠近翅痣的横脉有些小的分叉；CuA2 与 CuP+1A 平行较长一段，在近翅中部相交；无前斑克氏线，后斑克氏线明显；后翅基径中横脉在 Rs 分叉前多于或等于 4 条；雄性有轭坠；后足第 5 跗节长于第 1 跗节；头顶隆起，中央具 2 对前后排列的黑色纵斑，其后面的 1 对常合并成 1 大圆斑，2 对纵斑的外侧各有 2 黑色横斑，这些斑有时相互融合。

分布 亚洲、欧洲。

种检索表

1　翅上无斑，前胸背板黄色，有2向背的“L”形黑纹，触角间黑色，唇基黄色，有2黑斑，腹部黑色 ………………………………………………………………………………… **肖东蚁蛉 *E. sjostedti***
　翅上有斑 ……………………………………………………………………………………………………2
2　胸腹均为黄色或黄褐色，前胸背板黄色，前区有2褐色短纵纹，近后缘有2褐色横纹；头顶黑色，触角间黄褐色，额有2黑斑，唇基黄色，有2黑斑 ……………………… **黄体东蚁蛉 *E. flavicorpus***
　体黑色，或至少腹部为黑色 ………………………………………………………………………………3
3　体型较大，前翅长32-42 mm，跗节黑色，翅上有较多的黑斑；轭坠大于后胸气门的2倍，前胸背板黑色，有黄色中纵纹；唇基大部分深色，近上唇部分黄色 ……………**多斑东蚁蛉 *E. polyspilus***
　体型较小，前翅长不超过35 mm，跗节褐色，至少第1跗节部分为浅色，翅上有零散的小斑；轭坠与后胸气门约等大 ……………………………………………………………………………………4
4　额浅色，有2淡褐斑，唇基黄色，中后部有1深色横带；前胸背板黄色，其上有褐色斑点和斑纹，前翅长22-28 mm ……………………………………………………………………… **小东蚁蛉 *E. parvus***
　额黑色，唇基黑色，仅前缘和两侧黄色，前胸背板黑褐色，边缘黄色，黄边常向内扩展，中间多有1黄色纵带，有时黑褐色区前部出现1对圆形黄斑，前翅长29-35 mm ……………………………
　……………………………………………………………………………………… **朝鲜东蚁蛉 *E. coreanus***

(40) 朝鲜东蚁蛉 *Euroleon coreanus* (Okamoto, 1926) (图版Ⅰ：3，图版Ⅺ：1)

Formicaleo coreanus Okamoto, 1926: 19. Type locality: Keijo, Heijo.
Euroleon alienus Navás, 1932a: 111. Synonymized by Krivokhatsky & Zakharenko, 1994: 694.
Euroleon sanxianus Yang, 1997: 618. Synonymized by Bao & Wang, 2006a: 51.
Euroleon sinuosus Navás, 1935a: 42. Synonymized by Hölzel, 1970a: 254.
Teula sinica Navás, 1930a: 6. Synonyized by Krivokhatsky & Zakharenko, 1994: 694.
Euroleon coreanus: Krivokhatsky & Zakharenko, 1994: 691.

雌性：前翅30-43 mm，后翅27-41 mm，体长31-38 mm，腹部21-25 mm。

雄性：前翅30-43 mm，后翅27-41 mm，体长31-38 mm，腹部21-25 mm。

头顶隆起，浅褐色，中央具2对黑色纵条斑，其外侧各有2黑色横斑，斑块间有时相互融合；复眼黄色，具金属光泽，其上有小黑斑；额黑色，下方1/3黄色；唇基黄色，中央有1宽阔的矩形黑斑，黑斑的宽度超过上唇宽；上唇黄色；下颚须第1-3节浅褐色，第4-5节深褐色；下唇须细长，内侧浅褐色，外侧深褐色，末端膨大；触角棒状，内侧黄色，外侧褐色；触角间距大于柄节的直径。

前胸背板宽大于长，黑褐色，具黑色和白色短毛；中央具1黄色中纵带，靠近前缘处中纵带两侧各有1黄色圆形斑，两侧缘黄色 (常不同程度地向内扩展)。中、后胸黑色，边缘有黄色窄边。

足细长，浅黄褐色，具稀疏的黑色刚毛。前足腿节、胫节深褐色，第1-4跗节的端部和第5跗节深褐色；腿节基部有1感觉毛，长度约为腿节直径的2倍；距和爪红棕色，距伸达第 1 跗节末端，第 5 跗节的长度等于第 1-4 跗节的长度之和。中、后足特征同前足。

翅狭长，外缘下方略内凹，主纵脉黑白相间。前翅前缘区 1 排翅室；Rs 分叉点后于 CuA 分叉点；R 和 Rs 间距与前缘区约等宽；Rs 约 8 分支，基径中横脉 8 条；前斑克氏线不明显，后斑克氏线清晰；沿横脉形成一些散碎小褐斑，主要分布在 R 与 Rs 之间、M 与 CuA1 之间；肘脉合斑褐色，点状；翅痣基部深褐色，端部乳白色，痣下室短宽。后翅较前翅略窄，几乎无斑，或具更少的零散小褐斑；Rs 分叉点后于 CuA 分叉点；R 和 Rs 间距与前缘区约等宽；Rs 约 8 分支，基径中横脉 5 条；前斑克氏线不明显，后斑克氏线清晰；翅痣色淡，不明显，痣下室较前翅长；雄性有轭坠。

腹部黑色，密被白色短毛，背板各节后缘有黄色窄边。

雄性生殖器 (图版XXX：10)：生殖弧弓形，强骨化；阳基侧突强骨化，耳状；生殖中片桥形。

雌性生殖器 (图版XXⅦ：5)：肛上片长卵圆形，具稀疏的黑色短粗刚毛；9-内生殖突大，具较粗的挖掘毛；无 9-外生殖突；8-外生殖突指状，具长刚毛；8-内生殖突短宽，具黑色刚毛；前生殖板锥状，显著。

检视标本　3♀，北京怀柔青龙峡大水峪村，2004.Ⅶ.7，刘红霞，CAU-N100306，CAU-N100307，CAU-N100308；1♀，北京怀柔青龙峡，2004.Ⅶ.9，潘俊鹏，CAU-N100457；2♂，北京怀柔，2003.Ⅶ.24，周达康，CAU-N100399，CAU-N100340；1♀，北京妙峰山，1964.Ⅷ.11，杨集昆，CAU-N100333；4♂5♀，北京门头沟小龙门，1976.Ⅸ.4，杨集昆，CAU-N100322，CAU-N100323，CAU-N100325，CAU-N100372，CAU-N100373，CAU-N100374，CAU-N100375，CAU-N100377，CAU-N100378；5♀，北京门头沟小龙门，1976.Ⅸ.4，李法圣，CAU-N100324，CAU-N100390，CAU-N100401，CAU-N100454，CAU-N100456；1♀，北京门头沟小龙门，1976.Ⅸ.6，李法圣，CAU-N100329；1♀，北京门头沟小龙门，1976.Ⅸ.4，陈合明，CAU-N100392；1♀，北京门头沟小龙门，1976.Ⅸ.5，陈合明，CAU-N100326；1♂，北京农大，1968.Ⅷ.14，李法圣，CAU-N100311；1♂，北京百花山，1961.Ⅸ.5，李法圣，CAU-N100318；2♂，北京妙峰山，1964.Ⅶ.7，李法圣，CAU-N100376，CAU-N100379；2♀，北京妙峰山，1964.Ⅷ.10，李法圣，CAU-N100367，CAU-N100386；2♂，北京，1947.Ⅷ.7，杨集昆，CAU-N100315，CAU-N100317；1♂，北京延庆松山，2003.Ⅶ.15，万霞，CAU-N100387；1♂，北京平谷，1976，采集人不详，CAU-N100343；1♂，北京金山，1986.Ⅶ.29，买加志，CAU-N100371；2♀，河北昌黎，2002.Ⅷ.20，董慧，CAU-N100364，CAU-N100380；1♂，河北昌黎，2002.Ⅷ.25，杨娇燕，CAU-N100345；1♀，河北昌黎，2002.Ⅷ.20，张彦威，CAU-N100351；1♀，河北昌黎，2002.Ⅷ.21，钟亚凤，CAU-N100316；1♀，河北昌黎，2002.Ⅷ.24，娄亚男，CAU-N100336；1♀1♂，河北井陉县南寺掌，1998.Ⅶ.28-29，田新生等，CAU-N100347，CAU-N100352；1♂，河北蔚县小五台山金河口，1998.Ⅶ.29，刘世瑜，CAU-N100344；1♀，河北省蔚县小五台，2001.Ⅶ.5，河北大学 2000 级生科甲，CAU-N100341；1♀，河北省蔚县小五台，2001.Ⅶ.7，河北大学 2000 级生科甲，CAU-N100348；1♂，河北万全，1973.Ⅶ，张长启，CAU-N100383；2♀3♂，河北万全，1975.Ⅷ，张长启，CAU-N100334，CAU-N100335，

CAU-N100337，CAU-N100338，CAU-N100339；1♂，河北兴隆，1971.Ⅶ.27，采集人不详，CAU-N100394；1♀4♂，河北兴隆眼石，1973.Ⅷ.28，杨集昆，CAU-N100404，CAU-N100405，CAU-N100406，CAU-N100408，CAU-N100411；3♂，河北兴隆眼石，1973.Ⅷ.29，杨集昆，CAU-N100398，CAU-N100409，CAU-N100410；2♂，河北兴隆眼石，1973.Ⅷ.28，陈合明，CAU-N100407，CAU-N100416；1♂，河北兴隆，1973.Ⅷ.18，杨集昆，CAU-N100319；1♂，河北兴隆眼石，1973.Ⅷ.29，陈合明，CAU-N100403；4♂，河北兴隆，1971.Ⅷ.14，采集人不详，CAU-N100394，CAU-N100412，CAU-N100413，CAU-N100414；1♂，河北兴隆县雾灵山，1999.Ⅶ.29，董赛红，CAU-N100370；3♀，河北丰宁邓栅子临场，1999.Ⅶ.20，石爱民，CAU-N100327，CAU-N100328，CAU-N100329；1♀1♂，山西交城关帝山，1964.Ⅶ.14，周、刘，CAU-N100365，CAU-N100368；1♂，山西沁水北坛林场 (灯诱)，850 m，2003.Ⅸ.14，董抗震，CAU-N101257；3♀，内蒙古蛮汉山，1978.Ⅷ.1，陈合明，CAU-N100462，CAU-N100465，CAU-N100466；1♀，内蒙古植保站蛮汉山林场，1978.Ⅷ.1，采集人不详，CAU-N100301；1♀，内蒙古卓资保安，1978.Ⅷ.21，采集人不详，CAU-N100381；1♀，内蒙古卓资保安林场，1978.Ⅷ.23，杨集昆，CAU-N100440；2♀1♂，内蒙古土左旗，1978.Ⅶ.24，陈合明，CAU-N100366，CAU-N100382，CAU-N100385；2♂，内蒙古土默特左旗大青山林场，1978.Ⅷ.21，杨集昆，CAU-N100459，CAU-N100464；3♀3♂，内蒙古土默特左旗大青山林场，1978.Ⅷ.23，杨集昆，CAU-N100447，CAU-N100448，CAU-N100449，CAU-N100450，CAU-N100451，CAU-N100453；1♂，内蒙古土默特左旗大青山林场，1978.Ⅷ.24，杨集昆，CAU-N100452；1♂，辽宁朝阳，2004.Ⅶ.13，周瑞波，CAU-N101414；1♀1♂，山东泰安，1974.Ⅸ.21，杨集昆，CAU-N100349，CAU-N100350；2♀1♂，河南辉县八里沟，2002.Ⅶ.12，鲍荣，CAU-N100355，CAU-N100356，CAU-N100360；1♀，河南灵宝亚武山，1996.Ⅷ.21，1200 m，申效诚，CAU-N100359；1♀，河南灵宝亚武山，1200 m，采集时间及采集人不详，CAU-N100353；1♀，湖北兴山，采集时间及采集人不详，CAU-N100357；1♂，湖北秭归九头岭，110 m，1997.Ⅸ.7，姚建，CAU-N101423；1♀，湖北咸丰，1989.Ⅺ.9，周汉辉，CAU-N101425；1♀，湖北利川穿洞，1989.Ⅺ.11，周汉辉，CAU-N101426；1♀，湖北巴东三峡林场 (灯诱)，130 m，1993.Ⅶ.30，杨星科，CAU-N101422；1♀，湖北巴东三峡林场 (灯诱)，130 m，1993.Ⅶ.30，宋士美，CAU-N101424；1♂，湖南益阳资阳资江河畔，2004.Ⅸ.5，郭森，CAU-N101258；1♀，采集信息不详，CAU-N100342；10♀4♂，采集信息不详，CAU-N100346，CAU-N100426，CAU-N100427，CAU-N100430，CAU-N100431，CAU-N100432，CAU-N100433，CAU-N100434，CAU-N100435，CAU-N100436，CAU-N100437，CAU-N100438，CAU-N100439，CAU-N100458；2♀，四川南坪九寨，2000 m，1987.Ⅶ.16，陈刚，CAU-N100358，CAU-N100361；8♂3♀，四川九寨沟，2002.Ⅷ.2-18，石福明，CAU-N100395，CAU-N100417，CAU-N100418，CAU-N100416，CAU-N100419，CAU-N100420，CAU-N100421，CAU-N100422，CAU-N100423，CAU-N100424，CAU-N100425；1♀，贵州道真大沙河 (灯诱)，1400 m，2004.Ⅷ.24，贾春枫，CAU-N101369；1♂，陕西秦岭，1951.Ⅷ.8，杨集昆，CAU-N100314；1♂，陕西甘泉清泉沟，1971.Ⅷ，杨集昆，CAU-N100363；1♂，陕西甘泉清泉沟，1971.Ⅷ.1，杨集昆，

CAU-N100442；2♂，陕西甘泉清泉沟，1971.Ⅷ.7，杨集昆，CAU-N100441，CAU-N100445；1♂，陕西甘泉清泉沟，1971.Ⅷ.14，杨集昆，CAU-N100446；1♂，陕西甘泉清泉沟，1971.Ⅸ.4，杨集昆，CAU-N100443；1♂，陕西甘泉清泉沟，1971.Ⅸ.29，杨集昆，CAU-N100444；1♂，陕西甘泉清泉镇，1971.Ⅶ.10，杨集昆，CAU-N100415；3♂，陕西甘泉清泉镇，1971.Ⅷ.7，采集人不详，CAU-N100393，CAU-N100396，CAU-N100455；1♂，陕西镇安县苗卜，1981.Ⅸ.17，周敵珍、王俐，CAU-N100389；2♂，陕西延安万花山，1000 m，1996.Ⅸ.13，申效诚，CAU-N100354，CAU-N100391；1♂，陕西华县华阳，1980.Ⅶ.20，采集人不详，CAU-N100428；1♂，陕西华阳卫峪林场，1981.Ⅷ，关小康，CAU-N100429；3♂，甘肃宕昌，1730 m，1980.Ⅷ.9，杨集昆，CAU-N100297，CAU-N100362，CAU-N100402；2♂，甘肃文县高楼山，1700 m，1980.Ⅷ.7，杨集昆，CAU-N100388，CAU-N100397；2♂，甘肃宕昌，1800 m，1998.Ⅶ.7，姚建，CAU-N101418，CAU-N101421；1♀，甘肃嘉峪关，1976.Ⅷ.2，王长政，CAU-N100302；1♀，贺兰山 (饲养)，1975.Ⅶ.14，采集人不详，CAU-N100461；1♀，宁夏农科所 (灯下)，1975.Ⅶ.29，采集人不详，CAU-N100463；1♀，新疆哈密，1981.Ⅵ，史再成，CAU-N100384。

分布 辽宁、内蒙古、北京、河北、山西、山东、河南、陕西、宁夏、甘肃、新疆、湖北、湖南、四川、贵州；蒙古，朝鲜。

(41) 黄体东蚁蛉 *Euroleon flavicorpus* Wang, 2009 (图版Ⅺ：2)

Euroleon flavicorpus Wang, 2009: 53. Type locality: Shanxi (Yangcheng).

雌性：前翅 30-38 mm，后翅 24-30 mm，体长 25-35 mm，腹部 17-26 mm。

雄性：前翅 28-32 mm，后翅 23-27 mm，体长 23-34 mm，腹部 17-26 mm。

头顶隆起，黄色，中央具 2 对黑色纵斑，其外侧各有 2 黑色横斑，这些斑有时相互融合；复眼黑色，具金属光泽；触角后方黑色，触角之间黄褐色，颜面黄色，其上部有 2 中间相连的大黑斑；唇基黄色，中央有 2 相连的黑斑；上唇黄色；下颚须褐色至深褐色，基部颜色较浅；下唇须细长，内侧浅褐色，外侧深褐色，末端膨大；触角棒状，基节、柄节黄色，鞭节内侧黄褐色，外侧深褐色；触角间距大于柄节的直径。

前胸背板宽大于长，黄色，具稀疏的黑色和白色短毛，前区有 2 褐色短纵纹，近后缘有 2 褐色横纹；中、后胸黄色至黄褐色，近翅基部的背板上各有 1 深色纵斑，后胸背板中部常有 2 橘黄色横斑，其内侧深褐色。

足细长，浅黄褐色，具稀疏的黑色刚毛。前足跗节的端部边缘深褐色；距和爪红棕色，距伸达第 1 跗节末端，第 5 跗节长于第 1 跗节。中、后足特征似前足。

翅狭长，外缘下方略内凹，主纵脉黑白相间。前翅前缘区 1 排翅室；Rs 分叉点后于 CuA 分叉点；前斑克氏线不明显，后斑克氏线较清晰；Rs 约 10 分支，基径中横脉 8 条；有沿横脉形成的散碎小褐斑，R 与 Rs 之间的横脉上有 5 褐斑，M 与 CuA1 之间的横脉上有 6-7 褐斑，CuA2 与 CuP+1A 有很长的一段距离平行，肘脉合斑褐色，点状；翅痣基部深褐色，端部乳白色。后翅几乎无斑，或具更少的零散小褐斑；Rs 分叉点后于 CuA 分叉点；前斑克氏线不明显，后斑克氏线较清晰；Rs 约 8 分支，基径中横脉 6 条；R 与

Rs 之间的横脉上有 2 褐斑，CuA2 与 CuP+1A 有很长的一段距离平行，肘脉合斑褐色，点状；翅痣基部深褐色，端部乳白色；雄性有轭坠。

腹部黄色，尾节颜色加深，各节有更浅的后缘。

雄性生殖器 (图版XXX：11)：生殖弧弓形，强骨化；阳基侧突耳状；生殖中片桥形。

雌性生殖器 (图版XXVII：6)：肛上片长卵圆形，具稀疏的黑色短粗刚毛；9-内生殖突膨大，具较粗的挖掘毛；无 9-外生殖突；8-外生殖突指状，顶端具黑色长刚毛；8-内生殖突短宽，具 5-6 黑色长刚毛；前生殖板锥状。

检视标本　1♀，正模，山西阳城县 (饲养)，2007.Ⅷ.09，张徐波，CAUN100698。2♂，副模，山西阳城县 (饲养)，2007.Ⅷ.09，张徐波，CAUN100701，CAUN100717；1♂，副模，山西阳城县 (饲养)，2007.Ⅷ.08，张徐波，CAUN100704；4♀，副模，山西阳城县 (饲养)，2007.Ⅷ.08，张徐波，CAUN100699，CAUN100700，CAUN100702，CAUN100705；2♀，副模，山西阳城县 (饲养)，2007.Ⅷ.09，张徐波，CAUN100703，CAUN100716；1♀，副模，宁夏六盘山林场，2008.Ⅷ.8，张徐波，CAUN100800；2♀，山西阳城县凉水沟，2008.Ⅷ.15，张徐波，CAU-N102013，CAU-N102015；1♀2♂，山西阳城县凉水沟，2008.Ⅷ.20，张徐波，CAU-N102012，CAU-N102014，CAU-N102016；2♂，宁夏六盘山林场 (饲养)，2008.Ⅶ.9，张徐波，CAUN100706，CAUN100707；1♀，宁夏农科所 (灯诱)，1973.Ⅷ.中旬，周尧，CAU-N100299。

分布　山西、宁夏。

(42) 小东蚁蛉 *Euroleon parvus* Hölzel, 1972

Euroleon parvus Hölzel, 1972: 36. Type locality: Afghnistan, Salang-Pass, South Kinjan.

雌性：未知。

雄性：前翅 34 mm，后翅 31 mm，体长 28 mm。

头顶隆起，浅褐色，有 6 黑色大斑，其中 3 横向排列在前缘，其余分布在后缘，其中 2 斑被中沟从中间截断；复眼黑色；额黑色，复眼周围有黄色环斑，复眼下有 1 明亮的红褐色斑；下颚须黑褐色，基节黄色；下唇须亮黑褐色，基节内侧浅褐色，末端延长，呈纺锤状；触角棒状，黑褐色，柄节浅褐色，内表面有黑斑，触角间距大。

前胸背板宽略大于长，浅褐色，具黑色和白色短毛，前缘有 2 褐色圆斑，2 不规则的直条斑从前缘伸至后缘。中胸背板浅褐色，有黑褐色斑，后缘有白色刚毛。后胸背板黑色，有浅褐色斑点。

足细长，浅黄褐色。前足基节褐色，转节浅褐色，有褐色斑点；腿节褐色，内侧和基部浅褐色，基部有 1 感觉毛；胫节浅褐色，有褐色斑；跗节亮褐色，第 1 跗节约为第 5 跗节的 1/3 长，距和爪红棕色，距伸达第 1 跗节末端，距与爪约等长。中、后足似前足，但没有感觉毛。

翅透明。前翅纵脉多为浅黄色或浅褐色和深褐色相间排列，横脉几乎全部为浅褐色；Rs 分叉点后于 CuA 分叉点；前斑克氏线不明显，后斑克氏线清晰；肘脉合斑有时不明显。翅痣基部深褐色，端部乳白色。后翅较前翅略短；基径中横脉 5 条，翅痣色淡，不明显；雄性有轭坠。

腹部褐色，各节的端部浅褐色。

雄性生殖器 (图版XXVIII：10)：生殖弧弓形；阳基侧突耳状；生殖中片前面观横条状。

雌性生殖器：未知。

检视标本 2♂，甘肃嘉峪关，1976.VIII.2，王长政，CAU-N100304，CAU-N100305。

分布 甘肃；阿富汗，伊朗。

(43) 多斑东蚁蛉 *Euroleon polyspilus* (Gerstaecker, 1884) (图版XI：3)

Myrmeleon polyspilus Gerstaecker, 1884: 24. Type locality: Amur.

Euroleon sibiricus Navás, 1927c: 15. Synonymized by Hölzel, 1970b: 128.

Euroleon polyspilus: Krivokhatsky & Zakharenko, 1994: 691.

雌性：前翅 38-40 mm，后翅 36-38 mm，体长 32-35 mm，腹部 22-24 mm。

雄性：前翅 38 mm，后翅 36 mm，体长 33 mm，腹部 24 mm。

头顶隆起，黄色，中央具 2 对黑色纵条斑，每对斑几乎合成一体，其外侧各有 2 黑色横斑，有时与中央纵斑相连；复眼黄褐色，有小黑斑；额黑色；唇基黄色，上半部红棕色；上唇黄色；下颚须黄色，末端红褐色；下唇须细长，红褐色，末端膨大；触角黑褐色，触角窝和柄节边缘黄色；触角间距大于柄节直径。

前胸背板宽大于长，黑褐色，有稀疏的黑色和白色短刚毛，具 1 较宽的黄色中纵带，两侧缘前部黄色。中、后胸黑色，仅小盾片端缘黄色，中胸前缘密被黑色长刚毛。

足细长，黑褐色。前足基节和腿节内侧黄色，腿节密被白色短刚毛，基部有 1 感觉毛，长度约为腿节直径的 1.5 倍；距和爪红棕色，距伸达第 1 跗节，第 5 跗节的长约为第 1-3 跗节的长度之和。中足基节、腿节和胫节端部内侧浅褐色，其余特征似前足。后足基节、腿节端部和胫节浅褐色，其余特征似前足。

翅狭长，主纵脉黑白相间。前翅前缘区 1 排翅室；Rs 分叉点后于 CuA 分叉点；前斑克氏线不明显，后斑克氏线清晰；Rs 约 10 分支，基径中横脉 8 条；沿横脉有较多的褐斑，R 与 Rs 之间的横脉上有 6 褐斑，M 与 CuA1 之间的横脉上有 6-7 褐斑，其余的散碎斑在翅端区较多，中脉亚端斑与肘脉合斑显著；翅痣基部深褐色，端部乳白色。后翅碎斑明显少于前翅，Rs 分叉点后于 CuA 分叉点；前斑克氏线不明显，后斑克氏线清晰；Rs 约 9 分支，基径中横脉 5 条；R 与 Rs 之间的横脉上有 3-4 褐斑；中脉亚端斑与肘脉合斑显著；翅痣基部深褐色，端部乳白色；翅痣色淡，雄性有轭坠。

腹部黑色，有较密的黑色刚毛。

雄性生殖器 (图版XXX：12)：生殖弧弓形，弱骨化；阳基侧突近椭圆形，强骨化。生殖中片前面观扁平。

雌性生殖器 (图版XXVII：7)：肛上片长卵圆形，密被短粗的黑色刚毛；9-内生殖突倒锥形，具挖掘毛；无 9-外生殖突；8-外生殖突指状，端部具很长的黑色刚毛；8-内生殖突短宽，端部具黑色刚毛；前生殖板锥突状。

检视标本　1♀，吉林省长白山，1963.Ⅵ，采集人不详，CAU-N100296；1♂，吉林省长白山，740 m，1985.Ⅶ.1，采集人不详，CAU-N100295；1♀，吉林省长白山，740 m，1985.Ⅶ.15，采集人不详，CAU-N100293。

分布　吉林；俄罗斯，蒙古，日本。

(44) 肖东蚁蛉 *Euroleon sjostedti* Navás, 1928

Euroleon sjostedti Navás, 1928b: 30. Type locality: China (Sanchowfu, Kansu).

雄性：前翅 30.5 mm，后翅 28 mm，体长 29.5 mm。

雌性：未知 (译自 Navás 原始描述部分内容)。

以下根据模式标本照片描述：头顶隆起，黄色，中央具 2 对黑色纵条斑，其后面的 1 对斑几乎融合为一体，其外侧各有 2 黑色大横斑。复眼灰黑色。触角后方的黑色区一直延伸到颜面中部，颜面下方黄色，黑黄交界线中央深凹；唇基黄色，中央有 2 近圆形黑斑，上唇黄色。下颚须黄褐色至褐色；下唇须细长，内侧浅褐色，外侧深褐色，末端膨大；触角黄褐色；触角间距显著大于柄节直径。

前胸背板宽大于长，刚毛稀疏，背板黄褐色，其上有 2 向背的“L”形黑斑，近前缘处还有 1 对淡褐色斑块；中、后胸黑色。

足细长，黄色，第 5 跗节、第 1-4 跗节的端部，以及腿节、胫节局部颜色较深，有稀疏的刚毛。距伸达第 1 跗节末端，第 5 跗节略短于第 1-4 跗节之和。

翅透明，主纵脉黑白相间，但无斑。无前斑克氏线，有后斑克氏线；前翅翅痣淡乳白色，其基部有 2 褐色横脉；后翅无斑，外缘下方略向内凹，基径中横脉 5 条，翅痣色淡，不明显；雄性轭坠较小。

腹部黑色，背板各节后缘有黄色窄边。

雄性生殖器：未知。

雌性生殖器：未知。

检视标本　无。

分布　甘肃。

讨论　该种是 Navás 在 1928 年根据雄性单模定名的新种，采集地点是 Sanchowfu、Kansu、China。根据这种不准确的拼音，只能初步推测是我国甘肃地区。但到目前为止该种没有在任何地方再次被发现。此处描述根据 Navás (1928a) 的原始描述翻译，并参照了该种正模多幅不同角度的照片。这个正模现保存在瑞典斯德哥尔摩自然历史博物馆 (Naturhistoriska Riksmuseet, Sektionen fur Entomologi, Stockholm, Sweeden)，感谢匈牙利脉翅目专家 Levente 给我们提供了这些珍贵的照片。

13. 哈蚁蛉属 *Hagenomyia* Banks, 1911

Hagenomyia Banks, 1911: 8. **Type species:** *Myrmeleon tristis* Walker, 1853; by original designation.

Synonymized by Stange, 2004: 304.

Nelees Navás, 1911b: 244. **Type species:** *Nelees punctata* Navás, 1911b; by subsequent designation. Synonymized by Kimmins, 1938a: 366.

Baliga Navás, 1912e: 110. **Type species:** *Myrmeleon asakurae* Okamoto, 1910a; by original designation. Synonymized by Markl, 1954: 233.

Balaga Navás, 1912e: 111. **Type species:** *Myrmeleon micans* McLachlan, 1875; by original designation. Synonymized by Markl, 1954: 233.

关于哈蚁蛉属 *Hagenomyia* 的界定有两种意见，一种意见是将 *Baliga* Navás, 1912 作为 *Hagenomyia* Banks, 1911 的异名，持这种意见的是 Esben-Petersen (1913) 和 Markl (1954)。另一种意见是将 *Baliga* Navás, 1912 和 *Hagenomyia* Banks, 1911 均作为有效属，持这种意见的只有 Stange (2004) 及 Stange 和 Wang (1998)。根据 Stange (2004)将 *Baliga* Navás, 1912 从 *Hagenomyia* Banks, 1911 中分出后，*Hagenomyia* 世界上仅剩 1 种，分布在南非，而 *Baliga* 世界已知 17 种，分布在欧洲和东洋界。

Stange (2004) 区分 *Baliga* 和 *Hagenomyia* 主要根据 2 个鉴别特征：鉴别特征 1 是 *Baliga* 8-内生殖突短小，约等于 8-外生殖突长度的 1/2；*Hagenomyia* 8-内生殖突与 8-外生殖突等长。笔者认为根据这一特征区分这两属很难操作，因为这两属中有些种的雌性生殖器解剖结构目前尚不为人知。鉴别特征 2 是 *Baliga* 前翅前缘区间横脉始于翅远端 1/4；*Hagenomyia* 前翅前缘区间横脉始于翅远端 1/2。我们的研究发现，有些物种如连脉哈蚁蛉 *Hagenomyia coalitus* (Yang, 1999) 前翅前缘区间横脉始于翅远端 1/3 处。因此很难判断该种放在哪个属更合适。

无论从形态特征还是从地理分布上看，*Baliga* 作为有效属从 *Hagenomyia* 中分出，都显得过于牵强，因此，本卷采用多数学者的意见，仍将 *Baliga* 作为 *Hagenomyia* 的异名。按照这样的分类，目前 *Hagenomyia* 世界已知 19 种，中国已确认 9 种，另外 2 种为问题种。

属征 体中至大型，头顶中度隆起，翅较宽。前翅 CuP 发出点与基横脉相连，2A 与 1A 在基部靠近，然后急转向 3A；前翅 Rs 分叉点与 CuA 分叉点几乎相对，前缘区在翅痣内侧有一段双排翅室，无前斑克氏线，后斑克氏线清晰。

分布 非洲界、东洋界、澳洲界。

种检索表

1 翅痣白色，大而极显著 …………………………………………………… **云痣哈蚁蛉 *H. brunneipennis***

翅痣不显著 ……………………………………………………………………………… 2

2 头部黄色，有明显的黑斑 ……………………………………………………… **连脉哈蚁蛉 *H. coalitus***

头部黑色、黑褐色或红棕色，没有明显的黑斑 ………………………………………… 3

3 前足的距至少伸达第 3 跗节中部 ……………………………………………………… 4

前足的距至多伸达第 2 跗节末端 ……………………………………………………… 5

4 前翅 Rs 分叉点与痣下室之间有 33 横脉，痣下室内侧有双排翅室；雄性无轭坠 ……………………

……………………………………………………………………………… 连黑哈蚁蛉 ***H. conjuncta***

前翅 Rs 分叉点与痣下室之间有 25 横脉，痣下室内侧无双排翅室；雄性有轭坠……………………
……………………………………………………………………………… 广西哈蚁蛉 ***H. guangxiensis***

5　前翅 CuA1 与后斑克氏线之间基部 1/2 段单排翅室，雄性无轭坠 ……… 窄翅哈蚁蛉 ***H. angustala***

前翅 CuA1 与后斑克氏线之间基部 1/2 段双排或多排翅室 ……………………………………… 6

6　♀：8-内生殖突指状，约为 8-外生殖突的 2/3 长；前胸背板褐色，无浅色中线 ……………………
……………………………………………………………………………… 褐胸哈蚁蛉 ***H. fuscithoraca***

♀：8-内生殖突圆形，约为 8-外生殖突的 1/2 长；前胸背板褐色，有浅色中线 ……………………
……………………………………………………………………………… 闪烁哈蚁蛉 ***H. micans***

注：*H. asakurae*、*H. sagax* 和 *H. sumatrensis* 因无检视标本，所以未编入检索表。

(45) 白斑蚁蛉 *Hagenomyia asakurae* (Okamoto, 1910)

Myrmeleon asakurae Okamoto, 1910a: 297. Type locality: Formosa, Horisha, Asakura.
Myrmeleon ochraceopennis Nakahara, 1913a: 299. Synonymized by Stange *et al.*, 2003: 106.
Baliga asakurae: Esben-Petersen, 1927a: 346.
Baliga ochraceopennis: Stange *et al.*, 2003: 106.

体黑色，腹面黄色。唇基、上唇及下唇须浅黄色。触角 7 mm，黑色，基部 2 节的端部和第 3 节的基部黄褐色，前胸的前缘中部黄色，具黑色长毛。中、后胸褐色，具短毛。足浅黄色，中、后足腿节端半部，前、中足胫节外侧，后足胫节内侧为深褐色。跗节红褐色，爪和距红褐色。雄性腹部末端上方有 1 粗大的突起，下方有 4 圆柱形突起，长而粗，密被毛。

两对翅几乎等长，前翅最宽处 12 mm，后翅稍窄，翅脉黑色，亚前缘脉和 R 脉黄褐色至暗褐色。翅痣很大，几乎为矩形，奶白色。前翅 R 的分叉点位于翅基部 1/5 处，臀脉汇合点位于翅内缘基部 1/4 处。前翅的翅痣区域及后翅的端区灰褐色，翅膜闪着虹彩光。

体长 34 mm，前翅 42 mm，后翅 43 mm (译自 Okamoto 原始描述)。

检视标本　无。

分布　台湾。

讨论　该种与 *Hagenomyia eurystictus* (Gerstaecker, 1885)很相似，Stange 和 Wang (1998)曾经把台湾的这一种鉴定为 *Baliga eurystictus* (Gerstaecker, 1885)。Stange 等 (2003) 将该种更名为 *Baliga asakurae*，Stange (2004) 的《世界蚁蛉名录》中，记录了台湾的 *Baliga* 2 种：*Baliga asakurae* 和 *Baliga brunneipennis*，这个名录中依然将 *Baliga eurystictus* 作为有效名，*Baliga eurystictus* 列出的分布地没有台湾。

用 Stange 等 (2003) 发表的 *Baliga asakurae* 照片与 *H. eurystictus* 模式标本照片 (Dr. Peter Michalik 提供) 对比，发现这两个种极相似，二者之间是否存在异名关系，有待进一步研究。

白斑蚁蛉这个中文名是 Stange 等 (2003) 一书中给出的，此处不做变动。

(46) 窄翅哈蚁蛉 *Hagenomyia angustala* Bao & Wang, 2007 (图版Ⅺ：4)

Hagenomyia angustala Bao & Wang, 2007: 46. Type locality: Guizhou.

雌性：前翅 38 mm，后翅 38 mm，体长 32 mm，腹部 26 mm。

雄性：前翅 34 mm，后翅 33 mm，体长 33 mm，腹部 27 mm。

头顶隆起，黑色；复眼黄色，具金属光泽，有黑色小斑点；唇基黄色，下颚须细长黄褐色，端部红褐色，下唇须红褐色端部膨大；触角棒状，黑色，触角窝基部有黄环，基节边缘黄色，鞭节约 33 小节，触角间距大。

前胸背板黑色，宽大于长，边缘有稀疏的黑色、白色长毛，背板两侧缘上半部有黄色条纹，前缘有黄色窄边；中、后胸黑色，有稀疏的黑色、白色短毛。

足细长，黄色。前足胫节以下为黑色，距、爪红褐色，距伸达第 2 跗节中部，第 5 跗节长约为第 1-4 跗节之和；中足腿节中部以下为黑色，后足腿节中部以下为黑色，胫节外侧部分黄色，其余特征同前足。

前翅无色透明，翅脉多为黄、褐色段相间排列；Rs 分叉点和 CuA 分叉点几乎相对；R 与 Rs 间距与前缘区约等宽；Rs 约 10 分支，基径中横脉 7 条；无前斑克氏线，后斑克氏线清晰。翅痣白色，较大，卵圆形。后翅较前翅略窄，端部略尖；Rs 分叉点稍后于 CuA 分叉点；R 与 Rs 间距与前缘区约等宽；Rs 约 12 分支，基径中横脉 5 条；无前斑克氏线，后斑克氏线清晰；翅痣白色。雄性无轭坠。

腹部黑色，有较密的白色短毛。

雄性生殖器 (图版ⅩⅩⅪ：1)：生殖弧弧状，骨化强烈；生殖弧中片桥梁状，弱骨化；阳基侧突耳状，端部渐尖。

雌性生殖器 (图版ⅩⅩⅦ：8)：肛上片大，三角形有浓密的黑色毛；9-内生殖突发达，近似梯形，下边缘有一些细长毛；无 9-外生殖突；8-外生殖突细长，指状，顶端有 4-5 根黑色长毛；8-内生殖突大，圆形短粗，其上有粗硬的黑色刚毛；前生殖板近似方形。

检视标本　1♂，正模，贵州习水蔺江，2000.Ⅸ.24-30，宋琼章，CAU-N102006。1♀，副模，贵州习水蔺江，2000.Ⅸ.24-30，宋琼章，CAU-N102005。

分布　贵州。

(47) 云痣哈蚁蛉 *Hagenomyia brunneipennis* Esben-Petersen, 1913 (图版Ⅻ：1)

Hagenomyia brunneipennis Esben-Petersen, 1913: 223. Type locality: Kosempo, Formosa.

Hagenomyia pterostigma Yang, 1999b: 144. Synonymized by Bao *et al.* 2007: 45.

Baliga brunneipennis: Stange, 1997: 52.

雌性：前翅 35-48 mm，后翅 37-51 mm，体长 31-43 mm，腹部 24-31 mm。

雄性：前翅 42-45 mm，后翅 44-47 mm，体长 36-38 mm，腹部 27-28 mm。

头顶隆起，黑褐色，有棕色凸斑；复眼黄色，具金属光泽，有小黑斑；额黑色，唇基黄色；下唇须、下颚须黄色；触角棒状，黑色，触角窝及柄节、梗节的上下边缘黄色，鞭节约 39 小节。

前胸背板黑褐色，宽大于长，被稀疏的长短不齐的黑色和白色毛，前缘黄色。中、后胸暗褐色为主，有一些不太明显的黑色细纹，有稀疏的长、短毛。

足细长，黄色，具黑色刚毛。前足腿节基部有较密的白色短毛；距、爪棕红色，距伸达第 2 跗节末端，第 5 跗节长约为第 1-4 跗节之和。中足胫节外侧有黑斑，其余特征同前足。后足距较前、中足的距更短，仅伸达第 1 跗节末端或第 2 跗节中部，其余特征同前足。

前翅宽阔，透明无色，外缘下方钝圆，翅痣乳白色，大而显著，其宽度至少为痣下室宽度的 7 倍。翅脉多为黄色或浅褐色；Rs 分叉点和 CuA 分叉点几乎相对；R 与 Rs 间距略窄于前缘区；Rs 约 12 分支，基径中横脉 9 条，Rs 分叉前有 2 正方形小室；无前斑克氏线，后斑克氏线清晰；痣下室狭长，长为宽的 5 倍以上。后翅长于前翅，透明无色，翅痣乳白色，大而显著；Rs 分叉点稍后于 CuA 分叉点；R 与 Rs 间距略宽于前缘区；Rs 约 11 分支，基径中横脉左右翅常不同，大多为 5-6 根；无前斑克氏线，后斑克氏线清晰；痣下室较前翅的更短宽；雄性有轭坠。

腹部背面深褐色，腹面为黄色至褐色，具白色短毛。

雄性生殖器 (图XXXI：3)：生殖弧弓状，强骨化，两臂较长，距离较窄；阳基侧突近三角形，底部宽；生殖中片桥形。

雌性生殖器 (图XXVII：12)：肛上片卵圆形，几乎无挖掘毛；9-内生殖突狭长，有稀疏的挖掘毛；无 9-外生殖突，但在第 9 腹节的腹侧面有微微隆起，并且毛较多而粗；8-外生殖突长指状，生有长的黑色刚毛；8-内生殖突短宽，具短的黑色刚毛。

检视标本　1♀，浙江庆元百山祖，1983.Ⅷ.14，徐忠，CAU-N100483；1♂，浙江泰顺乌岩岭，650 m，2005.Ⅶ.31，王志良，CAU-N102007；3♀，河南水帘洞，300 m，2000.Ⅸ.11-15，申效诚、任应党，CAU-N100478，CAU-N100480，CAU-N100481；1♀，河南商城黄柏山，200 m，1999.Ⅶ.14，申效诚、任应党，CAU-N100479；1♂，四川峨眉清音阁，1961.Ⅷ.20，杨集昆，CAU-N100484；1♂，采集信息不详，CAU-N100482。异名 *Hagenomyia pterostigma* Yang, 1999 检视标本：1♂，正模，福建武夷山，1980.Ⅸ.13，福建林业厅马、罗，CAU-N100476。1♀，配模，福建武夷山建阳坳头，1983.Ⅷ，采集人不详，CAU-N100477；1♀，副模，福建将乐龙栖山，1991.Ⅺ，杨集昆，CAU-N100475。

分布　河南、浙江、福建、四川。

讨论　台湾称此种为淡白斑蚁蛉 (as *Baliga*)。据 Stange 和 Wang (1998) 报道，此种的幼虫生活在蝙蝠洞穴口，有造陷阱习性。杨集昆 (1999b) 发表了新种云痣哈蚁蛉 *Hagenomyia pterostigma*，鲍荣 (2004) 的硕士学位论文中，曾认为该种是 *Hagenomyia eurystictus* 的异名，但 Bao 等 (2007) 正式发表的论文中将 *Hagenomyia pterostigma* 修订为 *Hagenomyia brunneipennis* 的异名，敖伟光 (2011) 的硕士学位论文忽略了这个改动，云痣哈蚁蛉错误地使用了种名 *Hagenomyia eurystictus*。尽管这些标本的鉴定结果几经变动，但中文名依然使用云痣哈蚁蛉。

(48) 连脉哈蚁蛉 *Hagenomyia coalitus* (Yang, 1999) (图版Ⅺ：5)

Myrmeleon coalitus Yang, 1999b: 146. Type locality: Fujian (Wuyi).
Hagenomyia coalitus: Bao, 2007: 45.

雌性：前翅 34-35 mm，后翅 36 mm，体长 30 mm，腹部 21 mm。

雄性：未知。

头顶隆起，金黄色，上有 8 块黑斑沿中缝对称排列，复眼之间各有 2 横条斑上下排列，靠近胸部的条斑较大，头顶中央沿中缝对称上下排列两对纵条斑；复眼黄色，具金属光泽，有小黑斑；额黄色，有 1 山峰状黑斑，唇基浅黄色上有两个褐色圆斑；下颚须浅黄色，下唇须浅黄色末端膨大颜色略深；沿触角窝有 1 弧形黑斑，触角之间有 1 黑色环形斑；触角棒状，黑色，触角窝及柄节、梗节边缘黄色，鞭节约 36 小节，触角间距大。

前胸背板深褐色，宽大于长，有较密的黑色长刚毛和短毛，有 1 黄色中纵带，其两侧缘各有 1 宽的黄纵带，后缘黄色；中、后胸深褐色，有一些浅褐色的横条斑和纵条斑。中胸前缘有两簇黑色长刚毛，后胸具稀疏的白色长毛。

足细长，浅黄色，有黑色刚毛。前足腿节端部、胫节外侧褐色，第 1-2 跗节的端部和第 3-5 跗节褐色；腿节基部有 1 感觉毛，长度约为腿节直径的 2 倍。距、爪红棕色，距伸达第 1 跗节末端；第 5 跗节长约为第 1-4 跗节之和。中足跗节红褐色，其余特征同前足。后足腿节端部外侧、胫节和跗节褐色，胫节基部和跗节各节端部黑色，其余特征同前足。

前翅透明无色，较宽，脉浅黄至深褐色；Rs 分叉点和 CuA 脉分叉点几乎相对，R 与 Rs 间距略宽于前缘区；Rs 约 9 分支，基径中横脉 8 条；无前斑克氏线，后斑克氏线清晰；翅痣卵圆形，乳白色，痣下室狭长。后翅略长于前翅，外缘下方向内略凹；Rs 分叉点稍后于 CuA 脉分叉点；R 与 Rs 间距宽于前缘区；Rs 约 14 分支，基径中横脉 5 条；无前斑克氏线；翅痣卵圆形，乳白色，痣下室狭长。

腹部背面深褐色，腹面浅褐色，有一些黑色纵条纹。

雄性生殖器：未知。

雌性生殖器 (图版XXⅦ：10)：肛上片较大，卵圆形，有粗挖掘毛；9-内生殖突大，倒锥形，有粗挖掘毛；无 9-内生殖突；8-外生殖突指状，被长刚毛；8-内生殖突圆瓣形，有黑色刚毛。

检视标本 1♀，正模，福建武夷，1982.Ⅵ.26，江凡，CAU-N100468。1♀，广东大埔，1986.Ⅵ.9，周汉辉，CAU-N100470；1♀，贵州板寨，1990.Ⅴ.15，刘志琦，CAU-N100469。

分布 福建、广东、贵州。

(49) 连黑哈蚁蛉 *Hagenomyia conjuncta* Yang, 1999 (图版Ⅺ：6)

Hagenomyia conjuncta Yang, 1999b: 150. Type locality: Fujian (Nanping).

雌性：前翅 35 mm，后翅 34 mm，体长 30 mm，腹部 22 mm。

雄性：前翅 32 mm，后翅 31 mm，体长 29 mm，腹部 21 mm。

头顶隆起，黑色，有一些凸斑；复眼铜绿色，有小黑斑；额黑色，唇基黄色；下唇须、下颚须黄色；触角棒状，黑色，触角窝、柄节和梗节的边缘黄色，鞭节约 32 小节。

前胸背板宽大于长，黑色，有黑色长毛和短毛。前缘两侧角褐色，两侧缘生有黑色长刚毛；中、后胸灰黑色。

足细长。前足橙黄色，胫节外侧及跗节棕红色；第 5 跗节长约为第 1-3 跗节之和；距长，伸达第 3 跗节末端。中足基节、转节、腿节基部内侧橙黄色，其他部分棕红色。后足基节、转节、腿节内侧和胫节外侧橙黄色，其余部分红褐色，距较前中足的距略短，仅伸达第 2 跗节末端。

前翅透明无色，较宽阔，脉浅褐色至褐色；Rs 分叉点和 CuA 分叉点几乎相对，R 与 Rs 间距略窄于前缘区；Rs 约 13 分支，基径中横脉 8 条，Rs 分叉前有 2 正方形小室；无前斑克氏线，后斑克氏线清晰；翅痣乳白色，卵形，痣下室狭长。后翅透明无色，宽阔，外缘下方钝圆；Rs 分叉点稍后于 CuA 分叉点，R 与 Rs 间距略宽于前缘区；Rs 约 11 分支，基径中横脉 5 条；无前斑克氏线；翅痣乳白色，卵形，痣下室较前翅短。雄性没有轭坠。

腹部黑色，有稀疏的黑色短毛。

雄性生殖器 (图版XXXI：2)：生殖弧弓形，强骨化；阳基侧突近三角形，底部宽阔；生殖中片桥形。

雌性生殖器 (图版XXVII：11)：肛上片大卵圆形，有黑色挖掘毛；9-内生殖突横宽，内侧有黑色挖掘毛，外侧有一些细长的黑色刚毛；无 9-外生殖突；8-外生殖突细长，两端膨大，端部有长刚毛；8-内生殖突粗大，约为 8-外生殖突的 2/3 长，有黑色长刚毛。

检视标本　1♀，正模，福建南平，1978.IX.10，福建林学院，CAU-N100473。1♂，海南尖峰岭天池，1981.VII.6，梁宗志，CAU-N100474。

分布　福建、海南。

(50) 褐胸哈蚁蛉 *Hagenomyia fuscithoraca* Yang, 1999 (图版XII：2)

Hagenomyia fuscithoraca Yang, 1999b: 150. Type locality: Fujian (Shanghang).

雌性：前翅 45 mm，后翅 46 mm，体长 40 mm，腹部 28 mm。

雄性：未知。

头顶隆起，亮黑色，有一些凸斑；复眼黄色，具金属光泽，有小黑斑；额黑色，唇基黄色；下唇须、下颚须黄色；触角棒状，黑色，仅柄节、梗节边缘有黄色细环，鞭节约 38 小节。

前胸背板宽大于长，深褐色，具稀疏的长毛和短毛，背板上有一些颜色略浅的斑块，前缘两侧角黄色。中、后胸背板黑褐色，中胸背板前缘有两簇黑色长刚毛，后缘有白色毛簇。

足细长，黑色为主。前足基节、转节及腿节大部分黄色；腿节基部有 1 长的感觉毛，长约为腿节直径的 2 倍；距、爪棕红色，距长伸达第 2 跗节端部；第 5 跗节长约为第 1-4 跗节之和。中足特征同前足。后足距较前足距略短，伸至第 2 跗节基部。

前翅无色透明，宽阔，脉浅褐色；Rs 分叉点和 CuA 分叉点几乎相对；R 与 Rs 间距略窄于前缘区；Rs 约 11 分支，基径中横脉 10 条，Rs 分叉前有若干不规则小室；无前斑克氏线，后斑克氏线清晰；翅痣乳白色，卵圆形，痣下室狭长。后翅略长于前翅，外缘下方略内凹；Rs 分叉点稍后于 CuA 分叉点；R 与 Rs 间距略宽于前缘区；Rs 约 11 分支，基径中横脉 5 条，Rs 分叉前有 2 长方形小室；无前斑克氏线，后斑克氏线清晰；翅痣乳白色，痣下室狭长。

腹部褐色，密布褐色短毛。

雄性生殖器：未知。

雌性生殖器 (图版XXVII：9)：肛上片卵圆形；9-内生殖突呈倒三角形，有粗挖掘毛；无 9-外生殖突；8-外生殖突指状，8-内生殖突锥状，长度超过 8-外生殖突的 1/2，比 8-外生殖突更长，被黑色长刚毛。

检视标本 1♀，正模，福建上杭共和，1988.VI.8，刘成亭，CAU-N100471。1♀，浙江西天目山，1972.VIII.1，采集人不详，CAU-N100472。

分布 浙江、福建。

(51) 广西哈蚁蛉 *Hagenomyia guangxiensis* Bao & Wang, 2007 (图版XII：3)

Hagenomyia guangxiensis Bao & Wang, 2007: 46. Type locality: Guangxi (Jinxiu).

雌性：未知。

雄性：前翅 30 mm，后翅 29 mm，体长 26 mm，腹部 19 mm。

头顶隆起，亮黑褐色；复眼铜绿色；额亮黑褐色，唇基黄色；下颚须浅黄褐色至褐色，下唇须浅黄色，末节延长呈纺锤形，端部尖锐；触角棒状，约 36 小节，柄节淡褐色，内侧有黑色的斑，触角间的距离长于触角柄节直径。

前胸背板宽稍大于长，褐色，具黑色长毛，前缘有 1 黄色的三角形条斑。中胸背板褐色，具黑色长毛，后缘有白色长毛。后胸具稀疏的白毛。

足淡褐色。前足基节黄褐色，转节、腿节黄色；腿节具白色长毛和黑色短毛，基部有 1 长感觉毛；胫节外侧褐色，内侧黄褐色；跗节褐色，第 1 跗节为第 5 跗节长度的 1/3，距端部稍弯曲，伸达第 3 跗节中部，爪长约为距的 2/3。中足基节、转节、腿节的前端黄色，其余部分褐色；腿节基部有 1 长感觉毛；距伸达第 2 跗节的端部。后足褐色，腿节、跗节有浅褐色区域，距伸达第 2 跗节的端部。

前翅透明，宽阔，翅脉褐色；Rs 分叉点和 CuA 分叉点几乎相对；R 与 Rs 间距与前缘区约等宽；Rs 约 11 分支，基径中横脉 8 条；无前斑克氏线，后斑克氏线清晰；翅痣白色，卵圆形，痣下室较短。后翅较前翅略窄；Rs 分叉点稍后于 CuA 分叉点；R 与 Rs 间距略宽于前缘区；Rs 约 10 分支，基径中横脉 5 条；无前斑克氏线，后斑克氏线清晰；翅痣乳白色，痣下室较前翅长。雄性有轭坠，轭坠上有金色长毛。

腹部褐色，具黑褐色斑，比前翅短，被淡褐色短毛。肛上片有长毛。

雄性生殖器 (图版XXXI：4)：生殖弧弓形，强骨化；阳基侧突茄子形，底部较宽。生殖中片较小。

雌性生殖器：未知。

检视标本　1♂，正模，广西金秀，720 m，1983.Ⅵ.13，王心丽，CAU-N101266。

分布　广西。

(52) 闪烁哈蚁蛉 *Hagenomyia micans* (Mclachlan, 1875) (图版Ⅻ：4)

Myrmeleon micans McLachlan, 1875a: 176. Type locality: Japan, Pryer.

Balaga micans: Navás, 1912e: 111.

Baliga micans: Stange & Wang, 1998: 265.

Hagenomyia micans: Okamoto, 1914: 250.

雌性：前翅 36 mm，后翅 38 mm，体长 32 mm，腹部 24 mm。

雄性：未知。

头顶隆起，黑色；复眼黄色，具金属光泽，有小黑斑；唇基黄色，两颊以下黄色；触角棒状，深褐色，触角窝黄色，柄节、梗节上缘有黄色细环，鞭节约 38 小节。

前胸背板宽略大于长，深褐色，有稀疏的黑色和白色毛，两侧边缘黄色，中央有 1 黄色细纵带。中、后胸深褐色。

足细长，黄色为主。前足腿节以下为褐色，距伸达第 2 跗节末端，第 5 跗节长约为第 1-4 跗节之和。中足腿节中部以下为红褐色。后足胫节内侧、外侧中部以下、跗节和爪红褐色。

前翅无色透明，宽阔，脉浅褐色；Rs 分叉点和 CuA 分叉点几乎相对；R 与 Rs 间距略宽于前缘区；Rs 约 11 分支，基径中横脉 8 条；无前斑克氏线，后斑克氏线清晰；翅痣乳白色，痣下室较短。后翅长于前翅，外缘下方略内凹；Rs 分叉点稍后于 CuA 分叉点；R 与 Rs 间距略宽于前缘区；Rs 约 12 分支，基径中横脉 5 条，Rs 分叉前有 1 不规则小室；无前斑克氏线，后斑克氏线清晰；翅痣乳白色，痣下室较短。

腹部褐色，有黄色短毛。

雄性生殖器：未知。

雌性生殖器 (图版ⅩⅩⅧ：1)：肛上片卵圆形，有浓密的刚毛，缺挖掘毛；9-内生殖突倒三角形，被挖掘毛；9-外生殖突指状，上有黑色长毛；8-外生殖突指状，长于 9-外生殖突，被长刚毛；8-内生殖突短而圆，被黑色刚毛。

检视标本　1♀，福建上杭丘山，1988.Ⅵ.7，卢远涛，CAU-N100467。

分布　福建、台湾。

讨论　该种与褐胸哈蚁蛉 *H. fuscithoraca* 极相似，但雌性生殖器有明显的差异。

(53) 萨哈蚁蛉 *Hagenomyia sagax* (Walker, 1853) 问题种

Myrmeleon sagax Walker, 1853: 382. Type locality: Silhet.

Grocus sagax: Navás, 1927b: 3.

Baliga sagax: Stange, 2004: 299.

Hagenomyia sagax: Esben-Petersen, 1913: 223.

黑色、细长。头顶有 2 黄斑，额与颜面黄色，具一些黑斑，下颚须和下唇须黄色，触角黑色，细长，棒状，略长于胸部。前胸长略大于宽，具 3 黄条纹，中间的最细。中、后胸有黄边，腹部下方黄色。足砖红色。翅透明，略尖，狭长，翅痣白色，后翅的翅痣很小。翅脉黑色被微毛，Sc 与 R 脉黄色，具黑带，亚前缘区的横脉具分叉，形成一段双排小室达翅痣。后翅比前翅略窄 (译自 Walker 原始描述部分内容)。

根据模式标本照片记录：体长 26 mm，后翅长 36 mm。前翅不完整。

检视标本 无。

分布 中国 (具体地区不详)；印度，缅甸，菲律宾，新圭亚那。

讨论 该种曾被 Navás (1927b, 1935b) 记述分布在中国，周汉辉和张宣达 (1997)、刘翊鹏等 (1998)、张恒超等 (2000) 在有关蚁蛉研究的论文中给出的观察材料有 *Myrmeleon sagax*。中山大学昆虫标本馆中保存着一些定名为 *Myrmeleon sagax* Walker, 1853 的标本，鉴定人是杨集昆。以上提到的研究论文中，蚁蛉的定名很有可能是参照了中山大学的鉴定标本。2013 年我们再次核查了中山大学的鉴定为 *Myrmeleon sagax* Walker, 1853 的标本，发现这批标本前翅并没有一段双排小室，不符合 *Hagenomyia sagax* (Walker, 1853) 的鉴别特征，因此，可以确定这批标本的鉴定是错误的，这批标本我们鉴定为双斑蚁蛉 *Myrmeleon bimaculatus* Yang, 1999。目前我们尚未见到真正的 *Hagenomyia sagax* (Walker, 1853) 标本，但因为我们不能确定这几位作者发表文章时所参照的标本就是我们见到的这些标本，所以也无法否定该种在中国有分布。该种的模式标本保存在英国伦敦自然历史博物馆 (The Natural History Museum, London, England)。

(54) 苏哈蚁蛉 *Hagenomyia sumatrensis* (Weele, 1909) 问题种

Myrmeleon sagax sumatrensis Weele, 1909: 34.

Myrmeleon sagax celebensis Weele, 1909: 34. Synonymized by Banks, 1931b: 389.

Baliga niten Navás, 1912f: 11. Synonymized by Banks, 1931b: 389.

Myrmeleon nigrinus Esben-Petersen, 1927a: 345. Synonymized by Banks, 1931b: 389.

Baliga sumatrensis: Stange, 2004: 299 (*Baliga* is a synonym of *Hagenomyia* in this book).

与 *Myrmeleon sagax sagax* 极相似，但头部的中斑更宽 (译自 Weele 原始描述)。

检视标本 无。

分布 中国 (具体分布地不详)；越南，斯里兰卡，菲律宾，马来西亚，苏门答腊。

讨论 胡经甫 (1935) 的《中国昆虫名录》中收录了 *Baliga niten* Navás, 1912，这个学名已被确定是 *H. sumatrensis* 的异名。胡经甫 (1935) 记录该种的分布地是 Kouy-Tcheou, Pinfa。根据这些拼音无法推测具体的分布地。标本信息为 Holotype ♀, Sumatra, Tandjong-Morawa, Serdang，保存在荷兰莱顿自然历史博物馆 (Nationaal Natuurhistorische Museum, Leiden, Netherlands)。

14. 蚁蛉属 *Myrmeleon* Linnaeus, 1767

Myrmeleon Linnaeus, 1767: 913. **Type species:** *Myrmeleon formicarium* Linnaeus, 1767; by subsequent designation by Latreille, 1810: 435.

Myrmeleo Pallas, 1771: 469. Misspelling. Synonymized by Stange, 2004: 306.

Mirmileo Radermacher, 1779: 103. Misspelling. Synonymized by Stange, 2004: 306.

Myrmecoleon Berthold, 1827: 433. Misspelling. Synonymized by Stange, 2004: 306.

Myrmekoleon Gistel, 1848: 139. Misspelling. Synonymized by Stange, 2004: 306.

Alyrmebon Strand, 1908: 155. Misspelling. Synonymized by Stange, 2004: 306.

Macroleon Banks, 1909: 4. **Type species:** *Myrmeleon validaus* McLachlan, 1894; by original designation. Synonymized by Banks, 1911: 9.

Enza Navás, 1912e: 113. **Type species:** *Enza otiosus* Navás, 1912e; by original designation and monotypy. Synonymized by Stange, 2004: 306.

Myrmeleodes Navás, 1912g: 242. **Type species:** *Myrmeleodes medius* Navás, 1912g; by original designation and monotypy. Synonymized by Banks, 1913b: 150.

Moreyus Navás, 1914b: 55. **Type species:** *Moreyus brasiliensis* Navás, 1914b; by original designation and monotypy. Synonymized by Esben-Petersen, 1920: 190.

Morter Navás, 1915b: 466. **Type species:** *Myrmeleon hyalinum* Olivier, 1811; by original designation. Synonymized by New, 1985: 10.

Myrmeleone Navás, 1915a: 53. Misspelling. Synonymized by Stange, 2004: 306.

Neleon Navás, 1915a: 53. **Type species:** *Myrmeleon immaculatum* De Geer, 1773; by original designation. Synonymized by Banks, 1927: 5.

Neseurus Navás,1916b: 53. **Type species:** *Myrmeleon alternans* Brulle, 1839; by original designation. Synonymized by Hölzel, 1972: 37.

Cocius Navás, 1919b: 296. **Type species:** *Cocius angustatus* Navás, 1919b; by original designation and monotypy. Synonymized by Stange, 2004: 306.

Myrmeleonellus Esben-Petersen, 1918a: 17. **Type species:** *Myrmeleonellus pallidus* Esben-Petersen, 1918; by original designation and monotypy. Synonymized by New, 1985: 10.

Leptoleon Esben-Petersen, 1918a: 18. **Type species:** *Leptoleon regularius* Esben-Petersen, 1918; by original designation and monotypy. Synonymized by New, 1985: 10.

Dicholeon Navás, 1920a: 193. **Type species:** *Dicholeon nigritarsis* Navás, 1920a; by original designation and monotypy. Synonymized by Stange, 2004: 307.

Tafanerus Navás, 1921: 62. **Type species:** *Tafanerus indicus* Navás, 1921; by original designation. Synonymized by Stange, 2004: 307.

Alyrmeleoni Navás, 1922: 87. Misspelling. Synonymized by Stange, 2004: 307.

Mirmeleon Navás, 1923f: 768. Misspelling. Synonymized by Stange, 2004: 307.

Talosus Navás, 1923c: 35. **Type species:** *Talosus oberthuri* Navás, 1923c; by original designation and monotypy. Synonymized by Stange, 2004: 307.

Banya Navás, 1923d: 145. **Type species:** *Banya trifasciata* Navás, 1923d; by original designation and monotypy. Synonymized by Stange, 2004: 307.

Grocus Navás, 1925: 185. **Type species:** *Grocus gerstaeckeri* Navás, 1925; by original designation.

Synonymized by Hölzel, 1972: 37.

Colinus Navás, 1925: 187. **Type species:** *Colinus philippinus* Navás, 1925; by original designation and monotypy. Synonymized by Stange, 2004: 307.

Afroleon Navás, 1927a: 13. **Type species:** *Afroleon basutus* Navás, 1927a; by original designation and monotypy. Synonymized by Stange, 2004: 307.

Neurocolinus Navás, 1930b: 42. **New Name** for *Colinus* Navás, 1925. Synonymized by Stange, 2004: 307.

Nemeyus Navás, 1934a: 502. **Type species:** *Nemeyus sanaanus* Navás, 1934a; by original designation and monotypy. Synonymized by Stange, 2004: 307.

Nezuela Navás, 1934b: 155. **Type species:** *Nezuela geayana* Navás, 1934b; by monotypy. Synonymized by Banks, 1943: 172.

Bordus Navás, 1936a: 165. **Type species:** *Bordus temeratus* Navás, 1936a; by original designation and monotypy. Synonymized by Stange, 2004: 307.

Congoleon Navás, 1936b: 337. **Type species:** *Congoleon sociatus* Navás, 1936b; by original designation and monotypy. Synonymized by Stange, 2004: 307.

Hypsoleon Navás, 1936c: 103. **Type species:** *Hypsoleon chappuisinus* Navás, 1936c; by original designation and monotypy. Synonymized by Stange, 2004: 307.

Nelneja Navás, 1936c: 104. **Type species:** *Nelneja guttata* Navás, 1936c; by original designation and monotypy. Synonymized by Stange, 2004: 307.

蚁蛉属 *Myrmeleon* 是蚁蛉科最大的属，在 Stange (2004) 的《世界蚁蛉名录》(*Catalog of the World Antlions*) 中共收录了 176 种，其中西半球 33 种，澳大利亚 22 种，非洲 54 种，东半球其余地区 67 种，分布于中国的有 16 种。这个名录中未收录藏蚁蛉 *Myrmeleon zanganus* Yang, 1987。

名录出版后，Bao 和 Wang (2006b) 及 Bao 等 (2009) 发表了中国的 3 个新种：环蚁蛉 *Myrmeleon circulis* Bao & Wang, 2006b、角蚁蛉 *Myrmeleon trigonois* Bao & Wang, 2006b、锈翅蚁蛉 *Myrmeleon ferrugineipennis* Bao & Wang, 2009。Bao 等 (2007) 将 *Myrmeleon coalitus* Yang, 1999 修订为 *Hagenomyia coalitus* (Yang, 1999)，移出 *Myrmeleon*。Bao 等 (2009) 确定 *Myrmeleon exigus* Yang, 1999 是 *Myrmeleon bore* (Tjeder, 1941)的异名。Zhan 等 (2011) 研究发现，中国曾被定名为 *Myrmeleon formicarius* Linnaeus, 1767 的标本正确的学名应该是狭翅蚁蛉 *Myrmeleon trivialis* Gerstaecker, 1885，目前我们仅在新疆地区发现了真正的 *Myrmeleon formicarius* Linnaeus, 1767。

目前，蚁蛉属 *Myrmeleon* 世界已知 177 种，中国已知 19 种，大陆目前已报道 12 种，含 3 问题种，其余 7 种分布在台湾。

Stange 等 (2003) 曾写道：这个属的物种在非洲、澳大利亚等南半球的地区很丰富，但在南美洲很稀少，只有阿根廷有 1 或 2 种，而智利南部和阿塔加马 (Atacama) 沙漠未发现这个属。

属征 前翅 CuP 发出点与基横脉相连，2A 与 1A 在基部靠近，然后急转向 3A；Rs 分叉点后于 CuA 分叉点；CuP+1A 与 CuA2 不平行，在达翅缘前相交；前缘区单排翅室。后翅基径中横脉多于或等于 4 条。后足第 5 跗节长于第 1 跗节。

分布 世界广布。

种检索表

1 翅黄褐色，后翅略长于前翅，外缘明显内凹 ……………………………… **锈翅蚁蛉 *M. ferrugineipennis***
翅透明无色，后翅等于或略短于前翅，外缘不内凹 ……………………………………………… 2
2 头顶及后头区黑色无斑 ……………………………………………………………………………… 3
头顶及后头区黑色，有浅色斑 ……………………………………………………………………… 5
3 Rs 分叉点与痣下室之间的横脉多于 25 条，前翅后斑克氏线极显著 ………… **狭翅蚁蛉 *M. trivialis***
Rs 分叉点与痣下室之间的横脉少于 20 条，前翅后斑克氏线不十分清晰，臀区少于 7 个小室成双排 ……………………………………………………………………………………………………… 4
4 臀区仅有 2-4 小室成双排，前翅有后斑克氏线 ……………………………… **钩臀蚁蛉 *M. bore***
臀区仅有 5-6 小室成双排，前翅无后斑克氏线 ……………………………… **泛蚁蛉 *M. formicarius***
5 前胸背板前半段有 2 三角形黑斑，头顶及后头区有多块黑斑 ……………………… **角蚁蛉 *M. trigonois***
前胸背板无三角形黑斑 ……………………………………………………………………………… 6
6 前翅 Rs 与痣下室之间横脉 12 条，头部浅红棕色，额有褐色中条纹，前胸背板浅棕色，中线及边缘浅黄色 ……………………………………………………………………… **浅蚁蛉 *M. immanis***
前翅 Rs 与痣下室之间横脉等于或多于 14 条，头部黑色或深棕色，额无褐色中条纹，前胸背板黑色或深褐色 ……………………………………………………………………………………………… 7
7 头顶后方有 1 对黄色大斑 ……………………………………………… **双斑蚁蛉 *M. bimaculatus***
头顶后方有 1 黄色环状斑 ………………………………………………………………………… 8
8 前翅 Rs 与痣下室之间横脉 22 条，Rs 分叉点几乎与 CuA 分叉点相对，臀区有 7-8 小室成双排 ……………………………………………………………………………………… **环蚁蛉 *M. circulis***
前翅 Rs 与痣下室之间横脉 14 条，Rs 分叉点远后于 CuA 分叉点，臀区有 1-4 小室成双排 ……………………………………………………………………………………… **棕蚁蛉 *M. fuscus***

注：*M. krempfi*、*M. nekkacus*、*M. alticola*、*M. heppneri*、*M. littorralis*、*M. persimilis*、*M. punctinervis*、*M.taiwanensis*、*M. wangi* 因无检视标本，所以未编入检索表。

(55) 双斑蚁蛉 *Myrmeleon bimaculatus* Yang, 1999 (图版Ⅻ：5)

Myrmeleon bimaculatus Yang, 1999b: 149. Type locality: Fujian.

雌性：前翅 28-34 mm，后翅 28-34 mm，体长 29-33 mm，腹部 20-21 mm。

雄性：前翅 28-30 mm，后翅 27-29 mm，体长 29-31 mm，腹部 20-21 mm。

头顶黑色，隆起，表面粗糙。头顶后方有 1 对大黄斑；复眼黄色，具金属光泽，有小黑斑；额黑色，唇基黄色，隐约可见褐色斑；下唇须、下颚须黄色；触角黑色，触角窝及柄节大部分为黄色，鞭节约 38 小节。

前胸背板黄色，宽大于长，有稀疏的白色毛，中央有 1 对褐色较宽的纵条斑；中、后胸黑色，有一些不太明显的褐色条纹，中胸盾片和后胸盾片的端部有黄色窄边。

足黄色。前足有较密的黑色刚毛和白色短毛，腿节基部有 1 长的感觉毛；距、爪亮红棕色，距伸达第 1 跗节端部，第 5 跗节长约为第 1-3 跗节之和；中足特征同前足；后足腿节基部没有长的感觉毛，其余特征同前足。

前翅无色透明，翅脉浅黄色；前缘区宽于 R 和 Rs 的间距；Rs 分叉点略后于 CuA 分叉点；Rs 约 11 分支，基径中横脉 8 条，Rs 分叉前无不规则小室；Rs 分叉点与痣下室之间的横脉约 22 条，臀区前 3 后 5 小室成双排，无前斑克氏线，后斑克氏线清晰；CuA1 和后斑克氏线之间的翅室 2 排；翅痣不明显，痣下室狭长。后翅较前翅略窄，端部尖，Rs 分叉点后于 CuA 分叉点；Rs 约 11 分支，基径中横脉 4 条；前、后斑克氏线均不明显；翅痣不明显，痣下室狭长；雄性有轭坠。

腹部黑色，有浓密的白色短毛，每节腹板的端部黄色。

雄性生殖器 (图版XXXI：5)：生殖弧桥形；阳基侧突宽片状，强骨化；生殖中片小。

雌性生殖器 (图版XXVIII：2)：肛上片卵圆形，有黑色挖掘毛；9-内生殖突近三角形，有短粗的挖掘毛；无 9-外生殖突；8-外生殖突细长指状，顶端生有长的黑色刚毛；8-内生殖突小、圆形；前生殖片极小。

检视标本 正模未见到。1♀，副模，福建林学院，1986.Ⅵ.16，张加生，CAU-N100571；1♀，副模，福建沙县，1979.Ⅷ.27，黄邦侃，CAU-N100589；1♂，浙江遂昌雅纤公社，1980.Ⅶ.13，采集人不详，CAU-N100583；1♂，福建厦门，1963.Ⅵ.29，周尧，CAU-N100581；1♀，广东南海，1986.Ⅴ.20，张宣达，CAU-N100573；1♂，广州中山大学 (室内养殖)，1991.Ⅱ.5，采集人不详，CAU-N100578；1♂，广州市中山大学，1987.Ⅵ，张宣达，CAU-N100576；1♀，广州市中山大学，1987.Ⅵ，周汉辉，CAU-N100585；1♂，广东西樵山，1995.Ⅴ，周汉辉，CAU-N100577；1♀，广东西椎山，1993.Ⅴ，周汉辉，CAU-N100586；1♀1♂，广东电白，1993.Ⅵ，周汉辉，CAU-N100595，CAU-N100587；1♀，广东南海，1986.Ⅴ.20，周汉辉，CAU-N100588；1♀，广州中山大学，采集时间及采集人不详，CAU-N100580；1♀，广东大埔，1986.Ⅵ.6，张宣达，CAU-N100591；1♀1♂，广西雁山，1963.Ⅴ.31，杨集昆，CAU-N100594，CAU-N100572；1♀3♂，广西南宁，1982.Ⅴ.23，赵又新，CAU-N100579，CAU-N100596，CAU-N100597，CAU-N100584；2♂，广西龙州弄岗，240 m，1982.Ⅴ.17，李法圣，CAU-N100574，CAU-N100582；1♀，广西宁明珑瑞，180 m，1984.Ⅴ.17，李法圣，CAU-N100575；1♂，广西凭祥，1963.Ⅴ.10，杨集昆，CAU-N100592；1♀，海南尖峰岭热林所，1982.Ⅲ.6，龙建国，CAU-N100590；1♂，海南尖峰岭，1983.Ⅵ.14，顾茂彬，CAU-N100593。

分布 浙江、福建、广东、海南、广西。

(56) 钩臀蚁蛉 *Myrmeleon bore* (Tjeder, 1941) (图版Ⅻ：6)

Grocus bore Tjeder, 1941: 74. Type locality: Oland, Boda, Byrum, Sweden.

Enza otiosus Navás, 1912e: 114. Synonymized by Kuwayama, 1962: 389.

Myrmeleon exigus Yang, 1999b: 148. Synonymized by Bao, 2009: 18.

Myrmeleon bore: Matsura, 1987: 543.

雌性：前翅 27-30 mm，后翅 21-27 mm，体长 25-30 mm，腹部 21-22 mm。

雄性：前翅 24-31 mm，后翅 22-29 mm，体长 25-32 mm，腹部 20-22 mm。

头顶黑色，隆起，表面粗糙；复眼黄色，具金属光泽，有小黑斑；额亮黑色，唇基上半部黑褐色，下半部黄色，上唇棕黄色；下唇须、下颚须深红棕色；触角黑色，触角窝黄色，基节上边缘黄色，鞭节约 36 小节，触角间距大。

前胸背板黑色，宽大于长，有稀疏的白色、黑色的长毛和短毛，仅上缘两侧角黄色；中、后胸黑色。

足黑色。前足转节及腿节端部、腿节和胫节外侧大部分黄褐色；腿节基部生有感觉毛，长度约为腿节直径的 1.5 倍；距、爪亮红棕色；距伸达第 2 跗节端部，第 5 跗节长约为第 1-3 跗节之和；中、后足同前足。

翅无色透明。前翅纵脉上黄、黑色段相间排列，横脉黑色；Rs 分叉点后于 CuA 分叉点；前缘区稍宽于 R 和 Rs 间距；Rs 约 9 分支，基径中横脉 8 条，Rs 分叉前无不规则小室；Rs 分叉点与痣下室之间的横脉约 12 条，臀区前 3 后 5 小室成双排；前斑克氏线不明显，后斑克氏线清晰；CuA1 与后斑克氏线之间的翅室 2-3 排；翅痣卵圆形，白色，痣下室狭长。后翅较前翅略窄，Rs 分叉点后于 CuA 分叉点；前缘区稍窄于 R 和 Rs 间距；Rs 约 10 分支，基径中横脉 5 条；前、后斑克氏线均不清晰；翅痣白色；雄性有较发达的轭坠。

腹部黑色，密生白色短毛，腹面各腹节上、下边缘黄色。

雄性生殖器 (图版 XXXI：6)：生殖弧弧状，骨化强烈，弧的两臂较长，距离较窄；生殖弧中片桥梁状，强骨化；阳基侧突耳状，端部较宽。

雌性生殖器 (图版 XXVIII：3)：肛上片卵圆形，有黑色挖掘毛；9-内生殖突近三角形，有短粗的挖掘毛；无 9-外生殖突；8-外生殖突粗指状，顶端生有长的黑色刚毛；8-内生殖突小、圆形；前生殖片小三角形。

检视标本　1♂，北京，采集时间不详，杨集昆，CAU-N100536；1♀，北京小龙门，1990.Ⅶ.23，陈萌，CAU-N100530；1♂，河北迁西县，1998.Ⅶ.26-27，任秋壮等，CAU-N100548；1♀，河北井陉县南寺掌，1998.Ⅶ.28-29，田新生，CAU-N100549；1♀，河北省井陉县南寺掌，1998.Ⅶ.28-29，商立新，CAU-N100539；2♀，河北省阜平县白石山，1999.Ⅷ.6，崔文明、李新江等，CAU-N100541，CAU-N100532；1♀，山西恒曲马河，1986.Ⅶ.10，常育军、康乐，CAU-N100501；1♂，福建东山，1980.Ⅸ.2，福建林业厅，CAU-N100550；1♀，山东莱阳，1951.Ⅶ.26，采集人不详，CAU-N100535；1♀，山东泰山，1953.Ⅷ.1，采集人不详，CAU-N100533；1♀，山东崂山，1952.Ⅴ.24，采集人不详，CAU-N10534；1♂，河南内乡宝天曼，1998.Ⅶ.15，S. R.，CAU-N10547；1♀，河南内乡宝天曼，1998.Ⅶ.12，S. R.，CAU-N10538；2♀，河南龙峪湾，1000 m，1997.Ⅷ.18，R. L. S.，CAU-N100552，CAU-N100542；1♀，河南龙峪湾，1000 m，1997.Ⅷ.17，R. L. S.，CAU-N100546；1♀1♂，河南商城黄柏山，200 m，1999.Ⅶ.11，申效成、任应党，CAU-N100540，CAU-N100543；2♀，河南白云山，2002.Ⅶ.19，鲍荣，CAU-N100545；1♀，河南白云山，2002.Ⅶ.24，鲍荣，CAU-N100544；1♂，湖北兴山龙门河，1350 m，1993.Ⅶ.16，杨星科，CAU-N101493；1♀，四川雅安，1982.Ⅸ，陈文瑞，CAU-N101483；1♀，陕西桃川，1980.Ⅵ.12，采集人不详，CAU-N100537。

分布　北京、河北、山西、山东、河南、陕西、湖北、福建、台湾、四川；俄罗斯，韩国，日本，捷克，斯洛伐克，芬兰，法国，德国，挪威，斯洛文尼亚，西班牙，瑞典，瑞士，澳大利亚。

(57) 环蚁蛉 *Myrmeleon circulis* Bao & Wang, 2006 (图版 XIII：1)

Myrmeleon circulis Bao & Wang, 2006b: 126. Type locality: Fujian, Guizhou.

雌性：前翅 35-39 mm，后翅 33-36 mm，体长 30-34 mm，腹部 21-23 mm。

雄性：前翅 34 mm，后翅 31 mm，体长 32 mm，腹部 22 mm。

头顶隆起，黑色，表面粗糙，头顶后方有 1 黄色圆环；复眼黄色，具金属光泽，有小黑斑；额黑色，唇基上半部分亮黑色，下半部分黄色，上唇黄色；下颚须黄褐色，局部黑色；下唇须黄色，端部膨大并有 1 尖状突呈黑色；触角黑色，触角窝、柄节内侧黄色，鞭节约 36 小节，触角间距大。

前胸背板宽大于长，黑色，有稀疏的黑色长毛和短毛，中央有 1 黄色纵纹从前缘伸达中部。前缘两侧角黄色；中、后胸黑色，隐约有一些深褐色的条斑。

足黑色。前足转节、腿节内侧黄色，胫节端部外侧褐色；距、爪亮红棕色；腿节基部有 1 感觉毛，约为腿节直径的 1.3 倍；距伸达第 1 跗节端部，第 5 跗节长约为第 1-4 跗节之和，爪弯曲。中足转节、腿节端部黄色，其余特征似前足。后足转节、腿节端部、胫节外侧黄色，其余特征似前足。

前翅无色透明，翅脉上多为黄、黑色段相间排列，部分翅脉为黑色；Rs 分叉点后于 CuA 分叉点；前缘区宽于 R 和 Rs 的间距；Rs 约 12 分支，基径中横脉 7 条，Rs 分叉前有 1 小室；Rs 分叉点与痣下室之间的横脉约 22 条，臀区前 7 后 8 小室成双排；无前斑克氏线，后斑克氏线清晰；后斑克氏线和 CuA1 之间的翅室 2-3 排；翅痣大而明显，白色，痣下室狭长。后翅 Rs 分叉点后于 CuA 分叉点；前缘区与 R 和 Rs 间距约等宽；Rs 约 12 分支，基径中横脉 5-6 条；无前斑克氏线，后斑克氏线清晰；后斑克氏线和 CuA1 之间的翅室 1 排；翅痣白色，痣下室狭长；雄性有轭坠。

腹部黑色，生有黑色短毛。各腹节前后边缘褐色。

雄性生殖器 (图版 XXXI：7)：生殖弧桥洞形，阳基侧突条形，骨化较弱；无生殖中片。

雌性生殖器 (图版 XXVIII：4)：肛上片卵圆形，有黑色挖掘毛；9-内生殖突近三角形，有短粗的挖掘毛；无 9-外生殖突；8-外生殖突细长指状，顶端生有长的黑色刚毛；8-内生殖突小、圆形；前生殖片极小。

检视标本　1♂，正模，福建建瓯东峰，1986.Ⅶ.28，谢明，CAU-N100617。3♀，副模，贵州习水蔺江，2000. Ⅸ. 24-30，宋琼章，CAU-N100615，CAU-N100619，CAU-N100622；1♀，副模，福建延炉下，1981.Ⅴ.15，采集人不详，CAU-N100618；1♀，副模，湖北秭归九头岭 (灯诱)，110 m，1994.Ⅸ.5，姚建，CAU-N101532；1♀，副模，广西龙州弄岗，240 m，1982.Ⅴ.18，杨集昆，CAU-N100624；2♀1♂，采集信息不详，CAU-N100616，CAU-N100621，CAU-N100623。

分布　湖北、福建、广西、贵州。

(58) 锈翅蚁蛉 *Myrmeleon ferrugineipennis* Bao & Wang, 2009 (图版 XIII：2)

Myrmeleon ferrugineipennis Bao & Wang, 2009: 20. Type locality: Guizhou.

雌性：前翅 42 mm，后翅 43 mm，体长 37 mm，腹部 27 mm。

雄性：前翅 39-40 mm，后翅 40-41 mm，体长 36 mm，腹部 27 mm。

头顶隆起，黑色，表面粗糙；复眼黄绿色，上有小黑斑；额黑色，唇基和上唇黄色；下颚须黄色或褐色，下唇须黄色，末节延长呈棒状；触角黑色，触角窝和柄节内侧浅褐色，鞭节约 36 小节。

前胸背板宽大于长，黑色，前缘褐色，生有稀疏的长刚毛。中胸背板黑色，有黑褐色的斑，生有黑色长刚毛，后缘生有白色长刚毛。后胸背板生有白色软毛。

前足基节、转节、腿节内侧和靠近转节的外表面黄色，有白色长毛和黑色短刚毛，腿节基部有 1 长的感觉毛，其他部分黑色。第 1 跗节长度大约为第 5 跗节的 1/2，距伸达第 2 跗节的中部，爪大约为距的 2/3 长。中足基节、转节、腿节的一半黄色，其余部分黑色。后足的距与第 1 跗节约等长。

前翅透明，浅褐色，翅痣白色，宽大于高；Rs 分叉点略后于 CuA 分叉；前缘区与 R 和 Rs 间距约等宽；Rs 约 11 分支，基径中横脉 9 条，Rs 分叉前有 1 不规则小室；Rs 分叉点与痣下室之间的横脉约 27 条，臀区前 4 后 4 小室成双排；前斑克氏线不明显，后斑克氏线清晰；后斑克氏线和 CuA1 之间的翅室 2-3 排；痣下室狭长。后翅略长于前翅，端部镰刀形；Rs 分叉点后于 CuA 分叉点；前缘区窄于 R 和 Rs 间距；Rs 约 15 分支，基径中横脉 5 条；前斑克氏线不明显，后斑克氏线清晰；后斑克氏线和 CuA1 之间的翅室 1-2 排；翅痣白色，痣下室狭长。雄性有轭坠，轭坠球形生有长毛。

腹部黑色，短于后翅。

雄性生殖器 (图版 XXXI：8)：生殖弧门洞形，骨化较强；阳基侧突长瓣形，基部宽，颜色深，端部细，颜色浅；生殖中片分叉。

雌性生殖器 (图版 XXVIII：9)：肛上片卵圆形；9-内生殖突相连，整体呈梯形，上有短粗的挖掘毛；9-外生殖突方砖状；8-外生殖突指状，上有黑色刚毛；8-内生殖突指状，短于 8-外生殖突，上有黑色刚毛；前生殖板椭圆形。

检视标本　1♂，正模，贵州道真大沙河，1000 m，2004.Ⅷ.24，贾春枫，CAU-N101529。1♂，副模，贵州道真大沙河，1000 m，2004.Ⅷ.24，贾春枫，CAU-N101530；1♂，副模，贵州花溪，2001.Ⅶ.5，采集人不详，CAU-N101531；1♀1♂，贵州大学 (饲养)，采集时间及采集人不详，CAU-N102017，CAU-N102018。

分布　贵州。

(59) 泛蚁蛉 *Myrmeleon formicarius* Linnaeus, 1767 (图版 XIX：6)

Myrmeleon formicarius Linnaeus, 1767: 914. Type locality: Oelandia.

Myrmeleon innotatus Rambur, 1842: 406. Synonymized by Hagen,1858: 122.

Myrmeleon neutrum Fischer von Waldheim, 1822: 51. Synonymized by Hagen,1858: 123.

Myrmeleon nigrivenosus Okamoto, 1905: 116. Synonymized by Kuwayama, 1959: 67.

Hemerobius formicalynx Linnaeus, 1758: 550. Synonymized by Brauer, 1885: 10.

Hemerrobius formicaleonis Linnaeus, 1746: 222. Synonymized by Stange, 2004: 323.

雌性：前翅 37-38 mm，后翅 34-35 mm，体长 32-33 mm，腹部 26-27 mm。

雄性：未知。

头顶黑色，隆起，表面粗糙；复眼黄色，具金属光泽，有小黑斑；额亮黑色，唇基上半部黑褐色，下半部黄色，上唇棕黄色；下唇须、下颚须深红棕色；触角黑色，触角窝黄色，基节上边缘黄色，鞭节约 36 小节，触角间距大。

前胸背板宽大于长，黑色，两侧有较宽的黄边，有稀疏的白色、黑色的长毛和短毛。中胸、后胸黑色。

足背面深棕色，腹面色较浅，局部为棕黄色。距、爪亮红棕色；距伸达第 1 跗节末端，第 5 跗节长约为第 1-3 跗节之和。

前翅无色透明，较宽阔。Rs 分叉点后于 CuA 分叉点；前缘区稍宽于 R 和 Rs 间距；Rs 约 9 分支，基径中横脉 8-11 条，Rs 分叉前无不规则小室；Rs 分叉点与痣下室之间的横脉约 10 条，臀区前 6 后 9 小室成双排；前、后斑克氏线均不清晰；翅痣卵圆形，白色，痣下室狭长。后翅较前翅略短，Rs 分叉点后于 CuA 分叉点；前缘区窄于 R 和 Rs 间距；Rs 约 10 分支，基径中横脉 5 条；前、后斑克氏线均不清晰；翅痣白色；雄性有较发达的轭坠。

腹部黑色，细长，密生白色短毛。

雄性生殖器：无检视标本。

雌性生殖器：肛上片卵圆形，有黑色挖掘毛；9-内生殖突近三角形，有短粗的挖掘毛；无 9-外生殖突；8-外生殖突粗指状，顶端生有长的黑色刚毛；8-内生殖突瘤突形；前生殖片不明显。

检视标本 1♀，新疆查布查尔森林公园，2007.Ⅷ.2，聂瑞娥，CAU-N100752；2♀，新疆巩留库尔德宁，2007.Ⅷ.5, 聂瑞娥，CAU-N102208，CAU-N102209。

分布 新疆。

(60) 棕蚁蛉 *Myrmeleon fuscus* Yang, 1999 (图版 XIII：3)

Myrmeleon fuscus Yang, 1999b: 147. Type locality: Fujian (Shaxian).

雌性：前翅 33-38 mm，后翅 28-36 mm，体长 27-35 mm，腹部 19-22 mm。

雄性：前翅 28-34 mm，后翅 26-32 mm，体长 26-29 mm，腹部 18-20 mm。

头顶隆起，亮红棕色，表面粗糙，头顶后方有 1 黄色环斑；复眼黑色；额亮红棕色，唇基黄色；下唇须黄色，末端褐色，下颚须黄色，末端膨大部分褐色；触角褐色，触角窝黄色，柄节、梗节黄色，鞭节约 38 小节，触角间距大。

前胸背板深褐色，宽略大于长，有 1 黄色中纵纹，两前侧角黄色，具白色、黑色长毛。中、后胸褐色，后胸有一些黑色条纹。

足浅褐色。前足基节深褐色，胫节外侧深褐色；跗节深褐色，每个跗节末端黑色，爪、距褐色，距伸达第 1 跗节末端，第 5 跗节长约为第 1-3 跗节之和；腿节基部有 1 长感觉毛，约为腿节直径的 1.5 倍。中足腿节基部有 1 长感觉毛，后足没有感觉毛。

前翅狭长，翅脉黄色；Rs 分叉点后于 CuA 分叉点；前缘区略宽于 R 和 Rs 间距；Rs 约 9 分支，基径中横脉 11 条，Rs 前无小室；Rs 分叉点与痣下室之间的横脉约 14 条，臀区仅有前 1 后 4 小室成双排；前斑克氏线不明显，后斑克氏线清晰；后斑克氏线和 CuA1 之间的翅室 3 排；翅痣白色，痣下室较短。后翅略短于前翅，Rs 分叉点后于 CuA 分叉点；前缘区略窄于 R 和 Rs 间距；Rs 约 10 分支，基径中横脉 5 条；前斑克氏线不明显，后斑克氏线清晰；后斑克氏线和 CuA1 之间的翅室 1-2 排；翅痣白色，痣下室较前翅长；雄性有轭坠。

腹部浅褐色，每一节末端黄色，具白色短毛。

雄性生殖器 (图版 XXXI：9)：生殖弧桥洞形，骨化较强；阳基侧突细长；无生殖中片。

雌性生殖器 (图版 XXVIII：5)：肛上片卵圆形，有黑色挖掘毛；9-内生殖突近三角形，有短粗的挖掘毛；无 9-外生殖突；8-外生殖突指状，顶端生有长的黑色刚毛；8-内生殖突圆片形，具挖掘毛，前生殖片极小。

检视标本　1♀，正模，福建沙县，1980.Ⅵ.5，梁勤，CAU-N100598。1♀，福建武夷山，1986.Ⅶ.12，古德祥，CAU-N100614；1♀，湖北来凤西山，1989.Ⅺ，张宣达，CAU-N100600；1♀，湖北来凤雁山，1989.Ⅺ，周汉辉，CAU-N100603；1♀1♂，湖北咸丰，1989.Ⅺ.9，张宣达，CAU-N100613，CAU-N100602；1♂，广东阳山，1990.Ⅹ，李开煌，CAU-N100608；1♂，广东封开，1985.Ⅸ，张宣达，CAU-N100599；1♀，广东南海，1986.Ⅴ.18，周汉辉，CAU-N100601；1♀，广东封开，1986.Ⅵ.5，周汉辉，CAU-N100610；1♀，广西平乐 (洞)，1986.Ⅵ，张宣达，CAU-N100612；1♀，贵州贵阳仙人洞，1989.Ⅹ，周汉辉，CAU-N100609；1♀，贵州贵阳平阳乡小丹江村，2005.Ⅵ.2，孙明霞，CAU-N101539。

分布　湖北、福建、广东、广西、贵州。

(61) 浅蚁蛉 *Myrmeleon immanis* Walker, 1853 (图版 XIII：4)

Myrmeleon immanis Walker, 1853: 381. Type locality: China.

Myrmeleon ambiguous Klapálek, 1901: 209. Synonymized by Aspöck *et al.*, 1980: 294.

Myrmeleon medialis Navás, 1932a: 110. Synonymized by Hölzel, 1970a: 248.

Myrmeleon procubitails Navás, 1935a: 41. Synonymized by Stange, 2004: 329.

Grous pallens Hölzel, 1970a: 255. Synonymized by Aspöck *et al.*, 1980: 294.

雌性：前翅 25-28 mm，后翅 24-26 mm，体长 28-30 mm，腹部 17-19 mm。

雄性：前翅 23-28 mm，后翅 21-26 mm，体长 26-30 mm，腹部 18-19 mm。

头顶隆起，黄棕色，头顶隐约可见黄斑，后方有 1 环形黄斑；复眼铜绿色，有小黑斑；额黑色，唇基中央黄色，两侧褐色；上唇黄色；下颚须基部黄色，端部褐色，下唇须黄色，端部膨大呈褐色；触角棒状，深褐色，柄节内侧及梗节大部黄色，触角窝黄色，触角下方有不规则褐色斑，鞭节约 30 小节，触角间距大。

前胸背板浅褐色，宽大于长，有许多白色长毛和短毛，中央和边缘黄色；中、后胸黑色，有一些隐约的褐色条纹，中、后胸背板边缘黄色，有稀疏的白色短毛。

足黄色。前足腿节内侧、胫节外侧大部及各跗节端部褐色，有较密的白色和黑色短毛；距伸达第 2 跗节中部，第 5 跗节长，约为第 1-3 跗节之和，爪、距红褐色。中、后足特征同前足。

翅无色透明，翅脉黄色。前翅前缘区略宽于 R 和 Rs 间距；Rs 分叉点后于 CuA 分叉点；Rs 约 10 分支，基径中横脉 9 条，Rs 分叉前无小室；Rs 分叉点与痣下室之间的横脉约 12 条，臀区前 2 后 4 小室成双排；前斑克氏线不明显，后斑克氏线清晰；后斑克氏线与 CuA1 之间的翅室 2-3 排；翅痣白色，痣下室狭长。后翅略短于前翅，前缘区略窄于 R 与 Rs 的间距；Rs 分叉点后于 CuA 分叉点；Rs 约 9 分支，基径中横脉 5 条；前后斑克氏线均不明显，翅痣白色，痣下室狭长。雄性有轭坠。

腹部黑色，密生黑色短毛。各腹节边缘黄色。

雄性生殖器 (图版XXXI：10)：生殖弧两臂几乎平行，臂长约为两臂间距的 2 倍，强骨化；阳基侧突长瓣形，基部较宽，端部较窄；生殖中片横宽，强骨化。

雌性生殖器 (图版XXVIII：6)：肛上片卵圆形，有少数挖掘毛；9-内生殖突瓣状，生有粗硬的挖掘毛和黑色刚毛；无 9-外生殖突；8-外生殖突指状，有黑色长刚毛；8-内生殖突小，圆突状；前生殖片极小。

检视标本 1♂，北京丁家滩，1960.Ⅶ.27，李法圣，CAU-N100654；1♀，北京农大，1950.Ⅷ.2，杨集昆，CAU-N100641；1♂，北京，1949.Ⅷ.28，杨集昆，CAU-N100666；1♂，河北邢台，1983.Ⅷ.1，毛金龙，CAU-N100673；1♀，河北邢台，1983.Ⅷ.20，毛金龙，CAU-N100670；1♂，山西太谷，1964.Ⅶ.30，周尧、刘绍发，CAU-N100658；1♂，内蒙古准格尔旗，1978.Ⅵ.30，陈合明，CAU-N100674；1♂，内蒙古伊金霍洛旗，1400 m，2002.Ⅷ.20，陈启图，CAU-N100656；1♂，福建莆田，2003.Ⅸ.3，林磊，CAU-N101513；1♀，山东济南，1954.Ⅶ.13，采集人不详，CAU-N100660；1♂，河南民权，1993.Ⅵ，张宣达，CAU-N100665；1♂，四川雅安，1982.Ⅸ，陈文瑞，CAU-N101524；1♀1♂，陕西榆林，1982.Ⅵ.7，采集人不详，CAU-N100655，CAU-N100657；1♂，陕西潼关港口苗圃，1981.Ⅵ，张宽成，CAU-N100676；1♀，陕西合阳，1981.Ⅷ，采集人不详，CAU-N100677；1♂，陕西，1980.Ⅷ.4，刘洲宏，CAU-N100672；1♂，新疆哈密，1981.Ⅵ，薛世来。

分布 内蒙古、北京、河北、山西、山东、河南、陕西、新疆、福建、四川；俄罗斯，蒙古，罗马尼亚，中南半岛。

(62) 角蚁蛉 *Myrmeleon trigonois* Bao & Wang, 2006 (图版XIII：5)

Myrmeleon trigonois Bao & Wang, 2006b: 129. Type locality: Yunnan (Deqin), Sichuan (Batang).

雌性：前翅 33-35 mm，后翅 30-32 mm，体长 29-30 mm，腹部 22-23 mm。

雄性：前翅 29-30 mm，后翅 26-27 mm，体长 30-31 mm，腹部 22-23 mm。

头顶隆起，黄色，有 6 显著的黑斑；复眼黄色，具金属光泽，有小黑斑；额黑色，唇基黑色，复眼边缘有黄边，触角窝下方有黄边，上唇黄色；下颚须基部黄色，端部深褐色，下唇须黄色，末端膨大呈黑褐色；触角残缺，触角窝及柄节、梗节内侧黄色，鞭节约 32 小节，触角间距大。

前胸背板深褐色，宽略大于长，生有黑色短毛和白色长毛，背板中央有 1 上宽下窄的黄色中纵带，前缘有黄色窄边，两侧缘黄色，背板前 1/3 处有两条倾斜的黄色条纹，分割出 2 三角形深褐色斑；中、后胸深褐色，背板下边缘黄色。

足细长，浅褐色，有白色短毛和一些黑色长刚毛。前足基节、腿节、胫节外侧有黑褐色斑，腿节基部的感觉毛长度约为腿节直径的 1.5 倍；第 1-4 跗节端部黑褐色，第 5 跗节全部为黑褐色，长约为第 1-3 跗节之和；距短，仅伸达第 1 跗节中部。中足特征同前足；后足较前足、中足略长，跗节黑褐色，其余特征同前足。

前翅无色透明，翅脉多为黄、褐色段相间排列；Rs 分叉点远后于 CuA 分叉点；前缘区略宽于 R 和 Rs 间距，Rs 约 9 分支，基径中横脉 11 条，Rs 分叉前偶有 2 长方形小室；Rs 分叉点与痣下室之间的横脉约 12 条，臀区前 1 后 4 小室成双排；无前斑克氏线，后斑克氏线清晰，后斑克氏线与 CuA1 之间的翅室 2-3 排；翅痣白色，靠近内侧一端褐色，痣下室狭长。后翅略短于前翅，Rs 分叉点远后于 CuA 分叉点；前缘区与 R 和 Rs 间距约等宽，Rs 约 10 分支，基径中横脉 5 条；无前斑克氏线，后斑克氏线清晰，后斑克氏线与 CuA1 之间的翅室 2 排；翅痣白色，痣下室狭长；雄性有轭坠。

腹部褐色至黑色，密生白色短毛。

雄性生殖器 (图版 XXXI：11)：生殖弧弓状，较宽，强骨化；阳基侧突长片状，强骨化。生殖弧中片小。

雌性生殖器 (图版 XXVIII：7)：肛上片卵圆形，有挖掘毛；9-内生殖突近三角形，有短粗的挖掘毛；无 9-外生殖突；8-外生殖突细指状，具黑色长刚毛；8-内生殖突近圆形，具黑色刚毛；前生殖片几乎看不到。

检视标本　1♂，正模，云南德钦梅里石，2200 m，1982.Ⅶ.20，王书永，CAU-N101533。1♀，副模，四川巴塘，2600 m，1982.Ⅷ.14，王书永，CAU-N101534；3♀，副模，四川巴塘 (灯诱)，2600 m，1982.Ⅷ.14，牛春来，CAU-N101535，CAU-N101536，CAU-N101538；1♂，副模，四川巴塘，2500 m，1982.Ⅷ.13，王书永，CAU-N101537；1♀，云南昭通绥江县峰顶山 (灯诱)，2009.Ⅸ.16，曹、杨、刘，CAU-N102043。

分布　四川、云南。

(63) 狭翅蚁蛉 *Myrmeleon trivialis* Gerstaecker, 1885 (图版Ⅱ：1，图版Ⅲ：5，图版 XIII：6)

Myrmeleon trivialis Gerstaecker, 1885: 23. Type locality: Himalaya.

雌性：前翅 35-45 mm，后翅 34-44 mm，体长 32-41 mm，腹部 25-30 mm。

雄性：前翅 36-44 mm，后翅 35-43 mm，体长 32-39 mm，腹部 25-29 mm。

头顶黑色，隆起，表面粗糙；复眼铜绿色，有小黑斑；额黑色，唇基大部分黄色，只有上缘亮黑色，上唇黄色；下唇须、下颚须黄色；触角黑色，触角窝黄色，梗节、梗节的上、下边缘黄色，鞭节约 42 小节，触角间距大。

前胸背板宽大于长，黑色，有较密的黑色长刚毛，背板前缘及两侧黄色，有时黄色仅达前侧缘的 1/2-2/3 处，背板中央常有 1 黄色中纵纹，其长短个体间有变化；中、后胸背板黑色，有稀疏的白色长毛。

足黄色。前足腿节端部、腿节外侧及跗节黑色，腿节基部有长的感觉毛，约为腿节直径的 2 倍；距、爪红棕色，距伸达第 1 跗节端部，第 5 跗节长约为第 1-3 跗节之和；中、后足没有长的感觉毛，其余特征同前足。

前翅无色透明，纵脉多黄黑相间，横脉浅褐色至深褐色；Rs 分叉点略后于 CuA 分叉点；前缘区略宽于 R 和 Rs 间距；Rs 约 12 分支，基径中横脉 8 条；Rs 分叉点与痣下室之间的横脉约 28 条，臀区前 7 后 8 小室成双排；无前斑克氏线，后斑克氏线清晰；CuA1 和后斑克氏线之间的翅室 2 排；翅痣白色，大而明显，卵圆形，痣下室狭长。后翅略短于前翅，较前翅略窄，Rs 分叉点后于 CuA 分叉点；前缘区略窄于 R 和 Rs 间距；Rs 约 12 分支，基径中横脉 5 条；无前斑克氏线，后斑克氏线清晰；CuA1 和后斑克氏线之间的翅室 1 排；翅痣白色，大而明显，卵圆形，痣下室狭长；雄性有轭坠。

腹部黑色，密生黑色短毛。

雄性生殖器 (图版 XXXI：12)：生殖弧宽，两臂的间距约与臂长相等；阳基侧突宽大，强骨化，基部有 1 裂缝；可见生殖中片。

雌性生殖器 (图版 XXVIII：8)：肛上片长卵圆形，密生挖掘毛；9-内生殖突近似三角形，密生挖掘毛；无 9-外生殖突；8-外生殖突长指状，顶端多黑色刚毛；8-内生殖突圆瓣状，有较密的黑色刚毛；前生殖板椭圆形。

检视标本 1♂，河南栾川龙峡湾，1100 m，2004.Ⅶ.20，王志良，CAU-N100523；1♀2♂，河南内乡宝天曼，1350 m，2004.Ⅶ.23，王志良，CAU-N100519，CAU-N100520，CAU-N100518；1♀，河南内乡宝天曼，1350 m，2004.Ⅶ.24，王志良，CAU-N100521；2♀，河南白云山，2002.Ⅶ.18，鲍荣，CAU-N100497，CAU-N100500；1♀，河南鸡公山，700 m，2001.Ⅶ.15，申效诚，CAU-N100499；1♂，广西金秀罗香，200 m，1999.Ⅴ.15，张学忠，CAU-N101456；2♂，云南凤庆诗礼 (诱)，1800 m，1980.Ⅶ.7-8，张付，CAU-N100509，CAU-N100529；1♂，云南凤庆苗圃 (捕)，1600 m，1980.Ⅶ.24，张付，CAU-N100505；1♀，云南凤庆苗圃 (诱)，2200 m，1980.Ⅶ.24，张付，CAU-N100510；1♂，云南维西攀天阁，2500 m，1981.Ⅶ.25，CAU-N101473；1♀，云南宁蒗县，2004.Ⅶ.13-16，李静、苑彩霞，CAU-N101472；1♀，贵州赫章，1978.Ⅵ.28，采集人不详，CAU-N100620；1♀，陕西佛坪，950 m，1998.Ⅶ.23，张学忠，CAU-N101477；1♀，陕西佛坪，950 m，1998.Ⅶ.23，姚建，CAU-N101478；2♀，陕西佛坪，870-1000 m，1998.Ⅶ.25，张学忠，CAU-N101479，CAU-N101480；4♀2♂，西藏易贡，2300 m，1978.Ⅵ.16，1978.Ⅶ.29，1978.Ⅶ.3，1978.Ⅷ.1，李法圣，CAU-N100490，CAU-N100491，CAU-N100492，CAU-N100493，CAU-N100504，CAU-N100512；3♀1♂，西藏通麦，2050 m，1978.Ⅶ.25-27，李法圣，CAU-N100493，CAU-N100515，CAU-N100516，CAU-N100517；2♂, Nepal, Ganesh Himal, Gadlang, 2600 m, 1995.Ⅸ.22-23, leg: P. Gyulai, A. Garai; 1♀2♂, Nepal, Ganesh Himal, 2 km NW of Nesim 2300 m, 1995.Ⅸ.23-25, leg: P. Gyulai, A. Garai.

分布　河南、陕西、广西、贵州、云南、西藏；巴基斯坦，印度 (喜马拉雅)，尼泊尔，泰国。

(64) 克瑞蚁蛉 *Myrmeleon krempfi* Navás, 1923 问题种

Myrmeleon krempfi Navás, 1923a: 182. Type locality: Tonquin central.

♂：体长 18 mm，前翅 23 mm，后翅缺。♀：体长 20.5 mm，前翅 25.5 mm，后翅 25.5 mm (译自 Navás 原始描述部分内容)。

检视标本　无。

分布　中国或越南。

讨论　Stange (2004) 的《世界蚁蛉名录》中记录该种的分布地是 China，但该种的全模 Syntypes (male, female) 采集地是 Tonquin central, 1911, A. Krempf。此后，没有该种的任何报道。Tonquin 这个地名是指越南河内，因此，中国是否有该种尚待考察。该种的模式标本保存在法国巴黎自然历史博物馆 (Museum National d'Histrire Naturelle, Paris, France)。

(65) 内卡蚁蛉 *Myrmeleon nekkacus* Okamoto, 1934 问题种

Myrmeleon nekkacus Okamoto, 1934: 101. Type locality: Ling-yuan, Manchoukuo.

头前部黑色，后头黄褐色，头顶隆起，有 2 黑褐色纵条纹，纵条纹外侧各有 1 黑褐色大斑。颜面上部亮黑色，中间有 1 黄褐色小斑。触角黑色，基部黄褐色，内侧有黑褐纹。前胸背板长大于宽，灰黄色，有 4 黑褐色纵纹。腹部黑色，各节后缘灰褐色，腹部密布灰白色短毛。足黄褐色，被黑色毛，前、中足腿节内侧大部分，后足腿节外侧大部分及各足胫节的端部黑褐色。距赤褐色，短而细，比第 1 跗节略长。翅透明无斑，脉黄色，具黑短毛，亚前缘脉基部和端半部黑黄相间，前翅 R 脉分叉点在 Cu 脉分叉点之外 (译自 Okamoto 原描述部分内容)。

检视标本　无。

分布　东北。

讨论　Stange (2004) 在《世界蚁蛉名录》中记录该种的分布地是 Manchuria，即满洲，中国东北地区的旧称 (1931-1945 年，日本政府扶植前清废帝溥仪在中国东北地区建立伪满洲国 Manchukuo)。该种有 2 雄性全模，采集信息：Ling-yuan，Manchoukuo，1933. Ⅷ，全模保存地不详。

(66) 苏勒蚁蛉 *Myrmeleon solers* Walker, 1853 问题种

Myrmeleon solers Walker, 1853: 367. Type locality: China, Bowring. Esben-Petersen, 1926: 22.

前翅 CuA1 与后斑克氏线之间的区域宽，在端半部至少有 3 排翅室，前后翅的后斑克氏线都不显著。翅端部尖 [译自 Esben-Petersen (1926) 部分内容]。

检视标本 无。

分布 中国南方。

讨论 本种曾被 Walker (1853)，Esben-Petersen (1926) 和 Kuwayama (1962) 报道分布在中国，本种与钩臀蚁蛉 *M. bore* 及泛蚁蛉 *M. formicarius* 非常相似，根据 Kuwayama (1959) 的记述，本个体较小，体长为 21-23 mm。Esben-Petersen (1926) 描述苏勒蚁蛉 *M. solers* 前、后斑克氏线都不清晰。匈牙利脉翅目专家 Ábrahám 给我们发了一张保存在英国伦敦自然历史博物馆 (BMNH) 的 *Myrmeleon solers* 的模式标本照片，与照片比较，能够看出 *M. solers* 与 *M. bore* 有两个重要的区别：前翅 Rs 分叉点与痣下室之间的横脉，*M. solers* 是 15 条，*M. bore* 是 12 条；前翅后斑克氏线尽管这两个种都不像狭翅蚁蛉 *M. trivialis* 那么清晰，但仍能看出差别，*M. solers* 前翅后斑克氏线是 1 向下弯的弧线，而 *M. bore* 前翅后斑克氏线几乎是直的。该种模式标本采集地是中国。根据 Kuwayama (1959) 的记述，*M. solers* 分布在中国南方。但我们目前尚未发现该种的标本。Ábrahám 等专家提出 *M. solers* 很有可能是 *M. acer* 的异名。该种的分类问题有待进一步研究。

(67) 褐跗蚁蛉 *Myrmeleon alticola* Miller & Stange, 1999

Myrmeleon alticola Miller & Stange, 1999: 61. Type locality: Taiwan (Taoyuan).

大型种，体长 33 mm，前翅长约 41 mm，前翅在 Rs 上方的前缘区的小室其高度远大于宽度，无间横脉，翅痣上的淡白色斑的长度短于最大宽的 4 倍。头顶具延伸的淡褐色区。跗节红褐色；雄性轭坠小，轭坠冠比轭坠柄略宽，轭坠冠上的刚毛长于轭坠冠的直径 (Stange *et al*., 2003)。

检视标本 无。

分布 台湾。

(68) 海氏蚁蛉 *Myrmeleon heppneri* Miller & Stange, 1999

Myrmeleon heppneri Miller & Stange, 1999: 63. Type locality: Taiwan (Taipei).

前翅长 20-24 mm，后翅稍短。体淡褐色。前翅 Rs 上方的前缘区小室宽度大于高度。带象牙白条带的眼缘通常延伸到象牙白条带的后端。跗节淡褐色至浅褐色。后足胫节距伸达或超过基跗节的端部，且基跗节长度约为其中央直径的 2.5 倍。轭坠发达，轭坠冠上的刚毛数倍于轭坠柄的宽度，轭坠柄比轭坠冠的直径更短 (Stange *et al*., 2003)。

检视标本 无。

分布 台湾。

(69) 胸纹蚁蛉 *Myrmeleon littoralis* Miller & Stange, 1999

Myrmeleon littoralis Miller & Stange, 1999: 64. Type locality: Taiwan (Miaoli).

前翅长 26-38 mm，后翅约与前翅等长。体灰褐色。前翅前缘区在翅痣之前有一些相互连接的短横脉，翅痣浅色，长为高的 4 倍。轭坠无柄，轭冠上有刚毛垫，其刚毛的长度为轭冠宽的 1/10。腹部短于前翅长，第 9 腹板长为最宽处的 3 倍 (Stange *et al*., 2003)。

检视标本　无。

分布　台湾。

(70) 臀腋蚁蛉 *Myrmeleon persimilis* Miller & Stange, 1999

Myrmeleon persimilis Miller & Stange, 1999: 67. Type locality: Taiwan (Pingtung).

前翅长 22-29 mm，后翅短于前翅。体暗褐色。头顶近乎黑色。眼缘的白边几乎完整。轭坠大，比轭坠柄更宽，轭坠冠毛垫上的刚毛比轭坠的宽度短得多。后足胫节距伸达或超过后足基跗节的端部，基跗节长为宽的 2.5 倍。跗节大部分为深黑色至黑色 (Stange *et al*., 2003)。

检视标本　无。

分布　台湾。

(71) 沙井蚁蛉 *Myrmeleon punctinervis* Banks, 1937

Myrmeleon punctinervis Banks, 1937: 287. Type locality: Hori, Formosa, Gressitt.

前翅长 23-28 mm，后翅较短。前翅前缘区在 Rs 前方的翅室宽大于高。头顶完全深褐色，或有些部分浅色。眼缘的白边几乎延伸至眼后方的末端。轭坠发达，轭坠冠上的刚毛数倍长于轭坠柄上的刚毛，但比轭坠冠的直径短很多。跗节深褐色与浅褐色交替。体长 20-28 mm (Stange *et al*., 2003)。

检视标本　无。

分布　台湾。

(72) 台湾蚁蛉 *Myrmeleon taiwanensis* Miller & Stange, 1999

Myrmeleon taiwanensis Miller & Stange, 1999: 69. Type locality: Taiwan (Pingtung).

前翅长 24-30 mm，后翅短于前翅。体暗褐色，头顶褐色，眼缘白边几乎完整。前翅亚前缘区狭窄，亚前缘脉几乎与 R 脉合并，亚前缘脉与 R 脉间的距离短于亚前缘脉。轭坠小，轭坠冠比轭坠柄宽得不多，轭坠冠上的刚毛等长于轭坠冠的宽度。后足胫节距伸达或超过后足基跗节的端部，基跗节长为宽的 2.5 倍。跗节大部分为深色至黑色 (Stange *et al*., 2003)。

检视标本　无。

分布　台湾。

(73) 王氏蚁蛉 *Myrmeleon wangi* Miller & Stange, 1999

Myrmeleon wangi Miller & Stange, 1999: 70. Type locality: Taiwan (Hualien).

前翅长 32-45 mm。体暗褐色。眼缘白边向后方延伸越过触角窝，与眼后白色带明显分离。后翅短于前翅，翅顶点两侧几乎同样的形状。前翅亚前缘区在 R 脉前方的翅室高为宽的 1.5 倍。轭坠冠与轭坠柄等宽，轭坠冠毛垫上的刚毛长度为轭坠宽度的 1/4。后足胫节距比基跗节短，基跗节长为宽的 3 倍 (Stange *et al*., 2003)。

检视标本 无。

分布 台湾。

讨论 Ábrahám 提出该种是 *M. trivialis* 的异名。因为目前我们只看到 1 张采自台湾的该种的照片 (Ábrahám 提供)，没有观察到模式标本，暂不做修订。

恩蚁蛉族 Nemoleontini Banks, 1911

恩蚁蛉族为蚁蛉科中最大的族，世界已知 62 属约 650 种，广泛分布于各大动物地理界。中国恩蚁蛉族已发现 11 属 30 种，在全国范围内均有分布。幼虫不做穴，大部分为沙栖型，少数生活于碎石堆等裸露地表上。

族征 前翅 CuP 发出点正对着或紧靠基横脉，2A 与 1A 在基部靠近，然后急转向 3A；后翅 Rs 分叉点先于 CuA 分叉点，基径中横脉 1-3 条；雄性无轭坠。Stange (2004) 将恩蚁蛉族分为 4 亚族，分别为 Dimarellina、Nemoleontina、Neuroleontina 和 Obina，但 Stange 本人也承认亚族的分类并不成熟，因此，本书不采用亚族的划分。

属 检 索 表

1 前翅 Rs 分叉点先于 CuA 分叉点……………………………………2
前翅 Rs 分叉点后于 CuA 分叉点……………………………………3
2 前翅后缘近中部内凹，胫端距伸达第 4 跗节……………………**波翅蚁蛉属 *Cymatala***
前翅后缘无内凹，胫端距伸达第 2 跗节末端……………………**云蚁蛉属 *Yunleon***
3 前翅 CuA2 与 CuP+1A 平行至翅中部，不汇合……………………4
前翅 CuA2 与 CuP+1A 不平行，逐渐趋近，汇合为一点……………………5
4 爪末端约 1/3 处具齿，胫端距伸达第 1 跗节末端……………………**齿爪蚁蛉属 *Pseudoformicaleo***
爪上光滑无齿，胫端距伸达第 3 跗节末端……………………**平肘蚁蛉属 *Creoleon***
5 前后翅尖端钩状，翅面密被棕色斑纹……………………**印蚁蛉属 *Indoleon***
前后翅尖端不呈钩状，翅面透明具稀疏斑纹……………………6
6 前翅基径中横脉不多于 6 条……………………**双蚁蛉属 *Mesonemurus***
前翅基径中横脉不少于 7 条……………………7
7 后翅基径中横脉 2 条……………………**次蚁蛉属 *Deutoleon***
后翅基径中横脉 1 条……………………8
8 足胫端距短小平直，仅伸达或超过第 1 跗节末端……………………**白云蚁蛉属 *Paraglenurus***
足胫端距末端弧形弯曲或平直，伸达或远超过第 2 跗节末端……………………9
9 足胫端距平直，伸达或超过第 2 跗节末端……………………**英蚁蛉属 *Indophanes***
足胫端距发达，弧形弯曲，伸达或超过第 4 跗节末端……………………10

10　后翅无中脉亚端斑；雄性肛上片下端具指状突 ……………………………… **臀蚁蛉属 *Distonemurus***
　　后翅有中脉亚端斑；雄性肛上片无指状突 …………………………………………… **距蚁蛉属 *Distoleon***

15. 平肘蚁蛉属 *Creoleon* Tillyard, 1918

Creoleon Tillyard, 1918: 436. **Type species:** *Myrmeleon plumbeus* Olivier, 1811; by subsequent designation.

Creagris Hagen, 1860: 364. **Type species:** *Myrmeleon plumbeus* Olivier, 1811; by subsequent designation.

Gama Navás, 1912d: 57. **Type species:** *Creagris inclitus* Peringuey, 1910; by original designation. Synonymized by Esben-Petersen, 1916: 15.

Mauroleo Navás, 1920b: 286. **Type species:** *Mauroleo turbidus* Navás, 1920; by original designation and monotypy. Synonymized by Aspöck *et al.*, 2001a: 290.

Allogama Banks, 1943: 166. *Nomen nudum.*

Allogama Markl, 1954:242. **Type species:** *Creagris inclitus* Peringuey, 1910, by original designation. Synonymized by Esben-Petersen, 1916: 15.

Hagen (1860) 以朴平肘蚁蛉 *Myrmeleon plumbeus* Olivier, 1811 为模式种建立了 *Creagris*。Tillyard (1918) 发现鞘翅目中有 *Creagris* Nietner, 1857，与脉翅目蚁蛉科的 *Creagris* Hagen, 1860 同名，前者先于后者，因此，后者应停止使用，他提出了 1 新属名 *Creoleon*，替代了 *Creagris*。根据 Stange (2004), 平肘蚁蛉属 *Creoleon* 隶属于恩蚁蛉族 Nemoleontini。

本属世界报道 57 种 (Stange, 2004)，其中欧洲 5 种，非洲 42 种，亚洲 24 种。杨集昆教授于 1999 年在《福建昆虫志》一书中发表的闽平肘蚁蛉 *Creoleon minanus* 为平肘蚁蛉属在中国的首次报道。目前中国已发现平肘蚁蛉属 3 种。

属征　前翅 CuP 发出点正对或紧靠基横脉，2A 与 1A 在基部靠近一段距离，然后急转向 3A，Rs 分叉点后于 CuA 分叉点，CuP+1A、CuA1 和 CuA2 平行至翅中部；后翅基径中横脉 1 条；雄性无轭坠。

分布　亚洲，欧洲，非洲。

种 检 索 表

1　翅脉黄色 ……………………………………………………………………… **闽平肘蚁蛉 *C. cinnamomea***
　翅脉黑黄相间 ……………………………………………………………………………………………… 2
2　翅脉黑黄相间，颜色较浅；前胸背板黄色，具 2 棕色宽纵带，每条纵带前半部有 1 斜插的黄色块；头顶黄色，有 2 黑色横纹，8-外生殖突短指状，长大于宽 ………………… **朴平肘蚁蛉 *C. plumbeus***
　翅脉黑黄相间，颜色较深；前胸背板黄色，具 2 棕色宽纵带，每条纵带上各有 2 黄色斑点；头顶黑色，近前胸背板处有 1 条黄色横纹；8-外生殖突钝圆，长宽约相等 ……………………………………………………………………………………………… **埃及平肘蚁蛉 *C. aegyptiacus***

(74) 埃及平肘蚁蛉 *Creoleon aegyptiacus* (Rambur, 1842) (图版 XIV：1)

Myrmeleon aegyptiacus Rambur, 1842: 393. Type locality: Egypte.
Myrmeleon v-nigrum Rambur, 1842: 394. Synonymized by Hölzel, 1976: 35.
Myrmeleon submaculosus Rambur, 1842: 396. Synonymized by Hölzel, 1976: 35.
Myrmeleon falcipennis Costa, 1883: 55. Synonymized by Pantaleoni, 1999: 258.
Creoleon v-nigrum collina Navás, 1919a: 220. Synonymized by Stange, 2004: 134.
Creoleon aegyptiacus: Hagen 1860: 364.

雌性：体长 29 mm，前翅 29 mm，后翅 28 mm，腹部 22 mm。

雄性：未知。

头顶黑色，在靠近前胸背板处有 1 黄色条纹；额黑色，下颚须、下唇须黄色；触角各节黑黄相间，以黑色为主，触角窝间距小于触角窝直径。

前胸背板梯形，黄色，具 2 棕色宽纵带，每条纵带上各有 2 黄色斑点；中胸与后胸背板黑色，具黄色斑纹；腹板黑色，具稀疏白色柔毛。

足黄色，腿节膨大，尤以前足明显；跗节黄色，各节端部黑色，第 5 跗节约等于第 1-4 跗节之和；胫端距浅红棕色，略弯曲，伸达第 3 跗节末端；爪浅红棕色，发达，长度约为第 5 跗节的 3/4。

翅透明而狭长，外缘略内凹；前翅大部分翅脉黑黄相间且清晰，前缘区约等于 R 与 Rs 间距，前缘横脉简单，Rs 分叉点后于 CuA 分叉点，基径中横脉 8 条，Rs 分支为 9 条，CuA 分叉点后 2 排小室平行而整齐排列，CuP+1A、CuA1、CuA2 平行至翅中部，翅痣黄色不明显，无中脉亚端斑与肘脉合斑，前斑克氏线不清晰，后斑克氏线清晰。后翅与前翅约等长，略窄于前翅，翅脉大部分黄色，前缘区略窄于 R 与 Rs 间最宽处距离，Rs 分叉点先于 CuA 分叉点，基径中横脉 1 条，Rs 分支 9 条，翅痣黄色不明显，无中脉亚端斑与肘脉合斑，无前、后斑克氏线。

腹部约与后翅等长，黑色无斑，具稀疏白色刚毛。

雄性生殖器：未知。

雌性生殖器：无 8-内生殖突，8-外生殖突钝圆，长度约等于宽度，9-内生殖突与肛上片具浓密粗大的挖掘毛。

检视标本 1♀，新疆沙湾县，1956，黄大文，CAU-N101888。

分布 新疆；欧洲，非洲。

(75) 闽平肘蚁蛉 *Creoleon cinnamomea* (Navás, 1913) (图版 XIV：2)

Creagris cinnamomea Navás, 1913d: 276. Type locality: Sri Lanka.
Creoleon minanus Yang, 1999b: 153. Synonymized by Krivkhatsky, 2012: 572.
Creoleon cinnamomea: Tillyard, 1918: 436.

雌性：体长 30-31 mm，前翅 32-33 mm，后翅 32-33 mm，腹部 22-23 mm。

雄性：体长 30 mm，前翅 27 mm，后翅 27 mm，腹部 26 mm。

头顶黑色，具 2 黄色横向条纹；后头区黄色，有 4 棕色斑点；下颚须、下唇须黄色；触角各节黑黄相间，触角窝间距离小于触角窝直径。

前胸背板梯形，黄色，中央为 2 棕色宽纵带，每条纵带靠前部分有 1 黄色间断区域；中胸与后胸背板黑色，具稀疏黄色斑纹；腹板黑色，具稀疏白色柔毛。

足黄色，腿节膨大，尤以前足明显；第 5 跗节约等于第 1-4 跗节之和；胫端距浅红棕色，略弯曲，伸达第 3 跗节末端；爪浅红棕色，发达，长度约为第 5 跗节的 3/4；前足与中足腿节基部内侧具 1 长感觉毛，长度不超过腿节；前足腿节外侧深棕色。

翅透明而狭长, 外缘略内凹；前翅翅脉淡黄色，前缘区约等于 R 与 Rs 间距，前缘横脉简单，Rs 分叉点后于 CuA 分叉点，基径中横脉 7-8 条，Rs 分支为 11-14 条，CuA 分叉点后 2 排小室平行而整齐排列，CuP+1A、CuA1、CuA2 平行至翅中部，翅痣黄色不明显，无中脉亚端斑与肘脉合斑，前斑克氏线不清晰，后斑克氏线清晰。后翅与前翅等长，但明显窄于前翅，翅脉黄色，前缘区略窄于 R 与 Rs 间最宽处距离，Rs 分叉点先于 CuA 分叉点，基径中横脉 1 条，Rs 分支 12-15 条，翅痣黄色不明显，无中脉亚端斑与肘脉合斑，无前、后斑克氏线。

腹部黑色无斑，具稀疏白色刚毛。

雄性生殖器 (图版XXXII：1)：肛上片半圆形，具较长刚毛，生殖弧强烈弯曲，阳基侧突基部合并端部分叉。

雌性生殖器：无 8-内生殖突，8-外生殖突纤细，指状，9-内生殖突与肛上片具浓密粗大的挖掘毛。

检视标本 1♂，正模，福建福州魁岐，1956. Ⅶ，福建农学院第 2 组，CAU-N101885。1♀，副模，福建东山，1980. Ⅷ. 8，CAU-N101886；1♀，云南云县林业局，1100 m，1980. Ⅶ.12，张旺，CAU-N101887。

分布 福建、云南。

(76) 朴平肘蚁蛉 *Creoleon plumbeus* (Olivier, 1811) (图版XIV：3)

Myrmeleon plumbeus Olivier, 1811: 126. Type locality: Iles de I'Archipel.

Myrmeleon murinus Klug, 1834: 4. Synonymized by Esben-Petersen, 1925: 340.

Myrmeleon tabidus Eversmann, 1841: 359. Synonymized by Hagen, 1858: 123.

Creagris plumbeus maculosa Navás, 1927e: 80. Synonymized by Stange, 2004: 142.

Creoleon plumbeus: Tillyard, 1918: 436.

雌性：体长 32-37 mm，前翅 32-37 mm，后翅 31-35 mm，腹部 25-29 mm。

雄性：体长 43-44 mm，前翅 31-32 mm，后翅 30-31 mm，腹部 37-38 mm。

头顶黄色，具 2 黑色横向条纹；颜面黄色，额黑色，下颚须、下唇须黄色；触角各节黑黄相间，触角窝间距离小于触角窝直径。

前胸背板黄色，具 2 棕色宽纵带，每条纵带前半部有 1 斜插的黄色块；中胸与后胸背板黑色，具稀疏黄色斑纹。

足黄色且腿节膨大，尤以前足明显；跗节黄色，各节端部黑色，第 5 跗节约等于第

1-4 跗节之和；胫端距浅红棕色，略弯曲，伸达第 3 跗节末端；爪浅红棕色，发达，长度约等于第 5 跗节；前足与后足腿节外侧深棕色。

翅透明而狭长，外缘略内凹；前翅翅脉黑黄相间，较浅，前缘区约等于 R 与 Rs 间距，前缘横脉简单，Rs 分叉点后于 CuA 分叉点，基径中横脉 7 条，Rs 分支为 9-11 条，CuA 分叉点后两排小室平行而整齐排列，CuP+1A、CuA1、CuA2 平行至翅中部，翅痣黄色不明显，无中脉亚端斑与肘脉合斑，前斑克氏线不清晰，后斑克氏线清晰。后翅与前翅等长，翅脉黄色，前缘区略窄于 R 与 Rs 间最宽处距离，Rs 分叉点先于 CuA 分叉点，基径中横脉 1 条，Rs 分支 9-12 条，翅痣黄色不明显，无中脉亚端斑与肘脉合斑，无前、后斑克氏线。

腹部约与后翅等长，黑色无斑，具稀疏白色刚毛。

雄性生殖器 (图版XXXII：2)：肛上片近三角形，具较长刚毛，生殖弧强烈弯曲，阳基侧突基部合并端部分叉。

雌性生殖器：无 8-内生殖突，8-外生殖突短指状，长大于宽，9-内生殖突与肛上片具浓密粗大的挖掘毛。

检视标本 3♀1♂，新疆尼勒克县，2005.Ⅶ. 21，白小栓，CAU-N101882，CAU-N101879，CAU-N101880，CAU-N101883；1♀1♂, Crimea Kazantip, 1994.Ⅶ.25, Krivokhatsky，CAU-N101884， CAU-N101881。

分布 新疆；欧洲，非洲。

16. 波翅蚁蛉属 *Cymatala* Yang, 1986

Cymatala Yang, 1986: 424. **Type species:** *Cymatala pallora* Yang, 1986; by original designation.

波翅蚁蛉属 *Cymatala* 是杨集昆教授于 1986 年建立的新属，目前世界已知仅 1 种。俄罗斯科学院脉翅目专家 Krivokhatsky 教授 2006 年观察了中国农业大学收藏的蚁蛉科标本，他认为浅波翅蚁蛉 *Cymatala pallora* Yang, 1986 为 *Banyutus feai* (Navás, 1915b) 的异名。但经过王志良解剖发现，浅波翅蚁蛉雄性生殖器，阳基侧突腹面观呈叉子状，强烈延长，非常发达，与 *Banyutus* 的种类区别显著，又由于其前翅后缘独特的弯曲状，因此认为 *Cymatala* 应为有效属。

属征 翅狭长而透明；前翅 2A 脉呈直角折向 3A，前缘区宽于 R 与 Rs 间距，后缘在 1A 端部凹入，Rs 分叉点稍先于 CuA 分叉点；后翅稍长于前翅，Rs 分叉点先于 CuA 分叉点，基径中横脉 1 条。足粗壮，腿节膨大，距发达，略呈弧形弯曲，伸达第 4 跗节。雄性无轭坠。雄性生殖器生殖弧极小，阳基侧突基部合并、端部分叉，呈长弯钩状，伸出腹部之外。

分布 中国。

(77) 浅波翅蚁蛉 *Cymatala pallora* Yang, 1986 (图版XIV：6)

Cymatala pallora Yang, 1986: 424. Type locality: Yunnan (Baoshan).

雌性：未知。

雄性：体长 35 mm，前翅 35 mm，后翅 37 mm，腹部 30 mm。

头顶黄色或棕色，具黑色横向条纹；唇基上具细长黄色刚毛，下颚须、下唇须黄色；触角细长，超过头胸之和，各节褐黄相间，触角窝间距小于触角窝直径。

前胸背板梯形，棕色，具 2 黑色纵纹；中、后胸棕色，具稀疏黑色斑纹；腹板棕色至黑色，被稀疏黑色短刚毛。

足黄色，具稀疏黑色斑点；腿节膨大，尤以前足明显；腿节与胫节具较长黑色刚毛；胫节与第 5 跗节端部黑色，第 5 跗节约等于第 1-4 跗节之和；胫端距浅红棕色，发达，弧形弯曲，伸达第 4 跗节；爪浅红棕色，发达。

翅透明而狭长；前翅翅脉浅黄色，前缘区宽于 R 与 Rs 的间距，前缘横脉简单，偶有分支，Rs 分叉点稍先于 CuA 分叉点，基径中横脉 10 条，简单无分支，Rs 分支为 13 条，前翅后缘在 1A 端部凹入而波曲，翅痣白色，几乎透明，翅端区及翅后缘处具散落的小型斑点，前、后斑克氏线不清晰。后翅略长于前翅，翅脉浅棕黄色，前缘区窄于 R 与 Rs 间最宽处距离，Rs 分叉点先于 CuA 分叉点，基径中横脉 1 条，Rs 分支 13 条，翅痣白色，无中脉亚端斑和肘脉合斑，翅端区及外缘散落较密集棕色斑点，无前后斑克氏线。

雄性生殖器 (图版 XXXII：4)：肛上片具较长黑色刚毛，生殖弧退化，阳基侧突基部 1/3 合并，端部分叉，并强烈延长，伸出腹部末端。

雌性生殖器：未知。

检视标本　1♂，正模，云南保山县宝盖山，1800 m，1979.Ⅳ.18，CAU-N101867。

分布　云南。

17. 次蚁蛉属 *Deutoleon* Navás, 1927

Deutoleon Navás, 1927c: 18. **Type species:** *Deutoleon turanicus* Navás, 1927c; by original designation.

次蚁蛉属 *Deutoleon* 世界已知 2 种。Stange (2004) 认为次蚁蛉属 *Deutoleon* 与距蚁蛉属 *Distoleon* 很相似，其主要区别是：后翅基径中横脉，*Deutoleon* 为 2 条，*Distoleon* 为 1 条。次蚁蛉属仅分布在古北界。

属征　前翅 CuP 脉发出点正对或紧靠基横脉，2A 和 1A 在基部靠近 1 小段距离，然后急转向 3A；前翅基径中横脉 7 条，后翅基径中横脉 2 条；雌性后翅具条状的中脉亚端斑；后足胫端距发达，至少是第 1 跗节的两倍。雄性无轭坠，肛上片无尾突，雌性无 8-内生殖突。

分布　亚洲。

种检索表

前翅翅脉黄色，无黑色肘脉合斑，前胸背板上黑色中条斑侧分支不显著 …………………………………………………… 条斑次蚁蛉 ***D. lineatus***

前翅翅脉黑黄相间，具显著的黑色肘脉合斑，前胸背板上黑色中条斑侧分支显著 …………………………………………………… 图兰次蚁蛉 ***D. turanicus***

(78) 条斑次蚁蛉 *Deutoleon lineatus* (Fabricius, 1798) (图版 XVII：1)

Myrmeleon lineatus Fabricius, 1798: 205. Type locality: Russia meridionali, Dom.
Myrmeleon ornatum Olivier, 1811: 123. Synonymized by Hagen, 1858: 126.
Myrmeleon bilunis Pallas, 1771. *Nomen nudum*. Synonymized by Hagen, 1858: 123.
Myrmeleon sibiricum Fischer V. Waldheim, 1822: 45. Synonymized by Hagen, 1858: 123.
Deutoleon lineatus: Navás, 1927c: 18.

雌性：体长 30-36 mm，前翅 34-43 mm，后翅 33-43 mm，腹部 25-31 mm。

雄性：体长 30-36 mm，前翅 34-43 mm，后翅 33-43 mm，腹部 25-31 mm。

头顶黄色，具杂乱黑色条纹；颜面黄色，额唇基沟微呈黑色，下颚须、下唇须黄色；触角各节黑黄相间，以黑色为主，触角窝以上至头顶区域黑色，触角窝以下具 3 黑斑，触角窝间距大于触角窝直径。

前胸背板梯形，黄色，具 2 宽大黑色纵纹，每 1 纵纹各具 1 不明显黑色分叉；中胸与后胸黑色，具稀疏黄色斑纹。

足黄色，散落稀疏斑点；腿节膨大，尤以前足明显；跗节黑黄相间，端部黑色，第 5 跗节长于第 1-4 跗节之和；胫端距浅红棕色，发达，弧形弯曲，伸达第 4 跗节；爪浅红棕色，发达，与跗节约成 90°角；其中，前足与中足腿节基部内侧具 1 长感觉毛，长度不超过腿节；前足与后足腿节外侧及端部深棕色。

翅透明而狭长；前翅 Sc 和 R 黑黄相间，其余部分黄色，前缘区约等于 R 与 Rs 间距，前缘横脉简单，几乎无分支，Rs 分叉点后于 CuA 分叉点，基径中横脉 7 条，偶有分支，并在 Rs 分叉点内侧形成几个小翅室，Rs 分支为 11-12 条，翅痣黄色，无中脉亚端斑与肘脉合斑， 端区偶尔散落稀疏小型斑点，前、后斑克氏线清晰。后翅约与前翅等长，C、Sc 与 R 脉黑黄相间而其余脉黄色，前缘区约等于 R 与 Rs 间最宽处距离，Rs 分叉点先于 CuA 分叉点，基径中横脉 2 条，Rs 分支 11-12 条，翅痣黄色，无中脉亚端斑与肘脉合斑，无前、后斑克氏线。雌性后翅具条状的中脉亚端斑。

腹部黑色无斑，具稀疏白色刚毛。

雄性生殖器 (图版 XXXIII：5)：肛上片近三角形，具较长刚毛，生殖弧强烈弯曲，轻微骨化，使两端平行，阳基侧突基部合并端部分叉，腹面观叉状，侧面观呈弯钩状，分叉部分长于基部合并部分。

雌性生殖器：无 8-内生殖突，8-外生殖突纤细，锥状，9-内生殖突与肛上片具浓密粗大的挖掘毛。

检视标本　1♀，北京卧佛寺，1963.Ⅶ.3，王模，CAU-N100822；1♀，北京妙峰山，1954.Ⅶ.6，聂翠娥，CAU-N100823；1♀，北京香山，1963.Ⅶ.2，于芷，CAU-N100826；1♀，无采集标签，CAU-N100827；腹部及后翅缺失，无采集标签，CAU-N100828；1♂，无采集标签，CAU-N100829；1♀，北京农大，Ⅴ.19，杨淑香，CAU-N100830；1♂，北京香山，1963.Ⅶ.3，刘际东，CAU-N100831；1♀，具体采集信息不详，CAU-N100832；1♀，北京妙峰山，1955.Ⅵ.27，徐婉学，CAU-N100834；1♀，北京卧佛寺，1963.Ⅶ.3，

CAU-N100835；1♂，北京妙峰山，1964.Ⅶ.6，黄奇文，CAU-N100836；1♀，北京妙峰山，1964.Ⅶ.6，丁金城，CAU-N100837；1♀，1951.Ⅵ.19，李建华，CAU-N100838；1♀，北京香山，1963.Ⅶ.3，杜安太，CAU-N100839；2♀，北京妙峰山，1955.Ⅵ，程丁生、江开连，CAU-N100840, CAU-N100846；1♀，北京卧佛寺，1963.Ⅶ.4，蔡长导，CAU-N100841；1♀，北京妙峰山，1964.Ⅶ.7，冯维熊，CAU-N100842；1♀，北京温泉，1963.Ⅶ.4，张，CAU-N100843；1♀，北京妙峰山，1955.Ⅵ.26，许叶音，CAU-N100844；1♂，北京香山，1977.Ⅴ.23，陈合明，CAU-N100845；1♀，北京望儿山，1963.Ⅶ.6，丁永济，CAU-N100847；1♀，北京妙峰山，1964.Ⅶ.5，杨郁文，CAU-N100848；1♀，北京妙峰山，1964.Ⅶ，古布，CAU-N100849；1♀，北京妙峰山，1955.Ⅵ.25，朱汶文，CAU-N100850；1♂，北京妙峰山，1964.Ⅶ.6，陈清莹，CAU-N100852；1♂，北京，1948.Ⅵ.8，杨集昆，CAU-N100853；1♂，北京香山，1963.Ⅶ.3，怡刚，CAU-N100854；1♀，北京望儿山，1963.Ⅶ.2，卢运胜，CAU-N100855；1♀，北京卧佛寺，1963.Ⅶ.3，CAU-N100856；1♂，昌平十三陵，1956.Ⅶ.24，章岗山，CAU-N100857；3♂，北京巨山农场二队黄豆地，1981.Ⅴ.23，薛大勇，CAU-N100851，CAU-N100858, CAU-N100859；2♂，北京卧佛寺，1976.Ⅵ.1，采集人不详，CAU-N100860，CAU-N100862；1♀，北京妙峰山，1955.Ⅵ.26，朱慕贞，CAU-N100861；1♂，北京八达岭，700 m，1973.Ⅵ.19，史永善，CAU-N100863；1♂，北京望儿山，1796.Ⅶ.2，卢运胜，CAU-N100864；1♂，北京妙峰山，1955.Ⅵ.24，杨长雄，CAU-N100865；1♀，北京妙峰山，1956.Ⅵ.25，慧莲，CAU-N100866；1♂，北京香山，1963.Ⅶ.3，李先五，CAU-N100867；1♀，北京香山，1963.Ⅶ.3，仲山，CAU-N100868；1♂，北京平谷，1960.Ⅵ.9，采集人不详，CAU-N100869；1♂，北京妙峰山，1964.Ⅶ.6，采集人不详，CAU-N100870；1♀，北京香山，1963.Ⅶ.3，韩培琛，CAU-N100871；1♀，北京香山，1963.Ⅶ.3，张秀常，CAU-N100872；1♀，北京农大，1964，罗璐，CAU-N100873；1♂，北京农大，1964.Ⅶ，许玛朗，CAU-N100874；1♀，北京望儿山，1963.Ⅶ.2，赖侍斐，CAU-N100875；1♀，北京香山，1963.Ⅶ.3，杨德林，CAU-N100876；1♀，北京望儿山，1963.Ⅶ.2，赖传碧，CAU-N100877；1♀2♂，北京金山，1986.Ⅵ.3，王音，CAU-N100878，CAU-N100890，CAU-N100893；1♀，北京望儿山，1983.Ⅶ.21，李承宏，CAU-N100984；1♂，中农图书馆，Ⅶ.25，杨，CAU-N100998；1♀，北京怀柔青龙峡，2004.Ⅶ.7，尹学伟，CAU-N100976；1♀，北京虎域，2004.Ⅸ.9，李一鸣，CAU-N100978；1♀，北京青龙峡，2004.Ⅶ.8，金欣，CAU-N100979；1♀，北京门头沟军庄，2005.Ⅵ.30，王锋，CAU-N100992；1♀，北京香山附近，2003.Ⅶ.20，杨雷丹，CAU-N100980；1♀，北京怀柔青龙峡，2004.Ⅶ.6，卢小雨，CAU-N100981；1♀，北京怀柔青龙峡，2004.Ⅶ.7，王海强，CAU-N100982；1♀，北京望儿山，1974.Ⅵ.4，杨集昆，CAU-N100973；1♀，北京卢沟桥，1957.Ⅶ.18，李法圣，CAU-N100971；1♂，北京青龙峡，2004.Ⅶ.6，蔡晓月，CAU-N100985；1♀，北京温泉，1963.Ⅶ.4，杨卢莎，CAU-N100879；腹部及后翅末端缺失，北京昌平黑山寨，2005.Ⅷ.30，陈文龙，CAU-N100994；1♀，1950.Ⅶ.31，CAU-N100995；1♀，北京药用植物园，2005.Ⅸ，黄发汉，CAU-N100996；1♀，怀柔青龙峡，2004.Ⅶ.7，朱晓明，CAU-N100987；1♀，北京百望山，2004.Ⅸ.9，马迪野，CAU-N100988；1♂，北京卧佛寺，1962.Ⅵ.18，李法圣，

CAU-N100944；1♀，北京香山，1963.Ⅶ.3，于芷，CAU-N100904；1♂，北京肖家河，1961.Ⅵ.23，于华冯，CAU-N100897；1♀，昌平十三陵，1956.Ⅶ.23，明、俊，CAU-N100898；1♀，北京西北旺，1963.Ⅶ.7，李丽肯，CAU-N100899；3♀，北京怀柔青龙峡大水峪村，2004.Ⅶ.7，贾春枫，CAU-N100954, CAU-N100955, CAU-N100956；1♂，昌平十三陵，1956.Ⅶ.24，刘梦荣，CAU-N100958；1♀1♂，北京卧佛寺，1974.Ⅵ.11，杨集昆，CAU-N100963, CAU-N100964；1♂，北京门头沟，1959.Ⅵ.26，李法圣，CAU-N100965；1♀，北京望儿山，1963.Ⅶ.6，丁永济，CAU-N100966；1♀，北京金山，1986.Ⅵ.3，王音，CAU-N100880；2♀1♂，北京金山，1986.Ⅵ.3，王象贤，CAU-N100881，CAU-N100889，CAU-N100892；1♀，北京农大，1964.Ⅶ，郭翠娥，CAU-N100882；1♀，北京妙峰山，1964.Ⅶ.6，高秀荣，CAU-N100883；1♀，昌平十三陵，1956.Ⅶ.23，邓录华，CAU-N100884；1♀，北京卧佛寺，1963.Ⅶ.3，向防东，CAU-N100885；1♂，北京延庆松山，2003.Ⅶ.15，韩永林，CAU-N100926；1♂，北京延庆松山，800 m，2003.Ⅶ.15，单绪南，CAU-N100927；1♀，北京农大，1962.Ⅶ.26，舒雄，CAU-N100886；1♂，北京，1948.Ⅵ.7，杨集昆，CAU-N100932；1♂，北京妙峰山，1955.Ⅵ.23，采集人不详，CAU-N100887；1♀，北京圆明园，1986.Ⅴ.20，王音，CAU-N100888；1♂，北京圆明园，1985.Ⅵ.12，王音，CAU-N100891；2♀，河北省小五台，2001.Ⅶ.9，2000 级生科甲，CAU-N100907，CAU-N100908；3♀，河北万全，1973.Ⅶ，张长君，CAU-N100900，CAU-N100902，CAU-N100905；1♀，河北蔚县小五台山金河口，1998.Ⅶ.29，刘世瑜，CAU-N100909；1♀，河北万全，灯诱，1975.Ⅶ，张长君，CAU-N100947；3♀2♂，河北万全，1973.Ⅶ，张长君，CAU-N100948，CAU-N100949，CAU-N100952，CAU-N100953，CAU-N100967；1♀1♂，河北万全县良种场，1974.Ⅷ.2，CAU-N100950，CAU-N100951；1♂，河北涿县，1965.Ⅵ.12，黄可训，CAU-N100972；1♂，河北省小五台，2001.Ⅶ.8，2000 级生科乙，CAU-N100974；1♀，河北遵化市林场清东陵，1998.Ⅶ.24，任秋壮，CAU-N100942；1♀，河北张家口固源，2003.Ⅶ.20，刘志琦，CAU-N100910；1♀，河北围场县查子林场，1998.Ⅷ.7，采集人不详，CAU-N100911；2♀，山西浑源恒山，1964.Ⅷ5，周尧、刘绍友，CAU-N100921，CAU-N100925；1♂，内蒙古准旗，1978.Ⅵ.30，陈合明，CAU-N100970；1♀，内蒙古土默特左旗大青山林场，1978.Ⅷ.23，杨集昆，CAU-N100997；2♂，内蒙古克旗乌兰布统，2005.Ⅶ.7，史宏亮，CAU-N100999，CAU-N101000；1♀，内蒙古赤峰市大板，2004.Ⅶ.26，赵延龄，CAU-N100983；1♀，内蒙古赤峰市大板，2004.Ⅶ.26，赵延龄，CAU-N100986；1♀，内蒙古平地泉行政区卓资县福生乡福生社，1957.Ⅶ.18，采集人不详，CAU-N100923；1♀，内蒙古中旗，1978.Ⅷ.6，陈合明，CAU-N100903；2♂，辽西兴城小盖州，1951.Ⅵ.19，李律华，CAU-N100960，CAU-N100962；2♂，辽西兴城小盖州，1951.Ⅵ.19，李律华，CAU-N100917，CAU-N100918；1♀，辽宁四台子，1962.Ⅵ.11，赵又新，CAU-N100922；1♂，辽西北镇 (闵)，1951.Ⅵ.11，李律华，CAU-N100930；1♀，辽宁四台子，1962.Ⅵ.11，赵又新，CAU-N100931；2♂，辽西北镇 (闵)，1951.Ⅵ.11，李律华，CAU-N100933，CAU-N101002；2♀，辽西兴城，1951.Ⅶ.18，李律华，CAU-N100934，CAU-N100935；1♂，辽西绥中，1951.Ⅶ.9，李律华，CAU-N100894；1♂，辽西兴成小盖州，1951.Ⅶ.21，李律华，CAU-N100895；1♂，吉林图们市江边，2003.Ⅶ.13，杨秀娟、刘衫杉，CAU-N101001；

1♀，山东淄博张店，2003.Ⅷ.21，韩艳红，CAU-N100901；1♀1♂，烟台，1956.Ⅵ.27，河北师专，CAU-N100945，CAU-N100946；1♀，河南范县牛口村，2004.Ⅷ.19，郭泽旺，CAU-N100991；1♀，宁夏贺兰山，1980.Ⅶ.21，李法圣，CAU-N100913；2♀，新疆哈密，1981.Ⅵ，史再成，CAU-N100914，CAU-N100915；1♀，采集地不详，1949.Ⅵ.23，赵马，CAU-N100919；1♀，丁家滩，1961.Ⅵ.20，采集人不详，CAU-N100920；1♀，新疆沙湾县城 (室内)，1979.Ⅷ.17，刘志兵，CAU-N100928；1♂，新疆，采集时间和采集人均不详，CAU-N100929；5♀1♂，无采集标签，CAU-N100936，CAU-N100937，CAU-N100938，CAU-N100939，CAU-N100941，CAU-N100940；1♂，采集地不详，1950.Ⅶ.15，采集人不详，CAU-N100943；1♂，采集标签难以辨认，1949.Ⅵ.21，CAU-N100993。

分布　吉林、辽宁、内蒙古、北京、河北、山西、山东、河南、陕西、宁夏、甘肃、新疆；俄罗斯，蒙古，韩国，哈萨克斯坦，吉尔吉斯斯坦，乌克兰，匈牙利，罗马尼亚，摩尔达维亚，土耳其。

(79) 图兰次蚁蛉 *Deutoleon turanicus* Navás, 1927 (图版 XⅦ：2)

Deutoleon turanicus Navás, 1927c: 19. Type locality: Turan, Baikal.

雌性：体长 30-36 mm，前翅 32-42 mm，后翅 31-42 mm，腹部 25-31 mm。

雄性：体长 30-36 mm，前翅 32-42 mm，后翅 31-42 mm，腹部 25-31 mm。

头顶黄色，具杂乱黑色条纹；颜面黄色，额唇基沟微呈黑色，下颚须、下唇须黄色；触角各节黑黄相间，以黑色为主，触角窝以上至头顶区域黑色，触角窝以下具 3 黑斑，触角窝间距大于触角窝直径。

前胸背板梯形，黄色，具 2 宽大黑色纵纹，纵纹各有 1 明显黑色分支；中胸与后胸黑色，具稀疏黄色斑纹。

足黄色，散落稀疏斑点；腿节膨大，尤以前足明显；跗节黑黄相间，端部黑色，第 5 跗节长于第 1-4 跗节之和；胫端距浅红棕色，发达，弧形弯曲，伸达第 4 跗节；爪浅红棕色，发达，与跗节约成 90°角；其中，前足与中足腿节基部内侧具 1 长感觉毛，长度不超过腿节，前足与后足腿节外侧及端部深棕色。

翅透明而狭长；前翅 Sc 和 R 黑色，其余部分黑黄相间，前缘区约等于 R 与 Rs 间距，前缘横脉简单，几乎无分支，Rs 分叉点后于 CuA 分叉点，基径中横脉 7 条，偶有分支，并在 Rs 分叉点内侧形成几个小翅室，Rs 分支为 11-12 条，翅痣黄色，无中脉亚端斑，肘脉合斑明显，前、后斑克氏线清晰，端区偶尔散落稀疏小型斑点。后翅约与前翅等长，翅脉大部分黑色，前缘区约等于 R 与 Rs 间最宽处距离，Rs 分叉点先于 CuA 分叉点，基径中横脉 2 条，Rs 分支 11-12 条，翅痣黄色，无中脉亚端斑与肘脉合斑，无前、后斑克氏线。雌性后翅具条状的中脉亚端斑。

腹部黑色无斑，具稀疏白色刚毛。

雄性生殖器 (图版 XXXⅢ：6)：肛上片近三角形，具较长刚毛，生殖弧强烈弯曲，骨化程度强，阳基侧突基部合并，端部分叉，腹面观叉状，侧面观呈弯钩状，分叉部分约等于基部合并部分。

雌性生殖器：无 8-内生殖突，8-外生殖突纤细，锥状；9-内生殖突与肛上片具浓密粗大的挖掘毛。

检视标本 1♂，北京香山，1952.Ⅴ.31，采集人不详，CAU-N100821；1♂，北京香山，1963.Ⅵ.3，卢运生，CAU-N100824；1♂，北京喇叭沟，2009.Ⅵ.16，王国全，CAU-N102092；1♂，北京门头沟燕翅镇，2011.Ⅵ.9，吴清涛，CAU-N102342；1♀，北京怀柔青龙峡大水峪村，2004.Ⅶ.7，贾春枫，CAU-N100957；1♀，北京怀柔青龙峡，2004.Ⅶ.30，侯香玲，CAU-N100977；1♂，北京妙峰山，1955.Ⅵ，杨镜星，CAU-N100825；1♀，北京妙峰山，1964.Ⅶ.8，孟铁男，CAU-N100833；1♂，河北省小五台，2001.Ⅶ.6，2000 级生科乙，CAU-N100906；1♀，河北万全，1973.Ⅶ，张长君，CAU-N100949；1♀，山西黎城黄崖洞，2008.Ⅷ.9，CAU-N100740；1♂，山西浑源恒山，1964.Ⅷ.5，周尧、刘绍友，CAU-N100924；1♀，内蒙古土鄂特左旗大青山林场，1978.Ⅷ.24，杨集昆，CAU-N100989；1♀，内蒙古固阳，2009.Ⅶ.25，陈玲，CAU-N102273；1♀，内蒙古呼和浩特大青山小井沟，2010.Ⅷ.6，张徐波，CAU-N102138；1♂，内蒙古贺兰山水磨沟水库，2010.Ⅶ.28，林美英，CAU-N102343；14♀3♂，内蒙古贺兰山，2010. Ⅶ.29，杨秀帅，CAU-N102274，CAU-N102276，CAU-N102277，CAU-N102278，CAU-N102279，CAU-N102280，CAU-N102281，CAU-N102282，CAU-N102283，CAU-N102284，CAU-N102286，CAU-N102287，CAU-N102288，CAU-N102289，CAU-N102290，CAU-N102291，CAU-N102309；1♂，无采集标签，CAU-N100975；1♂，陕西椰林林场，1981.Ⅶ.20，汪光晖、罗天修，CAU-N100916；1♀，甘肃肃南县，2004.Ⅶ.27，杜志刚、刘浩宇，CAU-N100990；2♂,宁夏固原市六盘山挂马沟林场，2008.Ⅶ，张徐波，CAU-N102332，CAU-N102333；1♂，新疆哈密，1981.Ⅵ，史再成，CAU-N100912；1♂，新疆哈密，1981.Ⅵ，采集人不详，CAU-N100959。

分布 内蒙古、北京、河北、山西、陕西、宁夏、甘肃、新疆；蒙古。

18. 距蚁蛉属 *Distoleon* Banks, 1910

Distoleon Banks, 1910: 42. **Type species:** *Distoleon verticalis* Banks, 1910; by original designation.

Formicaleo Brauer, 1855: 719. **Type species:** *Myrmeleon tetrammicus* Fabricius, 1798; by monotypy. Synonymized by Stange, 2004: 147.

Eidoleon Esben-petersen, 1918a: 15. **Type species:** *Myrmeleon bistrigatus* Rambur, 1842; by original designation. Synonymized by Markl, 1954: 237.

Salvaza Navás, 1917b: 12. **Type species:** *Salvaza cornutus* Navás, 1917b; by original designation and monotypy. Synonymized by Stange, 2004: 148.

Feinerus Navás, 1919d: 190. **Type species:** *Feinerus umbratus* Navás, 1919d; by original designation and monotypy. Synonymized by Stange, 2004: 148.

Nefeirus Navás, 1926d: 103. **Type species:** *Nefeirus maesi* Navás, 1926d; by original designation and monotypy. Synonymized by Stange, 2004: 148.

Dolicholeon Navás, 1929a: 190. **Type species:** *Formicaleo substigmalis* Navás, 1917b; by original designation. Synonymized by Stange, 2004: 148.

Hyloleon Navás, 1929a: 188. **Type species:** *Hyloleon rhodocerus* Navás, 1929a; by original designation. Synonymized by Banks, 1939a: 463.

Nasma Navás, 1930c: 409. **Type species:** *Nasma coreana* Navás, 1930c; by original designation and monotypy. Synonymized by Aspöck *et al.*, 2001a: 285.

Feina Navás, 1931c: 263. **Type species:** *Feina languida* Navás, 1931c; by original designation and monotypy. Synonymized by Stange, 2004: 148.

Vessa Navás, 1931c: 265. **Type species:** *Vessa guttata* Navás, 1931c; by original designation and monotypy. Synonymized by Stange, 2004: 148.

Formileo Navás, 1933: 312. **Type species:** *Formileo collartinus* Navás, 1933; by original designation and monotypy. Synonymized by Stange, 2004: 148.

Nima Navás, 1935b: 53. **Type species:** *Nima somalica* Navás, 1935b; by original designation and monotypy. Synonymized by Stange, 2004: 148.

距蚁蛉属 *Distoleon* 是恩蚁蛉族第二大属，主要分布于东半球的热带及亚热带地区。成虫飞翔能力强。许多种类被发现分布于岛屿或半岛上，如差翅距蚁蛉 *Distoleon bistrigatus* (Rambur) 分布于印度、澳大利亚及许多南太平洋的岛屿之上。这个属的幼虫为沙栖型，不做穴。全世界约 120 种，在中国及周边邻国共报道 30 余种，其中大部分为 Navás 描述的种，缺乏详细的描述与绘图。因此，距蚁蛉属的修订需要观察模式标本，做进一步研究。中国目前确定 9 种。

属征　触角窝间距小于触角窝直径；前翅 2A 脉呈直角折向 3A，前翅 Rs 分叉点后于 CuA 分叉点，具前斑克氏线；后翅 Rs 分叉点先于 CuA 分叉点，基径中横脉 1 条，无前斑克氏线；雄性无轭坠。第 5 跗节长于 1-4 跗节之和；距发达，呈弧形弯曲，常伸达或超过第 4 跗节末端；腹部短于后翅长。雄性生殖器阳基侧突基部合并、端部分叉，呈弯钩状。雌性无 8-内生殖突。

分布　亚洲，欧洲，澳大利亚，非洲。

种检索表

1　前胸背板以黄色为主，后翅有 1 条棕色的斑纹，从中脉亚端斑处伸达翅的顶点，斑纹颜色从内向外渐渐变浅 …… **差翅距蚁蛉 *D. bistrigatus***

　前胸背板以棕色或黑色为主，后翅无伸达翅顶点的条状斑纹 …… 2

2　前翅肘脉合斑和后翅中脉亚端斑均为近圆形大斑 …… **黑斑距蚁蛉 *D. nigricans***

　前翅肘脉合斑和后翅中脉亚端斑为点状小斑或线状斑 …… 3

3　前后翅具多块大型透明斑块 …… **衬斑距蚁蛉 *D. subtentus***

　前后翅无大型透明斑块或仅有 1 透明斑 …… 4

4　前胸背板两侧角为黄色 …… **云南距蚁蛉 *D. yunnanus***

　前胸背板两侧角为黑色 …… 5

5　前翅肘脉合斑弯眉状呈弧形弯曲 …… **紊脉距蚁蛉 *D. symphineurus***

　前翅肘脉合斑为短直线 …… 6

6　前胸背板两侧黄斑前端向内弯曲 …… **棋腹距蚁蛉 *D. tesselatus***

前胸背板两侧黄斑前端向外弯曲 ……………………………………………… 西藏距蚁蛉 *D. tibetanus*

注：*D. cornutus*、*D. formosanus* 和 *D. littolalis* 因无检视标本，所以未编入检索表。

(80) 差翅距蚁蛉 *Distoleon bistrigatus* (Rambur, 1842) (图版XV：1)

Myrmeleon bistrigatus Rambur , 1842: 391. Type locality: Tahiti.
Formicaleo acuminatus Okamoto, 1910a: 290. Synonymized by Adams, 1959: 16.
Formicaleon brahmanicus Banks, 1913a: 142. Synonymized by Adams, 1959: 15.
Myrmeleon striola Walker, 1853: 340. Synonymized by Mclachlan, 1868: 277; Banks, 1910: 43.
Myrmeleon torvus Walker, 1853: 341. Synonymized by Mclachlan, 1868: 277; Esben Petersen, 1915: 69.
Formicaleo yapeyamensis Matsumura, 1931: 1156. Synonymized by Kuwayama, 1957: 47.
Distoleon bistrigatus: Stange, 2004: 150.

雌性：体长 32 mm，前翅 36 mm，后翅 38 mm，腹部 23 mm。

雄性：未知。

头顶黄色，具黑色横向条纹；下颚须、下唇须黄色；触角各节黑黄相间，以黄色为主，触角窝间距小于触角窝直径。

前胸背板梯形，黄色，具 2 黑色纵纹，中、后胸黄色少斑，腹板黄色。

足腿节膨大，尤以前足明显；前足腿节外侧浅红棕色，中足、后足腿节与胫节黄色，散落黑色斑点；跗节黑黄相间，端部黑色，第 5 跗节长于第 1-4 跗节之和；胫端距浅红棕色，发达，弧形弯曲，超过第 4 跗节；爪浅红棕色，发达，与跗节约成 90°角。

翅透明而狭长；前翅纵脉黑色与浅黄色相间，横脉多数浅黄色，前缘区略宽于 R 与 Rs 间距离，前缘横脉简单，几乎无分支，Rs 分叉点后于 CuA 分叉点，基径中横脉 10 条，简单无分支，Rs 分支为 11 条，翅痣白色，基部具 1 浅黑色斑点，中脉亚端斑深棕色，点状，肘脉合斑小型，浅棕色，前、后斑克氏线清晰。后翅略长于前翅，Sc 与 R 脉黑色与浅黄色相间，其他大部分纵脉与横脉浅黄色，前缘区略窄于 R 与 Rs 间最宽处距离，Rs 分叉点先于 CuA 分叉点，基径中横脉 1 条，Rs 分支 10 条，翅痣白色，中脉亚端斑大型，棕色，一直延伸至后翅尖端，无肘脉合斑，无前、后斑克氏线。

腹部背板深棕色至黑色，具黄色斑点及稀疏白色刚毛。

雌性生殖器：未解剖。

雄性生殖器：未知。

检视标本 1♀，广西雁山，1963.Ⅴ.31，杨集昆，CAU-N100809。

分布 广西；印度，澳大利亚，南太平洋的岛屿。

(81) 考距蚁蛉 *Distoleon cornutus* (Navás, 1917)

Salvaza cornutus Navás, 1917b: 12. Type locality: Tonkin, Quang Ien.
Distoleon cornutus: Stange, 2004: 152.

雌性：体长 19.5 mm，前翅长 27 mm，后翅长 25.5 mm。头部颜面砖红色，腹部棕色。前翅前缘区窄，后翅端部尖 (译自 Navás 原始描述部分内容)。

检视标本　无。

分布　中国。

讨论　Stange (2004) 发表的《世界蚁蛉名录》中提到考距蚁蛉 *Distoleon cornutus* (Navás, 1917) 分布在 China (Canton)，他根据的是 Navás (1926c) 的记载。但 Navás (1926c) 仅有一个简单的名字 (放在 *Salvaza* 中) 和分布记录，没有对物种的描述。Stange (2004) 将该种作为新组合移至距蚁蛉属 *Distoleon*。该种正模保存在瑞士巴塞尔自然博物馆 (Naturhistorisches Muweum, Basel, Switzerland)。

(82) 毛距蚁蛉 *Distoleon formosanus* (Okamoto, 1910)

Formicaleo formosanus Okamoto, 1910a: 291. Type locality: Formosa, Horisha.

Feinerus formosanus Navás, 1926c: 112. Synonomized by Kuwayama, 1966a: 138.

Distoleon formosanus: Stange, 2004: 153.

大型种，前翅展开为 40-50 mm。前翅具几个黑褐色小区 (尤其在近翅顶端处)。体暗褐色；中胸背板后方具有几个短刚毛；雄性后足胫节具许多长毛状的刚毛，其长度是后足胫节直径的 4 倍以上 (Stange *et al*., 2003)。

检视标本　无。

分布　台湾。

(83) 粗腿蚁蛉 *Distoleon littolalis* Miller & Stange, 1999

Distoleon littolalis Miller & Stange, 1999: 53. Type locality: Taiwan (Ilan county).

前翅展开为 30-36 mm，翅端区散布着暗褐色斑点。体暗褐色；中胸背板后方一般无刚毛；雄性后足胫节无长毛状刚毛 (Stange *et al*., 2003)。

检视标本　无。

分布　台湾。

讨论　粗腿蚁蛉这个中文名是 Stange 等 (2003) 给出的，此处不做变动。

(84) 黑斑距蚁蛉 *Distoleon nigricans* (Matsumura, 1905) (图版 XV：3)

Myrmeleon nigricans Matsumura, 1905: 116. Type locality: Japan.

Myrmeleon obsletus Nawa, 1905: 446. *Nomen nudum*. Synonymized by Kuwayama, 1962: 385.

Formicaleo nigricans: Okamoto, 1910a: 288.

Distoleon nigricans: Okamoto, 1926: 19.

雌性：体长 26-38 mm，前翅 33-46 mm，后翅 30-43 mm，腹部 17-28 mm。

雄性：体长 30-40 mm，前翅 34-40 mm，后翅 31-37 mm，腹部 22-30 mm。

头顶黑色，2 横向黄色条纹，在中部交叉分别延伸至后头；颜面黄色，下颚须、下唇须黄色；触角各节黑黄相间，以黄色为主，触角窝周边黑色，触角窝间距离小于触角窝直径。

前胸背板梯形，黑色，中线为 1 黄色纵纹，其两边各有 1 清晰的黄色条纹，从前缘延伸至后缘，此 1 纵纹有时在靠近前缘处明显加宽；中、后胸背板黑色无斑；腹板黑色。

足腿节膨大，尤以前足明显；跗节黑黄相间，端部黑色，第 5 跗节长于第 1-4 跗节之和；胫端距浅红棕色，发达，弧形弯曲，伸达第 4 跗节；爪浅红棕色，发达，与跗节约成 90°角。其中，前足基节浅黄色，被白色柔毛，腿节、胫节棕褐色，腿节基部内侧具 1 长感觉毛，约等于腿节长度，腿节外侧具较长刚毛；中足浅黄色，多黑斑和黑色刚毛，腿节基部内侧具 1 长感觉毛，长度远长于腿节，后足腿节内侧浅黄色，外侧深棕色，无感觉毛，胫节内侧深棕色，外侧黄色，在靠近基部处有 1 黑色环斑，具稀疏黑色斑点。

翅透明而狭长，散落稀疏棕色斑点，常集中于 Rs 区域；前翅纵脉黑色与浅黄色相间，横脉多数浅黄色，前缘区约等于 R 与 Rs 间距离，前缘横脉简单，几乎无分支，Rs 分叉点后于 CuA 分叉点，基径中横脉 8-10 条，靠近 Rs 分叉处 1-3 根常分叉，偶尔形成部分双排翅室，Rs 分支为 10-12 条，翅痣白色，基部具黑色圆斑，中脉亚端斑深棕色，小型点状，肘脉合斑大型，深棕色，前、后斑克氏线清晰。后翅略短于前翅，时常透明少斑，纵脉黑色与浅黄色相间，大部分横脉浅黄色，前缘区略窄于 R 与 Rs 间最宽处距离，Rs 分叉点先于 CuA 分叉点，基径中横脉 1 条，Rs 分支 10-11 条，翅痣白色，基部具黑色圆斑，中脉亚端斑大型，常延伸至翅后缘，无肘脉合斑，无前、后斑克氏线。

腹部背板黑色，雌性 3-8 节具黄色斑点，雄性第 4 节不具黄色斑点；腹板淡黄色至深棕色，无斑。

雄性生殖器 (图版 XXXII：5)：雄性肛上片具较长刚毛，生殖弧成 180°强烈弯曲，阳基侧突合并且分叉，呈弯钩状。

雌性生殖器：无 8-内生殖突，8-外生殖突纤细短小，锥状，9-内生殖突与肛上片具浓密粗大的刚毛。

检视标本 2♂，北京十三陵，1956.VII.24，杨集昆，CAU-N100741，CAU-N100753；雌雄不详，北京巨山农场，1981.VII.15，薛大勇，CAU-N100739；1♀，北京西山农场，1991.VIII.2，采集人不详，CAU-N100754；腹部缺失，北京十三陵，1956.VII.24，杨集昆，CAU-N100755；1♀，北京西山农场，1980.VII.11，牛洪东，CAU-N100756；1♀，北京怀柔青龙峡大水峪村，2004.VII.7，刘红霞，CAU-N100757；腹部缺失，北京巨山农场，1981.VII.15，薛大勇，CAU-N100739；2♀，河北井陉县高峪村，1998.VII.12-28，田新生等，CAU-N100743，CAU-N100745；5♀1♂，河北井陉县南司掌，1998.VII.28-29，田新生等，CAU-N100744，CAU-N100747，CAU-N100748，CAU-N100749，CAU-N100750，CAU-N100751；1♀，河北井陉县南司掌，1978.VII.28，田新生等，CAU-N1000740；1♀，河北省阜平县白石山，1999.VIII.6，崔文明等，CAU-N100746；1♀，河北任丘摩天岭，1998.VIII.6，商立新，CAU-N100752；雌雄不详，浙江西天目，1981.VI.19，李伟华，CAU-N100735；腹部缺失，浙江西天目，1981.VI.19，李伟华，CAU-N100735；1♀，浙江西天目山，2006.VIII.21，史宏亮，CAU-N100792；1♂，浙江天目山龙峰尖，1998.VII.27，戴岳军，CAU-N100765；1♀，南岳铁佛寺，1980.VI.19，采集人不详，CAU-N100767；1♀，安徽黄山温泉，670 m，

1977.Ⅶ.17，杨集昆，CAU-N100733；1♀，安徽黄山温泉，670 m，1977.Ⅶ.17，杨集昆，CAU-N100733；1♀，安徽黄山温泉，1977.Ⅶ.17，李法圣，CAU-N100791；2♀，福建三港，1981.Ⅷ.6，汪江，CAU-N100786，CAU-N100787；腹部缺失，福建，1989.Ⅶ.4，汪、杨，CAU-N100788；1♀，福建黄坑，1980.Ⅶ.2，江凡，CAU-N100789；1♀，福建崇安，1980.Ⅴ.22，福建林业厅，CAU-N100793；1♀，福建建阳桂林，1979.Ⅶ.11，林家乐，CAU-N100794；1♀，福建林院，1979.Ⅶ.10，叶明孙，CAU-N100790；1♀，福建桂林，1980.Ⅶ.2，齐石成，CAU-N100773；1♀，山东昆俞山，2005.Ⅶ.23，周伟，CAU-N100761；1♀，山东昆俞山，2005.Ⅶ.26，陈耕，CAU-N100762；1♂，山东昆俞山，2005.Ⅶ.23，崔月，CAU-N100763；1♀，山东昆俞山，2005.Ⅶ.24，刘沛，CAU-N100764；1♀，山东昆俞山，2005.Ⅶ.24，13 组，CAU-N100768；2♀，山东昆俞山，2005.Ⅶ.25，莫慕佳，CAU-N100769，CAU-N100772；1♂，山东昆俞山，2005.Ⅶ.25，翟晋宁，CAU-N100770；1♀，山东昆俞山，2005.Ⅶ.26，黄亮，CAU-N100771；2♀，河南商城黄柏山，1999.Ⅶ.14，200 m，申、任，CAU-N100780，CAU-N100784；1♂，河南西峡，1987.Ⅵ.7，黄石庵，CAU-N100781；1♀1♂，河南鸡公山，2001.Ⅶ.15，700 m，申效诚，CAU-N100782，CAU-N100783；1♀，河南水帘洞，采集时间不详，CAU-N100785；1♀，河南桐柏县，2001.Ⅶ.16，600-800 m，李哲、白明，CAU-N100742；2♂，河南内乡宝天曼，2004.Ⅶ.23，1350 m，王志良，CAU-N100758，CAU-N100759；1♀，河南辉县八里沟，2004.Ⅶ.14，300 m，王志良，CAU-N100760；　1♀，湖北兴山共大，1300 m，1980.Ⅶ.20，采集人不详，CAU-N100736；1♀，湖南南岳磨镜台，1963.Ⅵ.22，杨集昆，CAU-N100738；1♂，贵州贵阳平阳乡小丹江村，2005.Ⅵ.2，孙明霞，CAU-N100774；腹部缺失，贵州平阳乡小丹江村，2005.Ⅵ.2，孙明霞，CAU-N100775；1♀，陕西周至板房子乡，2006.Ⅶ.20，1050 m，李艳磊，CAU-N100776；2♀，浙江泰顺乌岩岭，2005.Ⅷ.4，650 m，王志良，CAU-N100777，CAU-N100778；1♀，贵州梵净山，1988，杨集昆，CAU-N100779；1♀，采集标签不详，CAU-N100734；1♀，天生桥枯草，1956.Ⅴ.9，采集人不详，CAU-N100737；1♀，采集标签不详，CAU-N100734。

分布　北京、河北、山东、河南、陕西、安徽、浙江、湖北、湖南、福建、贵州；韩国，日本。

(85) 衬斑距蚁蛉 *Distoleon subtentus* Yang, 1986 (图版 XV：2)

Distoleon subtentus Yang, 1986: 427. Type locality: Yunnan (Yunxian).

雌性：体长 33 mm，前翅 35 mm，后翅 34 mm，腹部 25 mm。

雄性：体长 37 mm，前翅 34 mm，后翅 32 mm，腹部 24 mm。

头顶黑色，具 2 横向黄色条纹，后头区有 1 黄色圆环；颜面黄色，额边缘具黑色条纹，下颚须、下唇须黄色；触角窝周边黑色，触角各节黑黄相间，触角窝间距小于触角窝直径。

前胸背板梯形，深棕色至黑色，中线为 1 黄色纵纹，其两边各有 1 黄色条纹，且在靠近前缘处扩展为大型黄斑；中胸与后胸具少量黄色斑纹；腹板浅棕色。

足浅黄色，被白色毛；腿节膨大，尤以前足明显；前、后足腿节内侧各具 1 感觉毛，且长度短于腿节；胫节外侧散落稀疏黑色斑纹；跗节黑黄相间，端部黑色，第 5 跗节长于第 1-4 跗节之和；胫端距浅红棕色，发达，弧形弯曲，伸达第 4 跗节；爪浅红棕色，发达，与跗节约成 90°角。

翅透明而狭长，由于翅脉的颜色不同而衬托出一些透明大型斑块；前翅纵脉黑色与浅黄色相间，横脉多数浅黄色和棕色，前缘区约等于 R 与 Rs 间距离，前缘横脉简单，无分支，Rs 分叉点后于 CuA 分叉点，基径中横脉 9 条，Rs 分支为 11 条，翅痣白色，基部具 1 黑色斑点，中脉亚端斑深棕色，点状，肘脉合斑小型，浅棕色，前、后斑克氏线清晰。后翅略短于前翅，Sc 与 R 脉黑色与浅黄色相间，其余大部分纵脉与横脉浅黄色，前缘区约等于 R 与 Rs 间最宽处距离，Rs 分叉点先于 CuA 分叉点，基径中横脉 1 条，Rs 分支 10 条，翅痣白色，中脉亚端斑深棕色，延伸至翅外缘，无肘脉合斑，无前、后斑克氏线。

腹部背板浅棕色，具稀疏白色刚毛，第 3-7 节背板具黄色斑点；腹板浅棕色无斑。

雌性生殖器：未解剖。

雄性生殖器：未解剖。

检视标本 1♀，正模，云南省临沧地区云县林场，1980.Ⅶ.12，1100 m，CAU-N100810。1♂，副模，云南省临沧地区凤庆县诗礼，1980.Ⅷ.1，1500 m，CAU-N100811。

分布 云南。

(86) 紊脉距蚁蛉 *Distoleon symphineurus* Yang, 1986 (图版 XVI：1)

Distoleon symphineurus Yang, 1986: 427. Type locality: Yunnan (Dongchuan).

雌性：体长 25-32 mm，前翅 34-37 mm，后翅 31-35 mm，腹部 20-23 mm。

雄性：体长 37 mm，前翅 37 mm，后翅 36 mm，腹部 27 mm。

头顶黑色，具 2 横向黄色条纹，在中部交叉分别延伸至后头；下颚须、下唇须黄色；触角各节黑黄相间，触角窝间距小于触角窝直径。

前胸背板梯形，深棕色至黑色，中线为 1 黄色纵纹，其两边各有 1 清晰的黄色条纹，在靠近前缘处向内弯曲；中胸与后胸具少量黄色斑纹；腹板浅棕色。

足黄色至浅棕色；腿节膨大，尤以前足明显；前、后足腿节内侧各具 1 感觉毛，且长度长于腿节；胫节外侧散落稀疏黑色斑纹；跗节基部黄色，端部黑色，第 5 跗节长于第 1-4 跗节之和；胫端距浅红棕色，发达，弧形弯曲，伸达第 4 跗节；爪浅红棕色，发达，与跗节约成 90°角。

翅透明而狭长；前翅纵脉黑色与浅黄色相间，横脉多数浅黄色和棕色，前缘区约等于 R 与 Rs 间距离，前缘横脉简单，无分支，Rs 分叉点后于 CuA 分叉点，基径中横脉 8-9 条；Rs 分支为 10-12 条，翅痣白色，基部具 1 黑色斑点，中脉亚端斑深棕色，条状，肘脉合斑浅棕色，条状且弧形弯曲，端区及后缘多散落小型斑点，前、后斑克氏线不十分清晰。后翅略短于前翅，几乎透明无斑，Sc 与 R 脉黑色与浅黄色相间，其余大部分纵脉与横脉浅黄色，前缘区窄于 R 与 Rs 间最宽处距离，Rs 分叉点先于 CuA 分叉点，基径中横脉 1 条，Rs 分支 10-12 条，翅痣白色，中脉亚端斑棕色，点状，无肘脉合斑，无前、后斑克氏线。

腹部背板棕色至黑色，着生稀疏白色短刚毛，具少数黄色斑点；腹板浅棕色无斑。

雄性生殖器 (图版 XXXII：8)：雄性肛上片具较长刚毛，生殖弧成 180°强烈弯曲，阳基侧突基部合并端部分叉，呈弯钩状。

雌性生殖器：无 8-内生殖突，8-外生殖突纤细短小，锥状，9-内生殖突与肛上片具浓密粗大的刚毛。

检视标本　1♀，正模，云南省东川市*落雪，1980.Ⅵ.30，1700 m，张开友，CAU-N100812。1♂，副模，云南省迪庆藏族自治州德钦，1979.Ⅵ.22，3000 m，严向群，CAU-N100813；1♀，四川巴塘竹笆龙，1982.Ⅷ.13，2500 m，王书永，CAU-N100815；1♀，四川巴塘，1982.Ⅷ.14，2600 m，牛春来，CAU-N100816；1♀，西藏芒康 (应是四川境内) 竹笆龙，1982.Ⅷ.13，2500 m，柴怀成，CAU-N100814。

分布　四川、云南、西藏。

(87) 棋腹距蚁蛉 *Distoleon tesselatus* Yang, 1986 (图版 XV：4)

Distoleon tesselatus Yang, 1986: 426. Type locality: Yunnan (Banna, Dehong, Kunming).

雌性：体长 33-36 mm，前翅 34-39 mm，后翅 33-37 mm，腹部 20-26 mm。

雄性：体长 29-38 mm，前翅 34-39 mm，后翅 32-37 mm，腹部 20-28 mm。

头顶黑色，具黄色条纹；下颚须、下唇须黄色；触角各节黑黄相间，端部黄色，触角窝间距小于触角窝直径。

前胸背板梯形，深棕色至黑色，中线为 1 黄色纵纹，其两边各有 1 清晰的黄色条纹，在靠近前缘处向内弯曲；中胸与后胸深棕色至黑色，具少量黄色斑纹；腹板黄色。

足腿节膨大，尤以前足明显；跗节黑黄相间，端部黑色，第 5 跗节长于第 1-4 跗节之和；胫端距浅红棕色，发达，弧形弯曲，伸达第 4 跗节；爪浅红棕色，发达，与跗节约成 90°角。其中，前足基节浅黄色；腿节、胫节浅棕褐色，胫节外侧具两排较长黑色刚毛，腿节无感觉毛；中足浅黄色，腿节基部内侧具 1 长感觉毛，长度远长于腿节，胫节多黑斑和黑色刚毛；后足浅黄色，具稀疏黑色斑点，腿节无感觉毛。

翅透明而狭长；前翅纵脉黑色与浅黄色相间，横脉多数浅黄色，前缘区略宽于 R 与 Rs 间距，前缘横脉简单，几乎无分支，Rs 分叉点后于 CuA 分叉点，基径中横脉 8-10 条，简单无分支，Rs 分支为 11-12 条，翅痣白色，基部具 1 黑色斑点，中脉亚端斑深棕色，常与 Rs 区域散落的一系列小型斑点连接成线状斑，肘脉合斑小型，浅棕色，几近透明，前斑克氏线清晰，后斑克氏线不清晰。后翅略短于前翅，Sc 与 R 脉黑色与浅黄色相间，其他大部分纵脉与横脉浅黄色，前缘区略窄于 R 与 Rs 间最宽处距离，Rs 分叉点先于 CuA 分叉点，基径中横脉 1 条，Rs 分支 10-11 条，翅痣白色，中脉亚端斑小型，点状，无肘脉合斑，无前、后斑克氏线。

* 东川市现为昆明市东川区

腹部背板深棕色至黑色，第 2-7 节背板具黄色斑点，其中第 3-4 节背板各具 5 黄色斑点，其余节上的斑点有不同程度的融合；腹板淡黄至深棕色无斑。

雄性生殖器 (图版XXXII：6)：雄性肛上片具较长刚毛，生殖弧成 180°强烈弯曲，阳基侧突基部合并、端部分叉，呈弯钩状。

雌性生殖器：无 8-内生殖突，8-外生殖突纤细，锥状，9-内生殖突与肛上片具浓密粗大的刚毛。

检视标本　1♀，正模，云南省版纳州景洪县*，670 m，1980.Ⅶ.8，杨文伟，CAU-N100697。1♂，副模，云南景洪，1980.Ⅶ.8，李云明，CAU-N100714；1♀，副模，云南德宏州梁河勐宋林场，1200 m，1979.Ⅴ.9，张全良，CAU-N100698；腹部缺失，副模，云南昆明晋宁双河，2050 m，Ⅴ.31，采集人不详，CAU-N100712；1♂，浙江天目山，2006.Ⅷ.19，史宏亮，CAU-N100727；1♀，浙江泰顺乌岩岭，650 m，2005.Ⅶ.31，王志良，CAU-N100700；1♀，福建三港，1981.Ⅹ.2，江凡，CAU-N100716；1♀，福建，1982.Ⅴ.1，采集人不详，CAU-N100717；福建浦城城关，1980.Ⅹ.10，采集人不详，CAU-N100718；1♀，福建东山，1980.Ⅷ.8，采集人不详，CAU-N100720；1♂，福建十八跳，1979.Ⅸ.24，官金兴，CAU-N100721；腹部缺失，福建林学院，1978.Ⅸ，采集人不详，CAU-N100722；腹部缺失，福建太宁垱上，1981.Ⅶ.4，何锣林，CAU-N100723；4♀1♂，河南信阳商城黄柏山，200 m，1999.Ⅶ.14，申、任，CAU-N100729，CAU-N100730，CAU-N100731，CAU-N100725，CAU-N100707；1♀，湖南汨罗州山坪，1986.Ⅷ.4，王象贤，CAU-N100713；1♀，湖南衡南，1981.Ⅷ.18，姚本瑞，CAU-N100715；1♀，广东封开黑石顶，1985.Ⅸ.9，采集人不详，CAU-N100702；1♀，广西崇左市宁明县陇瑞保护站，2006.Ⅴ.6，王伟芹，CAU-N100699；1♂，广西柳州，2002.Ⅷ.3，黄婉，CAU-N100704；1♀，广西雁山，1963.Ⅵ.17，杨集昆，CAU-N100705；4♂，广西夏石，1963.Ⅴ.6，杨集昆，CAU-N100706，CAU-N100708，CAU-N100724，CAU-N100709；1♀，广西金秀林海山庄，1000 m，2000.Ⅶ.2，李文柱，CAU-N101894；1♀，广西龙津大青山，1963.Ⅶ.14，杨集昆，CAU-N100726；1♀，海南尖峰岭，1981.Ⅶ.2，采集人不详，CAU-N100719；1♂，贵州，采集时间不详，采集人不详，CAU-N100703；1♂，贵州罗甸，1963.Ⅵ.11，采集人不详，CAU-N100732；1♂，云南保山芒宽乡百花岭，2005.Ⅴ.26，黄灏，CAU-N100728。

分布　河南、浙江、湖南、福建、广东、海南、广西、贵州、云南。

(88) 西藏距蚁蛉 *Distoleon tibetanus* Yang, 1988 (图版XV：6)

Distoleon tibetanus Yang, 1988: 206. Type locality: Xizang.

雌性：体长 35 mm，前翅 41 mm，后翅 41 mm，腹部 26 mm。

雄性：未知。

头顶黑色，2 横向黄色条纹，在中部交叉分别延伸至后头；颜面黄色，唇基中部有 1 角形黑斑，下颚须、下唇须黄色；触角窝周边黑色，触角各节黑黄相间，触角窝间距小

* 景洪县现为景洪市

于触角窝直径。

前胸背板梯形，深棕色至黑色；中线为 1 黄色纵纹，其两边各有 1 清晰的黄色条纹，在靠近前缘处向外弯曲；中胸与后胸具少量黄色斑纹；腹板浅棕色。

足腿节膨大，尤以前足明显；跗节基部黄色，端部黑色，第 5 跗节长于第 1-4 跗节之和；胫端距浅红棕色，发达，弧形弯曲，伸达第 4 跗节；爪浅红棕色，发达，与跗节约成 90°角。其中，前足基节浅黄色，腿节、胫节浅棕褐色，胫节外侧具两排较长黑色刚毛，腿节基部内侧具 1 感觉毛；中足浅黄色，腿节基部内侧具 1 长感觉毛，长度远长于腿节，胫节多黑斑和黑色刚毛；后足浅黄色，具稀疏黑色斑点，腿节无感觉毛。

翅透明而狭长，端区多散落棕色点状斑；前翅纵脉黑色与浅黄色相间，横脉多数浅黄色，前缘区宽于 R 与 Rs 间距，前缘横脉简单，无分支，Rs 分叉点后于 CuA 分叉点，基径中横脉 9-10 条，简单无分支，Rs 分支为 11 条，翅痣白色，基部具浅色黑斑，具中脉亚端斑，深棕色，与 Rs 区域散落的一系列小型斑点连接成线状斑，肘脉合斑小型，浅棕色，延伸至翅后缘，前、后斑克氏线隐约可见。后翅略短于前翅，Sc 与 R 脉黑色与浅黄色相间，其他大部分纵脉与横脉浅黄色，前缘区约等于 R 与 Rs 间最宽处距离，Rs 分叉点先于 CuA 分叉点，基径中横脉 1 条，Rs 分支 10 条，翅痣白色，具中脉亚端斑，小型，点状，无肘脉合斑，无前、后斑克氏线。

腹部背板深棕色至黑色，具稀疏黑色刚毛；第 2-7 节背板具黄色斑点，各节上的斑点有不同程度的融合。

雄性生殖器：未知。

雌性生殖器：未解剖。

检视标本　1♀，正模，西藏波密县易贡，1978.Ⅷ.1，2300 m，李法圣，CAU-N100808。

分布　西藏。

(89) 云南距蚁蛉 *Distoleon yunnanus* Yang, 1986 (图版 XV：5)

Distoleon yunnanus Yang, 1986: 426. Type locality: Yunnan (Zhaotong).

雌性：体长 32-43 mm，前翅 37-43 mm，后翅 37-43 mm，腹部 21-26 mm。

雄性：体长 40-42 mm，前翅 41-43 mm，后翅 38-42 mm，腹部 30-31 mm。

头顶黑色，接近复眼处各有 1 暗黄色横纹，未伸达中线；颜面黄色，下颚须、下唇须黄色；触角各节黑黄相间，以黑色为主，触角窝周边黑色，触角窝间距小于触角窝直径。

前胸背板梯形，深棕色至黑色，中线为 1 黄色纵纹，其两边各有 1 清晰的黄色条纹，且在靠近前缘处扩展为大型黄斑；中胸与后胸具少量黄色斑纹；腹板浅棕色。

足腿节膨大，尤以前足明显；基节、腿节和胫节外侧红棕色，内侧黄色；跗节黑黄相间，端部黑色，第 5 跗节长于第 1-4 跗节之和；胫端距浅红棕色，发达，弧形弯曲，伸达第 4 跗节；爪浅红棕色，发达，与跗节约成 90°角。其中，前足腿节具 1-2 感觉毛；中足腿节基部内侧具 1 长感觉毛，胫节多黑斑和黑色刚毛；后足具稀疏黑色斑点，腿节无感觉毛。

翅透明而狭长；前翅纵脉黑色与浅黄色相间，横脉多数浅黄色，前缘区远宽于 R 与

Rs 间距，前缘横脉简单，无分支，Rs 分叉点后于 CuA 分叉点，基径中横脉 9-10 条，偶有分支，Rs 分支为 11-12 条，翅痣白色，基部具 1 淡黑色斑点，具中脉亚端斑，深棕色，点状，偶尔与 Rs 区域散落的一系列小型斑点连接成线状斑，肘脉合斑小型，浅棕色，前、后斑克氏线清晰。后翅略短于前翅，Sc 与 R 脉黑色与浅黄色相间，其他大部分纵脉与横脉浅黄色，前缘区约等于 R 与 Rs 间最宽处距离，Rs 分叉点先于 CuA 分叉点，基径中横脉 1 条，Rs 分支 10-11 条，翅痣白色，部分个体具中脉亚端斑，小型，点状，无肘脉合斑，无前、后斑克氏线。

腹部深棕色至黑色，具稀疏黑色刚毛，第 5-7 节背板具黄色斑点，腹板无斑。

雄性生殖器 (图版 XXXII：7)：雄性肛上片具较长刚毛，生殖弧成 180°强烈弯曲，阳基侧突基部合并端部分叉，呈弯钩状。

雌性生殖器：无 8-内生殖突，8-外生殖突纤细，锥状，9-内生殖突与肛上片具浓密粗大的刚毛。

检视标本　1♀，正模，云南昭通巧家县，1980.Ⅵ.15，3003 m，任褑佑，CAU-N100798。1♀，副模，云南曲靖市师宗县，1979.Ⅴ.7，2050 m，王元中，CAU-N100799；1♀，副模，云南昭通巧家县，1980.Ⅵ.15，3003 m，任褑佑，CAU-N100800；1♂，副模，云南马龙县，1979.Ⅵ.16，2200 m，李完章，CAU-N100801；1♂，安徽，采集时间不详，王思政，CAU-N100804；雌雄不详，贵州威宁二户，1979.Ⅶ.12，刘治美，CAU-N100795；1♀，贵州赫章，1978.Ⅵ.28，2000 m，采集人不详，CAU-N100803；1♀，贵州江枝冷棋，1980.Ⅵ.7，采集人不详，CAU-N100796；1♂，云南昆明新舍，1940.Ⅴ.14，采集人不详，CAU-N100797；1♀，云南呈贡县马金堡大营，1980.Ⅴ.15，1920 m，采集人不详，CAU-N100802；1♀，云南德钦茨中，2004.Ⅵ.18，黄灏，CAU-N100805；1♀，云南德钦茨中，2004.Ⅵ.16，黄灏，CAU-N100806；1♂，云南昆明铁峰庵，1942.Ⅵ.10，采集人不详，CAU-N100807。

分布　安徽、贵州、云南。

19. 臀蚁蛉属 *Distonemurus* Krivokhatsky, 1992

Distonemurus Krivokhatsky, 1992: 410. **Type species:** *Distonemurus desertus* Krivokhatsky, 1992; by original designation.

臀蚁蛉属 *Distonemurus* 世界共报道 1 种：沙臀蚁蛉 *Distonemurus desertus* Krivokhatsky, 1992。臀蚁蛉属与距蚁蛉属 *Distoleon* 相似，区别是：前者雄性肛上片具指状突，后者雄性肛上片无指状突。

属征　前翅 2A 脉呈直角弯向 3A，Rs 分叉点后于 CuA 分叉点；后翅 Rs 分叉点先于 CuA 分叉点，基径中横脉 1 条；胫端距浅红棕色，发达，弧形弯曲，伸达第 4 跗节；雄性肛上片具指状突，生殖弧强烈弯曲成锐角，阳基侧突基部合并端部分叉，呈弯钩状，生殖中片骨化程度不明显。雄性无轭坠。

分布　中国，土库曼斯坦。

(90) 沙臀蚁蛉 *Distonemurus desertus* Krivokhatsky, 1992 (图版XVI：4)

Distonemurus desertus Krivokhatsky, 1992: 411. Type locality: Repetek, Turkestan.

雌性：体长 30 mm，前翅 36 mm，后翅 35 mm，腹部 20 mm。

雄性：体长 32 mm，前翅 33 mm，后翅 31 mm，腹部 26 mm。

头顶黑色，具复杂黄色条纹；颜面黄色，下颚须、下唇须黄色，触角窝周边黑色，触角各节黑黄相间，触角窝间距小于触角窝直径。

前胸背板梯形，深棕色至黑色，中线为 1 黄色纵纹，其两边各有 1 清晰的黄色条纹，在靠近前缘处向内弯曲，且弯曲处顶端紧贴前胸背板前缘；中胸与后胸具稀疏黄色斑纹；腹板黑色，被稀疏白色绒毛。

足浅黄色；腿节膨大，尤以前足明显；基节被白色柔毛；胫节外侧具两排较长黑色刚毛，多黑斑和黑色刚毛；腿节基部内侧具 1 长感觉毛；跗节基部黄色，端部黑色，第 5 跗节长于第 1-4 跗节之和；胫端距浅红棕色，发达，弧形弯曲，伸达第 4 跗节；爪浅红棕色，发达，与跗节约成 90°角。

翅透明而狭长；前翅纵脉黑色与浅黄色相间，横脉多数浅黄色，前缘区略宽于 R 与 Rs 间距，前缘横脉简单，几乎无分支，Rs 分叉点后于 CuA 分叉点，基径中横脉 8 条，简单无分支，Rs 分支为 11 条，翅痣白色，基部具 1 黑色斑点，中脉亚端斑棕色，小型线状，肘脉合斑棕色线状，端区散落稀疏小型斑点，无前、后斑克氏线。后翅略短于前翅，Sc 与 R 脉黑色与浅黄色相间，其他大部分纵脉与横脉浅黄色，前缘区约等于 R 与 Rs 间最宽处距离，Rs 分叉点先于 CuA 分叉点，基径中横脉 1 条，Rs 分支 11 条，翅痣白色，无中脉亚端斑，无肘脉合斑，无前、后斑克氏线。

腹部背板黑色，具稀疏白色刚毛，第 3-7 节背板各具 1 对黄色斑点，腹板黑色无斑。

雄性生殖器 (图版XXXIII：2)：雄性肛上片具指状突，具较长刚毛，生殖弧强烈弯曲成锐角，阳基侧突基部合并、端部分叉，呈弯钩状，生殖中片程度不明显。

雌性生殖器：无 8-内生殖突，8-外生殖突短小，指状，9-内生殖突与肛上片具浓密粗大的挖掘毛。

检视标本　1♀，采集信息不详，CAU-N100817；1♂，新疆察布查尔，1984.Ⅷ.4，黄治河，CAU-N100818；腹部缺失，新疆叶城，采集人和采集时间不详，CAU-N100819；1♀，新疆布尔津县，2007. Ⅶ.21，聂瑞娥，CAU-N102120。

分布　新疆；土库曼斯坦。

讨论　Hölzel (1970b) 发表的分布于蒙古的 *Distoleon solitarius* 与本种极相似，这两种之间是否存在异名关系待进一步研究。

20. 印蚁蛉属 *Indoleon* Banks, 1913

Indoleon Banks, 1913c: 222. **Type species:** *Myrmeleon tacitus* Walker, 1853; by original designation.

Stange (2004) 将英蚁蛉属 *Indophanes* 和云蚁蛉属 *Yunleon* 合并至印蚁蛉属 *Indoleon* 中。但笔者认为这 3 属合并后，较难归纳属征，而作为独立的有效属，则比较容易区别。因此，本卷仍将这 3 属视为有效属，不采纳 Stange (2004) 3 属合并的意见。*Indoleon* 目前世界共 1 种 2 亚种，中国发现其中的 1 亚种。

属征 体大型，前翅散布大量斑点和斑纹；前翅 2A 呈直角弯向 3A，Rs 分叉点后于 CuA 分叉点，后翅 Rs 分叉点先于 CuA 分叉点，基径中横脉 1 条；胫端距平直，常伸达或超过第 1 跗节末端。

分布 中国，马来西亚。

(91) 中印蚁蛉 *Indoleon tacitus sinecus* Yang, 2002 (图版 XVI：6)

Indoleon tacitus sinecus Yang, 2002: 297. Type locality: Hainan (Jianfengling).

性别不明：体长 29 mm，前翅 42 mm，后翅 42 mm，腹部缺失。

头顶黄色，具黑色横向条纹；颜面黄色，下颚须、下唇须黄色；唇基上具稀疏黄色刚毛；触角各节黑黄相间，以黄色为主，触角窝周边黑色，触角窝间距小于触角窝直径。

前胸背板梯形，黄色，具两条黑色纵纹；中、后胸黄色少斑；腹板黄色，被稀疏白色绒毛；背板上具稀疏白色刚毛，多集中于后缘及侧缘处。

足细长，几乎无斑；腿节、胫节棕色，具稀疏的短刚毛；跗节黄色；胫端距浅红棕色，平直，尖端弯曲，伸达第 1 跗节末端；爪浅红棕色，弱小，短于第 5 跗节。

翅狭长，外缘略内凹，翅尖端略呈钩状；前翅前缘区约等于 R 与 Rs 的间距，前缘横脉简单，偶有分支，Rs 分叉点后于 CuA 分叉点，基径中横脉 11 条，简单无分支，Rs 分支为 15 条，翅痣白色，整个前翅密布棕色斑点，无前、后斑克氏线。后翅约等于前翅长，前缘区略窄于 R 与 Rs 间最宽处距离，Rs 分叉点先于 CuA 分叉点，基径中横脉 1 条，Rs 分支 13 条，翅痣白色，仅翅端区密布斑纹，无前、后斑克氏线。

腹部背板深棕色至黑色，具黄色斑点及稀疏白色刚毛。

雌雄生殖器：未知。

检视标本 1 性别不明，正模，海南尖峰岭，1980.Ⅴ.6，腹部缺失，顾茂彬，CAU-N101323。

分布 海南。

21. 英蚁蛉属 *Indophanes* Banks, 1940

Indophanes Banks, 1940: 195. **Type species:** *Myrmeleon barbarus* Walker, 1853; by original designation.

英蚁蛉属 *Indophanes* 世界已知 5 种，主要分布在东洋界。中国确定有 2 种，中华英蚁蛉 *Indophanes sinensis* 分布在四川和贵州，Navás (1927b) 曾记述奥英蚁蛉 *Indophanes audax* 分布在中国，目前我们尚无此种的检视标本。

属征　翅透明少斑。前翅 2A 呈直角弯向 3A，Rs 分叉点后于 CuA 分叉点，基径中横脉 7-8 条；后翅 Rs 分叉点先于 CuA 分叉点，基径中横脉 1 条；胫端距弧形弯曲，常伸达或超过第 2 跗节末端。

分布　中国，印度，尼泊尔，斯里兰卡，印度尼西亚。

(92) 奥英蚁蛉 *Indophanes audax* (Walker, 1853)

Myrmeleon audax Walker, 1853: 338. Type locality: Nepaul, Hardwicke; Weele, 1909a: 19.
Indophanes audax: Banks, 1940: 195.

体砖红色，瘦长。头部在触角附近黑色，头顶有黑色带，触角细长，棒状，与胸部等长，每节的后缘有黑色环，触角膨大的端部黑色。前胸前面较窄，长大于宽，有 4 黑色间断的条纹，外面的 1 对条纹较短。中、后胸黑色，有砖红斑和边缘。腹部黑色，每节的后缘砖红色。足砖红色细长，胫节端部和跗节黑色。翅透明狭长，翅脉白色，前翅有小的浅褐斑，亚前缘脉简单，近翅痣处有少数分叉，一些分叉靠近翅缘，阶脉上有褐色云斑，后面比前面色更深，如同褐色的斜纹向外伸达 Cu 分支的末端。后翅更窄，比前翅略长，在翅缘近 3/4 处有一个小褐斑 (译自 Walker, 1853 原始描述部分内容)。 正模保存在英国伦敦自然历史博物馆 (The Natural History Museum, London, England)。

检视标本　无。

分布　中国，印度，尼泊尔，斯里兰卡，爪哇。

(93) 中华英蚁蛉 *Indophanes sinensis* Banks, 1940 (图版 XVI：5)

Indophanes sinensis Banks, 1940: 196. Type locality: Szechwan.

雌性: 体长 23-24 mm，前翅 30-32 mm，后翅 30-31 mm，腹部 17-18 mm。

雄性: 体长 22-25 mm，前翅 23-28 mm，后翅 23-27 mm，腹部 16-18 mm。

头顶黑色，具棕色条纹；面部，触角窝周边黑色，唇基及上唇黄色，下颚须、下唇须黄色；触角黑色，长度不超过头与胸部长度之和，触角窝间距小于触角窝直径。

前胸背板梯形，深棕色至黑色，具稀疏黑色刚毛，多集中于后缘及侧缘处，中线为 1 黄色纵纹，其两边各有 1 清晰的黄色条纹；中胸与后胸具少量黄色斑纹；腹板黑色，被稀疏白色绒毛。

足细长，基部黄色，端部黑色；第 5 跗节最长，约等于第 2-4 跗节长度之和，第 2-4 跗节各节约等长，第 1 跗节短于第 5 跗节；胫端距浅红棕色，尖端弧形弯曲，常伸达或超过第 2 跗节；爪浅红棕色，发达，与跗节约成 90°角。

前翅具大量散落的小型棕色斑点，前缘区约等于 R 与 Rs 的间距，前缘横脉简单，偶有分支，翅脉黑色与浅黄色相间，Rs 分叉点后于 CuA 分叉点，基径中横脉 7-8 条，简单无分支，Rs 分支为 8-9 条，翅痣白色，中脉亚端斑点状，肘脉合斑斜条纹状，翅外缘具深棕色条斑，无前、后斑克氏线。后翅约与前翅等长，Sc 脉黑色与浅黄色相间，其他大部分纵脉与横脉单色，前缘区略窄于 R 与 Rs 间最宽处距离，Rs 分叉点先于 CuA 分叉点，基径中横脉 1 条，Rs 分支 8-10 条，翅痣白色，中脉亚端斑点状，翅外缘具深棕色条斑，无肘脉合斑，无前、后斑克氏线。

腹部多为暗色调，末端背板具少数浅色斑，雌雄均短于后翅长。

雄性生殖器 (图版XXXIII：3)：雄性肛上片具稀疏刚毛，第 9 腹板腹面观较宽大，生殖弧轻微弯曲成钝角，阳基侧突不合并，呈方形。

雌性生殖器：无 8-内生殖突，8-外生殖突细长，具较长刚毛，9-内生殖突与肛上片具浓密粗大的刚毛。

检视标本 1♀1♂，贵州道真大沙河，1400 m (灯)，2004.Ⅷ.24，贾春枫，CAU-N101856，CAU-N101861；1♂，贵州习水，采集时间、采集人不详，CAU-N101857，CAU-N101858；1♀，无采集标签，CAU-N101863；1♂，贵州习水大白塘，2000. Ⅸ.25，任国栋，CAU-N101860；1♀1♂，贵州习水澜江，2000.Ⅸ.24，宋琼章，CAU-N101859，CAU-N101860；1♀，陕西，1961.Ⅷ.8，杨集昆，CAU-N101864；1♀，芝康，1982. Ⅷ.2，王，CAU-N101862。

分布 陕西、贵州。

22. 双蚁蛉属 *Mesonemurus* Navás, 1920

Mesonemurus Navás, 1920b: 283. **Type species:** *Mesonemurus harterti* Navás, 1920b; by original designation and monotypy.

Lacroixia Navás, 1924b: 212. **Type species:** *Lacroixia sibirica* Navás, 1924b; by original designation and monotypy. Synonymized by Hölzel, 1970a: 259.

Myrmenemurus Navás, 1926a: 45. **Type species:** *Myrmenemurus clavatus* Navás, 1926a; by original designation and monotypy. Synonymized by Hölzel, 1972: 41.

Nefta Navás, 1930a: 125. **Type species:** *Nefta tunetana* Navás, 1930a; by original designation and monotypy. Synonymized by Hölzel, 1972: 41.

双蚁蛉属 *Mesonemurus* 世界已知 9 种，其中蒙古 3 种，俄罗斯 1 种，中亚和西亚分布 6 种。中国已确定 2 种。

属征 前翅 CuP 发出点正对着或靠近基横脉，2A 脉呈直角折向 3A，Rs 分叉点后于 CuA 分叉点；后翅基径中横脉 2 条；后足第 5 跗节短于第 1 跗节，胫端距发达。雄性腹部长于后翅，雌性腹部短于后翅，雄性肛上片形成长的指突状，阳基侧突基部合并端部分叉，侧面观呈弯钩状。雄性无轭坠。

本属最显著的特征是后翅基径中横脉 2 条，但是 Stange (2004) 发现这个属的模式种 *M. harterti* 的后翅偶尔会出现只有 1 基径中横脉的情况。

分布 古北界。

种检索表

前翅散布着许多沿翅脉形成的深色斑点，CuA2 外侧有 2 大翅室，前斑克氏线不明显……………………………………………………………………………………**蒙双蚁蛉 *M. mongolicus***

前翅几乎无斑点，CuA2 外侧有 3 大翅室，前斑克氏线显著…………………**格双蚁蛉 *M. guentheri***

(94) 格双蚁蛉 *Mesonemurus guentheri* Hölzel, 1970 (图版XVII：4)

Mesonemurus guentheri Hölzel, 1970a: 259. Type locality: Mongolia.

雌性：体长 18-23 mm，前翅 20-26 mm，后翅 18-24 mm，腹部 14-17 mm。

雄性：体长 25-32 mm，前翅 21-22 mm，后翅 18-19 mm，腹部 22-26 mm。

头顶隆起，黄色，中纵纹黑色或深棕色，两边各有 1 黑色斑点；颜面黄色，下颚须、下唇须黄色；复眼黑灰色，有黑斑；触角窝及其周围褐色，触角棒状，黑黄相间，末端膨大明显。

前胸背板长大于宽，黄色，具 2 黑色纵带，纵带中部向两侧斜伸出 1 对黑色短条斑；中胸与后胸背板黑色，具稀疏黄色斑纹；腹板黑色，具稀疏白色柔毛。

足黄色至深棕色，较粗壮，具黑色刚毛和弯曲的白色长毛；前足第 5 跗节约等于第 1-4 跗节之和，胫端距伸达第 3 跗节末端；中、后足第 5 跗节略短，胫端距浅红棕色，略弯曲，伸达第 2 跗节末端；爪浅红棕色，长度约为第 5 跗节的 1/2。其中，前足与中足腿节基部内侧具 1 长感觉毛，长度不超过腿节。

翅透明狭长，中部略宽；前翅翅脉黑黄相间，翅痣黄褐色，前缘区略窄于 R 与 Rs 最宽处，前缘横脉简单，几乎无分支，Rs 分叉点后于 CuA 分叉点，基径中横脉 5-6 条，简单无分支，CuA2 的外侧有 3 大翅室，无中脉亚端斑与肘脉合斑，前斑克氏线明显，后斑克氏线不清晰。后翅略短于前翅，比前翅稍窄，翅脉黑黄相间，翅面透明无黑斑，翅痣淡黄色，前缘区约为 R 与 Rs 间最宽处距离的 1/2，Rs 分叉点先于 CuA 分叉点，基径中横脉 2 条，Rs 分支 6-7 条，无中脉亚端斑与肘脉合斑，前斑克氏线清晰，无后斑克氏线。雄性无轭坠。

雄性腹部明显长于后翅，雌性腹部短于后翅，黑色，具稀疏白色刚毛。

雄性生殖器 (图版XXXIII：8)：肛上片下端延伸成长的尾突，长度略短于第 8 腹节的 1/2，弯曲平缓，近似直线，具稀疏刚毛；生殖弧腹面观强烈弯曲，略呈“V”形，阳基侧突基部合并，端部分叉，侧面观呈弯钩状，末端弯曲程度较为平缓。

雌性生殖器：无 8-内生殖突，8-外生殖突纤细，指状，具较密集的长刚毛，无 9-外生殖突，9-内生殖突与肛上片具浓密粗大的挖掘毛。

检视标本 4♀4♂，内蒙古贺兰山，1683 m，2010.Ⅶ.29，詹庆斌，CAU-N102045-CAU-N102052；2♀，宁夏同心 (灯下)，1974.Ⅶ.中，宁夏农科所，CAU-N101410，CAU-N101415；1♂，宁夏西大滩，1974.Ⅵ.1，李伟华，CAU-N101417；1♂，宁夏贺兰山，1980.Ⅶ.21，杨集昆，CAU-N101419；1♀，宁夏中文甘塘，1989.Ⅶ.25，采集人不详，CAU-N101413；1♀，新疆沙湾，1981.Ⅶ.18，采集人不详，CAU-N101411；1♀，新疆乌鲁木齐，1953.Ⅵ.25，黄大文，CAU-N101412；1♀，新疆乌鲁木齐，1964.Ⅵ.6，采集人不详，CAU-N101416。

分布 内蒙古、宁夏、新疆；蒙古。

(95) 蒙双蚁蛉 *Mesonemurus mongolicus* Hölzel, 1970 (图版XVII：3)

Mesonemurus mongolicus Hölzel, 1970a: 262. Type locality: Mongolia.

雌性：体长 16-22 mm，前翅 16-23 mm，后翅 15-21 mm，腹部 13-17 mm。

雄性：体长 25-27 mm，前翅 17-19 mm，后翅 15-17 mm，腹部 19-21 mm。

头顶隆起，黄色，中央具 1 黑色纵带，纵带两边各有 1 黑色斑点；额与唇基黄色，下颚须、下唇须黄色；复眼黑灰色，有黑斑；触角窝及其周围褐色，触角棒状，末端膨大，各节黑黄相间。

前胸背板长大于宽，黄色，具两条黑色纵带，其两侧各有 1 黑色圆形斑点；中、后胸黑色，具稀疏黄色斑纹，腹面两侧具稀疏白色柔毛。

足黄色至棕色，较粗壮；前足第 5 跗节约等于第 1-4 跗节之和，胫端距伸达第 3 跗节末端；中、后足第 5 跗节略短，胫端距浅红棕色，伸达第 2 跗节末端；爪浅红棕色，长度约为第 5 跗节的 1/2。其中，前足与中足腿节基部内侧具 1 长感觉毛，长度不超过腿节。

翅透明狭长，中部略宽；前翅翅脉黑黄相间，翅痣黄褐色，前缘区略窄于 R 与 Rs 最宽处，前缘横脉简单，几乎无分支，Rs 分叉点后于 CuA 分叉点，基径中横脉 5-6 条，简单无分支，CuA2 外侧有 2 大翅室，中脉亚端斑短线状，肘脉合斑附近有线状黑斑，前斑克氏线不明显。后翅略短于前翅，稍窄，翅脉黑黄相间，翅面透明，几乎无黑斑，翅痣淡黄色，内侧有 1 小黑色斑点，前缘区约为 R 与 Rs 间最宽处距离的 1/2，Rs 分叉点先于 CuA 分叉点，基径中横脉 2 条，Rs 分支 6-7 条，无中脉亚端斑与肘脉合斑，靠近后缘与外缘处脉分叉处颜色略深，无前、后斑克氏线。雄性无轭坠。

雄性腹部明显长于后翅，雌性腹部短于后翅，黑色，具稀疏白色刚毛。

雄性生殖器 (图版XXXIII：7)：肛上片下端延伸成长的尾突，长度略短于第 8 腹节的 1/2，弯曲强烈，具稀疏刚毛；生殖弧腹面观强烈弯曲，两臂近似平行，呈“U”形，骨化较弱；阳基侧突基部合并，端部叉状，侧面观呈弯钩状，末端弯曲程度明显。

雌性生殖器：无 8-内生殖突，8-外生殖突纤细，指状，具较稀疏的长刚毛，无 9-外生殖突，9-内生殖突与肛上片具浓密粗大的挖掘毛。

检视标本 28♀5♂，内蒙古鄂托克前旗，1992.Ⅶ.21，李志红，CAU-N101356，CAU-N101357，CAU-N101358，CAU-N101359，CAU-N101360，CAU-N101361，CAU-N101362，CAU-N101363，CAU-N101364，CAU-N101365，CAU-N101366，CAU-N101367，CAU-N101368，CAU-N101369，CAU-N101370，CAU-N101371，CAU-N101372，CAU-N101373，CAU-N101374，CAU-N101375，CAU-N101376，CAU-N101377，CAU-N101378，CAU-N101379，CAU-N101380，CAU-N101381，CAU-N101382，CAU-N101383，CAU-N101384，CAU-N101385，CAU-N101386，CAU-N101387，CAU-N101388；1♂，内蒙古伊金霍洛旗，1400 m，2002.Ⅷ.26，王颖，CAU-N101389；1♀，内蒙古伊金霍洛旗，2002.Ⅷ.20，刘罡，CAU-N101396；1♀，内蒙古深城县蛮汉山林场，1978.Ⅷ.1，杨集昆，CAU-N101397；1♀，陕西佛坪县，1985.Ⅶ.17，孙文杰，CAU-N101393；1♀，青海都兰

希里沟，1950.Ⅶ.31，陆宝麟，杨集昆，CAU-N101399；1♂，宁夏同心马家河，1500 m，1980.Ⅶ.19，李法圣，CAU-N101390；1♀，中矛大战场 (灯下)，1990.Ⅷ.6，宁夏农科院植保所，CAU-N101392；1♀，宁夏同心草原，1963.Ⅶ.29，宁夏农科所，CAU-N101398；4♀，宁夏白极滩 (灯下)，1975.Ⅷ.15，宁夏农科所，CAU-N101401，CAU-N101402，CAU-N101403，CAU-N101404。

分布　内蒙古、陕西、宁夏、青海；蒙古。

23. 白云蚁蛉属 *Paraglenurus* Weele, 1909

Paraglenurus Weele, 1909: 29. **Type species:** *Myrmeleon scopifer* Gerstaecker, 1888; by original designation.

Glenuroides Okamoto, 1910a: 294. **Type species:** *Glenuroides communis* Okamoto, 1910a; by original designation. Synonymized by Stange, 2004: 212.

Eoleon Navás, 1921: 65. **Type species:** *Glenuroides japonicus* Mclachlan, 1867; by original designation. Synonymized by Stange *et al.*, 2002: 149.

世界共报道 10 种，除 1 种发现于马达加斯加岛，其余均分布在东洋界。中国报道 5 种，其中 4 种台湾有分布。幼虫居住于海滩或河边沙地上。

属征　前翅端区具白斑，2A 脉呈直角弯向 3A，Rs 分叉点后于 CuA 分叉点，基径中横脉不少于 7 条；后翅 Rs 分叉点先于 CuA 分叉点，基径中横脉 1 条；雄性无轭坠。距短小，仅伸达或超过第 1 跗节末端。雄性阳基侧突腹面观分开呈叶片状，雌性无 8-内生殖突，8-外生殖突细长，指状。

分布　亚洲，马达加斯加。

种 检 索 表

前翅端区具大型白斑，肘脉合斑块状，长为宽的 2 倍；后翅中脉亚端斑远大于前翅肘脉合斑 ……………………………………………………………………………………………………白云蚁蛉 *P. japonicus*

前翅端区具小型白斑，肘脉合斑斜线状，长为宽的 3 倍以上；后翅中脉亚端斑小于前翅肘脉合斑 ……………………………………………………………………………………………………小白云蚁蛉 *P. pumilus*

注：*P. littoralis* 和 *P. lotzi* 因无检视标本，所以未编入检索表。

(96) 白云蚁蛉 *Paraglenurus japonicus* (McLachlan, 1867) (图版XVI：2)

Glenurus japonicus McLachlan, 1867: 248. Type locality: Japan; Okamoto, 1932: 1528; Matsumura, 1931: 1157; Ishihara, 1970: 162; Yang, 1992b: 647.

Paraglenurus japonicus: Stange, 2004: 213.

Glenuroides communis Okamoto, 1910a: 295. Synonymized by Kuwayama, 1966a: 138.

雌性：体长 25-35 mm，前翅 30-37 mm，后翅 29-37 mm，腹部 20-26 mm。

雄性：体长 26-34 mm，前翅 30-36 mm，后翅 30-36 mm，腹部 20-27 mm。

头顶隆起处为1棕黑色的横带，其余部分亮黑色，无斑；下颚须、下唇须黄色；唇基上具稀疏黄色刚毛；触角各节黑黄相间，端部及基部数节以黑色为主，中间部分以黄色为主，触角窝至头顶亮黑色，触角窝以下黄色，触角窝间距小于触角窝直径。

胸部背板深棕色至黑色无斑，腹板中央具1黄色纵条纹；前胸背板梯形，狭长，具稀疏黑色刚毛，中、后胸背板几乎无毛。

足细长，黄色，具稀疏黑色刚毛与散落黑色斑点；胫节端部黑色；中足腿节、胫节外侧棕色；第5跗节与第1跗节几乎等长，均略长于第2-4跗节，大部分黄色，仅第5跗节端部黑色并着生黑色浓密刚毛，尤以内侧居多；胫端距浅红棕色，平直短小，几乎与第1跗节等长；爪浅红棕色，平直，强烈折向第5跗节内侧。

翅透明而狭长，具少量棕色至黑色斑点；前翅翅脉黑色与浅黄色相间，前缘区宽于R与Rs的间距，前缘横脉简单，靠近翅痣处偶有分支，Rs分叉点后于CuA分叉点，基径中横脉8-10条，简单无分支，Rs分支为11-13条，翅痣白色，中脉亚端斑点状，因个体差异大小不等，肘脉合斑大于中脉亚端斑，多斜向外延伸，翅端区具1大型乳白色云斑，无前、后斑克氏线。后翅约等于前翅长，Sc脉黑色与浅黄色相间，其他大部分纵脉与横脉单色，前缘区略窄于R与Rs间最宽处距离，Rs分叉点先于CuA分叉点，基径中横脉1条，Rs分支10-11条，翅痣白色，中脉亚端斑大型，翅端区具1大型乳白色云斑，尖端及外缘棕色，无肘脉合斑，无前、后斑克氏线。

腹部短于后翅长，深棕色至黑色，具稀疏白色和黑色刚毛，腹部末端愈加浓密；1-5节背板中部及后缘大多具淡黄色横斑，3-4节更明显。

雄性生殖器 (图版XXXIII：1)：雄性肛上片具较长刚毛，生殖弧弯曲成锐角，阳基侧突不合并，呈方形。

雌性生殖器：无8-内生殖突，8-外生殖突发达，细长具浓密长毛，长度约是宽度的4倍，9-内生殖突挖掘毛发达，肛上片具浓密长毛。

检视标本　1♀，江苏云台山，1986.Ⅶ.2，采集人不详，CAU-N101255；2♀，浙江泰顺乌岩岭，650 m，2005.Ⅶ.28，王志良，CAU-N101976，CAU-N101259；1♂，浙江天目山七里亭，1998.Ⅷ.17，采集人不详，CAU-N101808；雌雄不详，浙江庆元百山祖，800 m，1993.Ⅷ.17，吴鸿，CAU-N101994；1♀，浙江西天目山，2006.Ⅷ.19，史宏亮，CAU-N101978；1♀，安徽黄山温泉，1976.Ⅷ.1，CAU-N101990；1♀，安徽黄山云谷寺，1977.Ⅶ.18，杨集昆，CAU-N101986；1♂，安徽黄山云谷寺，1977.Ⅶ.20，杨集昆，CAU-N101996；1♀，福建武夷山先锋岭，1987.Ⅸ.19，汪象社，CAU-N101984；1♀，福建三港，1983.Ⅶ.29，汪江，CAU-N101985；1♀，福建林学院，1984.Ⅶ.16，庄碧娥，CAU-N101988；1♀，福建三港，1998.Ⅷ.3，汪江，CAU-N101989；1♀，采集信息不祥，CAU-N101997；腹部缺失，采集信息不详，CAU-N101286；1♂，福建龙岩丘山，1988.Ⅶ.27，杨集昆、范襄，CAU-N101816；1♂，山东昆仑山，2005.Ⅶ.24，常磊，CAU-N101993；1♂，山东昆仑山，2005.Ⅶ.24，陈峰辉，CAU-N101992；5♀10♂，河南内乡宝天曼，1350 m，2004.Ⅶ.24，王志良，CAU-N100176，CAU-N100190，CAU-N100521，CAU-N100522，CAU-N100556-561，CAU-N100568-570，CAU-N101796，CAU-N101813；1♂，河南信阳鸡公山，700 m，1997 .Ⅶ.12，赵芳，CAU-N101815；1♂，河南白云山，2002.Ⅶ.19，

鲍荣，CAU-N101991；1♀，无采集标签，CAU-N101250；1♂，湖北兴山龙门河，1350 m，1993.Ⅶ.15，孙宝文，CAU-N101995；1♂，湖南南岳磨镜台，1963.Ⅵ.22，杨集昆，CAU-N101987；1♀，广西龙州弄岗，330 m，2000.Ⅵ.15，李文柱，CAU-N101801；1♀，广西金秀圣堂山，900 m，1999.Ⅴ.18，张学忠，CAU-N101802；1♀，广西兴安猫儿山，900 m，2005.Ⅷ.3，赵萍，CAU-N101980；1♀，采集地不详，1985.Ⅶ.28，采集人不详，CAU-N101253；1♂，无采集标签，CAU- N101256。

分布　山东、河南、江苏、安徽、浙江、湖北、湖南、福建、台湾、广西；韩国，日本。

(97) 弯爪蚁蛉 *Paraglenurus littoralis* Miller & Stange, 1999

Paraglenurus littoralis Miller & Stange, 1999: 56. Type locality: Taiwan.

前翅与后翅约 29 mm，前翅有中脉亚端斑和肘脉合斑。体褐色，足较短，前足腿节长为最宽处的 8 倍，约为感觉毛的 3 倍。后足跗节长为宽的 3 倍，约与爪等长；端跗节腹面基部有钩状毛垫 (Stange *et al*., 2003)。

检视标本　无。

分布　台湾。

(98) 姬弯爪蚁蛉 *Paraglenurus lotzi* Miller & Stange, 1999

Paraglenurus lotzi Miller & Stange, 1999: 58. Type locality: Taiwan.

前翅与后翅 23-24 mm。头顶大部分为淡褐色，足较长，前足腿节长约为宽的 10 倍，约为感觉毛长的 4 倍；后足基跗节长约为宽的 4 倍，比爪更长。爪略长于端跗节的 1/2，长于胫节端距。端跗节腹面的刚毛垫伸过跗节的基部。腹部比前翅更长 (Stange *et al*., 2003)。

检视标本　无。

分布　台湾。

(99) 小白云蚁蛉 *Paraglenurus pumilus* (Yang, 1997) (图版 XVI：3)

Glenuroides pumilus Yang, 1997: 616. Type locality: Fujian (Dongshan).

Paraglenurus pumilus: Stange, 2004: 214.

雌性：体长 27 mm，前翅 30 mm，后翅 28 mm，腹部 20 mm。

雄性：体长 22 mm，前翅 21 mm，后翅 20 mm，腹部 16 mm。

头顶棕色，具 2 横向黑斑；额黑色，触角窝以下黄色，下颚须、下唇须黄色；唇基上具稀疏黄色刚毛；触角黄色，细长，触角窝间距小于触角窝直径。

前胸背板浅棕色，梯形，狭长，靠近后缘具两个黑色纵斑；中、后胸背板浅棕色，具稀疏黑色斑纹；腹板浅棕色，中央具 1 黄色纵条纹。

足细长，黄色，具稀疏黑色刚毛，几乎无斑；中足腿节、胫节外侧棕色；中、后足胫节端部黑色；第5跗节与第1跗节几乎等长，均略长于第2-4跗节之和，大部分黄色；第5跗节黑色并着生黑色浓密刚毛，尤以内侧居多；胫端距浅红棕色，平直短小，几乎与第1跗节等长；爪浅红棕色，平直，折向第5跗节内侧。

翅透明而狭长，具少量棕色至黑色斑点；前翅翅脉黑色与浅黄色相间，前缘区宽于R与Rs的间距，前缘横脉简单，靠近翅痣处偶有分支，Rs分叉点后于CuA分叉点，基径中横脉10条，简单无分支，Rs分支为8条，翅痣白色，基部具1小型斑点，中脉亚端斑点状，肘脉合斑为很细的条纹，斜向外延伸，翅端区具1小型乳白色云斑，翅外缘棕色加深，无前、后斑克氏线。后翅约与前翅等长，Sc脉黑色与浅黄色相间，其他大部分纵脉与横脉单色，前缘区略窄于R与Rs间最宽处距离，Rs分叉点先于CuA分叉点，基径中横脉1条，Rs分支7条，翅痣白色，中脉亚端斑大型，翅端区具1小型乳白色云斑，翅外缘棕色加深，无肘脉合斑，无前、后斑克氏线。

腹部短于后翅长，深棕色至黑色，具稀疏白色和黑色刚毛，腹部末端愈加浓密，1-5节背板中部及后缘大多具淡黄色横向斑点，尤以3-4节明显。

雄性生殖器：未解剖。

雌性生殖器：未知。

检视标本　1♂，正模，福建东山，1980.IX.26，福建林业厅007，CAU-N101237。1♀，云南布朗山，2011. IV.26，闻慧，CAU-N102093。

分布　福建、台湾、云南。

(100) 巨弯爪蚁蛉 *Paraglenurus riparius* Miller & Stange, 1999

Paraglenurus riparius Miller & Stange, 1999: 58. Type locality: Taiwan.

前翅与后翅28-34 mm。头顶亮黑色。足较长，前足腿节长约为宽的10倍，约为感觉毛长的4倍；后足基跗节长约为宽的4倍，长于爪。爪略长于端跗节的1/2，长于胫端距。端跗节腹面的刚毛垫伸过跗节的基部。腹部与翅等长 (Stange *et al*., 2003)。

检视标本　无。

分布　台湾。

24. 齿爪蚁蛉属 *Pseudoformicaleo* Weele, 1909

Pseudoformicaleo Weele, 1909a: 25. **Type species:** *Myrmeleon gracilis* Klug, 1834; by subsequent designation of Kuwayama, 1962: 384.

Tahulus Navás, 1912e: 112. **Type species:** *Tahulus caligatus* Navás, 1912e; by original designation and monotypy. Synonymized by Esben-Petersen, 1915: 67.

Nadal Navás, 1913a: 454. **Type species:** *Nadal anterior* Navás, 1913a; by monotypy. Synonymized by Hölzel, 1972: 60.

Pseudoplectron Navás, 1914f: 467. **Type species:** *Protoplectron costatus* Banks, 1910; by original designation. Synonymized by Esben-Petersen, 1917: 204.

Exiliunguleon Yang, 1999b: 153. **Type species:** *Exiliunguleon nanus* Yang, 1999; by original designation and monotypy. Synonymized by Krivokhatsky, 2012: 571.

齿爪蚁蛉属 *Pseudoformicaleo* 世界共报道 9 种，分布于古北界、东洋界和非洲界，中国已确定 1 种。

杨集昆 (1986) 在《云南脉翅目三十新种四新属描述及旌蛉科的中国新记录》一文中发表了本属 1 新种：淡齐脉蚁蛉 *Pseudoformicaleo pallidius*，通过核查模式标本，发现该种的爪并没有齿，而爪有齿这个特征是齿爪蚁蛉属 *Pseudoformicaleo* 最重要的属征，因此，该种应该被移出齿爪蚁蛉属，根据该种的后翅基径中横脉 4 条，笔者认为该种应归入蚁蛉族 Myrmeleontini。

杨集昆 (1992b) 在《湖南森林昆虫图鉴》中描述了本属的另 1 种：杰齐脉蚁蛉 *Pseudoformicaleo jacobsoni* (Mclachlan,1867)，论文发表时参照的标本已丢失，但根据杨集昆 (1992b) 对鉴定为 *Pseudoformicaleo jacobsoni* 的标本描述，该种的爪具短齿，但该标本的特征图显示后翅基径中横脉 7-8 条，因此，该种的鉴定结果存在严重的问题，可以确定杨集昆 (1992b) 描述的这个湖南标本不是真正的 *Pseudoformicaleo jacobsoni* (Mclachlan,1867)，很有可能是 Nesoleontini 的属种，由于标本已丢失，无法做进一步的研究。Stange (2004)将 *Pseudoformicaleo jacobsoni* (Mclachlan,1867) 作为 *Pseudoformicaleo nubecula* 的异名。

属征　前翅 2A 脉呈直角弯向 3A，Rs 分叉点后于 CuA 分叉点，CuA 分叉点后两排小室平行而整齐排列，CuA2 与 CuP+1A 平行至近翅中部，以横脉相连；后翅基径中横脉 1 条，Rs 分叉点先于 CuA 分叉点；胫端距伸达第 1 跗节末端，爪尖端约 1/3 处有齿；雄性生殖弧强烈弯曲成锐角，阳基侧突合并，腹面观叉子状，侧面观弯沟状。

分布　亚洲，澳大利亚，非洲。

(101) 齿爪蚁蛉 *Pseudoformicaleo nubecula* (Gerstaecker, 1885) (图版 XVII：5)

Creagris nubecula Gerstaecker, 1885: 101. Type locality: Australia (Rockhampton).

Pseudoformicaleo jacobsoni Weele, 1909a: 27. Synonymized by Esben-Petersen, 1915: 67.

Creagris matsuokae Okamoto, 1910a: 282. Synonymized by Adams, 1959: 15.

Creagris horikawae Nakahara, 1913b: 527. Synonymized by Kuwayama, 1962: 384.

Tahulus caligatus Navás, 1912e: 113. Synonymized by Esben-Petersen, 1915: 67.

Tahulus aestenicus Navás, 1914a: 140. Synonymized by Esben-Petersen, 1920: 191.

Protoplectron costatus Banks, 1910: 41. Synonymized by Esben-Petersen, 1915: 67.

Exiliunguleon nanus Yang, 1999b: 154. Synonymized by Krivokhatsky, 2012: 571.

Pseudoformicaleo nubecula: Esben-Petersen, 1915: 67.

雌性：体长 33-36 mm，前翅 34-39 mm，后翅 33-37 mm，腹部 20-26 mm。

雄性：体长 26-32 mm，前翅 22-28 mm，后翅 20-24 mm，腹部 22-25 mm。

头顶黑色，具黄色杂乱条纹；下颚须、下唇须红棕色，唇基上具稀疏黑色刚毛；触角各节黑黄相间，以黑色为主，触角窝间距小于触角窝直径。

前胸背板梯形，狭长，深棕色，具两条黑色纵纹，多集中于后缘及侧缘处；中、后胸黑色，具少量黄色斑纹；腹板黑色，被稀疏白色绒毛。

足较粗壮；基节与腿节黑色，胫节黑黄相间，跗节大部分黑色，仅第 5 跗节棕色；腿节着生较浓密的白色刚毛，胫节多着生黑色短刚毛，跗节具较粗壮的稀疏黑色刚毛；胫节短于腿节；第 5 跗节与第 1 跗节约等长，并约等于第 2-4 跗节之和；胫端距浅红棕色，平直，伸达第 1 跗节末端；爪浅红棕色，发达，略折向内侧；爪距尖端约 1/3 处具 1 凸起的齿，钝三角形。其中，前足与中足腿节基部各具 1 长的感觉毛，但长度不超过腿节；后足腿节内侧中间着生 1 排密集而细长的黑色刚毛，长度约为腿节长度的 1/2；中足胫节端部外侧具 1 凸起的圆形黑色斑点，斑点中央着生 1 白色短毛。雌性后足腿节内侧无 1 排密集而细长的黑色刚毛。

翅透明而狭长；前翅纵脉黑色与浅黄色相间，横脉多数浅黄色，前缘区约等于 R 与 Rs 间最宽处距离，前缘横脉简单，几乎无分支，Rs 分叉点后于 CuA 分叉点，基径中横脉 7 条，简单无分支，Rs 分支为 11-12 条，CuA 区分叉点后两排小室平行而整齐排列，且 CuA2 与 CuP+1A 亦平行，交汇处形成半圆形的脉，翅痣中间白色，两侧黑色，中脉亚端斑微型，几乎不可见，肘脉合斑小型，棕色或无，无前斑克氏线，后斑克氏线清晰可见。后翅略短于前翅，Sc 与 R 脉黑色与浅黄色相间，其他大部分纵脉与横脉浅黄色，前缘区略窄于 R 与 Rs 间最宽处距离，Rs 分叉点先于 CuA 分叉点，基径中横脉 1 条，Rs 分支 10-11 条，翅痣白色不明显，中脉亚端斑微点状或无，无肘脉合斑，无前、后斑克氏线。

腹部黑色无斑，具稀疏白色刚毛，但雌性腹部不超过后翅长。

雄性生殖器 (图版 XXXIII：4)：肛上片具较长黑色刚毛，生殖弧强烈弯曲成锐角，阳基侧突短而宽，基部合并端部分叉，呈弯钩状。

雌性生殖器：无 8-内生殖突，8-外生殖突纤细，锥状，9-内生殖突与肛上片挖掘毛浓密粗大。

检视标本 1♂，北京怀柔青龙峡大水峪村，2004.Ⅶ.7，贾春枫，CAU-N101868；1♂，北京妙峰山，1954.Ⅶ.6，杨集昆，CAU-N101340；1♀，浙江省遂昌县靖居林业站，1980.Ⅶ.14，采集人不详，CAU-N101336；1♂，安徽黄山温泉，1977.Ⅶ.24，李法圣，CAU-N101335；1♂，福建龙海港尾，1980.Ⅹ.10，福建林业厅，CAU-N101333；1♀，山西晋城陌城县，2007.Ⅷ.8，800 m，张徐波，CAU-N101695；1♂，山东泰山，1953.Ⅷ.1，采集人不详，CAU-N101869；1♀，贵州，1963.Ⅵ.20，采集人不详，CAU-N101334；1♀，采集地不详，1981.Ⅶ，采集人不详，CAU-N101337；1♀，采集地不详，1941.Ⅷ.25，采集人不详，CAU-N101338；1♀，贵州，1963.Ⅵ.20，采集人不详，CAU-N101339；1(腹部缺失，性别不详)，贵州罗甸，1963.Ⅵ.11，采集人不详，CAU-N101341。

分布 北京、山西、山东、安徽、浙江、福建、贵州；日本，斯里兰卡，马来西亚，印度尼西亚，澳大利亚，帕劳群岛。

25. 云蚁蛉属 *Yunleon* Yang, 1986

Yunleon Yang, 1986: 425. **Type species:** *Yunleon longicorpus* Yang, 1986; by original designation.

云蚁蛉属 *Yunleon* 已知 2 种，均分布于中国。Stange (2004)将 *Yunleon* 并入印蚁蛉属 *Indoleon*，笔者认为 *Yunleon* 与 *Indoleon* 有显著的区别，前者前翅 Rs 分叉点先于 CuA 分叉点，翅上斑很少，而后者前翅 Rs 分叉点后于 CuA 分叉点，翅上密布斑点和斑纹。因此，笔者坚持 *Yunleon* 为有效属。

属征　前翅 2A 脉呈直角弯向 3A，Rs 分叉点先于 CuA 分叉点，Rs1 与 M 之间有较密集的横脉列，直至中脉亚端斑。后翅基径中横脉 1 条，Rs 分叉点先于 CuA 分叉点；胫端距平直，尖端弯曲，伸达第 2 跗节；雄性腹部长于后翅，雌性腹部短于后翅。雄性无轭坠。

分布　中国。

种检索表

雄性后翅无斑，雌性后翅近外缘处有 1 清晰的棕色斜纹；雄性腹部显著长于后翅，雌性腹部短于后翅……………………………………………………………………**长腹云蚁蛉 *Y. longicorpus***

雄性未知，雌性后翅端部有 4 黄褐斑；雌性腹部短于后翅…………………**纹腹云蚁蛉 *Y. fluctosus***

(102) 纹腹云蚁蛉 *Yunleon fluctosus* Yang, 1988 (图版XIV：5)

Yunleon fluctosus Yang, 1988: 206. Type locality: Xizang.

雌性：体长 32-36 mm，前翅 36-43 mm，后翅 34-42 mm，腹部 26-30 mm。

雄性：未知。

头顶黑色，具 1 黄色横纹及其后面 1 黄色环形斑纹；额唇基黄色，下颚须、下唇须黄色；触角细长，但短于头胸之和，各节黑黄相间，端部以黑色为主，触角窝周边至头顶黑色，触角窝间距小于触角窝直径。

前胸背板梯形，深棕色至黑色，中线为 1 模糊的黄色条纹，其两边各有 1 短而清晰的黄色纵纹；中胸与后胸无斑；腹板黑褐色，被稀疏白色绒毛。

足黄色细长，散落稀疏黑色斑点；腿节、胫节端部黑色，胫节外侧具黑色条状及点状斑纹；第 1-2 跗节黄色，第 3-5 跗节黑色，具较浓密黑色刚毛，第 5 跗节约等于第 2-4 跗节之和，第 1 跗节分别略长于第 2-3 跗节；胫端距红棕色，平直，尖端弯曲，伸达第 2 跗节末端；爪浅红棕色，发达，短于第 5 跗节。其中，前足腿节具较长黑色刚毛及 1 感觉毛，长度不超过腿节；中、后足腿节与胫节具排列整齐成梳状的黑色短刚毛和少数白色刚毛。

翅透明而狭长，具清晰棕色斑纹；前翅纵脉黑色与浅黄色相间，横脉多数浅黄色，前缘区明显宽于 R 与 Rs 的间距，而与 Rs1 与 M 的间距约等宽，前缘横脉简单，偶有分支，Rs 分叉点先于 CuA 分叉点，基径中横脉 9-11 条，简单无分支，Rs 分支为 7-9 条，Rs1 与 M 之间有密集的横脉列，直至中脉亚端斑。翅痣黄白色，基部具 1 浅黑色斑点，中脉亚端斑为 1 斜纹，肘脉合斑大型，呈弧形弯曲，翅后缘散落稀疏小型斑，无前、后斑克氏线。后翅略短于前翅，除 Sc 与 R 脉黑黄相间外，其他翅脉黄色，前缘区约等于 R 与 Rs 间最宽处距离，Rs 分叉点先于 CuA 分叉点，基径中横脉 1 条，Rs 分支 9-10 条，翅痣白色，中脉亚端斑点状，无肘脉合斑，端区靠近外缘处有 1 条清晰的棕色斜纹，无前、后斑克氏线。

腹部深棕色至黑色，着生白色刚毛，末端着生黑色绒毛；背板及腹板上密布横向的白色波状纹。

雄性生殖器：未知。

雌性生殖器：无 8-内生殖突，8-外生殖突长且粗大，9-内生殖突挖掘毛不发达，肛上片着生浓密的黑色长毛。

检视标本　1♀，正模，西藏波密易贡，2300 m，1978.Ⅵ.15，李法圣，CAU-N101838。3♀，副模，西藏扎木，2700 m，1978.Ⅶ.22，李法圣，CAU-N101839，CAU-N101840，CAU-N101841；1♀，西藏通麦，2005.Ⅷ.3，黄灏，CAU-N101842；1♀，西藏东久，2005.Ⅷ.2，黄灏，CAU-N101843。

分布　西藏。

(103) 长腹云蚁蛉 *Yunleon longicorpus* Yang, 1986 (图版 XIV：4)

Yunleon longicorpus Yang, 1986: 425. Type locality: Yunnan (Zhaotong).

雌性：体长 35-37 mm，前翅 40-41 mm，后翅 36-38 mm，腹部 28-30 mm。

雄性：体长 55 mm，前翅 34 mm，后翅 31 mm，腹部 50 mm。

头顶棕色，具黑色横向条纹；颜面黄色，下颚须、下唇须黄色；触角棕色，细长，但短于头胸之和；触角窝周边棕色，触角窝间距小于触角窝直径。

前胸背板梯形，棕色，具 1 黄色纵纹，仅从前胸背板前缘延伸至横沟；中、后胸棕色少斑；腹板棕色，被稀疏白色绒毛。

足黄色细长，散落稀疏黑色斑点；腿节、胫节外侧浅棕色；跗节黄色，具较浓密黑色刚毛，第 5 跗节约等于第 1-4 跗节之和；胫端距浅红棕色，平直，尖端弯曲，伸达第 2 跗节末端；爪浅红棕色，发达，短于第 5 跗节。其中，前足腿节具较长黑色刚毛及 1 感觉毛，长度不超过腿节；中、后足腿节与胫节具排列整齐呈梳状的黑色短刚毛。

翅透明而狭长；前翅翅脉浅棕色，前缘区明显宽于 R 与 Rs 的间距，前缘横脉简单，偶有分支，Rs 分叉点先于 CuA 分叉点，基径中横脉 9 条，简单无分支，Rs 分支为 10 条，Rs1 与 M 之间有较密集的横脉列，直至中脉亚端斑。翅痣白色，基部具 1 浅黑色斑点，中脉亚端斑深棕色，点状，肘脉合斑小型，棕色，无前、后斑克氏线。后翅略短于前翅，翅脉浅棕色，前缘区约等于 R 与 Rs 间最宽处距离，Rs 分叉点先于 CuA 分叉点，基径中横脉 1 条，Rs 分支 11 条，翅痣白色，中脉亚端斑微小，几乎不可见，无肘脉合斑，无前、后斑克氏线。雌性后翅端区靠近外缘处有 1 清晰的棕色斜纹。

腹部棕色无斑，具稀疏白色刚毛。

雄性生殖器 (图版XXXⅡ: 3): 雄性肛上片具较长黑色刚毛，生殖弧成矩形片状延伸，与阳基侧突相离，两端纤细弯曲，阳基侧突不合并，呈菱形，后端延伸出长的尖形凸起。

雌性生殖器：无 8-内生殖突，8-外生殖突长且粗大，9-内生殖突挖掘毛不发达，肛上片着生浓密的黑色长毛。

检视标本 1♀，正模，云南昭通地区巧家县，3003 m，1980.Ⅵ.15，任禝佑，CAU-N101846。1♂，副模，云南大理白族自治州永平县龙门，2400 m，1980.Ⅴ.13，CAU-N101844；1♀，副模，云南昭通地区巧家县，3003 m，1980.Ⅵ.15，任禝佑，CAU-N101845。

分布 云南。

囊蚁蛉族 Myrmecaelurini Esben-Petersen, 1918

囊蚁蛉族几乎全部生活在古北界和北非的沙漠地带，仅 *Furgella* 和 *Nannoleon* 报道分布于非洲南部。*Solter* 幼虫大多栖息在探头石下，其他属的幼虫栖息在裸露的沙地上，*Myrmecaelurus* 和 *Isoleon* 的一些种有做漏斗穴的习性。

根据 Stange (2004) 《世界蚁蛉名录》，囊蚁蛉族世界已知 16 属 151 种。除 *Myrmecaelurus* (74 种，合并 *Aspoeckina* 和 *Nohoveus*) 和 *Solter* (28 种) 较大外，其余属的物种数量均在 10 种以下。*Aspoeckina* 和 *Nehoveus* 在 Stange (2004) 《世界蚁蛉名录》中被列在 *Myrmecaelurus* 的异名中，而 Krivokhatsky 等 (2012) 将这 2 属仍作为有效属。本卷采纳 Krivokhatsky 等 (2012) 的意见。中国囊蚁蛉族目前已确定 4 属 9 种，均分布于古北界。

族征 2A 脉呈弧形弯曲平缓地伸达 3A；后翅基径中横脉 2 条以上，Rs 分叉点后于 CuA 分叉点。触角间距大于柄节的宽度，雌性 9-内生殖突较大，挖掘毛长超过生殖突的宽。雄性无轭坠。一些属的雄性腹部具毛刷。

属检索表

1 前翅肘脉合斑斜线状，雄性腹部无毛刷，雌性第 7 腹板后缘两端呈指状突起 ………………………………………………………… **蒙蚁蛉属 *Mongoleon***

前翅无肘脉合斑，雄性腹部有 2 对毛刷，雌性第 7 腹板后缘两端较平直 ……………… 2

2 雄性肛上片长尾突形，侧面观尾突≥腹部的宽度 ……………… **阿蚁蛉属 *Aspoeckina***

雄性肛上片下端短突形，侧面观尾突＜腹部的宽度 ……………… 3

3 前翅 Rs 不伸达痣下室下方，雄性生殖弧侧面观末端弯而尖 ……………… **瑙蚁蛉属 *Nohoveus***

前翅 Rs 伸达痣下室下方约 1/3 处，雄性生殖弧侧面观末端直而粗 …… **囊蚁蛉属 *Myrmecaelurus***

26. 阿蚁蛉属 *Aspoeckina* Hölzel, 1972

Aspoeckina Hölzel, 1972: 18. **Type species:** *Aspoeckiana uralensis* Hölzel, 1969; by original designation.

Aspoeckiana Hölzel, 1969: 287. **Type species:** *Aspoeckiana uralensis* Hölzel, 1969; by original designation. Synonymized by Hölzel, 1972: 18.

Hölzel (1969)曾将本属命名为 *Aspoeckiana*，其后发现此名与粉蛉科中的 *Aspoeckiana* Kis, 1969 为异物同名关系，1972 年 Hölzel 为本属起新名，为 *Aspoeckina*。

该属与囊蚁蛉属极其相似，唯一的区别是雄性肛上片为长尾突形，侧面观尾突大于或等于腹部的宽度。该属世界共报道 6 种，均分布在亚洲。中国发现 1 种。

属征 前翅 2A 脉呈弧形平缓折向 3A，Rs 分叉点后于 CuA 分叉点；后翅基径中横脉为 2 条以上；雄性无轭坠；雄性腹部长于后翅，雌性腹部短于后翅；雄性肛上片长尾突形。

分布 亚洲。

(104) 乌拉尔阿蚁蛉 *Aspoeckina uralensis* (Hölzel, 1969) (图版 XVII：6)

Aspoeckiana uralensis Hölzel, 1969: 288. Type locality: Uralsk.
Aspoeckina uralensis: Hölzel, 1972: 18.

雌性：体长 21-26 mm，前翅 24-27 mm，后翅 22-24 mm，腹部 15-20 mm。

雄性：体长 33-37 mm，前翅 26-28 mm，后翅 24-25 mm，腹部 28-30 mm。

头顶黄色，中央为 1 黑色纵纹，前方具两个向中间倾斜的椭圆形黑斑，后方为 2 近圆形棕色斑点；唇基及上唇黄色，下颚须、下唇须黄色，端部黑色膨大不明显，唇基上具稀疏黑色刚毛；触角黑色，端部具黄斑，触角窝中间黑色，稍向上下扩展，触角窝间距约等于触角窝直径的 1.5 倍。

胸部背板黄色，具黑色纵纹，生有白色刚毛，多集中于前缘、侧缘及后缘，其中前胸背板具 3 细长纵纹，且侧面 2 条不延伸至背板前缘；中胸与后胸背板各具 3 粗短纵纹；腹板黄色，具少量黑色斑纹，生有稀疏白色柔毛。

足黄色，较粗壮，几乎无斑，生有稀疏黑色刚毛；腿节外侧与跗节端部棕色；第 5 跗节约等于第 1-3 跗节之和，第 1 跗节略长；胫端距浅红棕色，短小平直，常伸达第 1 跗节末端；爪浅红棕色，长度约为第 5 跗节的 1/2。其中，前足与中足腿节基部内侧具 1 感觉毛，长度约为腿节长的 1/2。

前翅翅脉大部分黑黄相间，前缘区约等于 R 与 Rs 间距，前缘横脉简单，几乎无分支，Rs 分叉点后于 CuA 分叉点，基径中横脉 6-7 条，简单无分支，Rs 分支为 9-10 条，翅痣黄色，无中脉亚端斑，无肘脉合斑，前斑克氏线清晰，后斑克氏线不清晰。后翅略短于前翅，翅脉颜色与前翅相似，前缘区略窄于 R 与 Rs 间距，Rs 分叉点后于 CuA 分叉点，基径中横脉 5 条，Rs 分支 9-10 条，翅痣黄色，前斑克氏线清晰，后斑克氏线不清晰。

雌性腹部短于后翅，背板黄色，具 3 黑色纵纹，生有较密白色毛，腹板黑色无斑；雄性腹部长于后翅，腹部第 6、7 腹节背板后缘两端各具 1 对毛刷。

雌性生殖器：第 7 腹板后缘平直，无 8-内生殖突，8-外生殖突粗大，指状具浓密的黑色长毛；9-内生殖突具细长的弯钩状挖掘毛；肛上片椭圆形，生有黑色长毛。

雄性生殖器 (图版XXXIV：6)：肛上片下端呈长的指状突起，侧面观尾突≥腹部的宽度。

检视标本　1♀，北京百望山，2003.Ⅷ.24，吴芳春，CAU-N102117；1♀，格尔木，2005.Ⅶ.27，周达康，CAU-N101068；1♀，新疆沙湾，1981.Ⅷ.8，采集人不详，CAU-N101069；1♀1♂，新疆阜康北沙窝，2007. Ⅶ.13，采集人不详，CAU-N102360，CAU-N102361；3♀2♂，新疆布尔津，2007. Ⅶ.21，聂瑞娥，CAU-N102168，CAU-N102169，CAU-N102170，CAU-N102118，CAU-N102119；1♂，Kazakhstan，1990.Ⅷ.12，Krivokhatsky，CAU-N101066；1♀，Kazakhstan, 1990.Ⅷ.15，Krivokhatsky，CAU-N101067。

分布　北京、青海、新疆；俄罗斯，蒙古，哈萨克斯坦，吉尔吉斯斯坦，塔吉克斯坦，乌兹别克斯坦，土库曼斯坦，土耳其，亚美尼亚。

27. 蒙蚁蛉属 *Mongoleon* Hölzel, 1970

Mongoleon Hölzel, 1970b: 118. **Type species**: *Mongoleon kaszabi* Hölzel, 1970; by original designation.

本属世界已知 4 种，主要分布在蒙古。中国已知 3 种。

属征　体小型，体色多为黄色。前翅 2A 脉呈弧形弯曲平缓折向 3A，Rs 分叉点后于 CuA 分叉点；后翅基径中横脉 2 条以上，Rs 分叉点后于 CuA 分叉点，后翅无轭坠；雄性无毛刷，肛上片侧面观椭圆形，无指状突，阳基侧突合并，侧面观弯钩状；雌性第 7 腹板后缘两端呈指状突起，雌雄腹部均短于后翅。

分布　中国，蒙古。

种检索表

1　前翅 Rs 起点前有双排不规则小室；前、后斑克氏线清晰，形成浅褐色线……**毛蒙蚁蛉 *M. pilosus***
　前翅 Rs 起点前无双排小室；前斑克氏线不清晰，无后斑克氏线……………………………………2
2　复眼上方光滑无毛，前翅 Rs 起点与痣下室之间横脉多在 5 条以下……………**卡蒙蚁蛉 *M. kaszabi***
　复眼上方有 4-5 根白色“睫毛”，前翅 Rs 起点与痣下室之间横脉 6-8 条 …… **中蒙蚁蛉 *M. modestus***

(105) 卡蒙蚁蛉 *Mongoleon kaszabi* Hölzel, 1970 (图版XVIII：6)

Mongoleon kaszabi Hölzel, 1970b: 119. Type locality: Mongolia.

雌性：体长 20-23 mm，前翅 22-23 mm，后翅 20-21 mm，腹部 15-18 mm。

雄性：体长 17-20 mm，前翅 20-23 mm，后翅 17-20 mm，腹部 12-15 mm。

头顶黄色，具 5 棕色或黑色斑点；颜面黄色，唇基上有 2 黑色斑点，下颚须、下唇须黑黄相间；触角基部褐色，端部黑色，触角窝上方具 2 黑色横纹，下方为 2 黑斑点，触角窝间距约为触角窝直径的 1.5 倍。

前胸背板长大于宽，黄色，具 3 黑色纵纹；中、后胸背板黄色，在中央和两侧有一些黑色纵纹；腹板黄色，有一些黑色斑纹，被稀疏白色柔毛。

足细长，生有稀疏黑色与白色短刚毛；前足基节黄色，具黑色斑点，腿节棕色，胫节黄色，其外侧颜色较深，跗节黄色，每节有黑色端缘，第 5 跗节长于第 1 跗节；胫端距浅红棕色，短小平直，长度不超过第 1 跗节；爪浅红棕色，长度约为第 5 跗节的 1/2。中、后足与前足基本相同，中足胫节外侧具棕色斑点，端部棕色；后足胫节黄色。

前翅狭长，透明，翅脉大部分黑黄相间，R 与 Rs 脉上有一系列褐色碎斑，在近外缘的区域有许多散碎褐斑；前缘区略窄于 R 与 Rs 间距，前缘横脉简单，几乎无分支，Rs 分叉点后于 CuA 分叉点，基径中横脉多为 6-7 条，简单无分支，Rs 分支为 5-8 条，翅痣褐色，无中脉亚端斑，肘脉合斑斜线状，有时不显著，前斑克氏线不清晰，无后斑克氏线。后翅略短于前翅，翅脉黑黄相间，近外缘的区域有许多散碎褐斑，前缘区窄于 R 与 Rs 间距，Rs 分叉点后于 CuA 分叉点，基径中横脉 3-4 条，Rs 分支 6-9 条，翅痣褐色，前斑克氏线隐约可见，无后斑克氏线。

腹部短于后翅长，黄色，具 3 黑色纵条纹，密被白色刚毛。

雄性生殖器 (图版 XXXIV：5)：肛上片侧面观长椭圆形，下端略向下延伸，具稀疏黑色长毛，生殖弧弓形，生殖中片不显著，阳基侧突合并，呈弯钩状，尖端不分叉。

雌性生殖器：无 8-内生殖突，8-外生殖突细长，指状，具长刚毛，9-内生殖突长棒状，具若干粗的挖掘毛，肛上片侧面观椭圆形，被黑色长毛。

检视标本 1♀，内蒙古鄂托克前旗，1992.Ⅶ.21，李志红，CAU-N101048；1♂，内蒙古伊克昭盟，1980.Ⅵ.12，金萧明，CAU-N101050；1♀，内蒙古乌拉特前旗，1978.Ⅶ.7，采集人不详，CAU-N101051；1♀，无采集标签，CAU-N101052；1♀，宁夏同心 (灯下)，1974.Ⅶ.14，采集人不详，CAU-N101049；1♂，宁夏白极滩 (灯下)，1975.Ⅷ.15，采集人不详，CAU-N101053；1♂，Russia Tuva，1997.Ⅶ.4，Yu. Mazusik，CAU-N101054；1♀，Russia Tuva，1997.Ⅶ.12，Yu. Mazusik，CAU-N101055。

分布 内蒙古、宁夏；蒙古。

(106) 中蒙蚁蛉 *Mongoleon modestus* Hölzel, 1970 (图版 XIX：1)

Mongoleon modestus Hölzel, 1970b: 123. Type locality: Mongolia.

雌性：体长 19 mm，前翅 20 mm，后翅 18 mm，腹部 13 mm。

雄性：未知。

头顶黄色，具 4 黑色横纹；颜面黄色，下颚须、下唇须黑黄相间，端部膨大不明显；复眼上方具 4-5 根白色“睫毛”；触角基部黑色，端部褐色，触角窝中间具黑色横纹，触角窝间距约为触角窝直径的 2 倍。

前胸背板黄色，具 3 黑色纵纹，中、后胸背板黄色，在中央和两侧有一些黑色纵纹；腹板黑色，具少量黄色斑纹，生有稀疏白色柔毛。

足细长；基节黄色，具黑色斑点；腿节棕色；胫节黄色，具棕色斑点；跗节黑黄相间，端部黑色，第 5 跗节约等于第 1 跗节；胫端距浅红棕色，短小平直，长度不超过第 1 跗节的 1/2；爪浅红棕色，长度约为第 5 跗节的 1/2。

前翅狭长，透明，翅脉大部分黑黄相间，前缘区约等于 R 与 Rs 间距，前缘横脉简单，几乎无分支，Rs 分叉点后于 CuA 分叉点，基径中横脉多为 5 条，简单无分支，Rs 分支为 8 条，翅痣褐色，无中脉亚端斑，肘脉合斑斜线状，R 与 Rs 间、端区及翅后缘多散落小型斑点，前斑克氏线不清晰，无后斑克氏线。后翅略短于前翅，翅脉黑黄相间，前缘区窄于 R 与 Rs 间距，Rs 分叉点后于 CuA 分叉点，基径中横脉 2 条，Rs 分支 7 条，翅痣褐色，斑纹与前翅相似，但颜色略浅，前、后斑克氏线不明显。

腹部短于后翅长，生有较密白色刚毛，背板黄色，具 3 黑色纵纹。

雌性生殖器：标本不宜解剖。

雄性生殖器：未知。

检视标本　1♀，内蒙古巴前颜，Ⅶ.16，金川，CAU-N101059。

分布　内蒙古；蒙古。

(107) 毛蒙蚁蛉 *Mongoleon pilosus* Krivokhatsky, 1992 (图版 XⅧ：5)

Mongoleon pilosus Krivokhatsky, 1992: 409. Type locality: Mongolia.

雌性：体长 25 mm，前翅 27 mm，后翅 25 mm，腹部 18 mm。

雄性：未知。

头顶黄色，前缘具 2 椭圆形黑斑，后面为 2 三角形黑斑且尖端连在一起；颜面黄色，下颚须、下唇须黄色，端部棕色膨大不明显；触角窝中间靠上有 1 倒三角形黑色斑纹，触角黑黄相间，以黑色为主，触角窝间距约等于触角窝直径的 1.5 倍。

胸部背板黄色，具 3 黑色纵纹，从前胸背板前缘延伸至后胸后缘，腹板黑色，具少量黄色斑纹。

足较粗壮；基节黄色，具黑色斑点；腿节棕色；胫节黄色，具棕色斑点；跗节黑黄相间，端部黑色；第 5 跗节约等于第 1 跗节；胫端距浅红棕色，短小平直，长度不超过第 1 跗节的 1/2；爪浅红棕色，长度约为第 5 跗节的 1/2。

前翅狭长，透明，翅脉大部分黑黄相间，前缘区宽于 R 与 Rs 间距，前缘横脉简单，几乎无分支，Rs 分叉点先于 CuA 分叉点，基径中横脉杂乱，形成两排不规则小室，Rs 分支为 10 条，翅痣褐色，无中脉亚端斑，肘脉合斑斜线状，R 与 Rs 间、端区及翅后缘多散落小型斑点，前、后斑克氏线清晰，形成浅褐色线。后翅略短于前翅，翅脉大部分黄色，前缘区约等于 R 与 Rs 间距，Rs 分叉点后于 CuA 分叉点，基径中横脉 2 条，Rs 分支 9 条，翅痣褐色不明显，无前、后斑克氏线。

腹部短于后翅长，生有浓密白色柔毛，背板黄色，具 3 黑色纵纹。

雌性生殖器：标本不宜解剖。

雄性生殖器：未知。

检视标本　1♂，新疆阿克苏，1100 m，2005.Ⅶ.17，白晓栓，CAU-N101058。

分布　新疆；蒙古。

28. 囊蚁蛉属 *Myrmecaelurus* Costa, 1855

Myrmecaelurus Costa, 1855: 10. **Type species:** *Myrmeleon flavus* Rambur, 1842; by subsequent designation.

本属是囊蚁蛉族中最大的属，主要分布在古北界和北非的沙漠地带。Stange (2004) 将阿蚁蛉属 *Aspoeckina* Hölzel, 1972 和瑙蚁蛉属 *Nohoveus* Navás, 1919 归入囊蚁蛉属 *Myrmecaelurus* Costa, 1855，使得本属的种类扩大至 74 种。Krivokhatsky 等 (2012) 仍坚持将 *Aspoeckina* Hölzel, 1972 和 *Nohoveus* Navás, 1919 作为有效属，本卷采纳这种分类法，因此，减去这 2 属 (*Aspoeckina* 6 种，*Nohoveus* 22 种) 后，*Myrmecaelurus* 世界已知 46 种，中国已知 2 种。

杨集昆教授于 1999 年和 2002 年分别在《福建昆虫志》第三卷与《海南森林昆虫》上发表了此属的 3 种：多脉囊蚁蛉 *Myrmecaelurus polyneurus* Yang, 1999，黑阶囊蚁蛉 *Myrmecaelurus nigrigradatus* Yang, 2002 与非阶囊蚁蛉 *Myrmecaelurus ingradatus* Yang, 2002。研究确定这 3 种蚁蛉应为 *Cueta sauteri* 的异名。

属征 体中小型，前翅 CuP 发出点正对着或紧靠基横脉，前翅 2A 脉呈弧形弯曲平缓折向 3A，Rs 分叉点后于 CuA 分叉点；后翅基径中横脉 2 条以上，Rs 分叉点后于 CuA 分叉点，后翅无轭坠；雄性腹部第 6、7 节各具 1 对毛刷，肛上片形成短的指状突，侧面观肛上片总长度短于第 9 腹节宽度的 1.5 倍，生殖弧长筒形并弯曲，侧面观靴子状，阳基侧突小，合并。雌性第 7 腹板后缘平直。

分布 亚洲，欧洲，北非。

(108) 大囊蚁蛉 *Myrmecaelurus major* McLachlan, 1875 (图版 XVIII：1)

Myrmecaelurus major McLachlan, 1875b: 4. Type locality: Syr-darja River, Sarafschanensi, Kisil-Kum Desert, Turkestan.

雌性：体长 37 mm，前翅 37 mm，后翅 35 mm，腹部 29 mm。

雄性：体长 37 mm，前翅 35 mm，后翅 30 mm，腹部 29 mm。

头顶明黄色，具黑色中线；唇基及上唇明黄色，下颚须、下唇须明黄色，端部黑色膨大不明显，唇基上具稀疏明黄色刚毛；触角黑色，触角窝中间黑色，且向头顶扩展，形成两端突起的黑斑，触角窝间距约等于触角窝直径的 1.5 倍。

胸部背板明黄色，具黑色纵纹，生有白色刚毛，多集中于侧缘及后缘，其中前胸背板具 3 细长纵纹，且侧面两条不延伸至背板前缘；中胸与后胸背板各具 3 粗短纵纹；腹板明黄色，具少量黑色斑纹，生有稀疏白色柔毛。

足明黄色，较粗壮，几乎无斑，生有稀疏黑色刚毛；跗节端部黑色，第 5 跗节约等于第 1-3 跗节之和，第 1 跗节略长；胫端距浅红棕色，短小平直，前、中足常伸达第 2 跗节，后足伸达第 1 跗节末端；爪浅红棕色，长度约为第 5 跗节的 1/2。其中，前足与中足腿节基部内侧具 1 感觉毛，长度略短于腿节长的 1/3。

翅透明而宽大；前翅 R、M 与前缘横脉明黄色，其余脉大部分黑色或黑黄相间，前缘区约等于 R 与 Rs 间距，前缘横脉简单，几乎无分支，Rs 分叉点后于 CuA 分叉点，基径中横脉 7 条，简单无分支，Rs 分支为 10-11 条，翅痣明黄色，无中脉亚端斑，无肘脉合斑，前、后斑克氏线清晰，黄色。后翅略短于前翅，翅脉颜色与前翅相似，前缘区约等于 R 与 Rs 间距，并且在距基部 1/3 处缢缩而明显变窄，且缢缩处前缘横脉排列较密集，Rs 分叉点后于 CuA 分叉点，基径中横脉 4-5 条，Rs 分支 11-12 条，翅痣明黄色，前斑克氏线清晰，无后斑克氏线。

腹部背板黄色，具 3 黑色纵纹，生有较密白色短毛，腹板黑色无斑；雄性第 6、7 腹节背板后缘两端各具 1 对毛刷。雌性腹部无毛刷。

雄性生殖器 (图版 XXXIV：1)：肛上片下端略延伸成短的指状突，具黑色长毛；第 9 腹板腹面观宽大，末端呈钝三角形，顶端微凹；生殖弧弯曲使两端平行并扩展成靴子状 (侧视)；阳基侧突分开，尖端呈锥状。

雌性生殖器：第 7 腹板后缘平直，生有较浓密黑色长毛；无 8-内生殖突，8-外生殖突粗大，指状具浓密的黑色长毛；9-内生殖突具细长的弯钩状挖掘毛；肛上片窄，下端尖，生有黑色长毛。

检视标本　1♀，新疆沙湾，1981.Ⅶ.23，采集人不详，CAU-N1011062；1♂，新疆乌鲁木齐，1953.Ⅵ.25，黄大文，CAU-N101063；1♂，新疆裕民野巴旦杏保护区，2007.Ⅶ.19，采集人不详，CAU-N102362；1♀，Kazakhstan，2005.Ⅵ.23，Krivokhatsky，CAU-N101064；1♂，Russia，Astzakhan，2005.Ⅵ.25，Krivokhatsky，CAU-N101065。

分布　新疆；俄罗斯，阿富汗，土耳其，亚美尼亚，罗马尼亚。

(109) 萨囊蚁蛉 *Myrmecaelurus saevus* (Walker, 1853)

Myrmeleon saevus Walker, 1853: 381. Type locality: China.
Myrmecaelurus saevus: Stange, 2004: 274.

浅砖红色，额闪亮，近触角窝黑色，头顶隆起，中央有 1 黑条纹，两侧有几个黑斑点。颜面、下颚须和下唇须黄色。触角棒状，黑色，比胸部短，触角基部有 2 黄色环。前胸前面很窄，长略大于宽，有 3 黑色条纹，中条纹宽，侧条纹窄且间断。中后胸有 5 黑条纹，中条纹宽，侧条纹间断，内侧纹比外侧纹更细。腹部几乎与翅等长，有 1 黑色背纵纹，腹侧有一些黑纹和斑点。足砖红色，具几个黑斑。翅透明，中等宽，较短，不尖。前翅翅痣白色，有相连的小褐色斑点。翅脉黑色，有白带和微毛。亚前缘区简单，脉在翅痣基部不分叉。脉在翅的顶点边缘分叉并有褐色斑。后翅比前翅明显短且窄 [译自 Walker (1853) 原始描述部分内容]。

检视标本　无。

分布　中国。

讨论　Stange (2004) 将该种从蚁蛉属 *Myrmeleon* 移至囊蚁蛉属 *Myrmecaelurus*，该种正模采集地记录是 China。正模保存在英国伦敦自然历史博物馆 (The Natural History

Museum, London, England)。

29. 瑙蚁蛉属 *Nohoveus* Navás, 1918

Nohoveus Navás, 1918: 169. **Type species:** *Myrmeleon lepidus* Klug, 1834; by original designation. Synonymized by Aspöck *et al.*, 1980: 288.

Loveus Navás, 1920c: 29. **Type species:** *Myrmeleon punctulatus* Steven, 1822; by original designation. Synonymized by Hölzel, 1969: 278.

该属与囊蚁蛉属极其相似，仅雄性生殖弧的形状 2 属明显不同，囊蚁蛉属雄性生殖弧侧面观为靴子状，而该属雄性生殖弧侧面观为尖钩状。瑙蚁蛉属世界共报道 22 种，中国已知 3 种。

属征 体小型，前翅 CuP 发出点正对着或紧靠基横脉，前翅 2A 脉呈弧形弯曲平缓折向 3A，Rs 分叉点后于 CuA 分叉点；后翅基径中横脉 4-5 条，Rs 分叉点后于 CuA 分叉点，雄性无轭坠；雄性腹部长于后翅，雌性腹部短于后翅。雄性肛上片下端形成短的指状突，侧面观肛上片总长度等于或短于第 9 腹节的 1.5 倍，雄性生殖弧长筒形，弯曲，侧面观呈尖钩状，阳基侧突基部合并、端部分叉，呈弯钩状。

分布 亚洲，欧洲，非洲。

种检索表

1 翅脉大部分黄色；前胸背板黄色，有 1 黑色中条纹，侧条纹不明显 ………… **素瑙蚁蛉 *N. simplicis***

翅脉大部分黑黄相间；前胸背板黄色，有 1 黑色中条纹和 2 明显的黑色侧条纹 ……………………2

2 头顶大部黄色，后方黑色中线两侧有 1 对黑色圆点 ……………………………… **点斑瑙蚁蛉 *N. zigan***

头顶大部黑色，后方黑色中线两侧无黑色圆点，或黑色点斑与头顶黑色相连，额黑色 …………………………………………………………………………………… **黑瑙蚁蛉 *N. atrifrons***

(110) 黑瑙蚁蛉 *Nohoveus atrifrons* Hölzel, 1970 (图版 XVIII：2)

Nohoveus atrifrons Hölzel, 1970a: 248. Type locality: Aimak Chovd, Mobgolia.

雌性：体长 22-26 mm，前翅 23-27 mm，后翅 21-25 mm，腹部 16-17 mm。

雄性：体长 28-32 mm，前翅 25-30 mm，后翅 20-26 mm，腹部 20-27 mm。

头顶黄色，具黑色中线，与头顶前缘黑斑相连；唇基及上唇黄色，下颚须、下唇须黄色，端部黑色，唇基上具稀疏黑色刚毛；触角黑色，触角窝周边至头顶前缘黑色，触角窝上方中间有 1 黄斑，触角窝间距约等于触角窝直径的 1.5 倍。

前胸背板黄色，具 3 黑色细长纵纹，且侧面两条不延伸至背板前缘；中胸与后胸背板黄色各具 3 粗短黑色纵纹；腹板黄色，具少量黑色斑纹，生有稀疏白色柔毛。

足黄色，生有稀疏黑色刚毛；腿节外侧具浅棕色条斑；第 5 跗节端部黑色，长度约等于第 2-3 跗节之和，第 1 跗节略长；胫端距浅红棕色，短小平直，常伸达第 1 跗节末端；爪浅红棕色，长度约为第 5 跗节的 1/2。其中，前足与中足腿节基部内侧具 1 根感觉毛，长度约为腿节长的 1/2。

翅透明而宽大；前翅大部分翅脉黑黄相间，前缘区约等于 R 与 Rs 间距，前缘横脉简单，几乎无分支，Rs 分叉点后于 CuA 分叉点，基径中横脉 6-7 条，简单无分支，Rs 分支为 8-10 条，翅痣黄色，无中脉亚端斑，无肘脉合斑，前、后斑克氏线清晰，黄色。后翅略短于前翅，翅脉颜色与前翅相似，前缘区约等于 R 与 Rs 间距，并且在距基部 1/2 处缢缩而明显变窄，且缢缩处前缘横脉排列较密集，Rs 分叉点后于 CuA 分叉点，基径中横脉 4-5 条，Rs 分支 9-12 条，翅痣黄色，前、后斑克氏线清晰。

腹部背板黄色，具 3 黑色纵纹，生有浓密白色长毛，腹板黑色，具 1 黄色纵纹；雄性第 6、7 腹节背板后缘两端各具 1 对毛刷，雌性腹部无毛刷。

雄性生殖器 (图版 XXXIV：2)：肛上片下端略延伸成短的指状突，具黑色长毛；第 9 腹板腹面观宽大，末端近直角形；生殖弧弯曲呈钩状；阳基侧突退化，合并。

雌性生殖器：第 7 腹板后缘平直，生有较浓密黑色长毛，无 8-内生殖突，8-外生殖突粗大，指状具浓密的黑色长毛；9-内生殖突具细长的弯钩状挖掘毛；肛上片窄，呈三角形，生有黑色长毛。

检视标本 1♀，北京农大，1963.Ⅵ.29，杨集昆，CAU-N101117；1♀，北京涿县三队，1976.Ⅵ.14，李法圣，CAU-N101116；1♀，北京香山，1963.Ⅶ，采集人不详，CAU-N101090；腹部缺失，北京，1949.Ⅸ.13，杨集昆，CAU-N101159；1♀，内蒙古伊金霍洛旗，1400 m，2002.Ⅷ.20，曾辉，CAU-N101086；1♂，内蒙古伊克昭盟鄂尔多斯石龙庙，2005.Ⅶ.6，李波，CAU-N101088；4♂，内蒙古乌前旗，1978.Ⅶ.8，陈合明，CAU-N101150-53；2♀，内蒙古伊旗，2002.Ⅷ.25，白云菲，CAU-N101154-55；8♀13♂，内蒙古巴盟前旗大余太，1978.Ⅶ.8，杨集昆，CAU-N101092-112；1♀，内蒙古伊金霍洛旗，2002.Ⅷ.24，高敏，CAU-N101161；腹部缺失，内蒙古伊金霍洛旗，1400 m，2002.Ⅷ.23，邓吉，CAU-N101184；6♀10♂，内蒙古鄂托克前旗 (灯诱)，1992.Ⅶ.21，李志红，CAU-N101186，CAU-N101901，CAU-N101902，CAU-N101904-CAU-N101916；1♀7♂，内蒙古乌前旗，1978.Ⅶ.8，陈合明，CAU-N101162-68；腹部缺失，内蒙古乌前旗，1978.Ⅶ.8，陈合明，CAU-N101168；4 腹部缺失，内蒙古乌拉特前旗乌梁素海，1978.Ⅶ.8，杨集昆，CAU-N101169，CAU-N101178-180；1♀7♂，内蒙古乌拉特前旗乌梁素海，1978.Ⅶ.8，杨集昆，CAU-N101170-74，CAU-N101176，CAU-N101177；1♀，内蒙古伊金霍洛旗，1400 m，2002.Ⅷ.20，陈金兰，CAU-N101157；1♀，陕西榆林城关 (灯光)，1982.Ⅵ.7，CAU-N101085；2♀，陕西姬家坡，1980.Ⅵ.30，采集人不详，CAU-N101126-27；1♀1♂，陕西榆林，1980.Ⅵ.30，采集人不详，CAU-N101128-29；腹部缺失，陕西合阳，1981.Ⅷ，采集人不详，CAU-N101130；2♀，陕西洛川，1982.Ⅶ.27，长青，CAU-N101131-32；1♀，甘肃嘉峪关，1976.Ⅷ.2，王长政，CAU-N101133；2♂，青海都兰希里沟，1950.Ⅶ.31，陆宝麟、杨集昆，CAU-N101134-35；7♀4♂，青海都兰希里沟，1950.Ⅶ.31，杨集昆，CAU-N101136-46；1♂，宁夏同心马家河，1500 m，1980.Ⅶ.19，杨春华，CAU-N101084；1♀，宁夏中宁，1980.Ⅶ.19，杨集昆，CAU-N101118；1♀，同心草原，1963.Ⅶ.29，采集人不详，CAU-N101119；1♀，宁夏银川，1111 m，1980.Ⅶ.11，杨集昆，CAU-N101120；

1♀，吉兰泰 (灯下) ，1991.Ⅶ.23，杨彩霞，CAU-N101121； 1♀1♂，中宁大战场 (网捕)，1990.Ⅷ.6，采集人不详，CAU-N101123，CAU-N101942；2♀2♂，宁夏白极滩 (灯下)，1975.Ⅷ.15，采集人不详，CAU-N101147-49，CAU-N101183；1♀，无采集标签，采集人不详，CAU-N101156；1♂，无采集标签， CAU-N101158；1♂，钱家店 (黑光灯)，1980.Ⅶ.13，采集人不详，CAU-N101160；1♂，本所 (灯下) 宁夏农科所，1975.Ⅶ.27，采集人不详，CAU-N101182；1♂，Russia，1997.Ⅶ.12，Krivokhatsky，CAU-N101091；1♂，Russia，1997.Ⅶ.6，Krivokhatsky，CAU-N101087。

分布 内蒙古、北京、陕西、宁夏、甘肃、青海；蒙古，伊朗，土耳其。

(111) 素瑙蚁蛉 *Nohoveus simplicis* (Krivokhatsky, 1992) (图版 XⅧ：4)

Myrmecaelurus simplicis Krivokhatsky, 1992: 405. Type locality: Sachzhou, Gobi Desert, Mongolia.
Nohoveus simplicis: Krivokhatsky, 1998a: 86.

雌性：体长 22-23 mm，前翅 23-26 mm，后翅 21-22 mm，腹部 16-17 mm。

雄性：体长 25-27 mm，前翅 22-23 mm，后翅 22-23 mm，腹部 20-22 mm。

头顶黄色，具棕色中线，且不与触角窝黑斑相连，前方中线两侧具 2 椭圆形黑斑；唇基及上唇黄色，下颚须、下唇须黄色，唇基上几乎无毛；触角黑色，端部有 1 黄斑，触角窝中间黑色，不向四周扩展，触角窝间距约等于触角窝直径的 1.5 倍。

前胸背板黄色，中央具 1 清晰的棕色纵纹，两侧各有 1 不延伸至背板前缘的模糊棕色纵纹；中胸与后胸背板具粗短斑纹；腹板黄色，具少量棕色斑纹，生有稀疏白色柔毛。

足黄色，生有稀疏黑色刚毛；腿节外侧稍具浅棕色；第 5 跗节约等于第 2-3 跗节之和，第 1 跗节略长；胫端距浅红棕色，短小平直，常伸达第 1 跗节末端；爪浅红棕色，长度约为第 5 跗节的 1/2。其中，前足与中足腿节基部内侧具 1 感觉毛，长度约为腿节长的 1/2。

前翅翅脉大部分黄色，前缘区约等于 R 与 Rs 间距，前缘横脉简单，几乎无分支，Rs 分叉点后于 CuA 分叉点，基径中横脉 6 条，简单无分支，Rs 分支为 7-9 条，翅痣黄色不明显，无中脉亚端斑，无肘脉合斑，前斑克氏线清晰，后斑克氏线不清晰。后翅略短于前翅，翅脉颜色与前翅相似，前缘区约等于 R 与 Rs 间距，并且在距基部 1/2 处缢缩而明显变窄，且缢缩处前缘横脉排列较密集，Rs 分叉点后于 CuA 分叉点，基径中横脉 5 条，Rs 分支 7-9 条，翅痣黄色不明显，前斑克氏线清晰，后斑克氏线不清晰。

腹部略短于后翅；背板黄色，具 3 浅棕色纵纹，生有浓密白色长毛，腹板棕色无斑；雄性第 6、7 腹节背板后缘两端各具 1 对毛刷，雌性腹部无毛刷。

雄性生殖器 (图版 XXXⅣ：4)：肛上片下端略延伸成短的指状突，突起部分约占肛上片总长的 1/2，具黑色长毛；第 9 腹板腹面观宽大，末端呈钝三角形；生殖弧弯曲呈钩状；阳基侧突退化，合并。

雌性生殖器：第 7 腹板后缘平直，两端生有黑色长毛，无 8-内生殖突，8-外生殖突粗大，指状具黑色长毛；9-内生殖突细长，具细长的弯钩状挖掘毛；肛上片宽大，呈三角形，生有稀疏黑毛。

检视标本 1♀，新疆博湖，1976.Ⅶ.16，陈誉，CAU-N101075；1♂，新疆，无采集标签，CAU-N101076；1♂，新疆尉黎县，2005.Ⅶ.13，崔建新，CAU-N101077；1♀，新疆三团，2005.Ⅶ.16，白小栓，CAU-N101078；1♀，新疆和硕，1100 m，2005.Ⅶ.13，崔建新，CAU-N101079；2♀1♂，新疆阿凡提，2005.Ⅶ.17，彩万志，CAU-N101080，CAU-N101082，CAU-N101081；1♀，新疆阿克苏，1100 m，2005.Ⅶ.17，白小栓，CAU-N101083。

分布 新疆；蒙古。

(112) 点斑瑙蚁蛉 *Nohoveus zigan* (Aspöck, Aspöck & Hölzel, 1980) (图版 XⅧ：3)

Myrmecaelurus (*Nohoveus*) *zigan* Aspöck *et al.*, 1980a: 288. Type locality: unknown.

Myrmeleon punctulatus Steven, 1822: 126. Synonymized by Aspöck, 1980: 288.

Myrmecaelurus punctulatus: Stange, 2004: 273.

Nohoveus zigan: Krivokhatsky, 1993: 68.

雌性：体长 22-24 mm，前翅 23-24 mm，后翅 21-24 mm，腹部 15-18 mm。

雄性：体长 25-27 mm，前翅 22-23 mm，后翅 22-23 mm，腹部 20-22 mm。

头顶黄色，具黑色中线，且不与触角窝间“V”形黑斑相连，后方中线两侧具两个点状黑斑；唇基及上唇黄色，下颚须、下唇须黑黄相间，下唇须端部黑色，膨大，唇基上具稀疏黑色刚毛；触角黑色，端部有 1 黄斑，触角窝中间黑色，且两端向头顶扩展，形成 1 近“V”形黑斑，触角窝间距约等于触角窝直径的 2 倍。

胸部背板黄色，具黑色纵纹，生有白色刚毛，多集中于前缘、侧缘及后缘，其中前胸背板具 3 细长纵纹，且侧面两条不延伸至背板前缘；中胸与后胸背板各具 3 粗短纵纹；腹板黄色，具少量黑色斑纹，生有稀疏白色柔毛。

足黄色，生有稀疏黑色刚毛；第 5 跗节约等于第 1-3 跗节之和，第 1 跗节略长；胫端距浅红棕色，短小平直，常伸达第 1 跗节末端；爪浅红棕色，长度约为第 5 跗节的 1/2。其中，前足与中足腿节基部内侧具 1 感觉毛，长度约为腿节长的 1/2。

前翅翅脉大部分黑黄相间，前缘区约等于 R 与 Rs 间距，前缘横脉简单，几乎无分支，Rs 分叉点后于 CuA 分叉点，基径中横脉 6 条，简单无分支，Rs 分支为 9 条，翅痣黄色，无中脉亚端斑，无肘脉合斑，前、后斑克氏线清晰。后翅略短于前翅，翅脉颜色与前翅相似，前缘区约等于 R 与 Rs 间距，并且在距基部 1/2 处缢缩而明显变窄，且缢缩处前缘横脉排列较密集，Rs 分叉点后于 CuA 分叉点，基径中横脉 5 条，Rs 分支 9 条，翅痣黄色，前斑克氏线清晰，后斑克氏线不清晰。

腹部背板黄色，具 3 黑色纵纹，生有浓密白色长毛，腹板黑色无斑；雄性腹部长于后翅，第 6、7 腹节背板后缘两端各具 1 对毛刷，雌性腹部短于后翅长，无毛刷。

雄性生殖器 (图版 XXXⅣ：3)：肛上片下端略延伸成短的指状突，突起部分约占肛上片总长的 1/2，具黑色长毛；第 9 腹板腹面观宽大，末端呈钝三角形；生殖弧长筒形并弯曲，侧面观呈尖钩状；阳基侧突极小，合并。

雌性生殖器：第 7 腹板后缘平直，两端生有黑色长毛；无 8-内生殖突，8-外生殖突粗大，指状具黑色长毛；9-内生殖突细长，具细长的弯钩状挖掘毛；肛上片侧面观宽大，末端呈三角形，生有稀疏黑毛。

检视标本　1♂，新疆沙湾，1981.Ⅸ.10，赵来，CAU-N101072；5♂，新疆阜康北沙窝，2007.Ⅶ.13，CAU-N102349，CAU-N102350，CAU-N102351，CAU-N102352，CAU-N102353；1♀，新疆阜康北沙窝，2007.Ⅶ.13，采集人不详，CAU-N102152；1♀，新疆阜康，2006.Ⅴ，刘烨，CAU-N102272；1♂，Kazakhstan，1995.Ⅵ.26，Krivokhatsky，CAU-N101073；1♀，Kazakhstan，1995.Ⅵ.26，Krivokhatsky，CAU-N101074。

分布　新疆；俄罗斯，蒙古，哈萨克斯坦，塔吉克斯坦，土库曼斯坦，乌兹别克斯坦，乌克兰，罗马尼亚，亚美尼亚，阿塞拜疆，匈牙利，欧洲。

讨论　该种最早的名字是 *Myrmeleon punctulatus* Steven in Fischer v. Waldheim, 1822，这个名字的定名时间有两个版本，Stange 给出的定名时间是“1822”，见 Stange (2004)，而 Aspöck 等和 Krivokhatsky 给出的定名时间为“1846”，见 Aspöck (1980)，Krivokhatsky 等 (2012)。但在 LDL 网站上，Steven (1822) 和 Steven (1846) 的文献都没有找到。Aspöck 等 (1980) 因 *punctulatus* 与其他物种的同名关系，为这个名字起了 1 新名 *zigan*，而 Stange (2004) 不同意使用 *zigan* 这个新名，他认为这个新名是没有必要的替换名 (unnecessary replacement name)。我们认为 *zigan* 是个正式发表的新名，现在仍然有人在继续使用，Stange (2004) 不用这个新名理由并不充分，*punctulatus* 的定名时间有争议，而且 *zigan* 这个名字比 *punctulatus* 更简练，所以，本卷认为 *zigan* 为有效名。

Aspöck 等 (1980) 起新名时没有给出该种的模式产地，LDL 网站上也未给出模式产地的有效信息，只写了 See type locality for *Myrmeleon punctalatus* in Fisher von Waldheim，由于查不到这个物种的原始文献，因此模式产地只能写未知。

尼蚁蛉族 Nesoleontini Markl, 1954

尼蚁蛉族世界已知 3 属 82 种，其中 *Cueta* 77 种，分布在非洲和欧亚大陆，*Nadus* 共 2 种，*Nesoleon* 共 3 种，后两属均分布在非洲南部。中国尼蚁蛉族仅发现 1 属 3 种。

族征　尼蚁蛉族 Nesoleontini 与囊蚁蛉族 Myrmecaelurini 较相似，区别为 Nesoleontini 前翅 2A 呈直角折向 3A，而 Myrmecaelurini 前翅 2A 平缓地弯向 3A。Nesoleontini 前翅 Rs 分叉点后于 CuA 分叉点，后翅基径中横脉较多，等于或多于 5 条，后足第 1 跗节长于第 5 跗节。

30. 多脉蚁蛉属 *Cueta* Navás, 1911

Cueta Navás, 1911b: 242. **Type species:** *Cueta trilineata* Navás, 1911b; by original designation and monotypy.

Polancus Navás, 1914h: 19. **Type species:** *Polancus secretus* Navás, 1914h; by original designation and monotypy. Synonymized by Markl, 1954: 229.

Furga Navás, 1930a: 122. **Type species:** *Furga tunetana* Navás, 1930a; by original designation. Synonymized by Hölzel, 1969: 311.

多脉蚁蛉属 *Cueta* 分布在整个非洲，包括马达加斯加，还有些种类分布在古北界的沙漠地带。本属幼虫为沙栖做穴型。这个属近似种很多，Stange (2004) 称该属是蚁蛉科分类研究最难的类群之一。

属征　前翅 CuP 发出点正对着或紧靠基横脉，前翅 2A 呈直角折向 3A，前后翅基径中横脉多相等且大于 7 条，前缘区基部不突然加宽，前缘横脉无短脉相连；后翅 CuP 与翅缘的间距是 CuP 与 CuA 主干距离的 3 倍，后翅端区非深色为主；后足第 1 跗节长于第 5 跗节；雄性腹部长于后翅，雌性腹部短于后翅。

分布　亚洲，欧洲，非洲。

种检索表

1　前后翅基径中横脉 11-15 条 …………………………………… **索氏多脉蚁蛉 *C. sauteri***

　前后翅基径中横脉 7-8 条 ……………………………………………………………………2

2　前翅密布沿翅脉形成的褐色碎斑，后足腿节外侧无黑色长刚毛 ……**碎斑多脉蚁蛉 *C. plexiformia***

　前翅少碎斑，后足腿节外侧具 1 排长度略短于腿节的黑色长刚毛 ………**线斑多脉蚁蛉 *C. lineosa***

(113) 线斑多脉蚁蛉 *Cueta lineosa* (Rambur, 1842) (图版 XIX：4)

Myrmeleon lineosa Rambur, 1842: 389. Type locality: Egypt.

Myrmeleon morosus Walker, 1853: 389. Synonymized by Aspöck *et al.*, 2001a: 255.

Myrmeleon ulianini Mclachlan, 1875b: 8. Synonymized by Esben-Petersen, 1918b: 121.

Cueta trilineata Navás, 1911b: 243. Synonymized by Esben-Petersen, 1918b: 121.

Myrmeleon grammaticus Navás, 1912d: 49. Synonymized by Esben-Petersen, 1918b: 121.

Cueta syriaca Navás, 1914d: 236. Synonymized by Esben-Petersen, 1918b: 121.

Cueta natti Navás, 1914c: 640. Synonymized by Esben-Petersen, 1920: 192.

Cueta anomala Navás, 1915b: 380. Synonymized by Hölzel, 1972: 28.

Cueta albanica Capra, 1945: 295. Synonymized by Hölzel, 1972: 29.

Cueta lineosa: Stange, 2004: 287.

雌性：体长 24-30 mm，前翅 23-27 mm，后翅 20-24 mm，腹部 18-23 mm。

雄性：体长 32-35 mm，前翅 20-23 mm，后翅 17-20 mm，腹部 26-28 mm。

头顶黄色，具黑色中线，前方中线两侧具两个黑色圆斑，中央有 1 黑色短横纹与中线交叉；颜面黄色，下颚须、下唇须黄色，上唇具稀疏黑色刚毛；触角黑黄相间，以黑色为主，触角窝中间黑色，不向两侧扩展至颊，触角窝间距约等于触角窝直径。

胸部背板黄色，具黑色纵纹，生有白色刚毛，多集中于侧缘及后缘，其中前胸背板具 3 细长纵纹；中胸与后胸背板斑纹多集中于前缘与侧缘；腹板黄色，具黑色斑纹，生有稀疏白色柔毛。

足细长，黄色，生有稀疏黑色和白色刚毛；胫节、跗节端部棕色；第 1 跗节约等于第 5 跗节并长于第 2-3 跗节之和；胫端距浅红棕色，短小平直，略超过第 1 跗节 1/2；爪浅红棕色，长度略长于第 5 跗节的 1/3。其中，后足腿节外侧具 1 排长度略短于腿节的黑色长刚毛。

前翅大部分翅脉黑黄相间，颜色浓重，前缘区约等于 R 与 Rs 间距，前缘横脉简单，几乎无分支，Rs 分叉点后于 CuA 分叉点，基径中横脉 7-8 条，简单无分支，Rs 分支为 8-10 条，翅痣黄色不明显，内侧有黑斑，肘脉合斑为极细的斜纹，中脉亚端斑线状或点状或无，前、后斑克氏线清晰。后翅短于前翅，翅脉颜色与前翅相似，颜色略浅，前缘区约等于 R 与 Rs 间距，缢缩不明显，Rs 分叉点后于 CuA 分叉点，基径中横脉 7-8 条，Rs 分支 7-10 条，翅痣黄色不明显，内侧有黑斑，无中脉亚端斑与肘脉合斑，前斑克氏线清晰，后斑克氏线不清晰。

腹部背板黄色，具 3 黄色纵纹，生有稀疏白色短毛，腹板棕色无斑；雄性腹部长于后翅，雌性腹部约等于后翅长。

雄性生殖器 (图版 XXXIV：8)：肛上片下端延伸成细长指状突，突起部分约占肛上片总长的 2/3，生有黑色长毛；第 9 腹板腹面观宽大，末端尖，呈锐三角形，生殖弧呈筒状，下端略弯曲；阳基侧突合并呈双弯钩状。

雌性生殖器：第 7 腹板后缘平直，生有稀疏黑色长毛；无 8-内生殖突，8-外生殖突粗大，指状并生有黑色长毛；9-内生殖突细长，强烈骨化，具细长的弯钩状挖掘毛，肛上片近椭圆形，生有黑色长毛。

检视标本 1♀，新疆哈密，1981.VI，采集人不详，CAU-N101209；1♀，新疆阿凡提，2005.VII.17，彩万志，CAU-N101210；1♀，无采集标签，CAU-N101212；1♂，新疆吐鲁番，1979.VIII.26，采集人不详，CAU-N101213；1♂，新疆阿凡提水库，2005.VII.15，彩万志，CAU-N101214；1♀，无采集标签，CAU-N101215；1♀，新疆，采集时间和采集人不详，CAU-N101216；1♀，阿拉善益额济纳旗，采集时间不详，关永强，CAU-N101217；1♀，无采集标签，CAU-N101218；2♀，新疆阿克苏，1100 m，2005.VII.17，白小栓，CAU-N101219，CAU-N101220；1♂，Tuzkmenistan，1999.VI.20，V. Krivokhatsky，CAU-N101208；1♀，Tuzkmenistan，1999.VI.20，V. Krivokhatsky，CAU-N101211。

分布 新疆；俄罗斯，阿富汗，巴基斯坦，乌兹别克斯坦，土库曼斯坦，阿尔巴尼亚，阿尔及利亚，塞浦路斯，吉布提，埃及，希腊，伊朗，伊拉克，以色列，黎巴嫩，摩洛哥，阿曼，沙特阿拉伯，苏丹，突尼斯，土耳其，也门。

(114) 碎斑多脉蚁蛉 *Cueta plexiformia* Krivokhatsky, 1996 (图版 XIX：3)

Cueta plexiformia Krivokhatsky, 1996b: 643. Type locality: Karakalpakija, Uzbekistan.

雌性：体长 27-30 mm，前翅 25-28 mm，后翅 23-25 mm，腹部 20-23 mm。

雄性：未知。

头顶黄色，具黑色中线，前方中线两侧具两个黑色圆斑，中央有 1 黑色短横纹与中线交叉；颜面黄色，下颚须、下唇须黄色；触角窝周围黑色，触角黑黄相间，以黑色为主，触角窝间距约等于触角窝直径的 1.5 倍。

前胸背板黄色，具 3 细长黑色纵纹；中胸与后胸背板黄色，黑色斑纹多集中于前缘与侧缘；腹板黄色，具黑色斑纹，生有稀疏白色柔毛。

足黄色，生有稀疏黑色和白色刚毛；腿节外侧黑色；胫节、跗节端部棕色；第 1 跗节约等于第 5 跗节并长于第 2-3 跗节之和；胫端距浅红棕色，短小平直，略超过第 1 跗节 1/2；爪浅红棕色，长度略长于第 5 跗节的 1/3。其中，前足与中足腿节基部内侧具 1 感觉毛，长度约为腿节的 1/5。

前翅大部分翅脉黑黄相间，颜色浓重，前缘区约等于 R 与 Rs 间距，前缘横脉简单，几乎无分支，Rs 分叉点后于 CuA 分叉点，基径中横脉 7-8 条，简单无分支，Rs 分支为 8-10 条，翅痣黄色，内侧有黑斑，中脉亚端斑与肘脉合斑为极细的斜纹，端区与后缘处散落密集小型斑点，前、后斑克氏线清晰。后翅略短于前翅，翅脉颜色与前翅相似，颜色略浅，前缘区约等于 R 与 Rs 间距，并且在距基部 1/3 处缢缩而明显变窄，且缢缩处前缘横脉排列较密集，Rs 分叉点后于 CuA 分叉点，基径中横脉 7-8 条，Rs 分支 7-10 条，翅痣黄色，内侧有黑斑，中脉亚端斑线状，不清晰，无肘脉合斑，前斑克氏线清晰，后斑克氏线不清晰。

腹部背板黑色，具 2 黄色纵纹，生有稀疏白色短毛，腹板黑色无斑。

雄性生殖器：未知。

雌性生殖器：第 7 腹板后缘平直，生有稀疏黑色长毛，无 8-内生殖突，8-外生殖突粗大，指状并生有黑色长毛；9-内生殖突细长，强烈骨化，具细长的弯钩状挖掘毛；肛上片略呈矩形，生有黑色长毛。

检视标本　1♀，新疆阜康，550 m，2005.Ⅶ.11，彩万志，CAU-N101204；1♀，新疆沙湾，1981.Ⅵ.13，采集人不详，CAU-N101205；1♀，新疆沙湾，1981.Ⅵ.26，采集人不详，CAU-N101206；1♀，新疆博乐，1981.Ⅵ.8，赵建桐，CAU-N101207，1 性别不明 (腹部缺失)，Kazakhstan，D. Pyziulin，CAU-N101202；1 性别不明 (腹部缺失)，Uzbekistan，1969.Ⅶ，A. Emelianov，CAU-N101203。

分布　新疆；乌兹别克斯坦。

(115) 索氏多脉蚁蛉 *Cueta sauteri* (Esben-Petersen, 1913) (图版 XIX：2)

Nesoleon sauteri Esben-Petersen, 1913: 222. Type locality: Anping, Formosa.
Cueta duplicate Navás, 1914a: 138. Synonymized by Esben-Petersen, 1920: 193.
Cueta plicata Navás, 1914a: 136. Synonymized by Esben-Petersen, 1920: 193.
Cueta hugely Navás, 1914d: 239. Synonymized by Esben-Petersen, 1920: 193.
Myrmecaelurus polyneurus Yang, 1999b: 146. Synonymized by Krivokhatsky, 2012: 576.
Myrmecaelurus nigrigradatus Yang, 2002: 297. Synonymized by Krivokhatsky, 2012: 576.
Myrmecaelurus ingradatus Yang, 2002: 297. Synonymized by Krivokhatsky, 2012: 576.
Cueta sauteri: Krivokhatsky, 1997: 810.

雌性：体长 23-25 mm，前翅 24-29 mm，后翅 22-26 mm，腹部 17-19 mm。

雄性：体长 28-32 mm，前翅 22-24 mm，后翅 19-20 mm，腹部 22-26 mm。

头部与胸部等宽；触角黑色；面部大部分黄色，触角窝中间黑色，并向上下扩展；上唇黑色，下颚须、下唇须黄色；上唇具稀疏黑色刚毛；触角窝间距约等于触角窝直径；头顶黄色，具黑色中线，中线两侧近前方和后方各具 2 黑色椭圆形斑。

胸部背板黄色，具黑色纵纹，生有白色及黑色刚毛，多集中于侧缘及后缘，其中前胸背板具 3 细长纵纹，侧面 2 条常不连续；中胸与后胸背板多纵向斑纹；腹板黄色，具黑色条纹，侧面在足基节与翅基部之间各有 1 纵向条纹，生有稀疏白色柔毛。

前翅前缘区约等于 R 与 Rs 间距，前缘横脉简单，几乎无分支；大部分翅脉黑黄相间；Rs 分叉点在 CuA 分叉点外侧；基径中横脉 11-15 条，简单无分支；Rs 分支为 11-13 条；翅痣黄色不明显；无肘脉合斑与中脉亚端斑；翅端区有 1 横向线状斑纹，有时不清晰；前、后斑克氏线清晰；后翅短于前翅；翅脉颜色与前翅相似；Rs 分叉点在 CuA 分叉点外侧；基径中横脉 11-15 条；Rs 分支 11-13 条；翅痣黄色不明显；无中脉亚端斑与肘脉合斑；前、后斑克氏线清晰。

足黄色，被稀疏黑色刚毛与黑色斑点；胫节、跗节端部棕色；第 5 跗节胫端距浅红棕色，短小平直；爪浅红棕色，长度略长于第 5 跗节的 1/3；前、中足第 1 跗节约等于第 2-3 跗节之和，胫端距伸达第 1 跗节末端；后足第 1 跗节与第 5 跗节约等长，胫端距伸达第 1 跗节 1/2 处。

雄性腹部长于后翅，雌雄性腹部短于后翅，背板黄色，中央 1 黑色纵纹，生有稀疏白色短毛，腹板黑色中央具 1 黄色纵纹。

雄性生殖器 (图版 XXXⅣ：7)：肛上片下端延伸成细长指状突，突起部分约占肛上片总长的 1/2；生有黑色长毛；第 9 腹板腹面观宽大，末端尖，呈钝三角形；生殖弧侧面观呈不规则筒状；阳基侧突合并呈弯钩状。

雌性生殖器：第 7 腹板后缘平直，生有稀疏黑色长毛；肛上片侧面观椭圆形，生有黑色长毛；9-内生殖突细长，强烈骨化，具细长的弯钩状挖掘毛；无 8-内生殖突，8-外生殖突短粗，指状并生有黑色长毛。

检视标本　1♀，福建林院，蒋捷，CAU-N101233；1♀，福建武平武东，1980.Ⅸ.15，采集人不详，CAU-N101223；1♀，福建邵武和平，1980.Ⅸ.19，林科所，CAU-N101224；1♀，庐山，1963.Ⅶ，周尧，CAU-N101232；1♂，广东，1986.Ⅶ，？达 (原始标签不清楚)，CAU-N101235；腹部缺失，广东罗浮山，1993.Ⅶ.7，李文胜，CAU-N101234；1♂，广东四会 (来自山地)，1995.Ⅸ.5，周汉辉，CAU-N101236；1♀，海南尖峰岭三分区，1981.Ⅵ.29，吴川桦，CAU-N101221；1♀，海南尖峰岭三分区，1981.Ⅵ.30，陈振光，CAU-N101222；1♀，海南尖峰 (三)，1983.Ⅳ.28，顾毛彬，CAU-N101225；1♀，无采集标签，采集人不详，CAU-N101226；1♀，海南乐东黄流村，2005.Ⅱ.16，王志良，CAU-N101227；1♀，海南兴隆，1959.Ⅳ，采集人不详，CAU-N101228；1♀，海南岛那大，1963.Ⅳ.2，采集人不详，CAU-N101229；1♂，海南岛，采集时间不详，平正明，CAU-N101230；1♀，海南岛，1974.Ⅴ，平正明，CAU-N101231。

分布　江西、福建、台湾、广东、海南；印度，越南。

(二) 须蚁蛉亚科 Palparinae Banks, 1911

这个亚科最重要的鉴别特征是：前翅 1A 不与 CuP 合并，后翅 1A 达到翅缘的分支不超过 4 条 (图 2b、d)。前者区别于蚁蛉亚科 (前翅 1A 与 CuP 合并)，后者区别于亮翅

蚁蛉亚科 (后翅 1A 有 5 条或更多达到翅缘的分支)。须蚁蛉亚科主要分布在非洲，少数分布在亚洲、欧洲和南美洲。中国目前仅发现 1 属 1 种。

31. 须蚁蛉属 *Palpares* Rambur, 1842

Palpares Rambur, 1842: 365. **Type species:** *Hemerobius libelloides* Linnaeus, 1764; by subsequent designation.

Negretus Navás, 1912d: 56. **Type species:** *Negretus ertli* Navás, 1912a; by original designation. Synonymized by Stange, 2004: 47.

须蚁蛉属 *Palpares* 是须蚁蛉族中最大的属，世界已知 67 种 (Stange, 2004)。这个属有很多个体较大的种，如分布于纳米比亚的 *Palpares immensus* McLachlan 翅展达到 160 mm。多数成虫停落在有阳光的草地上栖息。本属记录过 5 种幼虫，欧洲种 *P. libelloides* 和 *P. hispanus* 幼虫上颚有 3 齿，南部非洲的物种幼虫上颚有 4 齿。

属征 下唇须端节的须斑在亚端部，卵圆形，触角窝间距窄于柄节的直径，触角长度至少 2 倍于头的宽度，前后翅没有外突的瓣，后足胫节短于腿节；前足第 5 跗节短于第 1-4 跗节之和；雄性肛上片不形成尾突。

分布 中国，印度，欧洲，非洲。

(116) 中华须蚁蛉 *Palpares sinicus* Yang, 1986 (图版 XX：1)

Palpares sinicus Yang, 1986: 423. Type locality: Yunnan (Lancang).

雌性：体长 50 mm，前翅 67 mm，后翅 65 mm，腹部 38 mm。

雄性：未知。

头顶隆起，黄色，触角后方中缝两侧有纵向排列的 3 对黑斑，前方第 1 对黑斑外侧各有 1 黑斑。额棕褐色，唇基和上唇棕黄色，上颚深褐色，下颚棕黄色，下颚须 3 节，深棕色，下唇须深棕色，第 1 节短，第 2-3 节约与前足胫节等长，第 3 节端部膨大，触角缺失，触角窝靠近。

前胸背板长方形，宽大于长，黄色，有 1 粗的黑色中带。中、后胸黄色，隐约可见中条纹，中板背板有 1 对细的侧条纹，胸侧面和腹面褐色，密被白色细毛。足棕褐色，被白色和黑色短刚毛，第 5 跗节约为第 1-4 跗节之和，距弧形弯曲，棕色，后足距伸达第 3 跗节末端。爪粗壮，弯曲，略长于第 5 跗节。

前翅宽阔，外缘与后缘略内凹。有 3 褐色的条斑从翅前缘斜向伸达翅外缘和后缘，亚端区翅外缘处有 1 褐色大斑，翅痣附近有散乱的褐色斑，前缘区有大小不等的一些小褐斑。Rs 起点几乎与 CuA 分叉点相对，基径中横脉 8 条，Rs 分支点前有双排小室，CuA2 不与 CuP 汇合，1A 不与 CuP 合并，前翅前缘区约等于 R 与 Rs 间距，前缘横脉简单。后翅略短于前翅，宽阔，翅顶点之后略内凹，使翅前缘最远端形成 1 尖角。翅顶角有 1 褐色大斑。前面窄，后面宽；后翅中部有两个宽的、不整齐的褐色横条斑，横跨翅面，肘脉合斑褐色，伸达翅缘，前缘区有大小不等的一些小褐斑。后翅 Rs 起点先于 CuA 分叉点，CuA2 与 CuP 汇合，有褐色肘脉合斑。

腹部较粗，深褐色，雌性腹部短于后翅。

雄性生殖器：未知。

雌性生殖器：标本不宜解剖。

检视标本 1♀，正模，云南澜沧拉祜族自治县，1978.Ⅴ.18，CAU-N100261。

分布 云南。

二、蝶角蛉科 Ascalaphidae Lefèbvre, 1842

Ascalaphidae Lefèbvre, 1842: 6 (as tribe). **Type genus:** *Ascalaphus* Fabricius, 1775.

蝶角蛉科世界已知现生种438种，化石10种。分3亚科：短角蝶角蛉亚科 Albardiinae、完眼蝶角蛉亚科 Haplogleniinae 和裂眼蝶角蛉亚科 Ascalaphinae。短角蝶角蛉亚科仅分布在新热带界，完眼蝶角蛉亚科除澳洲界外，其他动物地理区均有分布，裂眼蝶角蛉亚科为全球分布。中国已知 2 亚科 11 属 29 种。

亚科检索表

[依据 Weele (1908)，Tjeder (1992) 检索表改编]

1 复眼被 1 横沟分为上下两半 ……………………………… ***裂眼蝶角蛉亚科 Ascalaphinae**

复眼完整，无横沟 ……………………………………………………… 2

2 触角长于或等于前翅的 1/2 ……………………………… ***完眼蝶角蛉亚科 Haplogleniinae**

触角短于前翅的 1/3 ……………………………………… **短角蝶角蛉亚科 Albardiinae**

*表示中国有分布。

(三) 完眼蝶角蛉亚科 Haplogleniinae Newman, 1853

Haplogleniidae Newman, 1853: 199. **Type genus:** *Haploglenius* Burmeister, 1839.

Olophthalmi Lefèbvre, 1842: 6.

Holophthalmi McLachlan, 1871: 230.

Holophthalminae Weele, 1908: 26.

Holoftalmos Navas, 1912g: 205.

Neuroptyngini Schroeder, 1925: 838.

Verticellerinae Orfila, 1949: 188.

Neuroptynginae Adams, 1958: 98.

Episperchinae Stange, 1967: 62.

Ascaloptynginae MacLeod, 1970: 155.

Haplogleniinae Tjeder & Waterston, 1977: 87.

完眼蝶角蛉亚科复眼完整，未被横沟分为上下两半；触角长于或等于前翅的 1/2。

根据 Tjeder (1992) 的介绍，完眼蝶角蛉亚科主要分布在南亚、非洲撒哈拉以南、马达加斯加、中南美洲。至今，完眼蝶角蛉只有很少的物种分布在北半球，而南半球的澳大利亚尚未发现完眼蝶角蛉。本亚科世界已知 29 属 103 种，亚洲截至目前只报道有 3 属：原完眼蝶角蛉属 *Protidricerus*、完眼蝶角蛉属 *Idricerus* 和翼完眼蝶角蛉属 *Ptyngidricerus*。我国目前已发现 2 属：原完眼蝶角蛉属 *Protidricerus* 和完眼蝶角蛉属 *Idricerus*。翼完眼蝶角蛉属 *Ptyngidricerus* 分布在伊朗、伊拉克和阿曼等地。

属检索表

翅端区为 2 排小室；前翅腋角凸出 ………………………………………… **完眼蝶角蛉属 *Idricerus***

翅端区为 3 排小室；前翅腋角多不凸出 ……………………………… **原完眼蝶角蛉属 *Protidricerus***

32. 完眼蝶角蛉属 *Idricerus* McLachlan, 1871

Idricerus McLachlan, 1871: 240. **Type species**: *Ascalaphus decrepitus* Walker, 1860; by original designation.

这个属世界共记载 5 种，有 3 种分布在中国。另外的 2 种虽然也有在中国分布的报道，但我们没有收集到标本，而且 *Idricerus weelei* Navás, 1909 只有 Sziráki (1998) 在《亚洲和太平洋岛屿蝶角蛉已知种修订名录》中写到该种分布在中国香港，没有更详细的采集信息和标本保存信息，因此，*Idricerus weelei* Navás, 1909 是否分布在中国需要进一步核实。*Idricerus sjostedti* Navás, 1927 在发表时记载分布在中国，但匈牙利脉翅目专家 Ábrahám 博士检视过 *Idricerus sjostedti* Navás, 1927 的模式标本，他认为 *Idricerus sjostedti* Navás, 1927 是 *Idricerus decrepitus* (Walker, 1859) 的异名。这个属目前在我国分布最北达北纬 30°左右 (西藏普兰县)。

属征　翅狭长，中部略加宽。翅端区狭窄，圆弧形，2 排小室。翅痣小。前翅多有较钝的腋角。触角长达前翅的 1/2-2/3。头比胸宽，后足端距内弯，等于第 1-2 跗节之和。

分布　中国，阿富汗，印度，土库曼斯坦。

种检索表

1　前翅腋角不凸出，后翅 CuA2 经 2-3 个小室后与 CuP 相交 ……………… **湘完眼蝶角蛉 *I. xianganus***

　前翅腋角凸出，后翅 CuA2 经 1 小室后与 CuP 相交 ………………………………………………… 2

2　翅上密被沿翅脉形成的黄褐色细碎斑，翅痣深褐色 …………………… **银完眼蝶角蛉 *I. decrepitus***

　翅透明无斑，翅痣浅黄色 …………………………………………………… **素完眼蝶角蛉 *I. sogdianus***

注：检索表不包括 *I. weelei*，因为无检视标本。

(117) 银完眼蝶角蛉 *Idricerus decrepitus* (Walker, 1860) (图版 XXI：1)

Ascalaphus decrepitus Walker, 1860: 197. Type locality: India.

Idricerus sjostedti Navás, 1927b: 1. New Synonym.

Idricerus decrepitus: McLachlan, 1871: 240.

雌性：体长 27-28 mm，腹部 15-16 mm，前翅 38 mm，后翅 33-34 mm，触角 25-26 mm。

雄性：体长 28-30 mm，腹部 16-17 mm，前翅 32-35 mm，后翅 28-31 mm，触角 24-26 mm。

头顶浅褐色，具白色长毛。触角之间具灰色长毛，额红褐色，两颊具白色长毛。唇基和上唇黄色。上颚端部深褐色。下颚须、下唇须黄色。复眼完整，无横沟，灰黄色，密被深色斑点或斑块。触角锤状，黄褐色，节间处有深褐色窄环。

前胸背板黑色，前后缘黄色。中胸背板黑色，中部及小盾片有黄斑，中胸前盾片有灰色长毛束。后胸背板黑色，端部有小黄斑。胸侧面及腹面深棕色，具白色长毛。

前翅狭长，基部有明显的短突形腋角，腋角外侧内凹；脉黑白相间，翅上有沿翅脉扩展出的褐色细碎斑点。翅痣深褐色，具 3-4 条横脉，翅端区小室 2 排，Cu 区小室 4-5 排。后翅狭长，略短于前翅，CuA2 短，与 CuP 交汇前，内侧仅 1 小室，端区小室 2 排，Cu 区 3-4 排。CuA2 短，约为 CuA1 的 1/10。

足亮黑色，具白色和黑色长刚毛，腿节基部和端部、胫节基部和端部黄色，距和爪红褐色，距达第 2 跗节，跗节具黑色短刺。

腹部短于后翅，背板黑色，第 1 节色浅，第 2 节有 1 对靠近的黄斑和 1 对灰色斑，第 3 节有 1 对灰斑，腹面黑色，有些个体第 2-4 节及第 5 节基部白色，有稀疏的白色长毛。

雄性生殖器 (图版 XXXVII：3)：肛上片椭圆形；生殖弧宽拱形；阳基侧突屋脊状，端部靠近，基部远离；垫突显著；有盾状片。

雌性生殖器 (图版 XXXV：1)：腹面观腹瓣宽片形，有内齿，舌片色浅，不显著，端瓣近椭圆形，约为第 8 腹板的 1/2。

检视标本 1♂，西藏樟木口岸，1981.VI.8，胡胜吕，CAUN200362；1♂，西藏樟木友谊桥，1981.IV.17，胡胜吕，CAUN200363；1♀1♂，西藏吉隆公社，1984.VI .20，闫兆兴，CAUN200360，CAUN200365；1♀，西藏吉隆公社，1984.VI.22，闫兆兴，CAUN200366；1♂，西藏吉隆公社，1984.VI.28，闫兆兴，CAUN200361；1♂，西藏吉隆县，1984.VI.25，普琼，CAUN200364。

分布 西藏；巴基斯坦，印度北部，尼泊尔，土库曼斯坦。

(118) 素完眼蝶角蛉 *Idricerus sogdianus* McLachlan, 1875 (图版 XXI：3)

Idricerus sogdianus McLachlan, 1875: 2. Type locality: Turkestan.

雌性：体长 35 mm，腹部 20 mm，前翅 41 mm，后翅 37 mm，触角 30 mm。

雄性：未知。

头顶黑色，具浓密的白色长毛。触角与复眼之间具灰色与白色长毛，额颊褐色，额具白色长毛，颊具白色与灰色长毛。唇基、上唇黄色，上唇端部具 1 排黄色毛。上颚褐色，端部黑色。下唇须、下颚须黄色，端部褐色，具黑色短毛。复眼完整，无横沟，黑色，具金黄色斑纹。触角褐色与黄色相间，触角顶端膨大部具黑色短毛。

胸部黑色，具浓密的白色和灰色长毛，中胸小盾片具 1 红褐色横纹，后胸有 1 黄色横纹。前翅狭长、透明，基部有明显的短突形腋角，腋角外侧内凹。Sc 脉黑黄相间，其余脉为褐色。翅痣黄色，具 4 横脉。端区小室 2 排，Cu 区小室 5-6 排。后翅略短于前翅，Sc 脉黑黄相间，其余脉为褐色，翅痣淡，具 5 横脉。CuA2 短，与 CuP 交汇前内侧仅 1 个小室，端区小室 2 排，Cu 区小室 4 排。CuA2 短于 CuA1 的 1/10。

足腿节褐色，被白色长毛和黑色刚毛。胫节黄色，中部具 1 褐色窄环，被黑刚毛。跗节黄色，每节端部褐色，被黑色短刺。距和爪红褐色，距达第 2 跗节末端。

腹部短于后翅，黑色，每节端部具红褐色窄边。腹基部密被白色长毛，其余各节被灰色毛。

雌性生殖器 (图版 XXXV：2)：腹面观腹瓣宽片形，有内齿，舌片不显，舌片色浅，不显著，端瓣近椭圆形，约为腹瓣的 1/2。

检视标本　1♀，西藏普兰科加口，3700 m，1976.Ⅶ.24，黄复生，CAUN200368；1 个标本，性别不详，采集地不详，1994.Ⅶ.18，采集人不详，CAUN200419。

分布　西藏；哈萨克斯坦，印度北部，吐库曼斯坦，土耳其。

(119) 湘完眼蝶角蛉 *Idricerus xianganus* Yang, 1992 (图版 XXI：5)

Idricerus xianganus Yang, 1992b: 649. Type locality: Hunan (Yizhang, Mangshan).

雌性：未知。

雄性：体长 36 mm，腹部 22 mm，前翅 40 mm，后翅 33 mm，触角残缺。

头部黑色，密生黑色长毛。唇基、上唇及两颊黄褐色，下颚须与下唇须棕褐色。复眼完整，无横沟，黄褐色。触角缺失。

胸部黑褐色，中胸背板大部分呈灰褐色，密生黑褐色毛。腹面颜色较淡，密生白色长毛。前翅透明，前缘区基部和臀区基部浅褐色，近长卵形，外缘与后缘呈浅弧线状，翅基无腋角。翅痣淡黄褐色，具 4 横脉。端区小室 3 排，Cu 区小室 5 排。后翅短于前翅，近斜三角形，外缘与后缘呈深弧线状，前缘区基部和臀区基部浅褐色，翅痣淡黄褐色，具 4 条横脉。端区小室 3 排，Cu 区小室 4-5 排。CuA2 长，约为 CuA1 的 1/4。

足黑褐色，胫端距爪状，细长而末端略弯，伸达第 2 附节的端部。

腹部短于后翅，黑色，基部 3 节的后缘具黄褐色窄边，第 5 节以后的腹节变细。

雄性生殖器：解剖部分丢失。

检视标本　1♂，正模，湖南宜章县，1981.Ⅷ.22，采集人不详，CAUN200367。

分布　湖南。

讨论　正模性别修订：该种原始描述标注的正模性别是♀，但原始描述中写道“雌蛉腹端第 8 节气门位于侧膜上。”所以，说明作者当时把性别搞反了，因为雌性第 8 节气门应该在背侧板上，而不是在侧膜上，第 8 节气门位于侧膜上正好说明这是一个雄性标本。

该种与白肚原完眼蝶角蛉 *Protidricerus palliventralis* Yang, 1999 相似，前者是杨集昆教授于 1992 年根据 1 雌性单模标本定名的，后者是杨集昆教授于 1999 年根据 1 雄性单模定名的。但湘完眼蝶角蛉 *Idricerus xianganus* 翅端区小室为 2 排，而白肚原完眼蝶角蛉 *Protidricerus palliventralis* 翅端区小室为3排，前者后翅CuA2与CuA1的角度约为45°，后者后翅 CuA2 与 CuA1 的角度约为 80°。

匈牙利脉翅目专家 Ábrahám 认为 (2011 年来访交流观点)，湘完眼蝶角蛉 *Idricerus xianganus* 是 *Protidricerus phillippiensis* Esben-Petersen, 1927 的异名，但前者前翅长 40 mm，后翅长 33 mm，前翅 Cu 区小室 5-6 排，后翅 Cu 区小室 4-5 排，后者前翅长 28 mm，后翅长 22.5 mm，前翅 Cu 区小室 3 排，后翅 Cu 区小室 2 排。二者的翅长及后翅 Cu 区宽度差异显著，因此，笔者认为这 2 种不存在异名关系。

(120) 韦氏完眼蝶角蛉 *Idricerus weelei* Navás, 1909

Idricerus weelei Navás, 1909a: 56. Type locality: Hong Kong (Victoria).

体长 30mm，腹部 20 mm，前翅 36 mm，后翅 32 mm，触角 25 mm (译自 Navás 原始描述部分内容)。根据原始发表的特征图描述：前翅腋角长圆突形，显著，端区小室 2 排，Cu 区小室 5-6 排，Rs 有 6 分支。后翅端区小室 2 排，Cu 区小室 4 排。

检视标本 无。

分布 香港。Sziráki (1998) 在《亚洲和太平洋岛屿蝶角蛉已知种修订名录》中记录该种分布在中国香港，但没有更详细的采集信息和标本保存信息。

33. 原完眼蝶角蛉属 *Protidricerus* Weele, 1908

Protidricerus Weele, 1908: 61. **Type species:** *Idricerus exilis* McLachlan, 1894; by original designation.

该属世界已知 6 种，中国已知 5 种。只有 *Protidricerus irene* Weele, 1908 分布于婆罗洲 (马来西亚、印度尼西亚)，中国尚未发现。这个属目前在我国分布最北达41°N (北京门头沟)。

属征 翅较宽或极狭窄，翅端区较宽，3 排小室。前翅无腋角，或腋角不显著。触角超过前翅长的一半。足短粗，后足端距与第 1-2 跗节之和等长。腹部短于后翅。

分布 中国，日本，菲律宾，马来西亚，印度尼西亚。

种 检 索 表

1 翅宽阔，后翅外缘与后缘呈深弧形，CuA2 经过 2 翅室，前翅无腋角…… **宽原完眼蝶角蛉 *P. elwesii***
翅狭窄，后翅外缘与后缘浅弧形或近乎平直，CuA2 经过 1 翅室，前翅有略突出的腋角…………2
2 后翅外缘与后缘浅弧形，CuA2 明显，后翅 Cu 区 3-4 排小室 ………………… **原完眼蝶角蛉 *P. exilis***
后翅外缘与后缘近乎平直，CuA2 不明显，后翅 Cu 区 2-3 排小室 ……………………………………3
3 后翅 Cu 区 2 排小室，偶有 1-2 不连续的中排间插小室 …………… **狭翅原完眼蝶角蛉 *P. steropterus***
后翅 Cu 区 3 排小室，中排小室多而连续 ………………………………… **日原完眼蝶角蛉 *P. japonicus***

注：检索表不包括 *Protidricerus philippinensis*，因为无检视标本。

(121) 宽原完眼蝶角蛉 *Protidricerus elwesii* (McLachlan, 1891) (图版 XXI：4)

Idricerus elwesii McLachlan, 1891: 512. Type locality: India (West Bengal, Darjeeling).

Protidricerus palliventralis Yang, 1999b. 141. New synonym.

Protidricerus elwesii: Weele, 1908: 63.

雌性：体长 33-37 mm，腹部 20-21 mm，前翅 42-51 mm，后翅 38-45 mm，触角 29-32 mm。

雄性：体长 32-33 mm，腹部 19-20 mm，前翅 36-37 mm，后翅 32-33 mm，触角 26-27 mm。

头顶、额、颊黑色，被浓密的黑色毛。唇基、上唇黄色，上颚深褐色。下唇须、下颚须红褐色，具黑色短毛。复眼完整，无横沟，黄色或褐色。触角褐色，端部黑色，勺形，约等于前翅长的 2/3。

胸背板灰褐色，具棕色长毛。胸腹面灰褐色，具白色和黑色长毛，雄性常以白色长毛为主。前翅较宽阔，外缘与后缘连线呈深弧线，腋角不外突。翅浅茶色，前缘区基半部色较深，翅脉深褐色。翅痣黄褐色，具 4 横脉。前缘区横脉 34-35 条，端区小室 3 排，Cu 区小室 5 排。后翅短于前翅，颜色与前翅相似，翅痣黄褐色，具 5 横脉。端区小室 3 排，Cu 区小室 4-5 排。CuA2 角长，略超过 CuA1 的 1/4。

足腿节、胫节红褐色，腿节具白色及黑色长毛，胫节具黑色长毛。跗节、距及爪深红褐色，跗节具黑色短刺。

腹部短于后翅，黑色，一些节后缘有黄边。雄性腹基部腹板常有一段灰白色。

雄性生殖器 (图版 XXXVII：5)：肛上片椭圆形；生殖弧宽拱形；阳基侧突端部靠近，基部远离；垫突不显著；有盾状片。

雌性生殖器 (图版 XXXV：4)：腹面观腹瓣长茄形，无内齿，舌片不显著，端瓣近椭圆形，约为腹瓣的 1/2。

检视标本　1♀4♂，浙江泰顺乌岩岭，650 m，2005.Ⅶ.27，王志良，CAUN200434，CAUN200436，CAUN200544，CAUN200475，CAUN200476；2♂，浙江泰顺乌岩岭，650 m，2005.Ⅶ.30，王志良，CAUN200474，CAUN200477；1♂，浙江泰顺乌岩岭，650 m，2005.Ⅶ.31，王志良，CAUN200473；1♀，浙江泰顺乌岩岭，650 m，2005.Ⅷ.1，王志良，CAUN200415；1♀3♂，浙江泰顺乌岩岭，650 m，2005.Ⅷ.2，王志良，CAUN200379，CAUN200469，CAUN200470，CAUN200472；1♀4♂，浙江泰顺乌岩岭，650 m，2005.Ⅷ.3，王志良，CAUN200435，CAUN200541，CAUN200542，CAUN200543，CAUN200471；1♀，福建三港，1982.Ⅷ.24，汪江，CAUN200332；1♀，福建武夷山，750 m，1983.Ⅶ.20-30，采集人不详，CAUN200333；1♀，福建龙岩梅花山丘山，800 m，1988.Ⅶ.20，杨集昆，CAUN200331；1♀，广西兴安猫儿山，2005.Ⅷ.4，赵萍，CAUN200378；1♀，广西猫儿山九龙塘三江源，2005.Ⅷ.9，赵萍，CAUN200380；1♂，四川荥经泗坪，1100 m，1984.Ⅵ.26，刘大军，CAUN200334；1♀，贵州雷公山小丹江，860-1300 m，2005.Ⅸ.13-14，宋琼章，CAUN200388；1♂，西藏墨脱汗密，2100 m，2011.Ⅶ.26，毕文恒，CAUN200538；

4♀1♂，西藏墨脱汗密，2100 m，2011.Ⅷ.7，詹庆斌，CAUN200514，CAUN200532，CAUN200533，CAUN200536，CAUN200508；2♀1♂，西藏墨脱路段，2110 m，2011.Ⅷ.17，詹庆斌，CAUN200511，CAUN200537，CAUN200509；1♀1♂，西藏墨脱，2100 m，2011.Ⅷ.18，詹庆斌，CAUN200513，CAUN200540；2♀，西藏墨脱，2011.Ⅷ.19，詹庆斌，CAUN200512，CAUN200539；1♀1♂，西藏波密通麦，2200 m，2011.Ⅷ.21，詹庆斌，CAUN200534，CAUN200510；1♀，西藏易贡国家地质公园，2200 m，2011.Ⅷ.25，詹庆斌，CAUN200535。

新异名 *Protidricerus palliventralis* 检视标本 1♂，正模，福建三港，1986.Ⅷ.24，汪家社，CAUN200330。

分布 浙江、福建、广西、四川、贵州、西藏；巴基斯坦，印度，缅甸。

讨论 两性差异：雌性前翅长 42-51 mm，后翅 Cu 区长，第 1 排小室 12-13 个。雄性前翅长 36-37 mm，后翅 Cu 区短，第 1 排小室 8-9 个。

McLachlan (1891) 发表 *Idricerus elwesii* 新种时根据的是雌性单模。Weele (1908) 将该种移至原完眼蝶角蛉属 *Protidricerus*，并重新描述了该种，但他也未观察到 *elwesii* 的雄性标本。Ábrahám (2008b)鉴定了台湾的标本 (8♀2♂)，但他没有提到该种存在较明显的性二型现象。

我们的研究发现：采自西藏和浙江同一时间地点的 *P. elwesii*，既有雌性也有雄性，两地雌性形态特征基本一致，雄性形态特征基本一致，而雌性与雄性在体形、翅形上有明显差异。另外，所有雄性标本都极似白肚原完眼蝶角蛉 *P. palliventralis*，而白肚原完眼蝶角蛉原始描述根据的是采自福建的雄性单模。*P. elwesii* 雌性检视标本中有 3 个采自福建，这 3 个标本与浙江、西藏采到的 *elwesii* 雌性标本形态特征一致。以上采自 6 省 (自治区) 的 42 号标本 (21♀21♂)，其中西藏、浙江、福建均采到雌雄两个性别，西藏 11♀5♂；浙江 4♀14♂；福建 3♀1♂。三地共计 18♀20♂，不可能雌性都是 *P. elwesii*，雄性都是 *P. palliventralis*，因此我们推断白肚原完眼蝶角蛉 *P. palliventralis* 是宽原完眼蝶角蛉 *Protidricerus elwesii* 的异名。该种的雄性个体明显小于雌性，翅形也略有不同。

匈牙利脉翅目专家 Ábrahám 认为 (2011 年来访交流观点)，*P. palliventralis* Yang, 1999 是 *P. phillippiensis* Esben-Petersen, 1927 的异名，但前者前翅长 41 mm，后翅长 35 mm，前者前翅 Cu 区小室 5-6 排，后翅 Cu 区小室 4-5 排，后者前翅长 28 mm，后翅长 22.5 mm，前翅 Cu 区小室 3 排，后翅 Cu 区小室 2 排。二者翅长与后翅 Cu 区小室排数相差显著，因此，笔者认为该种与 *P. phillippiensis* 不存在异名关系。

(122) 原完眼蝶角蛉 *Protidricerus exilis* (McLachlan, 1894) (图版 XXI：2)

Idricerus exilis McLachlan, 1894: 424. Type locality: Sichuan (Ta-chien-lu).
Protidricerus exilis: Weele, 1908: 62.

雌性：体长 28-35 mm，腹部 18 mm，前翅 36-42 mm，后翅 31-37 mm，触角 23-26 mm。
雄性：未知。

头顶黑色，具白色和褐色长毛。触角与复眼之间具灰白色毛簇。额黑色，颊、唇基及上唇黄色；额具白色和灰色长毛。上唇端部具 1 排黄褐色毛。上颚褐色，端部深褐色。下唇须、下颚须褐色，具黑色短毛。复眼完整，无横沟，黑色，具褐色斑纹。触角黑色，端部密被黑色短毛。

胸部黑色。前胸背板前后缘及中胸具白色和褐色长毛，后胸被白色长毛，雄腹面被白色长毛。前翅狭长，外缘与后缘呈浅弧线，几乎与前缘平行。腋角略突出。翅透明，翅脉深褐色。翅痣深褐色，具 4-5 横脉。前缘区横脉 32 条，端区小室 3 排，Cu 区小室 4-5 排。后翅短于前翅，翅痣深褐色，长于前翅翅痣，端区小室 3 排，Cu 区小室 3-4 排。CuA2 短，约为 CuA1 的 1/9。

足黑色，腿节被白色及黑色长毛，胫节被黑色刚毛，跗节具黑色短刺。距和爪的端部红褐色。距达第 2 跗节末端。

腹部短于后翅，背面灰褐色，具黑色长毛；基部两侧具褐色长毛。腹面基部第 1-2 节被白色长毛，其余各节被黑色长毛。

雌性生殖器 (图版XXXV：3)：腹瓣三角形，有内齿，舌片显著，端瓣近椭圆形，约为腹瓣的 1/2。

检视标本　1♀，湖北神农架红坪，1800 m，1980.Ⅶ.10，何俊华，CAUN200339；2♀，四川九寨沟，2002.Ⅷ，石福明，CAUN200336，CAUN200337；1♀，四川康定捧塔，2005.Ⅷ.29，石福明，CAUN200375；1♀，四川康定捧塔，2005.Ⅸ.1，石福明，CAUN200376；1♀，云南玉溪，1980.Ⅴ.13，赵其荣，CAUN200338；1♀，云南老君山三叉河，2700 m，1980.Ⅶ.29，剑川组，CAUN200340；1♀，陕西太白山嵩坪寺，1200 m，1983.Ⅶ.13，陕西太白山昆虫考察组，CAUN200341；1♀，甘肃宕昌，1980.Ⅶ.20，骆仁促，CAUN200335。

分布　陕西、甘肃，湖北、四川、云南。

(123) 日原完眼蝶角蛉 *Protidricerus japonicus* (McLachlan, 1891) (图版XXI：8)

Idricerus japonicus McLachlan, 1891: 513. Type locality: Japan.

Protidricerus japonicus: Weele, 1908: 63.

雌性：体长 30-34 mm，腹部 19-20 mm，前翅 39-42 mm，后翅 33-38 mm，触角 24-30 mm。

雄性：体长 31-34 mm，腹部 19-20 mm，前翅 35-38 mm，后翅 29-33 mm，触角 25-28 mm。

头顶黑色，被黑色长毛。额黑褐色，被黑色、白色长毛。颊浅黄色，唇基、上唇黄色。唇基具黄色毛，上颚端部深红褐色。下颚须、下唇须基部黄褐色，端部深褐色；复眼完整，无横沟，黑褐色。触角褐色与黄褐色相间，膨大部梨状，密被黑色短毛。

胸背板灰黑色，被黑色和白色长毛；胸腹面黑色，具灰色长毛；前翅狭长，外缘与后缘呈浅弧线，与前缘近平行；腋角钝圆，突出；翅透明，翅痣深褐色，具 4 横脉；前缘区横脉 31-32 条，翅端区小室 3 排，Cu 区小室 4-5 排。后翅短于前翅，翅痣深褐色，比前翅更宽，翅端区小室 3 排，Cu 区小室 3 排，CuA2 短，不明显，短于 CuA1 的 1/10。

足腿节、胫节褐色，被黑色长刚毛；跗节黑色，具粗的黑色短刺；距和爪基部黑色，端部红褐色，距达第 2 跗节中部。

腹部背板灰黑色，密被黑色短毛。第 1 腹节背板灰褐色，两侧具褐色和灰色长毛。腹基部腹板黄色，具白色长毛，其余节灰白色，有黑色基缘与红褐色端缘，密被黑色短毛。

雄性生殖器 (图版XXXⅦ：7)：肛上片椭圆形；生殖弧宽拱形；阳基侧突屋脊状，端部靠近，基部远离；垫突不显著；有盾状片。

雌性生殖器 (图版XXXV：6)：腹瓣三角形，有内齿，舌片较显著，端瓣近椭圆形，约为腹瓣的 1/2。

检视标本 1♂，北京西北旺，1960.Ⅶ.2，采集人不详，CAUN200359；1♂，北京百花山，2005.Ⅶ.10，严冰珍，CAUN200385；1♀，北京小龙门，1350 m，1987.Ⅵ.30，W. W. Zhang，CAUN200358；2♀1♂，北京小龙门，2005.Ⅶ.12，严冰珍，CAUN200382，CAUN200384，CAUN200383；2♀，北京小龙门，2005.Ⅶ.13，严冰珍，CAUN200386，CAUN200387；1♂，北京小龙门，2005.Ⅶ.14，严冰珍，CAUN200381；1♂，北京喇叭沟门，2009.Ⅵ.16，王国全，CAUN200546；1♀，河北兴隆，1971.Ⅶ.21，天津自然博物馆，CAUN200347；1♀，河北兴隆，1971.Ⅷ.14，天津自然博物馆，CAUN200348；1♀1♂，河北雾灵山，2006.Ⅶ.9，杨干燕，CAUN200417，CAUN200416；1♀，河北小五台杨家坪唐家场，2009.Ⅵ.25，王俊潮，CAUN200547；1♀，河北小五台杨家坪贺家沟，2009.Ⅵ.27，王俊潮，CAUN200548；2♂，河南陕县甘山，600 m，2000.Ⅴ.1，申、仁，CAUN200355，CAUN200356；1♀，河南嵩县白云山，1500 m，2004.Ⅶ.14，王志良，CAUN200265；1♀，鄂神农架温水林场，1700-2000 m，2003.Ⅶ.17，张良，CAUN200549；1♀，鄂神农架温水林场，1700-2000 m，2003.Ⅶ.18，伍苏然，CAUN200545；1♀，四川康定，2550 m，1982.Ⅴ，采集人不详，CAUN200350；1♀，四川汶川卧龙，1920 m，1987.Ⅶ.23，韩寅恒，CAUN200349；1♀，云南维西攀天阁，2500 m，1981.Ⅶ.25，廖素柏，CAUN200352；1♀，云南丽江玉湖，2750 m，1984.Ⅶ.23，李畅方，CAUN200351；1♀，云南中甸冲江河，1800 m，1984.Ⅷ.6，刘大军，CAUN200353；1♀，甘肃文县邱家坝，2350 m，1999.Ⅶ.22，姚建，CAUN200354。

分布 北京、河北、河南、甘肃、湖北、四川、云南；日本。

(124) 菲律宾原完眼蝶角蛉 *Protidricerus philippinensis* Esben-Petersen, 1927

Protidricerus philippinensis Esben-Petersen, 1927: 550. Type locality: Philippines.

雌性：前翅 28 mm，后翅 22.5 mm，触角 20 mm，腹部 15 mm。头黑色，多毛；唇基和上唇棕色。触角黑色。胸部黑色。翅膜质透明，翅痣黑褐色，翅脉黑色，翅端区小室 2 排。前翅纵向几乎等宽，Rs 有 5 分支；CuA 区 3-4 排小室。后翅基部窄，从基部约 1/8 处至 M 与翅缘交汇处显著加宽；Rs 有 5 分支；CuA 区 2 排小室，该区域短。足黑褐色，跗节、距、爪黑褐色。腹部极短，黑色，被黑色毛 (译自 Esben-Petersen 原始描述部分内容)。

检视标本 无。

分布 台湾；菲律宾。

讨论 Sziráki (2000) 在 *Data to the knowledge of the Asian Ascalaphidae* (*Neuroptera*), *with description of a new subspecies* 中记录了采自台湾苗栗 (1996.Ⅷ.8，海拔 2490 m) 的该种 1 雄性标本，保存在布达佩斯匈牙利自然博物馆。该标本符合原始描述，只是个体更大一些，前翅 40 mm，腹部 20 mm，触角 26 mm，而雌性正模标本前翅 28 mm，腹部 15 mm，触角 20 mm。蝶角蛉科成虫存在雌雄二型现象，雌雄体形方面的差异普遍存在。

(125) 狭翅原完眼蝶角蛉 *Protidricerus steropterus* Wang & Yang, 2002 (图版 XXI：6)

Protidricerus steropterus Wang & Yang, 2002: 562. Type locality: Henan (Songshan county, Baiyunshan).

雌性：体长 31-33 mm，腹部 19-20 mm，前翅 42 mm，后翅 36-37 mm，触角 26-27 mm。

雄性：体长 29-31 mm，腹部 18-19 mm，前翅 34-36 mm，后翅 29-31 mm，触角 23-25 mm。

头顶黑色，具白色和黑褐色长毛。额、颊黑色，被白色长毛。唇基和上唇黄褐色，上颚褐色，端部深褐色。下颚须、下唇须黄色，端部颜色较深。复眼完整，无横沟，黑色。触角黄褐色，约为前翅长的 2/3。

胸背面黑色，具黑色长毛。中胸小盾片后缘具 1 排白色长毛。后胸具白色和黑色长毛。胸腹面黑色，具密的白色长毛。前翅极狭窄，外缘与后缘几乎连成直线，与前缘近平行；腋角钝圆，略突出；翅透明，翅脉褐色，翅痣黄褐色，具 3-4 横脉。前缘区横脉 30-31 条，端区小室 3 排，Cu 区小室 4-5 排。后翅短于前翅，比前翅更窄；翅痣黄褐色，具 3-4 横脉，比前翅翅痣更宽；端区小室 3 排，Cu 区小室 2 排，其中偶尔间插 1-2 小室，不连成排，CuA2 短，不显著，约为 CuA1 的 1/9。

足红褐色，跗节黑色。腿节被白色长毛，胫节被黑色长毛，跗节具黑色短刺。距和爪的端部红褐色。

雌雄腹部均短于后翅，黑色，有些标本部分节侧缘有黄斑。

雄性生殖器 (图版 XXXVII：6)：肛上片椭圆形；生殖弧宽拱形；阳基侧突屋脊状，端部靠近，基部远离；垫突不显著；有盾状片。

雌性生殖器 (图版 XXXV：5)：腹面观腹瓣三角形，无内齿，舌片较显著，端瓣近椭圆形，约为腹瓣的 1/2。

检视标本 1♀，正模，河南嵩县白云山，1996.Ⅶ.19，彩万志，CAUN200342。1 性别不详，北京门头沟小龙门，2006.Ⅶ.8，王志良，CAUN200418；1♂，河南嵩县白云山，1996.Ⅶ.19，杨集昆，CAUN200346；1♀，河南陕县甘山，600 m，2000.Ⅴ.1，申、仁，CAUN200343；1♂，河南陕县甘山，600 m，2000.Ⅵ.1，申、仁，CAUN200344；1♂，河南鸡公山，700 m，2001.Ⅶ.15，申效诚，CAUN200345。

分布 北京、河南。

（四）裂眼蝶角蛉亚科 Ascalaphinae Lefèbvre, 1842

Ascalaphinae Lefèbvre 1842: 6. **Type genus:** *Ascalaphus* Fabricius, 1775.
Schizophthalminae Weele 1908: 93. 未指定模式属。

裂眼蝶角蛉亚科复眼被 1 横沟分为上下两半，触角长于或等于前翅的 1/2。本亚科世界已知 60 属 323 种，六大动物地理界均有分布。目前中国大陆已发现 9 属 20 种。

Weele (1908) 将裂眼蝶角蛉亚科分为 7 族，但 Weele 所提供的分族特征，有些很难把握。因此，不作分族处理，将中国大陆裂眼蝶角蛉亚科涉及的 5 族 9 属编制到一个检索表中。

属检索表

1 翅上有亮黄色与深褐色形成的亮丽斑纹，翅近三角形，腹部短粗 ………… **丽蝶角蛉属 *Libelloides***
翅上无亮黄色的斑纹，翅形多样 ………… 2
2 前翅腋角锥状，后翅基部细如柄状 ………… **凸腋蝶角蛉属 *Nousera***
前翅腋角非锥状，后翅基部不细如柄状 ………… 3
3 翅近足形，后翅 1A 与后缘间有 1 排较长的斜脉，这些斜脉明显长于 1A 与 CuP 脉之间的横脉 ………… **足翅蝶角蛉属 *Protacheron***
翅非上述 ………… 4
4 翅端区小室 4 排，至少前翅如此，雄性触角柄节呈圆柱形，突出于复眼之上，胸侧有 1 黄色斜条斑 ………… 5
翅端区小室 3 排以下，雄性触角柄节不呈圆柱形，低于复眼 ………… 6
5 雌雄腹部均短于后翅，雄性肛上片突伸为钳状尾突，雄性触角基部无锯齿 ………… **脊蝶角蛉属 *Ascalohybris***
雄性腹部长于后翅，雌性腹部短于后翅；雄性肛上片非钳状尾突，雄性触角基部有明显的锯齿 ………… **锯角蝶角蛉属 *Acheron***
6 雄肛上片长尾突状，尾突中部有 1 侧支；胸部密被长毛 ………… **尾蝶角蛉属 *Bubopsis***
雄肛上片非长尾状，胸部长毛稀疏 ………… 7
7 体以黄色为主，胸侧及足几乎全黄；额、唇基和颊为亮黄色，雄性腹部短于后翅 ………… **蝶角蛉属 *Ascalaphus***
体以黑色或深褐色为主 ………… 8
8 前翅端区小室 3 排，若 2 排则雄性腹部明显长于后翅 ………… **玛蝶角蛉属 *Maezous***
前翅端区小室多为 2 排，雄性腹部与后翅等长或略长于后翅，若前翅端区 3 排小室，且翅形宽，近三角形，则翅上无显著的深色前缘 ………… **苏蝶角蛉属 *Suphalomitus***

34. 锯角蝶角蛉属 *Acheron* Lefèbvre, 1842

Acheron Lefèbvre, 1842: 6. **Type species:** *Ascalaphus trux* Walker, 1853; by monotype.

这个属世界已知 1 种，主要分布在亚洲东南部，中国有分布。

属征 触角长，几乎伸达翅痣，雄性触角基部内侧具短齿，锤状部梨形，端部平截。复眼有横沟，上半部稍大于下半部。翅较宽阔，后缘与外缘形成深弧线，外缘约为后缘的 2 倍。前翅腋角略突出，翅痣长，端区小室 3-4 排。翅完全透明，或前缘区为茶褐色，或后翅大部分为茶褐色，前翅基部与前缘区茶褐色。雄性腹部长于后翅，雌性腹部短于后翅。雄性肛副器短突状。

分布 中国，印度，不丹，孟加拉国，缅甸，马来群岛。

(126) 锯角蝶角蛉 *Acheron trux* (Walker, 1853) (图版 XXII：3)

Ascalaphus trux Walker, 1853: 432. Type locality: India, China.
Ascalaphus loquax Walker, 1853: 265. Synonymized by Weele, 1908: 228.
Ascalaphus anticus Walker, 1853: 434. Synonymized by Weele, 1908: 228.
Ascalaphus longus Walker, 1853: 435. Synonymized by Weele, 1908: 228.
Acheron longus McLachlan, 1871: 265. Synonymized by Weele, 1908: 228.
Helicomitus ctenocerus Gerstaecker, 1893: 101. Synonymized by Weele, 1908: 228.
Ascalohybris kolthoffi Navás, 1927b: 2. Synonymized by Ábrahámb, 2008: 65.
Acheron trux: Weele, 1908: 228.

雌性：体长 34-38 mm，腹部 20-25 mm，前翅 35-44 mm，后翅 32-38 mm，触角 29-31 mm。

雄性：体长 43-49 mm，腹部 34-38 mm，前翅 36-39 mm，后翅 31-34 mm，触角 28-31 mm。

头顶褐色，近复眼处黄色，额、颊、唇基和上唇棕红色，上颚端部颜色较深，下颚须、下唇须棕红色。头顶与颜面密被黄色和黑色长毛。复眼有横沟，棕红色，密布深褐色斑点。触角柄节柱状，相互靠近，其末端显著高于复眼；触角棕黄色至褐色，雄性触角鞭节的基部有 8-9 个内齿，第 1 齿最大。雌性触角基部无齿。

前胸背板狭窄，黄色，有两条黑色横纹。中胸黄色，有 1 深褐色中纵带和 1 对褐色侧纵带，后胸中部黄色，两侧黄色。胸部背板的颜色在个体间有一定的变化，有些种胸背部黄色区域扩大。胸侧面和腹面黑色，有 1 黄色宽条斑从后胸斜伸至前足之后。

前翅宽阔，外缘与后缘转向明显，外缘长度约为后缘的 2.5 倍。腋角微凸。翅完全透明，或前缘区为茶褐色，或后翅大部分、前翅基部与前缘区茶褐色。翅痣长，深褐色。前缘横脉雌性 40-41 条，雄性 34-38 条，端区小室 4 排，Cu 区 5-6 排。后翅短于前翅，比前翅略宽。翅痣深褐色，约与前翅翅痣等长。端区小室 3-4 排，Cu 区 5-6 排。CuA2 与 CuA1 的夹角近 90°，CuA2 短于或约等于 CuA1 的 1/5。

雄性腹部长于后翅，较细；雌性腹部短于后翅，较粗。腹部深棕色至黑色，基部两节背板颜色常比较浅。

雄性生殖器 (图版Ⅳ：4、5)：肛上片下方有向后伸的短突；生殖弧宽，腹面观屋脊状；阳基侧突新月形相对，垫突显著；有盾状片。

雌性生殖器 (图版Ⅳ：6，图版XXXV：9)：腹面观腹瓣卵圆形，有1个内齿，1对舌片；端瓣长卵形，约为腹瓣的2/3。

检视标本　2♂，浙江天目山，1973.Ⅶ.22，虞佩玉，CAUN200114，CAUN200117；1♂，浙江杭州，1979.Ⅶ.26，采集人不详，CAUN200116；2♀，浙江杭州，1979.Ⅶ.27，李克佳，CAUN200118，CAUN200221；1♂，浙江杭州，1980.Ⅶ.4，采集人不详，CAUN200075；1♂，浙江庆元百山祖，500 m，1993.Ⅷ.14，徐一忠，CAUN200140；1♂，浙江庆元百山祖，500 m，1993.Ⅷ.16，徐一忠，CAUN200141；1♀1♂，浙江泰顺乌岩岭，650 m，2005.Ⅷ.2，王志良，CAUN200505，CAUN200503；1♀3♂，浙江临安天目山，2007.Ⅶ.17，朱雅君，CAUN200497，CAUN200498，CAUN200499，CAUN200501；1♀，福建福州西湖，1963.Ⅶ.10，王旭琴，CAUN200105；1♂，福建武夷山，1979.Ⅶ.13，彩胜利，CAUN200103；2♂，福建莱州，1980.Ⅷ.13，采集人不详，CAUN200072，CAUN200108；1♀，福建，1980.Ⅷ.24，新川，CAUN200066；1♂，福建大竹岗，1981.Ⅷ.10，吴正远，CAUN200106；1♀，福建沙县，1981.Ⅷ.26，林元茂，CAUN200073；2♂，福建武夷，1982.Ⅶ.5，张可池，CAUN200109，CAUN200113；1♂，福建林学院，1983.Ⅵ.3，花碧娥，CAUN200102；1♂，福建三港，1983.Ⅷ.11，汪江，CAUN200107；1♀，福建三港，1983.Ⅶ.27，汪江，CAUN200100；1♂，福建涛流，1986.Ⅵ，教斌华，CAUN200101；2♀1♂，福建梅花山，1988.Ⅶ.22，杨集昆，CAUN200145，CAUN200144，CAUN200146；1♀1♂，福建南平九峰山庄，2009.Ⅶ.15，史丽、刘晓艳，CAUN200496，CAUN200500；1♀，江西吉安地区，采集时间、采集人不详，CAUN200068；1♂，河南罗山，1992.Ⅵ.21，采集人不详，CAUN200083；2♀3♂，河南商城黄柏山，200 m，1999.Ⅶ.14，申、任，CAUN200138，CAUN200143，CAUN200133，CAUN200134，CAUN200139；1♀，湖北神农架仁花公社，900 m，1980.Ⅶ.26，何俊华，CAUN200097；1♀，湖北秭归九岭头，100 m，1993.Ⅶ.26，采集人不详，CAUN200069；1♂，湖北荆门绿林天门观，880 m，2007.Ⅶ.12，刘启飞，CAUN200422；1♀，湖南衡山，1980.Ⅶ.2，采集人不详，CAUN200071；1♂，湖南徐浦，1981.Ⅶ.10，采集人不详，CAUN200120；1♂，湖南平江芦头林场，1981.Ⅸ.7，采集人不详，CAUN200115；1♂，广西夏石，1963.Ⅴ.6，杨集昆，CAUN200095；1♂，广西夏石，1963.Ⅴ.7，杨集昆，CAUN200098；1♂，广西凭祥，1963.Ⅴ.9，杨集昆，CAUN200099；1♂，广西凭祥，1963.Ⅴ.11，杨集昆，CAUN200096；1♂，广西凭祥，1963.Ⅴ.16，杨集昆，CAUN200084；1♀，广西龙津大青山，1963.Ⅴ.15，杨集昆，CAUN200081；1♀，广西龙州弄岗，240 m，1982.Ⅴ.16，王心丽，CAUN200137；2♂，广西龙州弄岗，240 m，1982.Ⅴ.18，杨集昆，CAUN200077，CAUN200111；1♀，广西龙州弄岗，240 m，1982.Ⅴ.20，杨集昆，CAUN200110；3♀2♂，广西宁明珑瑞，180 m，1984.Ⅴ，李法圣，CAUN200067，CAUN200076，CAUN200135，CAUN200087，CAUN200088；1♂，广西，1984，采集人不详，CAUN200092；1♂，广西防城扶隆，550 m，

1999.Ⅴ.26，李文柱，CAUN200085；2♂，广西防城板八乡，250 m，2000.Ⅵ.3，李文柱，CAUN200127，CAUN200128；1♂，广西防城板八乡，550 m，2000.Ⅵ.4，张彦周，CAUN200122；1♂，广西防城垌中乡，550 m，2000.Ⅵ.5，陈军，CAUN200082；1♂，广西上思南屏乡，350 m，2000.Ⅵ.10，李文柱，CAUN200124；2♂，广西上思南屏乡，350 m，2000.Ⅵ.11，李文柱，CAUN200123，CAUN200126；1♀，广西龙州三联，350 m，2000.Ⅵ.13，陈军，CAUN200130；1♂，广西龙州三联，350 m，2000.Ⅵ.13，李文柱，CAUN200136；1♂，广西龙州三联，350 m，2000.Ⅵ.14，陈军，CAUN200119；2♀1♂，广西那坡北斗，2000.Ⅵ.22，李文柱，CAUN200129，CAUN200131，CAUN200125；1♂，广西兴安县高寨，2007.Ⅶ.4，孙明霞，CAUN200445；1♂，广西兴安县高寨，2007.Ⅶ.13，孙明霞，CAUN200452；1♀，海南，1934.Ⅴ.6，何琦，CAUN200079；1♂，海南联昌，1955.Ⅴ.27，平正明，CAUN200074；1♂，海南岛鼎湖山，1983.Ⅵ.18，张雅林，CAUN200132；1♂，海南五指山，2006.Ⅴ.30，白晓栓，CAUN200449；1♂，海南省五指山，Ⅴ.28，采集人不详，CAUN200104；1♀，海南五指山保护区，2007.Ⅴ.15，采集人不详，CAUN200458；1♂，海南五指山主峰，2008.Ⅴ.15，刘启飞，CAUN200421；1♀1♂，海南五指山登山道，720 m，2009.Ⅴ.3，敖伟光，CAUN200413，CAUN200410；1♀，海南儋州，2007.Ⅴ.8，采集人不详，CAUN200468；1♂，海南吊罗山，260 m，2007.Ⅴ.4，孙明霞，CAUN200447；1♂，海南乐东尖峰岭植物园，2008.Ⅴ.7，刘启飞，CAUN200420；1♂，海南鹦哥岭鹦哥嘴，690 m，2009.Ⅳ.16，敖伟光，CAUN200502；1♀4♂，海南鹦哥岭红坎水库，600 m，2009.Ⅳ，敖伟光，CAUN200414，CAUN200408，CAUN200409，CAUN200411，CAUN200412；1♀，四川雷波县西宁公社，1978.Ⅵ，马康，CAUN200112；1♂，贵州丹宕，1986.Ⅶ，文兴武，CAUN200078；1♂，贵州思南，1973.Ⅵ，王桂庆，CAUN200080；1♂，云南昆明西山，1974.Ⅴ.31，廖宝和，CAUN200091；1♀，云南沧远班老电站，1010 m，1980.Ⅴ.17，日烟云，CAUN200093；1♂，云南勐大，1200 m，1980.Ⅵ.28，镍该县，CAUN200086；1♀，云南双江，888 m，1980.Ⅵ.1，张旺，CAUN200035；1♂，云南双江，888 m，1980.Ⅴ.30，张旺，CAUN200094；1♀1♂，云南云县忙怀胶场，950 m，1980.Ⅶ.18，张旺，CAUN200089，CAUN200046；2♂，西藏墨脱背崩，800 m，2011.Ⅷ.10，詹庆斌，CAUN200504，CAUN200507；1♀，西藏林芝地区墨脱背崩，2011.Ⅷ.14，詹庆斌，CAUN200506；1♀，陕西镇巴汉地，采集时间、采集人不详，CAUN200070；1♂，原始记录不详，1982.Ⅴ.31，李法圣，CAUN200090。

分布　河南、陕西、浙江、湖北、江西、湖南、福建、台湾、海南、广西、四川、贵州、云南、西藏；日本，印度，不丹，孟加拉国，缅甸，泰国，马来西亚。

讨论　Weele (1908) 将 *Acheron trux* 分为 2 个亚种：*Acheron trux trux* 和 *Acheron trux loquax*。区别主要是翅是否有色。采自陕西、江西、福建、湖北、云南、浙江、海南和台湾的标本，均兼有无色翅型和有色翅型。因此，笔者认为翅的颜色有无，是个体差异，不能构成地理亚种。

35. 蝶角蛉属 *Ascalaphus* Fabricius, 1775

Ascalaphus Fabricius, 1775: 313. **Type species:** *Myrmeleon barbarum* Linnaeus, 1767; by monotype.

Helicomitus McLachlan, 1871: 261. **Type species:** *Ascalaphus insimulans* Walker, 1853; by monotype. Synonymized by Tjeder, 1972: 153.

蝶角蛉属 *Ascalaphus* 的历史变动见图 3。1775 年 Fabricius 依据模式种 *Myrmeleon barbarum* 建立 *Ascalaphus* 后，该属的一些种陆续从这个属中分出，伴随着该属的分化，*Ascalaphus* 的属名的使用出现了混乱，从 1871 年开始，*Ascalaphus* 已经丢失了原来的模式种，这个问题直到 1972 年才得到纠正。所以 *Ascalaphus* 属名的使用分 3 个阶段：第一阶段 (1775-1871)，*Ascalaphus* 以 *Myrmeleon barbarum* 为模式；第二阶段 (1871-1972)，*Ascalaphus* 不以 *Myrmeleon barbarum* 为模式，属模不明；第三阶段 (1972-今)，*Ascalaphus* 重新以 *Myrmeleon barbarum* 为模式。纠正 1871-1972 年百年重大错误的是 Tjeder，他为这一阶段错误使用 *Ascalaphus* 为属名的类群起了新的属名 *Libelloides* Schäffer, 1763。

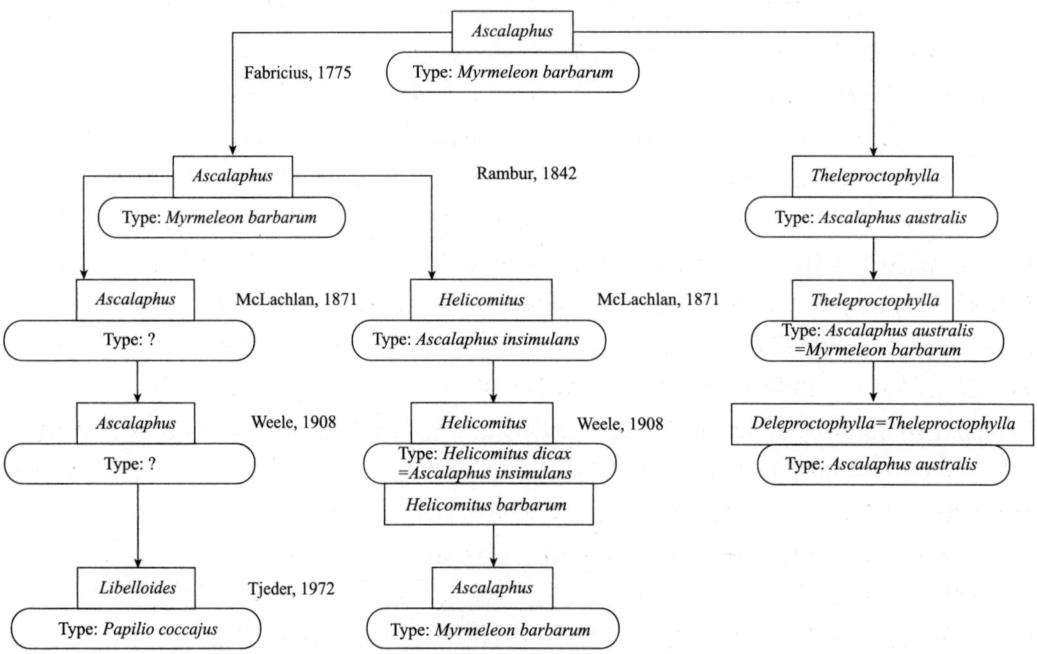

图 3 *Ascalaphus* 历史变动过程 (Historical change process of *Ascalaphus*)

Ascalaphus 的变动还没有结束，脉翅目分类专家 Ábrahám 认为 (私人通信)：*Helicomitus* 不应该被 *Ascalaphus* 取代，应该继续作为有效属名被使用。原 *Helicomitus* 中的亚洲种仍应该放在 *Helicomitus* 中，原 *Helicomitus* 中的非洲种应该被移出建立 1 新属，而只有原 *Helicomitus* 中的 1 摩洛哥种 *barbarum* 是真正的 *Ascalaphus*。他的观点等于把原 *Helicomitus* 拆分为 3 属，只将 *barbarum* 放在 *Ascalaphus* 中。Ábrahám (2008b) 发

表的《台湾区系蝶角蛉的研究》继续将 *Helicomitus* 作为有效属名使用。

笔者认为这种分类法不妥，因为 *Ascalaphus* 经过了 3 次大的变动，属名曾历经百年与模式种分离，一个属名代表的类群过于频繁的变动会带来分类鉴定上的混乱。尤其是 *Ascalaphus* 是蝶角蛉科 Ascalaphidae 的指名属，指名属通常是这个科中最具代表性的属，只有 1 种的小属与指名属的地位不符。因此，本卷不采纳 Ábrahám 的分类意见，仍然沿用 Tjeder (1972) 的分类法。

Ascalaphus 世界已知 26 种，中国已报道 2 种。

属征　复眼有横沟。头部黄色，足黄色。前翅腋角钝，不突出。雌雄腹部均短于后翅。触角超过体长的 2/3。雄性肛上片不延长。

分布　亚洲，非洲。

种检索表

中胸盾片前缘在盾沟上方无突起，胸背板黄色，前盾片有 1 对黑色横纹，后盾片有 1 对黑色大斑，盾片有 1 粗 1 细 2 对黑色条斑 ………………………………………………………………**迪蝶角蛉 *A. dicax***

中胸盾片前缘在盾沟上有片状突起，胸背板黄色，具 1 对黑色宽纵带，贯穿整个胸背部 ………… ……………………………………………………………………………………**胸突蝶角蛉 *A. placidus***

(127) 迪蝶角蛉 *Ascalaphus dicax* Walker, 1853

Ascalaphus dicax Walker, 1853: 432. Type locality: India.
Helicomitus dicax: Weele, 1908: 178.

雌性：体长 26 mm，腹部 12 mm，前翅 30 mm，后翅 25 mm，触角 17 mm。

雄性：体长 23 mm，腹部 15 mm，前翅 26 mm，后翅 23 mm，触角 15 mm。

头顶黄色，额、颊、唇基、上唇、下颚须、下唇须黄色。头顶在触角周围密被黄褐色长毛，颜面、后头具白色长毛，颊光滑无毛。复眼红棕色，密布深褐色斑点。触角褐色，基部颜色较浅，柄节粗，黄色，不高出复眼，触角膨大部梨状。

前胸狭窄，黄色，侧片端突不显著膨大，颜色深，被灰色长毛。中胸背板、后胸背板黄色，中胸前盾片有 1 对黑色横纹，中胸盾片上有 2 对 1 粗 1 细的深褐色纵条斑。胸侧面与腹面黄色，仅前、中足之间及肩部深褐色。前翅透明，翅根黄色，翅脉黄色。翅外缘与后缘呈浅弧形，外缘与后缘的拐点在翅基部 1/3 处，腋角钝，不突出。翅痣黄褐色，具 6-7 根横脉。前缘区横脉 23-25 条，端区小室 2-3 排，Cu 区小室 3-4 排。后翅短于前翅，翅痣黄褐色，具 5-7 根横脉，约于前翅翅痣等大。端区小室 2 排，Cu 区 2-3 排。CuA2 与 CuA1 的夹角近 90°，CuA2 约为 CuA1 的 1/7-1/5。

足黄色，腿节内侧具白色长毛和少数黑色粗刚毛，胫节具黑色长刚毛。前足内侧具黄褐色短刚毛。跗节具黑色短刺。距褐色，超过第 1 跗节末端。爪红褐色，略弯曲。

两性腹部均短于后翅，雌性腹部较粗，雄性腹部较细长。腹部红棕色，两侧深褐色。

雄性生殖器：肛上片椭圆形。未解剖，其他特征不明 (仅有 1 个雄性标本，暂未解剖)。

雌性生殖器：腹面观腹瓣卵圆形，内齿不显著，1 对舌片；端瓣短宽，约为腹瓣的 2/3。

检视标本 1♂，广西雁山，1963.Ⅵ.15，杨集昆，CAUN200319；1♀，贵州罗甸，500 m，1981.Ⅵ.23，李法圣，CAUN200316。

分布 广西、贵州；东南亚。

(128) 胸突蝶角蛉 *Ascalaphus placidus* (Gerstaecker, 1893) (图版XXIV：3)

Suphalasca placida Gerstaecker, 1893: 105. Type locality: Java, Sumatra.
Helicomitus placidus: Kimmins, 1949: 2.
Ascalaphus placidus: Tjeder, 1972: 153.

雌性：体长 22-26 mm，腹部 12-13 mm，前翅 27-31 mm，后翅 23-27 mm，触角 19-20 mm。

雄性：体长 22-24 mm，腹部 13-15 mm，前翅 23-25 mm，后翅 20-21 mm，触角 17-18 mm。

头顶褐色，额、颊、唇基、上唇、后头黄色，上颚黄色，端部色暗，下颚须、下唇须黄色。头部密被黄色和灰色长毛。复眼有横沟，棕色密布黑色斑点。触角褐色，基部颜色较浅，柄节圆锥状，黄色，其末端不高出复眼，触角膨大部分有黄色细横纹。

前胸狭窄，梯形，黄色，有 1 对黑色宽的背纵斑，侧片端突不膨大，颜色略深，被灰色长毛。中胸黄色，有 1 对宽阔的黑色背纵带，中胸盾片前缘有 1 片状短突，略突伸于盾沟的上方。后胸黄色，背板两侧黑色。胸侧面以黄色为主，肩部及腹部足基节附近颜色较深。前翅透明，翅根黄色，翅脉褐色，前翅腋角钝，不突出，外缘与后缘呈浅弧线形，翅端部 2/3 与前缘几乎平行。翅痣大，深褐色，具 6 横脉。前缘区横脉 21-25 条，翅端区小室 2 排，Cu 区小室 3-4 排。后翅短于前翅，翅根黄色，雌性后翅 CuA 与翅缘之间有一片黄色；翅痣大，深褐色，具 6 横脉。翅端区小室 2 排，Cu 区小室 2 排，CuA2 与 CuA1 的夹角近 90°，CuA2 短于或约等于 CuA1 的 1/7。

足黄色，腿节被白色长毛和黑色长刚毛；胫节具黑色长刚毛，内侧具黄褐色短刚毛。跗节具黑色短刺。距、爪红褐色。后足距达第 2 跗节中部。

腹部黄色，腹板两侧有黑条斑。雌性腹部明显短于后翅，雄性腹部与后翅约等长。

雄性生殖器 (图版XXXVI：11)：肛上片椭圆形；生殖弧宽拱形；阳基侧突新月形相对；垫突不显著；盾状片无。

雌性生殖器 (图版XXXVI：7)：腹面观腹瓣三角形，内齿不显著、舌片不显著；端瓣长卵形，约为腹瓣的 2/3。

检视标本 1♀1♂，安徽宣城，1976.Ⅷ.5，采集人不详，CAUN200327，CAUN200324；1♂，安徽宣城，1976.Ⅶ.29，采集人不详，CAUN200326；1♀1♂，安徽宣城，1977.Ⅶ.14，李法圣，CAUN200282，CAUN200286；1♀，安徽宣城，1976.Ⅵ.21-30，黄桔，CAUN200320；1♀，安徽宣城叶家湾，1976.Ⅵ，黄桔，CAUN200315；1♂，福建福州，1954.Ⅴ，采集人不详，CAUN200323；1♀1♂，福建福州，1963.Ⅶ.4，周尧，CAUN200318，CAUN200328；1♂，福建福州，1963.Ⅵ.7，张贞材，CAUN200325；1♀，福建莱州，1980.Ⅷ.13，采集人不详，CAUN200313；1♀，福建邹武湖，1981.Ⅷ.27，采集人不详，CAUN200321；1♂，

福建，1981.Ⅸ.4，采集人不详，CAUN200280；1♀，江西，1979，张近光，CAUN200312；1♀，湖北宜昌，1954.Ⅶ.24，李伟华，CAUN200314；2♀，广西防城扶隆，200 m，1999.Ⅴ.23，采集人不详，CAUN200317，CAUN200322；1♀，(省份不明) 库平西芹，1978.Ⅸ，龚其锦，CAUN200281；1♀，原始记录缺失，CAUN200329。

分布　安徽、湖北、江西、福建、台湾、广西；马来西亚，印度尼西亚。

36. 脊蝶角蛉属 *Ascalohybris* Sziráki, 1998

Ascalohybris Sziráki, 1998: 59. **Type species:** *Ascalaphus javanus* Burmeister, 1839; by original designation.

Hybris Lefèbvre, 1842: 6. **Type species:** *Ascalaphus javanus* Burmeister, 1839; by original designation. Synonymized by Sziráki, 1998: 59.

1842 年 Lefèbvre 建立了 *Hybris*，1991 年 Oswald 和 Penny 认定 *Hybris* 这个属名是鸟纲 (Aves) *Hybris* Nitzsch, 1833 属的异物同名。Sziráki (1998) 依据国际动物命名法规对异物同名的规定，宣布 *Hybris* Lefèbvre, 1842 为无效名，但该属又无其他有效的异名可以启用，因此，就用新的属名 *Ascalohybris* Sziráki, 1998 代替了 *Hybris* Lefèbvre, 1842。

脊蝶角蛉属世界已知 13 种，Weele (1908) 记述了其中的 7 种，其后 Navás 又陆续定名了 7 种，其中的 *Ascalohybris kolthoffi* Navás, 1927 已被 Ábrahám (2008a) 确定是 *Acheron trux* (Walker, 1853)的异名。这个属主要分布在东南亚，日本和朝鲜半岛也有少数种，中国已记述 2 种，其中黄脊蝶角蛉 *Ascalohybris subjacens* 在我国分布较广。

属征　触角光裸，与前翅等长或至少达翅痣。复眼上下两半几乎等大。翅较宽，前翅腋角钝，略突出；腹部长筒形，光裸，两性腹部均短于后翅，约为后翅长的 2/3。雄性的肛上片长，钳状。

分布　亚洲。

种 检 索 表

额颊颜色相同，雄性尾突长为宽的 4 倍以上 ………………………………… 黄脊蝶角蛉 ***A. subjacens***

额颊颜色不相同，颊在复眼周围形成浅色边，雄性尾突长约为宽的 3 倍 ……………………………………………………………………………………………………… 浅边脊蝶角蛉 ***A. oberthuri***

(129) 黄脊蝶角蛉 *Ascalohybris subjacens* (Walker, 1853) (图版 XXII：5)

Ascalaphus subjacens Walker, 1853: 431. Type locality: China.

Ascalaphus remotus Walker, 1853: 447. Synonymized by Weele, 1908: 234.

Glyptobasis brunnea Esben-Petersen, 1913: 224. Synonymized by Ábrahám, 2008b: 63.

Hybris subjacens: McLachlan, 1871: 267.

Ascalohybris subjacens: Sziráki, 1998: 59.

雌性：体长 31-34 mm，腹部 21-22 mm，前翅 36-39 mm，后翅 33-36 mm，触角 30-32 mm。

雄性：体长 30-36 mm，腹部 20-23 mm，前翅 32-40 mm，后翅 27-36 mm，触角 29-32 mm。

头顶、额、颊、唇基、上唇红棕色，后头黄色。额中部具浅黄色和黑色的细长毛，上唇下缘具黑色短毛；下唇须和下颚须浅黄色。复眼有横沟，褐色，具黑色小斑。触角长，可达到或超过前翅翅痣中部，褐色，节间色浅，柄节柱状膨大，具黑色和浅黄色长毛，端部高出复眼，基部靠近。

前胸狭窄，梯形，背侧突不膨大；前胸背板中央黄色，两侧黑色，1 黑色横条纹连接两侧的黑色。中、后胸背板黄褐色，具 1 对深褐色或黑色宽纵带，伸达中胸小盾片中部或直达后胸背侧方。胸腹面与侧面红褐色，具浅黄色长毛。1 黄色宽带从前、中足之间伸达前翅基部。

前翅中部较宽，腋角钝，较显著。翅透明或浅茶褐色，翅根黄色；翅痣深褐色，具 6-7 条横脉，前缘区横脉 33-36 条，端区小室 4 排，Cu 区小室 6-7 排。后翅短于前翅，比前翅略窄，翅痣深褐色，具 6-7 条横脉，比前翅翅痣略长。端区小室 4 排，Cu 区小室 5-6 排，CuA2 与 CuA1 的夹角约 60°，CuA2 短，其长度约为 CuA1 长度的 1/14。

足红棕色，腿节和胫节具稀疏的黑色刚毛，跗节具黑色短刺；距和爪黑色；后足距约与第 1 跗节等长。

腹部两性均短于后翅，雄性腹部较细，褐色，节间处有灰色条斑，背中央颜色比侧面更浅；雌性腹部较粗，背中央的黄棕色与胸部中央的黄色连接成 1 贯通胸腹的浅色纵带 (中文名由此而来)，腹部两侧黑色或深褐色，节间处有 1 对白条斑。

雄性生殖器 (图版Ⅳ: 2)：肛上片长尾状；生殖弧宽拱形，向后伸出 1 尖突；阳基侧突骨化强，尖突形；垫突瘤突状，多黑色刚毛；无盾状片；第 9 腹板有 1 个向后伸的尖突。

雌性生殖器 (图版 XXXV：12)：腹面观腹瓣三角形，有 1 内齿，1 对舌片，端瓣长卵形，约为腹瓣的 3/4。

检视标本 1 性别不详，北京，1962.Ⅶ.8，植二二组，CAUN200062；1♀，江苏南京中山陵，1957.Ⅶ.11，李法圣，CAUN200045；1♀，江苏南京孝陵卫，1957.Ⅶ.10，杨集昆，CAUN200010；1♂，江苏苏州天平山，1963.Ⅷ.2，周尧，CAUN200030；1♂，浙江天目山，1973.Ⅶ.25，虞佩玉，CAUN200020；1♂，浙江杭州西湖灵隐寺，1957.Ⅶ.5，李法圣，CAUN200039；1♂，浙江杭州西湖玉泉，1957.Ⅶ.7，杨集昆，CAUN200034；1♂，浙江西天目山，1960.Ⅷ.9，采集人不详，CAUN200015；2♀，浙江杭州，1972.Ⅶ.18，采集人不详，CAUN200029，CAUN200044；1♀，浙江杭州，1979.Ⅶ.27，77-3，CAUN200007；1♂，浙江杭州，1980.Ⅶ.4，78-2 班 2 组，CAUN200004；1♂，浙江南昌端居，1140 m，1980.Ⅷ.19，采集人不详，CAUN200014；1♀，浙江海淀县，2004.Ⅷ.12，顾刘琪，CAUN200055；1♀，安徽丹宕，1986. Ⅶ，文兴武，CAUN200001；1♀，安徽宣城，1976. Ⅵ，黄桔，CAUN200002；1♀，安徽宣城，1976.Ⅷ.4，采集人不详，CAUN200003；1♀，安徽巢湖半汤，2009.Ⅶ.10，黄璠，CAUN200438；1♀，福建福州魁岐，1958.Ⅶ.4，农学院，CAUN200018；1♂，福建莱州，1980.Ⅷ.13，采集人不详，CAUN200009；1♂，福建林学院，1981.Ⅴ.13，庄碧娥，CAUN200008；1♀，福建福安化蚊，1981.Ⅶ.27，采

集人不详，CAUN200022；1♀，福建长汀，2000.Ⅶ.25，张又男，CAUN200371；1♀，江西鄱阳，1930.Ⅵ，采集人不详，CAUN200047；1♂，山东海阳，2003.Ⅷ.20，李波，CAUN200063；1♂，河南商城黄柏山，200 m，1999.Ⅶ.14，申、任，CAUN200064；1♀，河南连康山，220 m，1999.Ⅶ.15，申、任，CAUN200142；1♀，湖北秭归九岭头，250 m，1993.Ⅶ.25，采集人不详，CAUN200005；1♂，湖北秭归九岭头，1993.Ⅶ.26，采集人不详，CAUN200006；1♂，湖南长沙，1981.Ⅶ，采集人不详，CAUN200011；2♀2♂，湖南汨罗川山坪，1986.Ⅷ.4，王象贤，CAUN200017，CAUN200024，CAUN200012，CAUN200016；1♂，湖南吉首市，2001.Ⅶ.23，任国栋，CAUN200060；1♀，广西雁山，1963.Ⅵ.21，陈家畅，CAUN200043；1♀，广西雁山，1963.Ⅵ.22，陈家畅，CAUN200027；1♀，广西雁山，1963.Ⅵ.22，杨集昆，CAUN200025；3♀8♂，广西雁山，1963.Ⅶ.6，陈家畅，CAUN200028，CAUN200037，CAUN200048，CAUN200031，CAUN200038，CAUN200036，CAUN200042，CAUN200026，CAUN200032，CAUN200033，CAUN200041；1♀1♂，广西上思红旗林场，350 m，1999.Ⅴ.29，采集人不详，CAUN200023，CAUN200057；1♀，广西防城扶隆，200 m，1999.Ⅴ.24，采集人不详，CAUN200058；2♀，广西防城大录，250 m，2000.Ⅵ.8，采集人不详，CAUN200054，CAUN200059；1♀1♂，广西防城板八乡，250 m，2000.Ⅵ.3，采集人不详，CAUN200051，CAUN200053；1♂，广西那坡北斗，550 m，2003.Ⅵ.22，采集人不详，CAUN200056；1♂，海南岛，1956.Ⅴ.23，徐闻，CAUN200061；1♂，四川成都，1952.Ⅶ.21，采集人不详，CAUN200040；1♀，贵州，330 m，1980.Ⅵ.12，张，CAUN200013；1♀，贵州罗甸，500 m，1981.Ⅵ.23，李法圣，CAUN200050；1♀，贵州花溪，2001.Ⅶ，采集人不详，CAUN200049；1♀，贵州梵净山，2001.Ⅷ.4，张道川，CAUN200052；1♀，贵州雷公山方祥，1000-1100 m，2005.Ⅸ.17-18，宋琼章，CAUN200377；1♂，云南双江，888 m，1980.Ⅵ.10，张旺，CAUN200021；2♀，云南红河屏边红旗水库，2009.Ⅴ.25，杨秀帅，CAUN200455，CAUN200460；1♀，原始记录缺失，CAUN200019；1 性别不详，原始记录缺失，CAUN200065。

分布　北京、山东、河南、江苏、安徽、浙江、湖北、江西、湖南、福建、台湾、海南、广西、四川、贵州、云南；朝鲜，日本，越南，柬埔寨。

(130) 浅边脊蝶角蛉 *Ascalohybris oberthuri* (Navás, 1923) (图版 XXIV：4)

Hybris oberthuri Navás, 1923a: 181. Type locality: Paris.
Ascalohybris oberthuri: Sziráki, 1998: 59.

雌性：未知。

雄性：体长 33 mm，腹部 21 mm，前翅 34 mm，后翅 30 mm，触角 30 mm。

头部红棕色，仅两颊有围绕复眼的黄边 (中文名由此而来)，上颚端部黑色，口器其余部分红棕色，头顶具浅黄色和黑色长毛。复眼有横沟，黄色，密被黑色小斑。触角极长，雄性触角达前翅末端，雌性触角超过前翅翅痣，触角褐色，基部颜色较浅，柄节柱状膨大，端部高出复眼，基部靠近。

前胸狭窄，梯形，背侧突不膨大；前胸背板黄色，有 1 黑色横纹。中胸背板黄色，前盾片前缘与侧缘黑色，中央有 1 黑色纵纹；盾片上有 1 对黑色纵带，小盾片有 1 对月牙形黑斑。后胸背板黄色，有 1 对黑色纵纹。胸侧面红褐色，1 黄色宽带从前、中足之间伸达前翅基部；后胸侧颜色较浅。

前翅中部较宽，腋角钝，较显著。翅透明或浅茶褐色，翅根黄色；翅痣深褐色，具 5 横脉，前缘区横脉 35-36 条，端区小室 4 排，Cu 区小室 6-7 排。后翅短于前翅，约与前翅等宽，翅痣深褐色，具 4-5 横脉，比前翅翅痣略长。端区小室 3-4 排，Cu 区小室 4-5 排，CuA2 与 CuA1 的夹角约 70°，CuA2 短，其长度约为 CuA1 长度的 1/15。

足红棕色，腿节和胫节具稀疏的黑色刚毛，跗节具黑色短刺；距和爪黑色；后足距约与第 1 跗节等长。

腹部短于后翅，棕色，两侧黑色，尤其基部几节较显著。

雄性生殖器：未解剖。

检视标本 1♂，云南双江，888 m，1980.Ⅵ.10，张旺，CAUN200021。

分布 云南；越南，泰国，马来西亚。

37. 尾蝶角蛉属 *Bubopsis* McLachlan, 1898

Bubopsis McLachlan, 1898: 159. **Type species:** *Bubo agrioides* (Rambur, 1838); by original designateon.

Bubo Rambur, 1842: 353. **Type species:** *Ascalaphus agrioides* Rambur, 1838; by original designateon. Synonymized by Weele, 1908: 271.

尾蝶角蛉属 *Bubopsis* 世界共记述 9 种，其中 Weele (1908) 总结并记述了此前发表的该属 4 种，此后，Navás (1912a)、Martynova (1962)、Aspöck 等 (1979)、Ghosh (1981)、Sziráki (2000) 陆续发表了另外的 5 种。中国目前仅发现 1 种。

属征 复眼具横沟，复眼上下两半等大。翅狭长，前翅的外缘与前缘几乎平行，腋角钝，略突出。翅痣较小，触角伸达前翅的 2/3，触角端部膨大部较宽，末端几乎平截。腹部短，两性腹部均约为后翅长的一半。雄性肛上片延伸呈长尾突，接近腹部长度的 1/2，长尾突上有 1 短的旁支。

分布 亚洲中部和西部、欧洲、非洲。

(131) 叉尾蝶角蛉 *Bubopsis tancrei* Weele, 1908 (图版 XXIV：6)

Bubopsis tancrei Weele, 1908: 273. Type locality: Central Asia.

雌性：体长 25-26 mm，腹部 15-16 mm，前翅 32 mm，后翅 29 mm，触角 21 mm。

雄性：体长 22-23 mm，腹部 17-18 mm，前翅 29-30 mm，后翅 25 mm，触角缺失。

头部黄褐色，头顶、后头、额、颊密被白色长毛。唇基、上唇褐色，上颚红褐色，端部黑色，下颚须、下唇须黄褐色。复眼有横沟，深褐色。触角深褐色，基部色较浅，每节端部具浅色窄环；触角膨大部基部黄褐色，端部深褐色，具黑色短毛。

前胸背板狭窄，中胸与后胸背板黑色，有 3 对大黄斑。胸侧密被白色长毛，几乎看不到骨片。

前翅中等宽度，外缘几乎与前缘平行，透明，翅脉褐色。腋角钝，较明显。翅痣黄色，具 3-4 横脉。翅前缘区小室 21-25 条，端区小室 2-3 排，Cu 区小室 4-5 排。后翅短于前翅，翅痣黄色，具 3-4 横脉。端区小室 2-3 排，Cu 区小室 3-4 排，CuA1 与 CuA2 的夹角 70°-90°，CuA1 约为 CuA2 的 1/10。

足黄褐色，腿节具白色长毛，胫节内侧具长的黑色刚毛，外侧具黑色短毛。跗节每节端部褐色，具黑色短刺。爪和距红褐色，后足距达第 2 跗节末端。

两性腹部均短于后翅长。腹部黄褐色，腹背板中央及侧缘有黑色斑纹，腹基部被白色长毛。

雄性生殖器 (图版 XXXⅥ：12)：肛上片长尾状，在尾突的近中部有 1 向下的旁支；生殖弧不显著，阳基侧突骨化强，尖突形；垫突不显著；无盾状片。

雌性生殖器 (图版 XXXⅥ：8)：腹瓣极小，无内齿，无舌片，端瓣长瓣形，显著大于腹瓣，肛上片下部微微向后突。

检视标本　2♀2♂，新疆乌鲁木齐，1963.Ⅵ.24，黄大文，CAUN200274，CAUN200284，CAUN200283，CAUN200285；2♀2♂，新疆阜康，2006.Ⅴ，刘烨，CAUN200486，CAUN200487，CAUN200488，CAUN200489。

分布　新疆；哈萨克斯坦，土库曼斯坦，乌兹别克斯坦。

38. 丽蝶角蛉属 *Libelloides* Schaeffer, 1763

Libelloides Schaeffer, 1763: 1. **Type species:** *Papilio coccajus* Denis & Schiffermüer, 1775; by original designation.

Ascalaphus Fabricius, 1775: 313. **Type species:** *Papilio coccajus* Denis & Schiffermüer, 1775; by original designation. Synonymized by Tjeder, 1972: 154.

丽蝶角蛉属 *Libelloides* 世界已知 20 种，主要分布在古北界，仅 2 种分布在非洲北部。我国目前已发现 2 种。

属征　翅色彩鲜艳美丽，多有黑色、黄色和白色斑，翅三角形，短宽；前翅 CuA2 几乎与 CuP 平行延伸至翅缘，不相交。腹部短粗，雄性肛上片延长成尾突。

分布　亚洲，欧洲，非洲北部。

种检索表

前翅有褐色大斑，后翅端部深褐色，有 1 黄色大斑 ……………………**斑翅丽蝶角蛉 *L. macaronius***

前翅无褐色大斑，后翅端部浅褐色，无黄色大斑 …………………………**黄花丽蝶角蛉 *L. sibiricus***

(132) 斑翅丽蝶角蛉 *Libelloides macaronius* (Scopoli, 1763) (图版 XXⅡ：1)

Papilio macaronius Scopoli, 1763: 168. Type locality: Vienna.

Ascalaphus intermedius Lefèbvre, 1842: 82. Synonymized by Weele, 1908: 307.

Ascalaphus hungaricus Rambur, 1842: 347. Synonymized by Weele, 1908: 307.

Ascalaphus macaronius: Weele, 1908: 307.

Libelloides macaronius: Aspöck, 1980: 322.

雌性：体长 20 mm，腹部 10-11 mm，前翅 23-24 mm，后翅 19-20 mm，触角 17-18 mm。

雄性：体长 17 mm，腹部 9-10 mm，前翅 21 mm，后翅 18 mm，触角 19 mm。

头部黑色，头顶被白色长毛，额具浓密的棕黄色长毛、下唇须和下颚须黑色。复眼褐色，具横沟。雄性触角长于前翅，雌性触角略短于前翅，触角褐色，节间颜色较深，端部短梨状，被稀疏的短黑毛。

前胸背板狭窄，黑色，前缘及后缘黄色，前缘具白色长毛，后缘具黑色和棕色长毛。中、后胸黑色，中胸背板上有 4-8 对黄斑。胸侧黑色，有些在前翅下方具 2 黄色斑块。胸腹面密被灰色长毛，背面毛较稀疏。

前翅近三角形，前缘区基部加宽；翅基部 1/3 明黄色，端部 2/3 透明无色，在明黄区与透明区交界处有 1 大的近似菱形的褐色斑块，翅痣内侧有 1 弯月形褐斑，横跨 Rs 分支区。翅痣深褐色，具 4-5 横脉。前缘区横脉 24-25 条，端区小室 3 排，Cu 区小室 5-6 排，CuA2 一直伸达翅缘，不与 CuP 交汇。后翅三角形，比前翅略短，翅颜色分 3 段，基部褐色，中部明黄色，端部深褐色，在端部的深褐色区有 1 亮黄色大圆斑。翅痣在褐色区中不显著。端区小室 3 排，Cu 区小室 5-6 排，CuA2 与 CuA1 的夹角约 45°，CuA2 伸达翅缘，长度约为 CuA1 的 2/3。

足基节到腿节基半部黑色，从腿节端半部至胫节末端橘黄色，跗节、爪和距黑色。腿节密被白色长毛，胫节具稀疏的黑色刚毛，跗节具密的黑色短刺。

腹部短于后翅，黑色，具浓密的黑色绒毛。

雄性生殖器：肛上片下方突出呈长尾状，尾突的端部上翘；生殖弧门洞形，阳基侧突新月形相对；垫突不显著；有盾状片；第 9 节腹板后缘中部内凹。

雌性生殖器 (图版 XXXV：7)：腹面观腹瓣卵圆形，无内齿，舌片不显著，端瓣近椭圆形，约为腹瓣的 1/2。

检视标本 2♀，新疆阿勒泰，1959，王永卫，CAUN200178，CAUN200179；1♀1♂，新疆博采阿拉套山，1100 m，1987.Ⅵ.22，张子文，CAUN200181，CAUN200180；1♀，(省份不明) 镫式县，Ⅶ.10，麦田，CAUN200182。

分布 新疆；俄罗斯，土耳其，格鲁吉亚，亚美尼亚，阿塞拜疆，伊朗，叙利亚，巴尔干半岛，斯洛文尼亚。

(133) 黄花丽蝶角蛉 *Libelloides sibiricus* (Eversmann, 1850) (图版 XXII：2)

Ascalaphus sibiricus Eversmann, 1850: 279; Weele, 1908: 294; Okamoto, 1926: 21. Type locality: Russia.

Libelloides sibiricus: Tjeder, 1972: 153.

雌性：体长 19-25 mm，腹部 12-13 mm，前翅 25-29 mm，后翅 22-26 mm，触角 18-21 mm。

雄性：体长 17-23 mm，腹部 10-11 mm，前翅 22-28 mm，后翅 18-23 mm，触角 18-21 mm。

头部黑色，唇基茶褐色，头顶及颜面密被黑色和黄色长毛。复眼黑色，有横沟。触角略短于前翅长，黑褐色，具褐色细环，端部短梨状，密被黑色短毛。

前胸背板狭窄，黑色，有黄色横纹，两侧端突膨大，黄白色。中、后胸黑色，中胸背板上有 4-8 对小黄斑。胸侧深棕色，前翅下方有 2 大黄斑。

前翅三角形，前缘区基部加宽，翅大部分透明，略带茶色，翅脉褐色，翅基部 1/4 黄色；翅痣褐色，具 3-4 横脉。前缘区横脉 21-23 条，端区小室 2 排，Cu 区小室 5-6 排，CuA2 一直伸达翅缘，不与 CuP 交汇。后翅三角形，比前翅略短；翅基部约 1/4 深褐色，中间大部分黄色，2 褐色斑纹沿 M 与 CuP 脉形成，翅端部约 1/4 茶褐色，Rs 分支形成褐色网格状，翅痣深褐色，具 4-5 横脉。端区小室 2 排，Cu 区小室 5-6 排，CuA2 与 CuA1 的夹角约 40°，CuA2 伸达翅缘，长度约为 CuA1 的 3/4。

足基节到腿节基半部黑色，从腿节端半部至胫节末端黄色，跗节、爪和距黑色。腿节密被白色长毛，胫节具稀疏的黑色刚毛，跗节具密的黑色短刺，后足端距约与基跗节等长。

雄性生殖器 (图版XXXVII：8)：肛上片下方突出呈长尾状，尾突的端部上翘；生殖弧门洞形，阳基侧突新月形相对；垫突不显著；无盾状片；第 9 节腹板后缘中部内凹。

雌性生殖器 (图版XXXV：8)：腹面观腹瓣卵圆形，无内齿，舌片不显著，端瓣近椭圆形，约为腹瓣的 1/2。

检视标本　1♀，北京东北旺，1981.Ⅵ.3，王心丽，CAUN200147；1♀，北京金山，1985.Ⅵ.8，郑林，CAUN200372；1♀，北京卧佛寺，1974.Ⅵ.11，杨集昆，CAUN200152；1♂，北京卧佛寺，1976.Ⅵ.1，采集人不详，CAUN200167；1♀，北京卧佛寺，1985.Ⅵ.8，王丰华，CAUN200373；1♂，北京香山，1977.Ⅴ.23，陈合明，CAUN200163；1♀，北京延庆，1950.Ⅵ.8，采集人不详，CAUN200148；1♀，北京延庆，1960.Ⅴ，采集人不详，CAUN200165；1♂，北京延庆，1975.Ⅴ，采集人不详，CAUN200172；1♀，北京妙峰山，1963.Ⅶ.7，杨集昆，CAUN200149；1♂，河北昌黎，1956.Ⅴ.26，冯连阁，CAUN200175；1♂，河北蔚县，1968，采集人不详，CAUN200176；1♀，河北省小五台，2001.Ⅶ.8，2000级生科甲，CAUN200166；1♂，河北秦皇岛祖山，2003.Ⅶ.29，张娟，CAUN200162；1♀，山西清徐，1959，严毓华，CAUN200151；1♀，内蒙古扎兰屯，1956.Ⅵ.17，康烈年，CAUN200174；1♂，内蒙古巴林，500 m，采集时间、采集人不详，CAUN200161；2♀，辽宁北镇，1951.Ⅵ.4，李伟华，CAUN200153，CAUN200164；1♂，辽宁熊岳，1954.Ⅳ.10，李伟华，CAUN200292；1♀，辽宁熊岳，1954.Ⅶ.10，采集人不详，CAUN200168；1♀，辽宁熊岳，1954.Ⅴ，采集人不详，CAUN200169；1♀，辽宁四台子，1962.Ⅵ.11，赵又新，CAUN200170；1♂，辽宁千山，1985.Ⅶ.25，张有才，CAUN200171；1♂，吉林长白山，1965.Ⅵ.11，采集人不详，CAUN200177；1♀，吉林安图明月镇，2009.Ⅷ.10，李杏春，CAUN200437；1♂，东北，1956，采集人不详，CAUN200173；1♀1♂，山东崑

俞山，1973.Ⅵ.9，刘胜利，CAUN200156，CAUN200157；1♂，河南，1995.Ⅴ.30，采集人不详，CAUN200155；1♂，陕西秦岭楼观台，1952.Ⅴ.25，采集人不详，CAUN200160；3♀，陕西武功，1956.Ⅵ，楼勤贵，CAUN200150，CAUN200154，CAUN200158；2♀11♂，甘肃肃南喇嘛坪，2011.Ⅶ.6，闻慧，CAUN200519，CAUN200520，CAUN200521，CAUN200522，CAUN200523，CAUN200524，CAUN200525，CAUN200526，CAUN200527，CAUN200528，CAUN200529，CAUN200530，CAUN200531；1♀，原始记录不详，1975.Ⅵ.14，采集人不详，CAUN200159。

分布 吉林、辽宁、内蒙古、北京、河北、山西、山东、河南、陕西、甘肃；俄罗斯，朝鲜。

39. 玛蝶角蛉属 *Maezous* Ábrahám, 2008

Maezous Ábrahám, 2008a: 69. **Type species:** *Suhpalacsa princeps* Gerstaecker, 1893; by original designation.

Suhpalacsa Lefèbvre, 1842 (partim). Synonymized by Ábrahám, 2008a: 69.

玛蝶角蛉属 *Maezous* 是 Ábrahám (2008a) 根据对 *Suhpalacsa* Lefèbvre, 1842 的研究，将 *Suhpalacsa* 中所有亚洲种分出建立的 1 新属，他认为严格意义上讲，*Suhpalacsa* 仅分布在澳大利亚。*Suhpalacsa* 曾经是有 85 学名，50-60 有效种的大属，后来 *Suhpalacsa* 中的美洲种陆续从该属中分到了另外 5 属中，*Suhpalacsa* 中的大多数非洲种被归到 *Dicopus* Gerstaecker, 1885 和 *Disparromitus* Weele, 1909 中。Ábrahám (2008a) 建立新属 *Maezous*，他认为原来在 *Suhpalacsa* 中的 21 亚洲种，其中的 3 个已被移至 *Ascalaphus* 和 *Suphalomitus*，另外的 18 种中还存在一些异名关系，*Suphalacsa fuscostigma* Navás, 1925 是 1 疑名 (*nomen dubium*)。所以 *Maezous* 在种级修订之前，目前应该有 17 种。

中国报道的 5 种曾经都放在 *Suhpalacsa* 中，本卷采纳 Ábrahám (2008a) 的意见，将这 5 种移至 *Maezous*。

长期以来 *Suhpalacsa* 与 *Suphalomitus* 存在着属征混淆的问题，Ábrahám (2008a) 只是把原 *Suhpalacsa* 中的亚洲种移出，建立新属，而 *Suhpalacsa* 与 *Suphalomitus* 混淆的问题仍然没有很好地得到解决。例如，Ábrahám (2008a) 在检索表中用到：翅痣长大于宽是 *Suphalomitus*，而翅痣短，长等于宽是 *Maezous* 和 *Suhpalacsa*，而他记述 *Maezous* 的属征时，却写道 *Maezous* 翅痣长大于宽。前后翅的宽度比较虽然也用到这 3 属的检索表中，但实际上这一特征在这 3 属中都有极相似的物种。因此，*Maezous*、*Suhpalacsa* 与 *Suphalomitus* 3 属有必要作全面的修订。

属征 瘦长，中等大小。头与胸部等宽。头顶有柔软的长毛，触角超过前翅翅基至翅痣距离的一半。胸部有中等密集的毛，前后翅狭长，端区钝圆，前翅腋角钝，不显著；前翅端区小室 3 排。足瘦长，第 5 跗节约为第 1-4 跗节之和。雌性腹部短粗，雄性腹部细长，肛上片有或长或短的延伸。

分布：亚洲。

种检索表

1　后翅近三角形，外缘与前缘不平行，前缘区颜色加深 …………………………………… 2
　后翅近长方形，外缘与前缘几乎平行，前缘区颜色不加深 ……………………………………4
2　Cu 区前翅 4-5 排，后翅 3-4 排，翅前缘区的黄褐色略延伸至端区，端区有一半透明 ………………
　……………………………………………………………… **尖峰岭玛蝶角蛉 *M. jianfanglinganus***
　Cu 区前翅 5-6 排，后翅 4-5 排，端区透明或大部分褐色 ……………………………………3
3　翅为茶色，端区透明，胸背无显著斑纹，胸侧前 1/3 深褐色，后 2/3 浅褐色………………………
　……………………………………………………………………… **烟翅玛蝶角蛉 *M. fumialus***
　翅透明无色，端区深褐色，胸背黄色，有显著的黑色斑纹，胸侧下半部黑色，上半部黄色 ………
　……………………………………………………………… **褐边玛蝶角蛉 *M. fuscimarginatus***
4　体长 25 mm，雄性腹部短于前翅 ………………………………… **短腹玛蝶角蛉　*M. formosanus***
　体长 30 mm 以上，雄性腹部显著长于前翅……………………………… **狭翅玛蝶角蛉 *M. umbrosus***

(134) 短腹玛蝶角蛉 *Maezous formosanus* (Okamoto, 1910)

Suphalacsa formasana Okamoto, 1910: 65. Type locality: Taiwan (Taichu).
Maezous formosana: Ábrahám, 2008b: 63.

雄性：体长 25 mm，前翅 27 mm，触角 16 mm。触角长为前翅长的 3/5，黑色，膨大不形如无花果，顶端黄褐色。头浅黄色，宽阔的眼缘浅黄色，颜面具深褐色的长毛，额蜡黄色。胸部和腹部淡黄褐色，第 1 节浅黄色，具稀疏的毛。足硫磺色，胫节细长，具黑色刚毛，跗节亮黑色，有黑毛，爪和距红褐色。翅淡黄色，仅翅根和前缘金黄色，前缘和后缘基部黄褐色，Sc、R、M、Cu 和 A 脉褐黄色，其余脉黑色，脉上有黑色短毛。前翅前缘区横脉 27 条，后翅前缘区横脉 24 条，端区小室 2 排，第 1 排翅室小于第 2 排翅室；翅痣深褐色，具 6 横脉；翅膜微微有些闪红绿光泽 (译自 Okamoto 原始描述部分内容)。

检视标本　无。

分布　台湾。

讨论　Stange 和 Wang (1998) 发表了采自台湾南投县 *Maezous formosana* (as *Suhpalacsa*) 的 1 张标本照片，照片未标注性别。Stange 只补充了以下特征："前翅翅痣长约等于宽，雄性腹部不长于前翅，胸部背中央有 1 条淡褐色条纹。"Ábrahám (2008b) 发表了采自台湾的 *Maezous formosana* 2 张标本照片 (1 雌 1 雄)，他没有做补充描述，但根据照片上的标尺，其雄性的体长 40 mm，前翅长 30 mm，触角长 20 mm，雌性体长 33 mm，前翅长 32 mm，触角长 22 mm。雄性标本体长明显大于前翅长度，这一点与 Okamoto (1910b) 原始描述不符。因此，怀疑该鉴定结果有误。

(135) 烟翅玛蝶角蛉 *Maezous fumialus* (Wang & Sun, 2008) comb. nov. (图版 XXIII：6)

Suhpalacsa fumiala Wang & Sun, 2008: 53. Type locality: Guangxi (Sihongqi).

雌性：未知。

雄性：体长 40-45 mm，腹部 30-33 mm，前翅 37-45 mm，后翅 29-33 mm，触角 25-31 mm。

头顶、额、颊棕褐色，具褐色和棕色长毛；唇基、上唇黄褐色，上颚红褐色，端部黑色；下颚须、下唇须黄褐色。复眼有横沟，灰黑色。触角未伸达翅痣，深褐色，每节端部具浅褐色窄环，膨大部黑色。

前胸狭窄，深褐色，被灰色长毛。中、后胸背板深棕色，无显著斑纹。前胸侧片褐色，中、后胸侧片棕黄色。有稀疏的长毛。

前翅狭窄，外缘与后缘弧线形，后缘与外缘的拐点在翅基 1/3 处，腋角钝，略突出。翅烟色，翅脉灰色，前缘区黄褐色，前缘横脉、Sc 和 Rs 脉深褐色。翅痣深褐色，具 3 条横脉，梯形，长边约为高的 1.5 倍。前缘区横脉 40 条，端区小室 3 排，Cu 区小室 5-6 排。后翅短于前翅，基部 1/3 处比前翅更宽，翅痣比前翅的翅痣略长，具 4 横脉，端区小室 3 排，Cu 区小室 4-5 排，CuA2 与 CuA1 的夹角约 80°，CuA2 长度约为 CuA1 的 1/7。

足腿节褐色，胫节深褐色，跗节黑色，具黑色短刺，爪和距红褐色，后足距达第 1 节末端。

雄性腹部约与后翅等长，黑色，基部腹面黄色。

雄性生殖器 (图版XXXVII：9)：肛上片侧面观椭圆形，下方有山头形短突；生殖弧宽片状，阳基侧突新月形相对，垫突不显著；有盾状片。

雌性生殖器：未知。

检视标本 1♂，正模，广西上思红旗林场，350 m，1999.Ⅴ.29，李文柱，CAUN200272。1♂，副模，广西龙津大青山，1963.Ⅴ.15，杨集昆，CAUN200261；1♂，副模，广西龙津大青山，1963.Ⅴ.13，杨集昆，CAUN200271；1♂，副模，广西防城扶隆，200 m，1999.Ⅴ.23，李文柱，CAUN200273；1♂，副模，广西金秀圣堂山，900 m，1999.Ⅴ.17，李文柱，CAUN200275。

分布 广西。

(136) 褐边玛蝶角蛉 *Maezous fuscimarginatus* (Wang & Sun, 2008) comb. nov. (图版XXIII：4)

Suhpalacsa fuscimarginata Wang & Sun, 2008: 53. Type locality: Yunnan (Mengla).

雌性：体长 45-48 mm，腹部 24 mm，前翅 42-43 mm，后翅 34-35 mm，触角 23-24 mm。

雄性：体长 45 mm，腹部 33 mm，前翅 39 mm，后翅 31 mm，触角 24 mm。

头顶、额、颊棕褐色，具黄色和灰色长毛；唇基、上唇黄色，上颚褐色，端部黑色；下颚须、下唇须黄褐色。复眼有横沟，灰黑色。触角未伸达翅痣，黄色，端部颜色渐深，膨大部黑色。

前胸狭窄，黄色，具 1 对黑条纹，被灰色长毛。中、后胸背板黄色，有 1 对宽的黑色纵带，前方相距较近，后方相距较远。前胸侧片黑色，中胸侧片下部 2/3 黑色，上部 1/3 黄色；后胸侧片黄色。

前翅狭窄，外缘与后缘弧线形，后缘与外缘无显著的拐点，腋角钝，略突出。翅透明，翅脉褐色，前缘区黄褐色，前缘横脉、Sc 和 Rs 脉深褐色，端区大部分与翅痣颜色相同。翅痣深褐色，具 5 横脉，梯形，长边约为高的 1.5 倍。前缘区横脉 34 条，端区小室 3 排，Cu 区小室 5-6 排。后翅短于前翅，后翅中部比前翅更宽，翅痣与前翅的翅痣约等长，具 4 横脉，端区小室 3 排，Cu 区小室 4-5 排，CuA2 与 CuA1 的夹角约 75°，CuA2 长度约为 CuA1 的 1/10。

足腿节由浅黄渐变为棕色，胫节褐色，跗节黑色，具黑色短刺，爪和距红褐色，后足距伸达基跗节末端。

雄性腹部长于后翅，雌性腹部短于后翅；黄棕色，两侧颜色较深。

雄性生殖器 (图版XXXⅦ：11)：肛上片侧面观椭圆形，下方有指形短突；生殖弧宽片状，阳基侧突新月形相对，垫突不显著；有盾状片。

雌性生殖器 (图版XXXⅥ：2)：腹面观腹瓣长茄形，无内齿，舌片不显著，端瓣近椭圆形，约为腹瓣的 1/2。

检视标本　1♂，正模，云南勐腊龙门，900 m，2005.Ⅴ.19，白小栓，CAUN200391。1♀，副模，云南勐腊瑶区，950 m，2005.Ⅴ.11，白小栓，CAUN200390；1♀，副模，云南勐腊瑶区 (灯诱)，2005.Ⅴ.6，刘星月，CAUN200552；1♀，副模，云南勐腊瑶区，2005.Ⅴ.11，刘星月，CAUN200553；1♀，副模，云南勐腊龙门，2005.Ⅴ.18，刘星月，CAUN200550；1♀，副模，云南勐腊龙门，2005.Ⅴ.20，刘星月，CAUN200551；1♀，云南勐腊瑶区，2009.Ⅴ.13，杨秀帅，CAUN200554；1♂，云南勐腊瑶区，2011.Ⅴ.2，闻慧，CAUN200463；1♀，云南勐腊县郊，2011.Ⅳ.28，闻慧，CAUN200466；4♀，云南，2009.Ⅴ.11，杨秀帅，CAUN200515，CAUN200516，CAUN200517，CAUN200518。

分布　云南。

(137) 尖峰岭玛蝶角蛉 *Maezous jianfanglinganus* (Yang & Wang, 2002) comb. nov. (图版XXⅢ：3)

Acheron jianfanglinganus Yang & Wang, 2002: 300. Type locality: Hainan (Jianfengling).

Suhpalacsa jianfanglingana: Wang & Sun, 2008: 53.

雌性：体长 27 mm，腹部 16 mm，前翅 33 mm, 后翅 27 mm，触角 21 mm。

雄性：体长 36-38 mm，腹部 26-27 mm，前翅 32-34 mm，后翅 26-27 mm，触角 22-24 mm。

头顶褐色，密被黄褐色长毛。额、颊褐色，具黄褐色和黑色毛。唇基、上唇棕黄色，唇基基部具 1 排黑色长毛，上唇端部 1 排黄褐色毛。上颚红褐色，端部黑色；下唇须、下颚须褐色。复眼黑色，有横沟。触角棕黄色，膨大部深褐色。

前胸背板狭窄，深褐色，密被长毛。中、后胸背面棕褐色，具 1 对黄色纵条纹。前胸侧片深褐色，中、后胸侧片黄色，被黄色长毛。

前翅外缘与后缘呈弧线，外缘约为后缘的 2 倍；腋角不显著。翅痣褐色，具 4-5 横脉。前缘区茶褐色，一直延伸到翅痣之后，翅端区 2/3 透明。C、Sc、R 脉及前缘横脉深褐色，其余脉浅褐色。前缘横脉 35-38 条，端区小室 3 排，Cu 区小室 5-6 排。后翅短于前翅，前缘区茶色比前翅更淡，翅痣褐色，具 4-5 横脉。端区小室 2-3 排，Cu 区小室 3-4 排；CuA2 与 CuA1 的夹角近 90°，CuA2 长度约为 CuA1 的 1/10。

足腿节黄色，胫节、跗节深褐色，胫节被黑色刚毛，跗节具黑色短刺。爪和距红褐色，后足距超出第 1 跗节末端。

雄性腹部与后翅约等长，雌性腹部短于后翅；深棕色，局部色浅，腹面基部几节色浅。

雄性生殖器 (图版 XXXVII：2)：肛上片侧面观椭圆形，下方有指形短突；生殖弧宽片状，阳基侧突新月形相对，垫突浅色瘤状；有盾状片。

雌性生殖器 (图版 XXXVI：1)：腹面观腹瓣长茄形，无内齿，舌片不显著，端瓣近椭圆形，约为腹瓣的 1/2。

检视标本　1♂，正模，海南尖峰岭，1983.Ⅳ.27，顾茂彬，CAUN200184。1♂，副模，海南尖峰岭，1983.Ⅴ.11，顾茂彬，CAUN200185；1♂，广东广州华南植物园，1991.Ⅴ.3，李法圣，CAUN200369；1♀，海南岛那大，1963.Ⅴ.27，周尧，CAUN200186；1♀，海南吊罗山，260 m，2007.Ⅴ.4，孙明霞，CAUN200450；1♀，海南五指山，730 m，2007.Ⅴ.10，孙明霞，CAUN200448；1♀，海南尖峰岭西侧林，2007.Ⅴ.10，采集人不详，CAUN200457；2♂，海南五指山保护区，2007.Ⅴ.15，采集人不详，CAUN200453，CAUN200459；1♂，海南白沙莫好村，2008.Ⅳ.30，张文杰，CAUN200462；1♂，海南尖峰岭，2008.Ⅴ.5，刘启飞，CAUN200423；1♀，海南五指山顶峰，1867 m，2008.Ⅴ.15，刘启飞，CAUN200425；1♂，海南鹦哥岭鹦哥嘴，690 m，2009.Ⅳ.17，敖伟光，CAUN200493；1♂，海南鹦哥岭鹦哥嘴，690 m，2009.Ⅳ.16，敖伟光，CAUN200494；1♀1♂，海南鹦哥岭红坎水库，600 m，2009.Ⅳ.21，敖伟光，CAUN200407，CAUN200406；2♂，海南鹦哥岭红坎水库，600 m，2009.Ⅳ.22，敖伟光，CAUN200403，CAUN200405；1♂，海南鹦哥岭红坎水库，600 m，2009.Ⅳ.23，敖伟光，CAUN200404；1♂，云南西双版纳，2009.Ⅴ.11，杨秀帅，CAUN200495。

分布　广东、海南、云南。

(138) 狭翅玛蝶角蛉 *Maezous umbrosus* (Esben-Petersen, 1913) (图版 XXIII：1)

Suphalasca umbrosa Esben-Petersen, 1913: 226. Type locality: Taiwan (Kankau).
Suhpalacsa longialata Yang, 1992: 649. Synonymized by Ábrahám, 2008a: 63.
Maezous umbrosus: Ábrahám, 2008b: 63.

雌性：体长 30-32 mm；腹部 18-20 mm，前翅 30-35 mm，后翅 25-28 mm；触角 22-23 mm。

雄性：体长 42-45 mm；腹部 31-32 mm，前翅 29-31 mm，后翅 24-25 mm；触角 21-23 mm。

头顶褐色，具白色和黑褐色长毛；额深褐色，颊黄色，唇基和上唇黄色，具浅色长毛；上颚红褐色，端部黑色；下颚须、下唇须黄褐色，具黑色短毛。复眼黑色，有横沟。触角约为前翅长的 2/3，褐色，每节端部具深褐色窄环，膨大部深褐色，较宽，腹面内凹，颜色略浅。

胸和头部几乎等宽，前胸狭窄，黑色，前缘具黄褐色长毛，后缘具白色长毛。中、后胸背板黑色，中胸前盾片有 1 黄斑，有时不明显，中胸小盾片有 1 对黄斑，这对黄斑有时合并，后胸盾片有 1 对黄斑，有时不明显。前胸侧片褐色，中、后胸侧片大部分黄色。

前翅狭长、透明或略带烟褐色，外缘与后缘几乎平行，腋角不显著。翅痣褐色，4-5 横脉，其长边为高的 2 倍。前缘横脉 24-27 条，端区小室 2-3 排，Cu 区小室 3-4 排。后翅短于前翅，翅形与前翅相似，翅痣褐色，4-5 横脉，端区小室 2 排，Cu 区小室 2-3 排，CuA2 与 CuA1 的夹角近 90°，CuA2 长度约为 CuA1 的 1/9。

足细长，腿节黄褐色，被白色和灰色长毛；胫节深褐色，具黑色刚毛；跗节黑色，具短刺；爪、距红褐色。后足距伸达第 1 跗节末端。

雄性腹部细长，长于后翅，雌性腹部短粗，短于后翅；深褐色，一些节的后缘两侧有小黄斑，腹面兼有黑色和黄色。

雄性生殖器 (图版XXXⅦ：1)：肛上片侧面观椭圆形，下方有指形短突；生殖弧宽片状，阳基侧突新月形相对，垫突不显著；有盾状片。

雌性生殖器 (图版XXXV：11)：腹面观腹瓣宽片形，无内齿，舌片不显著，端瓣近椭圆形，约为腹瓣的 1/2。

检视标本　1♂，浙江西天目山，1981.Ⅵ，李伟华，CAUN200247；4♀，浙江安吉龙王山，1996.Ⅶ.26，吴鸿，CAUN200211，CAUN200220，CAUN200221，CAUN200224；1♀，浙江安吉龙王山，1996.Ⅶ.27，吴鸿，CAUN200226；6♀4♂，浙江安吉龙王山，1996.Ⅶ.28，吴鸿，CAUN200203，CAUN200209，CAUN200210，CAUN200216，CAUN200217，CAUN200218，CAUN200223，CAUN200212，CAUN200214，CAUN200219；1♂，浙江天目山仙人顶，2011.Ⅶ.23，李莎，CAUN200432；1♂，浙江天目山仙人顶，2011.Ⅶ.27，李莎，CAUN200433；1♂，浙江天目山千亩坪，2011.Ⅶ.30，李莎，CAUN200431；1♀，河南龙峪湾，1000 m，1997.Ⅷ.18，R.L.S，CAUN200222；1♀，河南商城黄柏山，200 m，1999.Ⅶ.11，申、任，CAUN200230；1♀1♂，河南商城黄柏山，200 m，1999.Ⅶ.14，申、任，CAUN200229，CAUN200234；1♀，河南陕县甘山，600 m，2000.Ⅴ.1，申、任，CAUN200242；1♀，河南信阳鸡公山，700 m，2001.Ⅶ.14，白明、李哲，CAUN200277；1♀，河南鸡公山，700 m，2001.Ⅶ.15，申效诚，CAUN200241；1♀，河南桐柏县，600-800 m，2001.Ⅶ.16，李哲、白明，CAUN200276；2♀，河南桐柏县，600-800 m，2001.Ⅶ.17，白明、李哲，CAUN200244，CAUN200248；1♀2♂，河南嵩县天池山，1000 m，2004.Ⅶ.12，王志良，CAUN200243，CAUN200252，CAUN200251；4♀1♂，河南嵩县天池山，1000 m，2004.Ⅶ.13，王志良，CAUN200231，CAUN200235，CAUN200236，CAUN200237，CAUN200250；1♀1♂，河南栾川龙峪湾，1100 m，2004.Ⅶ.20，王志良，CAUN200239，CAUN200240；3♀，河南内乡宝天曼，2004.Ⅶ.23，王志良，CAUN200233，CAUN200253，CAUN200254；1♀1♂，河南内乡宝天曼，1350 m，2004.Ⅶ.24，王志良，CAUN200238，CAUN200245；2♂，河南宝天曼山脚下，2011.Ⅶ.15，赵静、赵旸，CAUN200427，CAUN200428；2♀1♂，河南宝天曼宾馆，2011.Ⅶ.18，赵静、赵旸，CAUN200429，CAUN200430，CAUN200426；1♀，湖北兴山龙门河，1350 m，1993.Ⅶ.15，孙宝文，CAUN200228；1♀，湖北兴山龙门河，1400 m，1993.Ⅶ.22，采集人不详，

CAUN200246；1♀，湖北神农架红坪镇，1200 m，2004.Ⅷ.11，谭晓玲，CAUN200490；1♀，湖北长阳楠木坪，2005.Ⅶ.12，江帆，CAUN200491；1♀，湖北长阳天柱山，2005.Ⅶ.12，王庆巍，CAUN200492；2♂，广西大明山，2011.Ⅴ.26，张婷婷，CAUN200461，CAUN200464；1♂，四川峨眉山零公里，2010.Ⅵ.30，王俊潮，CAUN200454；1♂，贵州永川，1979.Ⅴ.19，杨树槐，CAUN200258；1♀，贵州道真大沙河，1150-1300 m，2004.Ⅷ.15，杨茂发，CAUN200225；1♀1♂，云南沧沅法保电站，675 m，1980.Ⅵ.8，尹火卫，CAUN200257，CAUN200191；1♂，云南勐腊瑶区，850m，2005.Ⅴ.8，白小栓，CAUN200392；1♂，云南勐腊瑶区，850 m，2005.Ⅴ.11，崔建新，CAUN200481；1♂，陕西太白山蒿坪寺，1200 m，1983.Ⅷ.18，陕西太白山昆虫考察组，CAUN200227；1♀，陕西佛坪，867 m，2007.Ⅷ.15，孙明霞，CAUN200446；1♂，（省份不明）大横路泜，1998.Ⅷ.3，赵明水，CAUN200232；1♂，（省份不明）破岔峪茅坪林场，1996.Ⅷ.12，采集人不详，CAUN200213。

异名 *Suhpalacsa longialata* 检视标本：1♀，正模，湖南黔阳极木沥，1981.Ⅵ.1，湖南省林科所，CAUN200199。1♂，浙江杭州，1978.Ⅸ.20，采集人不详，CAUN200256；1♂，浙江杭州，1979.Ⅴ.27，采集人不详，CAUN200260；1♀，浙江西天目山，1981.Ⅵ，李伟华，CAUN200204；1♀，浙江莫干山，1990.Ⅵ.17，徐佳，CAUN200208；1♀，浙江安吉龙王山，1995.Ⅶ.15，吴鸿，CAUN200201；1♀，浙江安吉龙王山，1995.Ⅶ.16，吴鸿，CAUN200207；1♀，浙江安吉龙王山，1996.Ⅶ.28，吴鸿，CAUN200203；1♂，江西章庄青坑，1980.Ⅴ.18，安福，CAUN200249；1♀，河南云台山，1986.Ⅶ.2，采集人不详，CAUN200206；1♀，河南连康山，220 m，1999.Ⅶ.15，申、任，CAUN200205；1♀，湖北咸宁温泉，1984.Ⅵ.15，杨集昆，CAUN200202；1♀，湖北神农架红坪镇，1200 m，2004.Ⅷ.11，谭晓玲，CAUN200490；1♀，湖北长阳楠木坪，2005.Ⅶ.12，江帆，CAUN200491；1♀，湖北长阳天柱山，2005.Ⅶ.13，王庆巍，CAUN200492；1♂，广西武鸣大明山，1963.Ⅴ.20，杨集昆，CAUN200200；1♀，广西桂林莹垸，1976.Ⅵ.20，采集人不详，CAUN200255；1♀，贵州雷公山小丹江，800-900 m，2005.Ⅵ.4-5，葛德燕，CAUN200389；1♀，云南勐腊望天树 650 m，2005.Ⅴ.1，白小栓，CAUN200393。

分布 河南、陕西、浙江、湖北、江西、湖南、广西、四川、贵州、云南。

40. 凸腋蝶角蛉属 *Nousera* Navás, 1923

Nousera Navás, 1923e: 5. **Type species:** *Nousera gibba* Navás, 1923; by original designation.

Pseudoptynx Weele, 1908: 209. **Type species:** *Pseudoptynx furcifer* Weele, 1908; by monotype. Synonymized by Oswald & Penny, 1991: 4.

Navás (1923e) 根据 *Nousera gibba* Navás, 1923 建立凸腋蝶角蛉属 *Nousera*，Sziráki (1998) 曾将 *Pseudoptynx furcifer* Weele, 1908 移至这个属中，*Pseudoptynx* 为单模属，虽然 *Pseudoptynx* 发表的时间早于 *Nousera*，*Nousera* 是 *Pseudoptynx* 的晚出异名，但 Oswald 和 Penny (1991) 证实 *Pseudoptynx* 与鸟纲的 *Pseudoptynx* 为异物同名，因而该属的有效名仍是 *Nousera*。

Ábrahám 和 Mészáros (2006) 认为 *Nousera furcifer* (Weele, 1908) 不属于 *Nousera*，由于该种的原始属名 *Pseudoptynx* 已被证明出现异物同名关系而无效，因而，他为该属起了新属名 *Ascapseudoptynx*。同时还描述了采自巴基斯坦的 1 新种 *Nousera herczigi* Ábrahám, 2006。

在 *Oswald LDL-Neuropterida Species of the World* (2007) 中，并未采纳 Ábrahám 和 Mészáros (2006) 的意见，*Nousera furcifer* (Weele, 1908) 依然保留在 *Nousera* 中。笔者认为 *Nousera* 翅形非常独特，极易识别，而 *furcifer* 的主要鉴别特征，包括翅形都符合 *Nousera*，所以赞同 Sziráki (1998) 的分类意见，将 *furcifer* 继续放在 *Nousera* 中。目前，*Nousera* 世界已知 3 种，中国仅发现 1 种，*Nousera gibba* Navás, 1923。

属征　前翅基部狭窄，具锥状突出的腋角。后翅基部细如柄，1A 与后缘极靠近或几乎重合。复眼具横沟，上下两半约等大。足细长，第 5 节约等于第 1-4 跗节之和。雄性腹部长于后翅，雌性腹部短于后翅。

分布　云南；巴基斯坦，印度，越南，老挝，泰国。

(139) 凸腋蝶角蛉 *Nousera gibba* Navás, 1923 (图版 XXIV: 2)

Nousera gibba Navás, 1923e: 5. Type locality: Indochina.

雌性：体长 25 mm，腹部 16 mm，前翅 31 mm，后翅 28 mm，触角 22 mm。

雄性：未知。

头顶褐色，具密集的黑色和白色长毛。额、颊黑褐色，具稀疏的白色长毛；唇基、上唇黄褐色，具白色毛和黄褐色毛。上颚红褐色，端部黑色；下颚须、下唇须红褐色，具黑色短毛。复眼具横沟，上下两半约相等。触角约为前翅长度的 2/3，褐色，基部黄褐色，膨大部深褐色，长梨状，具浓密的黑色短毛。

前胸背板狭窄，褐色，背板中部具白色毛，侧面具棕色毛。中胸背板棕褐色，中胸小盾片颜色较浅，中胸后缘具稀疏的黑色毛；中胸前盾片和小盾片各具 2 圆形黑色斑，中胸盾片近翅基处黑色。后胸颜色较深，具黑色长毛。

前翅透明、翅脉褐色，狭长，外缘约占翅长的 3/4，与前缘几乎平行，后缘向翅基急速倾斜，翅基狭窄，腋角锥形突出；翅痣褐色到黑褐色，具 4 横脉；端区小室 3 排，Cu 区小室 3 排。后翅比前翅更短、更窄，端区小室 2-3 排，CuA1 后方仅有 1 排小室，CuA2 消失，翅基部细如柄，后缘靠近 CuA，几乎重合，后缘在翅根部，短距离地向外扩展。

足腿节红褐色，内侧近端部黑色，具白色毛和黑色刚毛；胫节外侧黄褐色，内侧黑色，具长短不一的黑色刚毛；跗节黑色，具黑色短刺；爪基部黑色，端部黑色，2 爪分开得很小，几乎合拢在一起；距红褐色，后足距达第 2 跗节末端。

腹部短于后翅，黑色，第 1 节凹陷，腹面及侧面有一些暗黄色块。

雌性生殖器 (图版 XXXVI：9)：腹面观腹瓣长茄形，无内齿，舌片不显著，端瓣近椭圆形，约为腹瓣的 1/2。

检视标本　1♀，云南勐腊瑶区 (灯诱)，2005.Ⅴ.6，刘星月，CAUN200555。

分布 云南；越南，老挝，泰国，马来西亚。

41. 足翅蝶角蛉属 *Protacheron* Weele, 1908

Protacheron Weele, 1908: 225. **Type species:** *Protacheron philippinensis* Weele, 1904; by original designation.

Weele (1908) 根据在菲律宾和印度尼西亚发现的模式种 *Helicomitus philippinensis* 建立了足翅蝶角蛉属 *Protacheron*，Esben-Petersen (1933a) 发表了这个属的第 2 个种 *Protacheron westermanni*，该种采自喜马拉雅山脉，但没有更详细的分布地记载。目前，该属世界共 2 种，中国确定有 1 种，另 1 种的分布地记载是喜马拉雅，但并未明确在喜马拉雅的具体位置。

属征 体中型，触角短，为前翅长度的 1/2-2/3。雄性前翅近似足形，外缘明显长于后缘，外缘与后缘呈深弧线，在 M 脉终点处略内凹。雌性前翅近长卵形。后翅 1A 至后缘间有 1 排斜脉，这些斜脉明显长于 1A 与 CuP 脉之间的横脉。翅端区较宽，3-4 排小室。触角基部无齿。雄性无明显的肛副器。

分布 中国，喜马拉雅，菲律宾群岛，印度尼西亚。

种检索表

前翅基部有 1 黄褐色斑，后翅后缘处有 2 相似的斑 (分布喜马拉雅)………西足翅蝶角蛉 ***P. westermanni***

前翅基部无斑，后翅雄性透明或浅褐色，无斑，雌性沿外缘有 1 黄褐条斑 ……………………………………………………………………………………………*菲律宾足翅蝶角蛉 ***P. philippinensis***

*表示中国有分布。

(140) 菲律宾足翅蝶角蛉 *Protacheron philippinensis* (Weele, 1904) (图版 XXII：4、6)

Helicomitus philippinensis Weele, 1904: 206. Type locality: Philippines.

Protacheron guangxiensis Sun & Wang, 2006. **Syn. nov.**

Protacheron philippinensis: Weele, 1908: 225.

雌性：体长 25-26 mm，腹部 16-17 mm，前翅 30-31 mm，后翅 26-27 mm，触角 17-20 mm。

雄性：体长 26-27 mm，腹部 17-18 mm，前翅 25-26 mm，后翅 21-23 mm，触角 18-20 mm。

头顶褐色，密被黄色和黑色毛。额、颊、唇基、上唇黄色，被较稀疏的浅色长毛。上颚基部黄色，端部深褐色；下颚须及下唇须黄色；后头中部黄色，侧面深褐色。复眼具横沟，棕色，具密集的褐色斑。触角柄节和梗节黄色，鞭节深褐色，膨大部褐色。

前胸背板狭窄，中间黄色，两侧褐色。中、后胸背板褐色，1 宽的黄色纵带贯穿整个胸部。胸侧褐色，具稀疏的灰色长毛。

雄性前翅透明无斑，近似足形，外缘明显长于后缘，外缘与后缘呈深弧线，在 M 脉终点处略内凹；雌性前翅近长卵形。翅痣长，长边约为宽边的 3 倍，深褐色，具 7 横脉。前缘横排 29-30 条，端区小室 3-4 排，Cu 区小室 6-7 排。后翅比前翅短，近似足形，雄性后翅“足跟”更显著，并且无色透明。雌性常在 M 脉与翅端区之间的近外缘处有 1 黄褐斑，有些个体此斑消失。1A 与翅缘之间有 1 排斜脉，斜脉长于 1A 与 CuP 之间的横脉。端区小室 2-3 排，Cu 区小室 4-5 排，CuA2 与 CuA1 之间的夹角约 50°，CuA2 长度约为 CuA1 的 1/5。

足黄色，腿节有褐斑，具稀疏的白色长毛，胫节端部色渐深，具黑色长刚毛，跗节具黑色短刺。距和爪黑色，后足端距伸达第 1 跗节末端。

两性腹部均短于后翅。腹部深褐色，背面 1 条黄色宽中带从胸部延伸到腹部末端。第 1 腹节背侧面具灰色长毛。

雄性生殖器 (图版 XXXⅦ：10)：肛上片侧面观椭圆形，下后方有 1 显著的毛突，着生 1 粗刚毛；生殖弧屋脊状，阳基侧突新月形相对，垫突浅色瘤突形；有盾状片。

雌性生殖器 (图版 XXXV：10)：腹面观腹瓣三角形，有内齿，1 对舌片，端瓣长卵形，约为腹瓣的 3/4。

检视标本　1♂，广西宁明垅瑞，180 m，1984.Ⅴ.23，李法圣，CAUN200306；1♂，广西防城扶隆，550 m，1999.Ⅴ.26，李文柱，CAUN200308；1♀，广西上思红旗林场，300 m，1999.Ⅴ.27，袁德成，CAUN200263；1♀，广西，1980，采集人不详，CAUN200310；1♂，海南高陀山脉，采集时间、采集人不详，CAUN200307；1♀，贵州罗甸，500 m，1981.Ⅵ.23，李法圣，CAUN200262；1♀，云南勐腊瑶区，2005.Ⅴ.6，崔建新，CAUN200374；1♀1♂，云南勐仑 55 号地，630 m，2009.Ⅴ.30，杨秀帅，CAUN200483，CAUN200484；1♀，云南勐仑 55 号地，630 m，2009.Ⅴ.6，杨秀帅，CAUN200485。

新异名 *Protacheron guangxiensis* 检视标本　1♀，正模，广西宁明垅瑞，180 m，1984.Ⅴ.16，李法圣，CAUN200311。1♀，副模，广西宁明垅瑞，1984.Ⅴ.17，陆晓林，CAUN200309。

分布　海南、广西、贵州、云南；菲律宾，印度尼西亚。

讨论　孙明霞等于 2006 年发表了这个属的第 3 个种 *Protacheron guangxiensis*。但经审查发现，*Protacheron guangxiensis* 与 *Protacheron philippinensis* 的形态差异是因标本解剖不完整产生的，触角和翅脉颜色的差异只是个体差异，并非种间差异。所以，*Protacheron guangxiensis* 应为 *Protacheron philippinensis* 的异名。

42. 苏蝶角蛉属 *Suphalomitus* Weele, 1908

Suphalomitus Weele, 1908: 181. **Type species:** *Suhpalacsa difformis* McLachlan, 1871; by original designation.

Weele (1908) 以 *Suphalacsa difformis* McLachlan, 1871 为模式种，建立了苏蝶角蛉属 *Suphalomitus*，他描述了该属的 4 新种，并将其他属的 5 种移入该属中。此后，又有 12

种陆续发表。目前世界已知 20 种，中国有 5 种。

这个属最初从 *Suhpalacsa* 中分出，Weele (1908) 在检索表中区分 *Suhpalacsa* 和 *Suphalomitus* 用到了翅痣和翅端区的特征：*Suhpalacsa* 翅痣短，长宽相等，翅端区钝圆；*Suphalomitus* 翅痣长，长至少为宽的2倍，翅端区略尖。但从 Weele (1908) 发表的 *Suhpalacsa* 和 *Suphalomitus* 的物种照片看，*Suhpalacsa* 物种的翅痣并非很短，翅端区形状在2属之间差异也不大。

New (1984) 记述澳大利亚的蝶角蛉时，区别这 2 属用到了其他特征：*Suphalomitus* 翅较宽，后翅不超过前翅的翅痣，*Suhpalacsa* 翅比较窄，后翅比较长。

Ábrahám (2008a) 把原放在 *Suhpalacsa* 中的亚洲种分出，建立了 *Maezous*，他在检索表中写道："*Suphalomitus* 翅痣长大于宽，后翅比前翅宽，后翅极短，不超过前翅的翅痣；*Maezous* 翅痣长等于宽，后翅与前翅等宽或较窄"。

目前的现状是以上提到的鉴别特征，都无法将这 2 属的物种都分开，这 2 属的特征高度重叠。笔者对中国 *Maezous* 和 *Suphalomitus* 的研究发现，前翅端区小室排数是 1 相对稳定的特征，可以用来区别这 2 属，至少对中国的种适用。

属征 与 *Maezous* 极相似，前翅端区小室 2 排，少数为 3 排；翅痣较长，通常长为宽的 2 倍；后翅比前翅短。雄性腹部长于后翅，雌性腹部短于后翅。

分布 亚洲，澳大利亚，非洲。

种检索表

1 前翅端区小室为 3 排，胸背板有黄色中条纹 ……………………………… **台斑苏蝶角蛉 *S. formosanus***

前翅端区小室为 2 排，胸背板无黄色中条纹 ……………………………………………………… 2

2 后翅 Cu 区小室 3 排 ……………………………………………………… **黄斑苏蝶角蛉 *S. lutemaculatus***

后翅 Cu 区小室 2 排 ……………………………………………………………………………… 3

3 上唇与唇基均为褐色，腹部第 1 节深度下陷，明显低于第 2 节，后翅 Cu 区远端的单排小室 3-4 个，胸侧棕色，中、后胸侧片上部黄色 …………………………………… **凹腰苏蝶角蛉 *S. excavatus***

上唇黑色，唇基褐色，腹部第 1 节略下陷，略低于第 2 节，后翅 Cu 区远端的单排小室 4-5 个，胸侧均为棕色 ……………………………………………………………… **黑唇苏蝶角蛉 *S. nigrilabiatus***

注：检索表不包括 *S. rufimaculatus*，因为无检视标本。

(141) 凹腰苏蝶角蛉 *Suphalomitus excavatus* Yang, 1999 (图版 XXIII：2)

Suphalomitus excavatus Yang, 1999b: 143. Type locality: Fujian (Meihuashan).

Suhpalacsa hainana Yang, 2002: 300. **Syn. nov.**

雌性：体长 20-25 mm，腹部 14-15 mm，前翅 26-29 mm，后翅 22-23 mm，触角 20-21 mm。

雄性：体长 28-40 mm，腹部 24-26 mm，前翅 26-30 mm，后翅 19-21 mm，触角 20-25 mm。

头顶棕褐色，具褐色和黑色长毛；额、颊红褐色，具白色长毛。唇基、上唇褐色；

上颚红褐色，端部黑色，下颚须、下唇须褐色。复眼有横沟，黄褐色，具黑色小斑。触角褐色，每节端部具深褐色环纹；膨大部短梨状，颜色较深，具黑色环纹。

前胸狭窄，棕色。中、后胸背板深褐色。胸侧面黄棕色，前方和下方色较深。足细长，腿节褐色，胫节深褐色，跗节黑色，具黑色短刺，跗端距和爪红褐色。距短而细，后足距达第 1 跗节中部。

前翅狭长，近长方形，外缘与后缘几乎为直线，与前缘平行，透明，翅脉褐色。前翅腋角钝，不明显；翅痣褐色，具 5 横脉。前缘横脉 24-27 条，端区小室 2 排，Cu 区小室 3-4 排。后翅短于前翅，透明，翅痣褐色，具 5 横脉；端区小室 2 排，Cu 区小室 2 排，Cu 区远端单排小室 3-4 个，CuA2 与 CuA1 之间的夹角约 90°，CuA2 长度约为 CuA1 的 1/9。

雄性腹部长于后翅，雌性腹部短于或等于后翅。深褐色，第 1 节深度下陷，低于第 2 节高度的 1/2。基部 2 节腹面黄色，其余节腹面褐黄色。第 1-2 腹节具稀疏的白色长毛。

雄性生殖器 (图版XXXⅦ：12)：肛上片侧面观椭圆形；生殖弧宽拱形，阳基侧突新月形相对，垫突不显著；有盾状片；第 9 腹板后缘弧形，中间略向后突伸。

雌性生殖器 (图版XXXⅥ：5)：腹面观腹瓣卵圆形，无内齿，舌片不显著，端瓣近椭圆形，约为腹瓣的 1/2。

检视标本　1♂，正模，福建龙岩梅花山丘山，800 m，1988.Ⅶ.20，杨集昆，CAUN200197。1♀，配模，福建龙岩梅花山丘山，800 m，1988.Ⅶ.20，杨集昆，CAUN200198；1♂，副模，福建龙岩梅花山丘山，800 m，1988.Ⅶ.20，杨集昆，CAUN200189。

新异名 *Suphalomitus hainana* 检视标本：1♂，正模，海南五指山，1997.V.31，杨集昆，CAUN200187。1♂，副模，海南尖峰岭，1983.V.6，顾茂彬，CAUN200188；1♀，海南儋州，2007.Ⅴ.8，采集人不详，CAUN200456；6♂，海南五指山，730 m，2007.Ⅴ.10，孙明霞，CAUN200439，CAUN200440，CAUN200441，CAUN200442，CAUN200443，CAUN200444；1♂，海南五指山保护区，2007.Ⅴ.15，采集人不详，CAUN200465；1♂，云南思茅曼中田人工草场，采集时间及采集人不详，CAUN200290；1♂，云南勐腊瑶区，2005.V.10，白小栓，CAUN200394；1♀，云南勐仑 55 号地，630 m，2009.Ⅴ.30，杨秀帅，CAUN200482。

分布　福建、海南、云南。

(142) 台斑苏蝶角蛉 *Suphalomitus formosanus* Esben-Petersen, 1913 (图版XXⅣ：1)

Suphalomitus formosanus Esben-Petersen, 1913: 225. Type locality: Taiwan (Kankau).

雌性：体长 28-32 mm，腹部 17-20 mm，前翅 35-37 mm，后翅 28-30 mm，触角 22-23 mm。

雄性：体长 31-35 mm，腹部 23-25 mm，前翅 30-31 mm，后翅 24-25 mm，触角 20-21 mm。

头顶黑色，具黑色长毛。额、颊黑褐色，具黑色长毛。唇基褐黄色，上唇深褐色，端部具 1 排深褐色刚毛。上颚红褐色，端部黑色。下颚须、下唇须深褐色，端部红褐色，具黑色短毛。复眼有横沟，红褐色，具黑色小斑。触角黑色，膨大部梨状，有浅色环纹。

前胸背板狭窄、梯形。胸背板黑色，中央具 1 黄色中条纹，从前胸达后胸，两侧具黑色细毛。胸侧从前足基部至后翅基部形成 1 斜向的深浅颜色分界，分界线前方为黑色，后方为黄色。足黑色，爪和距红褐色。后足距达第 2 跗节中部。腿节具白色和黑色长毛，胫节具黑色刚毛，跗节具黑色短刺。

前翅近长方形，外缘与后缘拐点不显著，腋角不显著。翅透明或浅茶色，翅基黄色。翅痣梯形，长边为高的 2-3 倍，褐色，具 4-5 横脉。前缘横脉 32 条，端区小室 3 排，Cu 区小室 3-4 排。后翅短于前翅，翅形相似，翅痣比前翅的更长，梯形，长边为高的 3-4 倍，褐色，具 6 横脉。端区小室 2 排，Cu 区小室 2-3 排，Cu 区远端单排小室 2 个，CuA2 与 CuA1 之间的夹角约 80°，CuA2 长度约为 CuA1 的 1/10。

雄性腹部约与后翅等长，雌性腹部短粗，短于后翅。背面黑色，基部几节中部红褐色。腹面深褐色，基部 3 节黄色。

雄性生殖器 (图版 XXXⅥ：10)：肛上片下方有粗指状突；生殖弧宽拱形，阳基侧突新月形相对，垫突浅色瘤突形；有盾状片；第 9 腹板后缘弧形，中间略向后突伸。

雌性生殖器 (图版 XXXⅥ：6)：腹面观腹瓣长茄形，无内齿，舌片不显著，端瓣近椭圆形，约为腹瓣的 1/2。

检视标本　1♂，广西金秀罗香，400 m，1999.Ⅴ.15 ，李文柱，CAUN200264；1♂，广西化坪粗江，1963.Ⅵ.7，杨集昆，CAUN200267；1♂，广西龙津大青山，1963.Ⅴ.15，杨集昆，CAUN200270；1♀，广西上思南屏乡，350 m，2000.Ⅵ.16，李文柱，CAUN200268；1♀，广西那坡北斗，550 m，2000.Ⅵ.22，姚建，CAUN200269；1♀，广西大明山，2011.Ⅴ.26，张婷婷，CAUN200467；1♀，海南尖峰岭天池，2008.Ⅴ.7，刘启飞，CAUN200424；1♂，海南尖峰岭天池 (灯诱)，800 m，2009.Ⅳ.27，敖伟光，CAUN200397；1♀3♂，海南尖峰岭避暑山庄 (灯诱)，957 m，2009.Ⅳ.24，敖伟光，CAUN200399，CAUN200400，CAUN200401，CAUN200402；1♀，海南五指山，730 m，2007.Ⅴ.10，孙明霞，CAU200451；1♀，海南五指山登山道，720 m，2009.Ⅴ.3，敖伟光；CAUN200398；1♀，海南鹦哥岭鹦哥嘴 (灯诱)，690 m，2009.Ⅳ.16，敖伟光，CAUN200479；1♀，海南鹦哥岭鹦哥嘴 (灯诱)，690 m，2009.Ⅳ.17，敖伟光，CAUN200478；1♂，贵州省贵阳市平阳县小丹江村，2005.Ⅵ.2，750 m，孙明霞，CAUN200396；1♂，云南昭通水富太平乡峰顶山，916 m，2009.Ⅴ.30，曹亮明，CAUN200480。

分布　海南、广西、贵州、云南。

讨论　Ábrahám (2008b) 发表的台湾的 *Suphalomitus formosanus* 照片，雌雄 2 张照片都看不到胸背的黄色中条纹，Esben-Petersen (1913) 的原始描述提到了胸背部有 1 条黄褐色纵纹，Stange 和 Wang (1998) 发表的 *Suphalomitus formosanus* 正模标本也能隐约看到胸背面的黄色纵条纹。在我们的检视标本中，胸部的黄色纵条纹十分显著。因此，笔者判断一种可能是 Ábrahám (2008b) 发表的 *Suphalomitus formosanus* 照片颜色有些失真；另一种可能这条黄色纵纹有时不显著。

(143) 黄斑苏蝶角蛉 *Suphalomitus lutemaculatus* Yang, 1992 (图版 XXIII：5)

Suphalomitus lutemaculatus Yang, 1992b: 650. Type locality: Hunan (Yiyang).

雌性：体长 26-30 mm，腹部 17 mm，前翅 30-34 mm，后翅 24-28 mm，触角 20-23 mm。

雄性：未知。

头顶、额黑色，具棕色长毛。颊、唇基、上唇棕黄色或黄色，具灰色长毛。上颚红褐色，端部黑色；下颚须基部黄褐色，端部红褐色，基节具白色长毛，其余 4 节具黑色短刚毛；下唇须黑色，尖端处红褐色，具黑色短刚毛。复眼有横沟，棕色，具黑色小斑。触角褐色，每节具黑色环纹，膨大部黑色，具黑色短毛。

前胸狭窄，梯形。胸背板黑色，沿中轴线有时会出现一些小黄斑，中胸盾片前方有时也有黄斑隐约可见。胸侧深褐色，前足后方至后翅下方的区域颜色较浅。

前翅近长方形，腋角钝，略突出。翅透明，翅痣褐色，梯形，长边约为高的 2 倍，具 5 条横脉。前缘横脉 28 条，翅端区小室 2 排，Cu 区小室 4-5 排。后翅短于前翅，翅痣褐色，梯形，约与前翅等大，具 4 横脉；端区小室 2 排，Cu 区小室 3 排，Cu 区远端单排小室 2 个，CuA2 与 CuA1 之间的夹角约 80°，CuA2 长度约为 CuA1 的 1/8。

足细长，黑色，腿节具白色和黑色长毛，前足胫节内侧具很密的黄褐色刚毛，中、后足胫节具长短不一的黑色刚毛，跗节具黑色短刺。爪、距深褐色，端部红褐色，后足距达第 1 跗节末端。

雌性腹部短粗，短于后翅；腹背面黑色，具黑色短刚毛，两侧具棕色长毛，每节端部两侧具红黄色横纹。腹面黑色，局部有黄斑，侧面具纵向红黄色长斑。

雌性生殖器 (图版 XXXVI：3)：腹面观腹瓣长茄形，无内齿，1 对舌片，端瓣长卵形，约为腹瓣的 2/3。

检视标本　1♀，正模，湖南益阳，1981.Ⅷ.24，湖南省林科所，CAUN200192。1♀，副模，福建三港，1982.Ⅷ.24，汪江，CAUN200193；1♀，浙江天目山，1973.Ⅶ.25，虞佩玉，CAUN200194；1♀，福建三港，1986.Ⅶ.4，刘子华，CAUN200195。

该种发表时共 2 个副模，其中 1 副模 (1♀，湖南永顺县羊峰，1982.Ⅶ.24，湖南省林科所) 已丢失。

分布　浙江、湖南、福建。

讨论　Ábrahám (2008a) 提出黄斑苏蝶角蛉 *Suphalomitus lutemaculatus* Yang, 1992 是 *Suphalomitus formosanus* Esben-Petersen, 1913 的异名，主要根据为 *Suphalomitus lutemaculatus* 的原始描述。他指出翅基部黄色或红色只是个体间的差异，不能作为种的鉴别特征。我们对比了 *S. lutemaculatus* 的模式标本与 *S. formosanus* 的原始描述，以及 Ábrahám (2008a)发表的 *S. formosanus* 的雌雄标本照片，发现 *S. lutemaculatus* 与 *S. formosanus* 存在显著差异，并不仅仅是翅基部的颜色，前者比后者翅脉稀疏得多 (表 14)，因此，我们仍然坚持 *S. lutemaculatus* 为有效种名。Ábrahám 在 2011 年检视过中国农业大学的模式标本后，也得出了同样的结论。

表 14 *S. lutemaculatus* 与 *S. formosanus* 形态特征对比

Tab. 14 Morphological compare between *S. lutemaculatus* and *S. formosanus*

特征	*S. lutemaculatus*	*S. formosanus*
前翅端区翅室	2 排	3 排
前翅 Rs 起点至痣下室间	14 条	19-21 条
后翅 CuA 分叉后第 1 排小室	7 个	10-11 个
胸背颜色	黑色，无黄色中条纹	黑色，有黄色中条纹

(144) 黑唇苏蝶角蛉 *Suphalomitus nigrilabiatus* Yang, 1999 (图版 XXIV：5)

Suphalomitus nigrilabiatus Yang, 1999b: 143. Type locality: Fujian (Sanming).

雌性：体长 24 mm，腹部 15 mm，前翅 28 mm，后翅 24 mm，触角缺失。

雄性：未知。

头顶深棕色，具棕色长毛。额、颊、唇基红褐色，上唇基半部红褐色，端半部黑色；上颚红褐色，端部黑色。下颚须、下唇须红褐色；复眼黑色，具不均匀的红褐色斑；触角缺失。

前胸背板狭窄、梯形。前、中、后胸背板黑色，具稀疏的黑毛；胸侧面棕色，具稀疏的长毛。

前翅近长方形，腋角不显著。翅透明，翅痣梯形，长边约为高的 2.5 倍，黄褐色，具 4-5 横脉；前缘横脉 20-25 条，端区小室 2 排，Cu 区小室 3-4 排。后翅短于前翅，翅痣褐色，梯形，长边约为高的 3 倍，具 5 横脉；端区小室 2 排，Cu 区小室 2 排，Cu 区远端单排小室 4-5 个，CuA2 与 CuA1 之间的夹角约 90°，CuA2 长度约为 CuA1 的 1/10。

胸腹面棕褐色，具白色长毛。足股节棕褐色，胫节黑褐色，跗节黑色，爪、距红褐色；股节具白色长毛和黑色刚毛，胫节具长短不一的黑色刚毛，跗节具黑色短刺。后足距短，未达第 1 跗节末端。

腹背面棕黑色，基部两侧具棕色长毛。第 2 跗节背面具稀疏的黑色长毛，其余腹节几乎光裸。腹面棕褐色，基部 3 节具白色长毛，其余腹节具黑色短毛。

雌性生殖器 (图版 XXXVI：4)：腹面观腹瓣长茄形，无内齿，舌片不显著，端瓣近椭圆形，约为腹瓣的 1/2。

检视标本 1♀，正模，福建三明小湖，1990.VI.7，吴志远，CAUN200196。

分布 福建。

讨论 Ábrahám 认为 (私人通信) 黑唇苏蝶角蛉 *Suphalomitus nigrilabiatus* Yang, 1999 是 *Maezous umbrosus* (Esben-Petersen, 1913)的异名。目前，在 CAU 昆虫标本馆保存的 *Maezous umbrosus* 标本中未发现任何标本的上唇为黑色，因此，尚不能否定黑色上唇是种的鉴别特征。另外，*Suphalomitus nigrilabiatus* 胸侧均为棕色，而 *Maezous umbrosus* 胸侧前 1/3 为褐色，后 2/3 为黄色。基于 *Suphalomitus nigrilabiatus* 与 *Maezous umbrosus* 能找到显著区别，因此，笔者仍然坚持 *Suphalomitus nigrilabiatus* 是有效种名。另外，

Ábrahám 并未看到 *Suphalomitus nigrilabiatus* 的模式标本，所以，修订没有充分的证据。

(145) 红斑苏蝶角蛉 *Suphalomitus rufimaculatus* Yang, 1986

Suphalomitus rufimaculatus Yang, 1986: 427. Type locality: Yunnan (Qujing).

原始描述：体长 39 mm，前翅 31 mm，后翅 24 mm。

头部褐色，密生黑色长毛，额区多横皱，唇基及上唇污黄色，被黄色长毛；复眼黑色，由横沟分为两半，上半中部带红褐色；触角损缺。

胸部略宽于头部，棕褐色，背中有不完整的黄褐色纵斑；侧板大部污黄色，但中、后胸的前侧片均为棕褐色。足基部红褐色，胫节以下黑色，被黑色刚毛和一些白毛，爪红褐色。翅透明，基部均有橘红色斑块，翅痣淡褐，前翅由 3 脉组成 (后翅为 4 脉)，翅脉均呈黑褐色，翅端的小室前翅为 3 列，后翅为 2 列；后翅显较前翅短小。

腹部狭长，暗褐色，背板 2-7 节的后缘具宽黄边，但中部很窄而像成对的黄斑；腹面基部 4 节黄色，第 4 节中部暗褐色，后面几节几乎全部暗褐色。

检视标本　无。模式标本 (1♂，正模，云南省曲靖地区海寨，2000 m，1979.Ⅵ. 5. 陈明坤) 丢失。

分布　云南。

讨论　仅从原始描述和发表的照片看，该种很像 *Suphalomitus formosanus*，原始描述中也曾就这 2 种进行了比较，区别主要是头胸的宽度比，腹部的颜色，胸侧的颜色及组成翅痣的横脉数。

三、蝶蛉科 Psychopsidae Navás, 1916

Psychopsidae Navás, 1916: 181. **Type genus:** *Psychopsis* Newmann, 1842.

蝶蛉科昆虫中至大型，前翅长 10-35 mm。触角很短，念珠状。上颚发达，内侧具齿，有时左右不对称；下颚须 5 节，下唇须 3 节。前胸短而窄，中胸、后胸较发达。翅宽阔，外缘与后缘几乎成直角，后翅略窄于前翅。翅具缘饰，无翅痣，Sc、R_1、Rs 平行至翅的亚端区，形成中肋，其他脉由中肋分出，阶脉 2-3 组。腹部短小。

蝶蛉科很小，世界已知 6 属 27 种，主要分布在澳大利亚、非洲和东南亚。中国已知 1 属 5 种。

43. 巴蝶蛉属 *Balmes* Navás, 1910

Balmes Navás, 1910a: 85. **Type species:** *Balmes terissinus* Navás, 1910; by monotype.

Orientichopsis Kuwayama, 1927 : 123. **Type species:** *Orientichopsis formosa* Kuwayama, 1927; by monotype. Synonymized by Kimmins, 1939: 153.

巴蝶蛉属 *Balmes* 世界已知 5 种，均分布在亚洲。这 5 种中国均有分布。

属征 体长 5-12 mm，翅展 22-44 mm，复眼大，无单眼，触角线状，相当于体长的 1/3-1/2；前翅长宽比为 1.2-1.7，后翅长宽比为 1.7-2.0。翅上多毛，有缘饰，前翅具内阶脉组和中阶脉组，无外阶脉组和前缘阶脉组 (*Balmes formosua* 除外)；后翅无显著的大斑。腹部略比胸部长。

分布 亚洲。

种检索表

1 前翅有前缘阶脉组和外阶脉组，翅中央有 1 形状不规则、颜色深浅不均的大斑，中阶脉外有 1 深褐色小圆斑 ……………………………………………………………………丽东巴蝶蛉 ***B. formosus***

- 前翅无前缘阶脉组和外阶脉组 ……………………………………………………………………2

2 翅白色，前翅有较多的褐色圆斑，排列在翅缘、中肋和 M 主干上，在中阶脉组与内阶脉组上有大褐斑 ……………………………………………………………………集昆巴蝶蛉 ***B. chikuni***

- 翅烟褐色，内阶脉组合中阶脉组上无褐斑 ……………………………………………………3

3 前翅中肋、M 脉主干及后缘上清晰的褐斑 ……………………………川贵巴蝶蛉 ***B. terissinus***

- 前翅上所有的斑都不清晰 ……………………………………………………………………4

4 头顶前方有 1 对瘤突，雄性肛上片后面观无舌形片 …………………………滇缅巴蝶蛉 ***B. birmanus***

- 头顶前方无 1 对瘤突，雄性肛上片后面观有舌形片 …………………………显赫巴蝶蛉 ***B. notabilis***

(146) 滇缅巴蝶蛉 *Balmes birmanus* (McLachlan, 1891) (图版XX：4，图版XXXⅧ：1-3)

Psychopsis birmanus McLachlan, 1891: 321. Type locality: Burma.

Balmes birmanus: Kimmins, 1939: 153.

雌性：体长 9-11 mm，翅展 29-30 mm，前翅 15-16 mm，后翅 11-12 mm，腹部 5-6 mm。

雄性：体长 8-10 mm，翅展 28-29 mm，前翅 14-15 mm，后翅 10-11 mm，腹部 4-5 mm。

头下口式，头顶隆起，褐色，在触角的后方有 1 对黄色的瘤突，额褐色，唇基黄色，口器黄色。触角念珠状褐色，密被短毛。

前胸背板宽大于长，黄白色，被灰色长毛，中后胸背板深褐色，胸侧板浅黄色。足浅黄色，密被绒毛，后足 2 端距，端距与爪前黄色。

前翅宽阔，长宽比约为 1.3，褐色，沿翅缘有 1 圈隐约可见的褐色圆斑，中肋上和 M 脉主干上隐约可见有成排的褐斑，内阶脉组和中阶脉组上无褐斑。前翅有缘饰、内阶脉组和中阶脉组，无外阶脉组和前缘阶脉组；MP 与 CuA 平行，这两条脉之间在中阶脉前有 4 条横脉。后翅比前翅窄，长宽比约为 1.9，褐色，翅缘褐斑不显著，中肋端部隐约可见 1 褐色斑块。有中阶脉组，无内阶脉组、外阶脉组和前缘阶脉组。

腹部约等于头胸长度之和，从前向后颜色渐深，腹末为深褐色，密被浅色长毛。雄性第 9 背板形成 1 对短的侧尾突，向内下方弯曲，肛上片近梯形，端部内凹，第 10 腹板双峰形。

检视标本 1♂，云南昆明北门街，1941.V.20，采集人不详，CAUNb000022；1♂，

云南昆明翠湖，1942.V.12，采集人不详，CAUNb000023；1♀，云南昆明北门街，1941.VI.12，采集人不详，CAUNb000024；1♀，云南昆明，1944.V.19，采集人不详，CAUNb000025；1♂，云南昆明北门街，1941.V.31，采集人不详，CAUNb000026。

分布　云南；缅甸。

(147) 集昆巴蝶蛉 *Balmes chikuni* Wang & Bao, 2006 (图版XX：3，图版XXXⅧ：10-12)

Balmes chikuni Wang & Bao, 2006: 846. Type locality: Guangxi (Nonggang).

雌性：未知。

雄性：体长 8.5 mm，翅展 31.5 mm，前翅 15 mm，后翅 12 mm，腹部 4.9 mm。

头下口式，头顶浅褐色，具 2 瘤突，额浅褐色，唇基黄色，触角间深褐色，触角念珠状，密被白色绒毛。

前胸背板宽大于长，黄色，被灰色长毛，前排 2 黑斑，后排 4 黑斑。中胸前盾片褐色，中央色较浅；盾片黄色，有 1 对大黑斑；小盾片深褐色。后胸前盾片深褐色；盾片黄色，具 1 对小黑斑和黑色的侧缘；小盾片黄色。足浅褐色，密被绒毛，爪褐色。

前翅宽阔，长宽比为 1.7，白色，沿翅缘有 1 圈褐色的圆斑，中肋上有 1 排 4 大褐斑，M 脉主干上有 1 排 3 大褐斑，内阶脉组和中阶脉组上各有 1 大褐斑。前翅有内阶脉组和中阶脉组，无外阶脉组和前缘阶脉组，有缘饰；MP 与 CuA 平行，这两条脉之间在中阶脉前有 5 横脉。后翅比前翅窄，长宽比为 2.0，白色，翅外缘和后缘隐约可见褐色圆斑，无其他色斑。有中阶脉组，无内阶脉组、外阶脉组和前缘阶脉组。

腹部长于头胸长度之和，1-8 节褐色，两侧颜色较深，腹末端黄色，密被浅色长毛。雄性第 9 背板形成 1 对短的侧尾突，向内下方弯曲，肛上片近三角形，第 10 腹板双瓣状上举。

检视标本　1♂，正模，广西龙州弄岗，240 m，1982.Ⅴ.19. 杨集昆，CAUNb000027。

分布　广西。

(148) 丽东巴蝶蛉 *Balmes formosus* (Kuwayama, 1927) (图版XX：5)

Psichopsis (*Orientichopsis*) *formosus* Kuwayama, 1927: 123. Type locality: Taiwan (Nantou).

Psichopsis formosa: New, 1988: 844.

Orientichopsis formosa: Yang, 1999c: 110.

Balmes formosus: Kimmins, 1939: 153.

雌性：体长 10-11 mm，翅展 48-50 mm，前翅 24-25 mm，后翅 19-20 mm，腹部 5-6 mm。

雄性：未知。

头下口式，头顶隆起，亮黄色，在触角的后方有 1 对灰黄色的瘤突，额亮黄色，唇基黄色，口器黄色。触角念珠状褐色，密被短毛。

前胸背板宽大于长，黄白色，被灰色长毛，中胸背板黄色，后胸背板中央黄白色，两侧黑色，胸侧板浅黄色。足浅黄色，密被绒毛，后足 2 端距，端距与爪前褐色。

前翅宽阔，长宽比约为 1.6，浅褐色，翅缘斑纹不显著，仅后缘上有 2-3 小黑点，翅中央有 1 形状不规则、颜色深浅不均的大斑，中阶脉外有 1 深褐色小圆斑。前翅有缘饰、内阶脉组、中阶脉组、外阶脉组和前缘阶脉组；MP 与 CuA 平行，这两条脉之间在中阶脉前有 6 横脉。后翅比前翅窄，长宽比约为 1.8，透明无斑，有中阶脉组和外阶脉组，无内阶脉组和前缘阶脉组。

腹部约等于头胸长度之和，黄白色，背面中间和两侧有斑驳的黑斑。

检视标本 1♀，福建南平西芹，1981.Ⅴ.26，吴若青，CAUNb000001；1 性别不明(腹部不完整)，福建顺际会，1981.Ⅴ.24，陈学文，CAUNb000002。

分布 福建、台湾；日本。

(149) 显赫巴蝶蛉 *Balmes notabilis* Navás, 1912 (图版XX：6，图版XXXⅧ：4-6)

Balmes notabilis Navás, 1912c : 197. Type locality: Yunnan.

雌性：体长 7-8 mm，翅展 29-30 mm，前翅 14-15 mm，后翅 10-11 mm，腹部 3-4 mm。

雄性：体长 5-6 mm，翅展 26-27 mm，前翅 10-13 mm，后翅 6-7 mm，腹部 2-3 mm。

头下口式，头顶隆起，褐色，在触角的后方有 1 对黄斑，几乎不外突，近前胸背板的边缘处可见 1 排 4 棕黄斑。额褐色，唇基黄色，口器黄色。触角念珠状褐色，密被短毛。

前胸背板宽大于长，褐色，被灰色长毛，中后胸背板褐色，胸侧板浅黄色。足浅黄色，密被绒毛，后足 2 端距，端距与爪浅褐色。

前翅宽阔，长宽比约为 1.6，褐色，沿翅缘有 1 圈隐约可见的褐色圆斑，中肋上和 M 脉主干上隐约可见成排的褐斑，内阶脉组和中阶脉组上无褐斑。前翅有缘饰、内阶脉组和中阶脉组，无外阶脉组和前缘阶脉组；MP 与 CuA 平行，这两条脉之间在中阶脉前有 4 横脉。后翅比前翅窄，长宽比约为 1.8，褐色无斑。有中阶脉组，无内阶脉组、外阶脉组和前缘阶脉组。

腹部约等于头胸长度之和，背面浅褐色，每节末端黑色，腹面黄白色，密被浅色长毛。雄性第 9 背板形成 1 对短的侧尾突，向内下方弯曲，肛上片梯形，端部不内凹，舌状片显著，第 10 腹板半圆形，中部内凹。

检视标本 1♀3♂，云南临沧，1981.Ⅳ.22，杨集昆，CAUNb000011，CAUNb000013，CAUNb000014，CAUNb000015；1♂，云南临沧，1100 m，1981.Ⅳ.23，李法圣，CAUNb000012；1♀，云南武定，1978.Ⅴ.29，许天义，CAUNb000016；1♀，云南，850 m，1980.Ⅴ.20，张明，CAUNb000017；1 性别不明（腹部被遮挡），云南景东，1100 m，1982.Ⅴ.3，彦素梅，CAUNb000018；1♀2♂，云南保山隆阳区芒宽乡百花岭，1560 m，2006.Ⅴ.24，王志良，CAUNb000019，CAUNb000021，CAUNb000020。

分布 云南；越南，老挝。

(150) 川贵巴蝶蛉 *Balmes terissinus* Navás, 1910 (图版XX：7，图版XXXⅧ：7-9)

Balmes terissinus Navás, 1910a: 85. Type locality: Sichuan (Kangding).

雌性：体长 7-8 mm，翅展 29-30 mm，前翅 14-15 mm，后翅 9-10 mm，腹部 3-4 mm。

雄性：体长 7-9 mm，翅展 23-32 mm，前翅 11-15 mm，后翅 9-12 mm，腹部 3-4 mm。

头下口式，头顶隆起，有 1 褐色横带，在触角的后方有 1 对黄褐色瘤突，近前胸背板的边缘处可见 1 排 4 棕黄斑。额后半部褐色，前半部黄色，唇基黄色，上唇黑色，口器其他部分黄色。触角念珠状褐色，密被短毛。

前胸背板宽大于长，黄褐色，被灰色长毛，中后胸背板褐色，胸侧板浅黄色。足浅黄色，密被绒毛，后足 2 端距，端距与爪浅黄色。

前翅宽阔，长宽比约为 1.6，褐色，沿翅缘有 1 圈隐约可见的褐色圆斑，后缘上有 3 褐色半圆斑较显著，中肋上和 M 脉主干上有成排的褐斑，内阶脉组和中阶脉组上无褐斑。前翅有缘饰、内阶脉组和中阶脉组，无外阶脉组和前缘阶脉组；MP 与 CuA 平行，这两条脉之间在中阶脉前有 4 横脉。后翅比前翅窄，长宽比约为 1.7，透明，几乎无斑，仅在中肋和 M 主干上有些发污。有中阶脉组，无内阶脉组、外阶脉组和前缘阶脉组。

腹部约等于头胸长度之和，背面浅褐色，中间有 1 褐色的中线从后胸背板至腹部末端，腹面黄白色，密被浅色长毛。雄性第 9 背板形成 1 对短的侧尾突，向内下方弯曲，尾突基部宽阔，有 1 黄色椭圆斑，肛上片半圆形，端部舌状片显著，第 10 腹板中部有近半圆形空洞。

检视标本　1♂，贵州遵义，870 m，1979.Ⅵ.12，林科院，CAUNb000003；1♀，870 m，1979.Ⅵ.12，林科院，CAUNb000004；2♂，四川峨眉山中峰寺，1990.Ⅵ.15，刘志琦，CAUNb000005，CAUNb000006；1♀，四川峨眉山报国寺，600 m，1957.Ⅵ.6，郑荣怡，CAUNb000007；1♀，四川峨眉山报国寺，600 m，1957.Ⅴ.30，郑荣怡，CAUNb000008；1♂，四川峨眉山报国寺，1957.Ⅴ.21，郑荣怡，CAUNb000009；1♂，四川峨眉山洪椿坪，1957.Ⅵ.12，郑荣怡，CAUNb000010。

分布　四川、贵州。

四、旌蛉科 Nemopteridae Burmeister, 1839

Nemopteridae Burmeister, 1839: 984. **Type genus**: *Nemoptera* Latreille, 1802.

最特别的脉翅目昆虫，后翅细长如飘带，头呈喙状延伸。前翅长为 12-18 mm，翅脉较稀疏。成虫有时取食花，幼虫捕食性，常栖息在洞穴或探头石下的地面灰尘中或沙土内 (New, 1991a)。主要分布在地中海地区、西亚、印度、非洲、澳大利亚和南美。世界已知 2 亚科：Crocinae 和 Nemopterinae，40 属约 150 种 (Aspöck *et al.*, 2001b)，中国仅报道 1 种。

44. 旌蛉属 *Nemopistha* Navás, 1910

Nemopistha Navás, 1910b: 379. **Type species:** *Nemoptera imperatrix* Westwood, 1867; by original designateon.

这个属隶属于 Nemopterinae，世界已知 16 种，其中 15 种分布在非洲，只有 1 种分布在中国。

属征 个体较大，前翅长 23-37 mm，后翅长 50-90 mm，后翅长度约为前翅长度的 2.5 倍，端部有一段扩展。头部延长呈喙状，喙的长度大于复眼的直径，复眼发达。

分布 中国，非洲。

(151) 中华旌蛉 *Nemopistha sinica* Yang, 1986 (图 XX：2)

Nemopistha sinica Yang, 1986: 428. Type locality: Yunnan (Nujiang, Liuku).

雌性：未知。

雄性：体长 21 mm，前翅 26 mm，后翅 60 mm。

头黄色，头顶除复眼边缘外均呈褐色，头前端延伸呈喙状，唇基端部与上唇前缘褐色，前幕骨陷为褐色斜向长凹窝，下颚须与下唇须深褐色，口器黄色。触角线状，黄褐色，具微毛。

胸背深褐色，前胸宽大于长，呈马鞍状，背面具梯形大斑，内有细中线，背板两侧及胸侧板为黄色，中胸在盾片上有斜向长黑斑。足黄色，具褐斑，被短毛；跗节各节末端及爪为深褐色，基跗节与第 2-5 跗节之和约等长。

前翅宽阔。透明，翅基褐色，翅痣很小，黄白色，内有 4-5 横脉；翅脉淡褐色，部分翅脉颜色较深，Rs 起点在翅中部，有 7 分支，横脉多而排列整齐。后翅细长如飘带，长于前翅的 2 倍，淡褐色，有 3 纵脉，横脉很密，均为褐色，后半部分为白色—褐色—白色 3 段，褐色段和末白色段的一部分加宽。

腹部狭长，背面深褐色，节端部具黄边和暗纹，腹端臀板短小，第 9 腹板极发达，端半分开呈臂状突伸。

检视标本 1♂，正模，云南怒江傈僳族自治州泸水县蛮云农科站，880 m，1980.Ⅳ.27. 杨集昆，CAUNc000001。

分布 云南。

参 考 文 献

(Ming) Li S-Z and Zhou C. 2011. The Compendium of Materia Medica. Yunnan people's Publishing House, Kunming. 1-462. [(明) 李时珍, 周成, 2011. 本草纲目. 昆明: 云南人民出版社. 1-462].

Ábrahám L. 2008a. Ascalaphid studies Ⅵ. New genus and species from Asia with comments on genus *Suhpalacsa* (Neuroptera: Ascalaphidae). *Somogyi Múzeumok Közleményei*, 18: 69-76.

Ábrahám L. 2008b. Ascalaphid studies Ⅶ. On the ascalaphid fauna of Taiwan (Neuroptera: Ascalaphidae). *Natura Somogyiensis*, 12: 63-77.

Ábrahám L. 2010. Ascalaphid Studies Ⅷ. A new *Cirrops* Tjeder, 1980 species from Morocco (Neuroptera: Ascalaphidae). *Acta Phytopathologica et Entomological Hungarica*, 45(2): 359-366.

Ábrahám L and Dobosz R. 2010. Contribution to the ant-lion and owl-fly fauna of Madagascar with description new taxa (Neuroptera: Myrmeleontidae, Ascalaphidae). *Natura Somogyiensis*, 19: 109-138.

Ábrahám L and Mészáros Z. 2002. Ascalaphid studies Ⅰ. New genera and species of Ascalaphid from Palaearctic Region (Neuroptera: Ascalaphidae). *Acta Phytopathologica et Entomologica Hungarica*, 37(4): 385-405.

Ábrahám L and Mészáros Z. 2003. Ascalaphid studies Ⅱ. New genera and species of Tribe Ascalaphini Weele 1908 from Palaearctic Region (Neuroptera: Ascalaphidae). *Acta Phytopathologica et Entomologica Hungarica*, 38(3-4): 341-350.

Ábrahám L and Mészáros Z. 2004. Ascalaphid studies Ⅲ. Remarks to the morphology of *Deleproctophylla gelini* (Navás, 1919)(Neuroptera: Ascalaphidae). *Somogyi Múzeumok Kölerényei*, 16: 333-336.

Ábrahám L and Mészáros Z. 2005. Ascalaphid studies Ⅳ. A new Ascalaphid species from Asia (Neuroptera: Ascalaphidae). *Acta Phytopathologica et Entomologica Hungarica*, 40(1-2): 103-110.

Ábrahám L and Mészáros Z. 2006. Ascalaphid studies Ⅴ. Revision of the genus *Nousera* (Neuroptera: Ascalaphidae). *Acta Phytopathologica et Entomologica Hungarica*, 41: 317-329.

Adams P A. 1958. Studies in the Neuroptera, with special reference to wing structure and evolution in the Osmyloidea. Ph.D. dissertation. Harvard University, Cambridge, Massachussetts, USA. 1-120.

Adams P A. 1959. Neuroptera: Myrmeleontidae and Chrysopidae. *Insects of Micronesia*, 8(2): 13-33.

Adams P A. 1962. Convergent evolution in Ascalaphidae and Odonata. *Bulletin of the Entomological Society of America*, 8: 153.

Adriana D B and Chittka L. 2001. The evolution of color vision in insects. *Annual Review of Entomology, Palo Alto*, 46: 471.

Agassiz J L R. 1847. Nomenclator zoologicus, continens nomina systematica generum animalium tam viventium quam fossilium, secundum ordinem alphabeticum disposita, adjectis auctoribus, libris, in quibus reperiuntur, anno editionis, etymologia et familiis, ad quas pertinent, in singulis classibus. Jent et Gassmann, Soloduri. 2-156.

Aistleitner E. 1973. *Ascalaphus libelluloides* Schaeffer, 1763 in Westöterreich (Neuroptera, Ascalaphidae). *Nachrichtenblatt der Bayerischen Entomologen*, 22: 125-127.

Aistleitner E. 1980. Die Arten des Genus *Libelloides* Tjeder, 1972 der Iberischen Halbinsel a)(Neuroptera, Planipennia, Ascalaphidae). *Entomofauna*, 1: 234-297.

Aistleitner E. 1981. Eine neue Unterart von *Libelloides longicornis* (L.) aus den Sü1 dostalpen (Neuropteroidea, Planipennia, Ascalaphidae) Taxonomie, Arealkunde, Phaenologie, Habitatwahl (3. Beitrag zur Kenntnis der Entomofauna der Iberischen Halbinsel). *Entomofauna*, 2: 191-202.

Aistleitner E. 1982a. Der Schmetterlingshaft—*Libelloides coccajus* (Denis und Schiffermüller, 1776), ein charakteristisches Insekt des Vorarlberger Oberlandes. *Kulturinformationen Rheticus Gesellschaft, Vorarlberger Oberland*, 2: 53-59.

Aistleitner E. 1982b. *Libelloides jungei* sp. n., eine neue Ascalaphide aus der Türkei (Neuroptera, Planipennia, Ascalaphidae). *Entomofauna*, 3: 209-216.

Alexandrov-Martynov O M. 1926. Die Ascalaphiden von Turkestan, Persien und West-Himalaya. *Revue Russe d'l Entom*, 20: 197-203.

Anikin V V. 1996. Acanthclisis occitanica. 179. In: Villers. 1996. The Red Book of Saratovskaya Oblast: Plants, Fungi, Lichenes and Animals. Regional Publishing House "Detskaya kniga", Saratov. 1-179.

Ao W-G. 2011. Contribution to the Taxonomy of Dendroleontini, Acanthaclisini and Myrmeleontini from China (Neuroptera: Myrmeleontidae). *Master's degree thesis of China Agricultural University*, Beijing. 1-115. [敖伟光, 2011. 中国树蚁蛉族、棘蚁蛉族及蚁蛉族的分类学研究 (脉翅目: 蚁蛉科). 北京: 中国农业大学硕士学位论文. 1-115.]

Ao W-G, Wan X and Wang X-L. 2010. Review of the genus *Epacanthaclisis* Okamoto, 1910 in China (Neuroptera: Myrmeleontidae). *Zootaxa*, 2545: 47-57.

Ao W-G, Zhang X-B, Ábrahám L and Wang X-L. 2009. A new species of the antlion genus *Euroleon* Esben-Petersen from China (Neuroptera: Myrmeleontidae). *Zootaxa*, 2303: 53-56.

Ari I and Kiyak S. 2000. New and additional distributional and faunistic data of Turkish Planipennia. *Journal of the Entomological Research Society*, 2: 9-15.

Aspöck H. 1976. Taxonomie und Chorolgie von *Libelloides ictericus* (Charpentier) *s.l.* (Neuroptera, Planipennia, Ascalaphidae) — ein Beitrag zur Biogeographie des westlichen Mittelmeerraumes. *Zeitschrift der Arbeitsgemeinschaft Öterr, Entomologen*, 28(1-3): 17-31.

Aspöck H, Aspöck U and Hölzel H. 1980. Die Neuropteren Europas. 2 vols. Goecke and Evers, Krefeld, West Germany. 1-495.

Aspöck H, Hölzel H and Aspöck U. 2001a. Familie Myrmeleontidae Latreille, 1802. Kommentierter Katalog der Neuropterida (Insecta: Raphidioptera, Megaloptera, Neuroptera) der Westpaläarktis. *Denisia*, 2: 224-297.

Aspöck H, Hözel H and Aspöck U. 2001b. Familie Ascalaphinae Lefèbvre, 1842. Neuroptera: Ascalaphidae Kommentierter Katalog der Neuropterida (Insecta: Raphidioptera, Megaloptera, Neuroptera) der Westpalärktis. *Denisia*, 2: 297-310.

Aspöck U and Aspöck H. 1987. Wiederentdeckung von *Pure maculatus* (Olivier) in Europa (Neuropteroidea:

Planipennia: Ascalaphidae). *Zeitschrift der Arbeitsgemeinschaft Öterr, Entomologen*, 39(1/2): 5-11.

Aspöck U and Aspöck H. 2008. Phylogenetic relevance of the genital sclerites of Neuropterida (Insecta: Holometabola). *Systematic Entomology*, 33: 97-127.

Aspöck U, Aspöck H and Hözel H. 1978. *Bubopsis andromache* n. sp. —eine neue Spezies der Familie Ascalaphidae (Neuropteroidea Planipennia) aus dem Ötlichen Mittelmeerraum. *Zeitschrift der Arbeitsgemeinschaft Öterr, Entomologen*, 30 (3/4): 113-116.

Aspöck U, Aspöck H and Hölzel H. 1979. *Berotha glaserella* n. sp. —eine zweite Art der Familie Berothidae in Europa (Neuropteroidea: Planipennia). *Entomologische Zeitschrift, Frankfurt am Main*, 89: 1-8.

Aspöck U, Plant J D and Nemeschkal H L. 2001. Cladistic analysis of Neuroptera and their systematic position within the Neuropterida (Insecta: Holometabola: Neuropterida: Neuroptera). *Systematic Entomology*, 26: 73-86.

Balduf W V. 1939. The Bionomics of Entomophagous Insects. Pt. II. John S. swift Co., Chicago. 1-384.

Banks N. 1901. A new ascalaphid from the United State. *Entomological News*, 12: 172.

Banks N. 1909. New genera and species of tropical Myrmeleonidae. *Journal of the New York Entomological Society*, 17: 1-4.

Banks N. 1910. Myrmeleonidae from Australia. *Annals of the Entomological Society of America*, 3: 40-44.

Banks N. 1911. Notes on African Myrmeleonidae. *Annals of the Entomological Society of America*, 4(1): 1-31.

Banks N. 1913a. New exotic neuropteroid insects. *Proceedings of the Entomological Society of Washington*, 15: 137-143.

Banks N. 1913b. Notes on African Myrmeleonidae. *Journal of the New York Entomological Society*, 21: 149-157.

Banks N. 1913c. Synopses and descriptions of exotic Neuroptera. *Transactions of the American Entomological Society*, 39: 201-242.

Banks N. 1915. Tow new names in the Ascalaphidae (Neur.). *Entomological News*, 26: 350.

Banks N. 1924. Descriptions of new neuropteroid insects. *Bulletin of the Museum of Comparative Zoology*, 55: 437-438.

Banks N. 1927. Revision of the Nearctic Myrmeleonidae. *Bulletin of the Museum of Comparative Zoology*, 68: 1-84.

Banks N. 1930. Neuropterous insects. 1045-1047. In: Strong R C. 1930. The African Republic of Liberia and the Belgian Congo, Based on the Observations Made and Material Collected During the Harvard African Expedition, 1926-1927. Vol. 2. Harvard University Press, Cambrige. 569-1064.

Banks N. 1931a. Some Oriental Neuropteroid insects. *Psyche*, 38(5): 63-64.

Banks N. 1931b. Some neuropteroid insects from the Malay Peninsula. *Journal of the Federated Malay States Museums*, 16: 377-409.

Banks N. 1937. Neuropteroid insects from Formosa. *Philippine Journal of Science*, 62: 255-291.

Banks N. 1938a. Notes on native Myrmeleontidae. *Annal of the entomological society of America*, 31(4): 413-421.

Banks N. 1938b. Antillean Ascalaphidae. *Journal of Agriculture of the University of Puerto Rico*, 2: 177-180.

Banks N. 1939a. New genera and species of neuropteroid insects. *Bulletin of the Museum of Comparative Zoology*, 85: 439-504.

Banks N. 1939b. Philippine neuropteroid insects, Ascalaphidae. *The Philippine Journal of Science*, 69: 133-145.

Banks N. 1940. Report on certain groups of Neuropteroid insects from Szechwan, China. *Proceedings of the United States National museum*, 88: 173-220.

Banks N. 1941. Some new and interesting Neuroptera in the American Museum of Natural History. *American Museum Novitates*, 1143: 1-5.

Banks N. 1943. Neuroptera of northern South America. Part Ⅱ. Myrmeleonidae. *Boletin de Entomologia Venezolana*, 2: 161-173.

Bao R. 2004. Contribution to the Taxonomy of Acanthaclisini and Myrmeleontini from China (Neuroptera: Myrmeleontidae). *Master's degree thesis of China Agricultural University*, Beijing. 1-37. [鲍荣, 2004. 中国棘蚁蛉族和蚁蛉族的分类学研究 (脉翅目: 蚁蛉科). 北京: 中国农业大学硕士学位论文. 1-37.]

Bao R and Wang X-L. 2004. A review of the species of the tribe Acanthalisini from China (Neuroptera: Myrmeleontidae). *Acta Zootaxonomica Sinica*, 29(3): 509-515.

Bao R and Wang X-L. 2006a. A review of the species of *Euroleon* (Neuroptera: Myrmeleontidae) from China. *Zootaxa*, 1375: 51-57.

Bao R and Wang X-L. 2006b. Two new species of *Myrmeleon* Linnaeus, 1767 (Neuroptera: Myrmeleontidae) from China, with a key to Chinese species. *Proceedings of the Entomological Society of Washington*, 108: 125-130.

Bao R, Shen Z-R and Wang X-L. 2007. A review of the species of *Hagenomyia* Banks from China (Neuroptera: Myrmeleontidae). *Annales De La Societe Entomologique De France*, 43 (1): 45-48.

Bao R, Wang X-L and Liu J-Z. 2009. A review of the species of *Myrmeleon* Linnaeus, 1767 (Neuroptera: Myrmeleontidae) from Mainland China, with the description of a new species. *Entomological News*, 120: 18-24.

Beatty G H, Beatty A F and Runner J M. 1970. The occurrence of Ascalaphidae in Pennsylvania (Neuroptera). *Proceedings of the Pennsylvania Academy of Sciences*, 44: 153-155.

Beckemeyer R J. 2003. A few records of Owlflies (Neuroptera: Ascalaphidae) encountered while collecting Odonata in the southwestern United States and in Nicaragua. *Journal of the Kansas Entomological Society*, 76(4): 651-652.

Bentrop J, Schillo M, Gerdon G, Draslar K and Paulsen R. 2001. UV-light-dependent binding of a visual arrestin 1 isoform to photoreceptor membranes in a neuropteran (*Ascalaphus*) compound eye. *FEBS Lett*, 493: 112-116.

Berthold A A. 1827. Latreille's, Natürliche familien des thierreichs. Aus dem Französischen, Mit anmerkungen und zusätzen von Dr. Arnold Adolph Berthold, Weimar. 1-606.

Bitsch J. 1963. Capturees d'4 *Ascalaphus* dans l'1 Est, le Sud-Est et ler Centre de la France. *Bulletin de la*

Societe Entomologique de France, 68: 113-116.

Borkhausen M B. 1791. Einige netzflüglichte Insekten (Neuroptera). *Beiträge zu der Insekten-Geschichte herausgegeben von Ludwig Gottlieb Scriba*, 2: 155-163.

Borror D J, Triplehorn C A and Johnson N F. 1989. An Introduction to the Study of Insects. 6th Ed. Saunders Coll. Publ., Philadelphia. 875.

Borror D J and White R E. 1970. A Field Guide to the Insects. Houghton Mifflin Co., Boston. 1-145.

Brauer F. 1852. Versuch einer Gruppurung der Gattungen in der Zunft Planipennia mit besonderer Rüchsicht auf die früheren Stände. *Stettiner Entomologische Zeitung*, 13: 71-77.

Brauer F. 1855. Beiträge zur Kenntniss des inneren Baues und der Verwandlung der Neuropteren. *Verhandlungen des Zoologisch-Botanischen Gesellschaft Vereins in Wien*, 5: 701-726.

Brauer F. 1866a. Zusätze und Berichtigungen zu Hagen's Hemerobidarum Synopsis Synonymica und Beschreibung einer neuen Nymphiden-gattung: Myiodactylus osmyloides aus Australien. *Verhandlungen der Kaiserlich-Königlichen Zoologisch-Botanischen Gesellschaft in Wien*, 16: 983-992.

Brauer F. 1866b. Reise der Osterreichischen Fregatta Novara um die Erde. 104. In: den Jahren. 1859. Zoologischer Theil, Bd. 2, No. 4 (Neuroptera). den befehlen des Commodore B. von Wüllerstorf-Urbair, H. K. von ScherzerWien, K. Gerold, Wien. 1-104.

Brauer F. 1867. Beschreibung und Verwandlung des Dendroleon pantherinus Fbr. und Vergleich der bis jetzt bekannten Myrmeleoniden-und Ascalaphiden-Larven. *Verwandlung der Kaiserlich-Köiglichen Zoologische-Botanischen Gesellschaft, Wien*, 17: 963-966.

Brauer F. 1885. Neuroptera des Gebietes von Hernstein in Niederösterreich und der Weiteren Umgebung. Zusannengestellt in Beck, Fauna von Hernstein in Niederösterreich. II Theil II. Halbband. Selbstverlas Verfassers, Wien. 1-11.

Brullé G A. 1832. Expédition scientifique de Morée. Tome 3, Part 1 (Zoologie), Section 2 (Des animaux articulés). Levrault, Paris. 193-288.

Brullé G A. 1839. Néoroptères. In: Barke-Webb P and Berthelot S. Histoire Naturelle des Iles Canaries 2(2)(Zoologie): 53-119, Plate 3, figure 4. Béthune, Paris.

Brullé G A. 1844. Insectes. In: Webb P B and Berthelot S. 1844. Histoire Naturelle des Iles Canaries. Tome 2, Part 2. Béthune, Paris. 1-48.

Burmeister H C C. 1839. Handbuch der Entomologie vol. 2. Besondere Entomologie. Part 2. Kaukerfe. Gymnognatha. Theod. Chr. Friedr. Enslin, Berlin. 757-1050.

Capra F. 1937. Racolte entomologiche nell'isola di Capraia fatte Da C. Mancini e F. Capra (1927-1931). Ⅴ. Odonati e Neurotteri; con note sulla memoria di B. ANGELINI: Ascalafi italiani. *Bollettino della Societa Entomologica Italiana*, 69: 50-58.

Capra F. 1945. Alcuni Odonati e Neurotteri dell'Albania settentrionale. *Annali del Museo Civico di Storia Naturale Giacomo Doria*, 62: 292-300.

Cauckler K. 1954. Schmetterlingshafte im ötlichen Süddeutschland (Neuroptrra, planipennia, Ascalaphidae). *Nachrichtenblatt der Bayerischen Entomologe*, 3: 9.

Chen Z-Y, Liang G-Q, Jia F-L, Xie W-C, Tang C-G, Chen J-L, Yang Q-Y, Chen Z-M and Deng S-F. 2001.

Analysis of predatory insects and its feeding habits from Guangdong Nanling Dongshan Chinese Natural Protection Zone. *Natural Enemies of Insects*, 23(1): 6-21. [陈振耀, 梁铬球, 贾凤龙, 谢委才, 唐长根, 陈景烈, 杨清云, 陈志明, 邓世福, 2001. 广东南岭国家自然保护区大东山捕食性昆虫及其食性分析. 昆虫天敌, 23(1): 6-21.]

Chinese Academy of Sciences Qinghai-Tibetan Plateau comprehensive scientific survey team. 1992. In Hengduan Mountains of insects. Vol. 1. Science Press, Beijing. 446. [中国科学院青藏高原综合科学考察队, 1992. 横断山区昆虫. 第一册. 北京: 科学出版社. 446.]

Costa A. 1855. Ricerche entomologiche sopra i monti Partenii. Stamperie e Calcografia, Napoli. 1-29.

Costa A. 1883. Notizie e osservazioni sulla geofauna sarda. Memoria seconda [II]. Risultamento di ricerche fatte in Sardegna nella primavera 1882. *Atti dell'Accademia delle Scienze Fisiche e Matematische*, 1: 1-109.

Covell C V. 1989. Aggregation behavior in a Neotropical owlfly, *Cordulecerus mclachlani* (Neuroptera: Ascalaphidae). *Entomological News*, 100: 155-156.

Czihak G. 1956. Beiträe zur Anatomie des thorax von *Ascalaphus macaronius* Scop., *Myrmeleon europaeus* McLach, und *Palpares libelluloidea* Dalm. *Zoologische Jahrbücher* (*Abteilung für Anatomie und Ontogenie*), 75(3): 401-432.

Demaison L. 1933. Ãpropos de l'*Ascalaphus longicornis* L. en Champagne. *Bulletin de la Societe Entomologique de France*, 38: 96.

Demaison L. 1934. L'*Ascalaphus longicornis* L. dans les Ardennes. *Bulletin de la Société Entomologique de France*, 39: 16.

Denis J N C and Schiffermüller I. 1775. Ankündung eines systematischen werks von der schmetterlingen der Wienergegend. A. Bernardi, Wien. 1-322.

Devetak D. 1995. *Deleproctophylla australis* (Fabricius, 1787) in Istria and Quarnero (Neuroptera: Ascalaphidae). *Annals for Istrian and Mediterranean Studies*, 7: 193-198.

Devetak D. 1998. *Libelloides ottomanus* (Germar, 1817) in the North-western part of the Balkan Peninsula (Neuroptera, Ascalaphidae). *Entomology*, 3(1-2): 45-48.

Devetak D and Pirš P. 2002. Owl-fly *Libelloides macaronius* (Scopoli, 1763) in Slovenia and in the northwesten part of Croatia (Neuroptera: Ascalaphidae). *Annals for Istrian and Mediterranean Studies, Series Historia Naturalis*, 12: 219-226.

Dezaly F. 1960. Etude sur le squelette cephalique et les genitalias de deux especes d'ascalaphes. *Travaux du Laboratoire de Zoologie et de la Station Aquicole Grimaldi de la Faculte' des Sciences de Dijon*, 36: 1-16.

Dufour M L. 1860. Récherches anatomiques sur I' *Ascalaphus meridionalis*. *Annales des Sciences Naturelles, Zoologie et Biologie Animale*, 13(4): 193-207.

Eisner T and Adams P A. 1975. Startle behavior in an *Ascalaphid* (Neuroptera). *Psyche*, 82(1-4): 304-305.

Elrtingham H. 1926. On the structure of an organ in the hind-wing of *Myrmeleon nostras*. *Fourc Transactions of the Entomological Society of London*, 74: 267-268.

Elofsson R and Löfqvist J. 1974. The Eltringham organ and a new thoracic gland: Ultrastructure and presumed pheromone function. *Zoologica Scripta*, 3: 31-40.

Esben-Petersen P. 1913. H. Sauter's Formosa-Ausbeute. Planipennia II[1], Megaloptera and Mecoptera. *Entomol Mitteilungen*, 2(7-8): 222-265.

Esben-Petersen P. 1915. Australian Neuroptera. Part ii. *Proceedings of the Linnean Society of New South Wales*, 40(15): 56-74.

Esben-Petersen P. 1916. Notes concerning African Myrmeleonidae I. *Arkiv för Zoologi*, 10(15): 1-22.

Esben-Petersen P. 1917. Australian Neuroptera. Part iii. *Proceedings of the Linnean Society of New South Wales*, 42(1): 203-219.

Esben-Petersen P. 1918a. Results of Dr. E. Mjöberg's Swedish Scientific Expeditions to Australia 1910-1913. 18. Neuroptera and Mecoptera. *Arkiv för Zoologi*, 11(26): 1-37.

Esben-Petersen P. 1918b. Helpnotes towards the determination and the classification of the European Myrmeleonidae. *Entomologiske Meddeleser*, 12: 97-127.

Esben-Petersen P. 1920. Revision of some of the type-specimens of Myrmeleonidae, described by Navás and placed in the Vienna Museum. *Annales de la Société Entomologique de Belgique*, 60: 190-196.

Esben-Petersen P. 1923a. Über das genus *Dendroleon* Brauer. *Konowia*, 2: 86-92.

Esben-Petersen P. 1923b. Australian Neuroptera. Part Ⅳ. *Proceedings of the Linnean Society of New South Wales*, 48: 576-592.

Esben-Petersen P. 1925. New and little-known species of Neuroptera in British collections [Ⅱ]. *Annals and Magazine of Natural History*, 15(9): 334-341.

Esben-Petersen P. 1926. Fauna sumatrensis. Neuroptera Ⅱ. *Entomologische Mitteilungen*, 15: 404-407.

Esben-Petersen P. 1927a. New and little-known species of Neuroptera in British collections. Part Ⅲ. *Annals and Magazine of Natural History*, 20(9): 343-350.

Esben-Petersen P. 1927b. New species of Neuroptera Planipennia in British collections. *Proceedings of the Zoological Society of London*, 1927: 549-551.

Esben-Petersen P. 1928. Neue and wenig bekannte Neuropteren des Hamburger Museums. *Deutsche Entomologische Zeitschrift*, 1928: 73-77.

Esben-Petersen P. 1931. Myrmeleontiden aus Sud-Indien. *Revue Suisse de Zoologie*, 38(6): 445-338.

Esben-Petersen P. 1932. Eine Ascalaphiden-larve aus Sumatra. *Miscellanea Zoologica Sumatrana*, 60a: 1-2.

Esben-Petersen P. 1933a. New and little-known Neuroptera. *Videnskabelige Meddelelser fra Dansk Naturhistorisk Forening Kjobenhaven*, 94: 109-111.

Esben-Petersen P. 1933b. Neuroptera and Megaloptera from the Dutch East Indies. *Bulletin du Musee (Royal) d'Histoire Naturelle de Belgique*, 9(42): 1-3.

Esben-Petersen P. 1935. Myrmeleontidae and Chrysopidae. 233-235. In: Visser P C and Visser-Hooft J. 1935. Wissenschaftliche Ergebnisse der Niederländischen Expeditionen in den Karakorum und die angrenzenden gebiete in den Jahren 1922, 1925, und 1929/30. Bd. 1. F. A. Brockhaus, Leipzig. 1-235.

Esben-Petersen P. 1936. Neuroptera from Belgian Congo. *Revue Suisse de Zoologie*, 43(8): 199-206.

Eversmann E. 1841. Quaedam insectorum species novae, in Rossia orientali observatae, nunc descriptae et depictae. *Bulletin de la Société (Imperiale) des Naturalistes de Moscou*, 14: 351-360.

Eversmann E. 1850. De Ascalaphis nonnullis Rossiam incolentibus. *Bulletin de la Société* [*Impériale*] *des Naturalistes de Moscou*, 23(2): 276-280.

Fabricius J C. 1775. Systema Entomologiae, Sistens Insectorvm Classes, Ordines, Genera, Species, Adiectis Synonymis, Locis, Descriptionibvs, Observationibvs. Offic. Libr. Kortii, Flensbvrgi et Lipsiae. 1-832.

Fabricius J C. 1787. Mantissa Insectorvm sistens eorvm species nvper detectas adjectis characteribvs genericis, differentiis specificis, emendationibvs, observationibvs. *Chr. G. Proft*, *Hafniae*, 1: 249-519.

Fabricius J C. 1798. Supplementum entomologiae systematicae. *Hafniae*, 205-572.

Ferreira R L and Yanega D. 1999. Ecology and behavior of *Albardia furcata* Larvae, with associated natural history notes (Neuroptera: Ascalaphidae). *Journal of Neuropterology*, 2: 25-34.

Fischer Waldheim G. 1822. Entomographia Imperii Russici. Vol. 1. Société Imperiale des Naturalistes, Moskau. 1-210.

Fourcroy A F. 1785. Entomologia Parisiensis, Sive Catalogus Insectorum. quae in agro Parisiensi reperiuntur, Paris. 1-544.

Fraser F C. 1922. Some oriental Ascalaphidae in the Indian Museum. *Records of the Indian Museum*, 24: 511-520.

Fraser F C. 1927. Notes on a collection of Ascalaphidae from the Federated Malay States. *Journal of the Federated Malay States Museums*, 13: 257-259.

Fraser F C. 1951. Notes on the Neuroptera of Madagascar. Part 2. The Myrmeleontidae and Ascalaphidae. *Memoires de l'Institut Scientifique de Madagascar*, 5(A): 347-357.

Fraser F C. 1957. Two new species of Ascalaphidae from Madagascar (Neuroptera). *Naturaliste*, 9(2): 247-250.

Froggatt W W. 1902. Notes on Australian Neuroptera and their lifehistories. *Proceedings of the Linnean Society of New South Wales*, 27: 358-369.

Froggatt W W. 1907. Australian Insect. William Brooks & Co., Ltd., Sydney. 1-449.

Garland J A and Marshall B D. 1980. Confirmation of Ululodes quadrimaculata in Canada (Neuroptera, Ascalaphidae). *Canadian Entomologist*, 112: 637-638.

Geer C. 1773. Des Fourmilions exotiques. In: de Geer C. Memoires pour servir a l'histoire des Insects 3. *Pierre Hesselberg*, *Stockholm*. 564-566, Plate 27 (figure 8-9).

Geer C. 1778. Memoires pour servir a l'histoire des insectes. Vol. 7. P. Hesselberg, Stockholm. 1-950.

Gepp J and Hölzel H. 1989. Ameisenlöwen und Ameisenjungfern. Myrmeleontidae. Die Neue Brehm-Bücherei. A. Ziemsen Verlage, Wittenberg Lutherstadt. 1-589.

Gerstaecker A. 1884. Vier Decaden von Neuropteren aus der Familie Megaloptera Burm. *Mitteilungen aus dem Naturwissenschaftlichen Verein für Neu-Vorpommern und Rugen*, 16: 1-49.

Gerstaecker A. 1885. Zwei fernere Decaden Australischer Neuroptera Megaloptera. *Mitt*[*h*]*eilungen aus dem Naturwissenschaftlichen Verein für Neu-Vorpommern und Rugen*, 16: 84-116.

Gerstaecker A. 1888. Weitere Beiträge zur Artenkenntnis der Neuroptera Megaloptera. *Mitteilungen des Naturwissenschaftlichen Vereins für Neu-Vorpommern u.Rugen in Greifswald*, 19(1887): 89-130.

Gerstaecker A. 1893. Ueber neue und weniger gekannte Neuropteren aus der familie Megaloptera Burm.

Mitt[h]eilungen aus dem Naturwissenschaftlichen Verein für Neu-Vorpommern und Rugen, 25: 93-173.

Ghosh C C. 1913. Life-history of *Helicomitus dicax* Walker. *The Journal of the Bombay Natural History Society*, 22: 643-648.

Ghosh S K. 1981. On new and little-known species of Planipennia (Order Neuroptera) from India. *Bulletin of the Zoological Survey of India*, 4: 131-139.

Ghosh S K. 1984. Contribution to the taxonomical studies of the family Ascalaphidae (Neuroptera) from eastern India. *International Congress of Entomology*, 17: 898.

Ghosh S K. 1988. Contribution to the taxonomical studies of Neuroptera (Suborder Planipennia) from eastern India. Ⅱ. Family Ascalaphidae. *Records of the Zoological Survey of India*, 85(2): 163-191.

Gistel J N F X. 1848. Naturgeschichte des thierreichs für höhere schulen. Hoffmansche, Stuttgart. 1-216.

Gogala M. 1967. Die spektrale Empfindlichkeit der Doppelaugen Von *Ascalaphus macaronius* Scop. (Neuroptera: Ascalaphidae). *Zeitschrift für Vergleichende Physiologie*, 57: 232-243.

Gogala M and Michieli Š. 1965. Das Komplexauge von *Ascalaphus*, ein spezialisiertes Sinnesorgan für kurzwelliges Licht. *Naturwissenschaften*, 52: 217-218.

Gogala M, Gribakin F, Alekseyev E and Shukolyukov S. 1995. Unconventional ultraviolet sensitivity spectra of *Ascalaphus* (Insecta, Neuroptera). *Journal of Comparative Physiology*, 177(2): 201-206.

Gogala M, Schneider L, Draslar K, Langer H and Schlecht P. 1978. Feinstruktur und Schirmpigment-Eigenschaften der Ommatidien des Doppelauges von *Ascalaphus* (Insecta, Neuroptera). *Cytobiologie*, 16: 274-307.

Goldfuss G A. 1820. Handbuch der Zoologie. Vols. 2. J. L. Schrag, Nürnberg. 1-696.

Gomes-Filho A. 2000. Aggregation behavior in the neotropical owlfly *Cordulecerus alopecinus* (Neuroptera: Ascalaphidae). *Journal of the New York Entomological Society*, 108(3): 304-313.

Gonzalez L A E. 1991. Aproximacion a los *Libelloides* Tjeder, 1972 en Aragon (Neuroptera, Planipennia Ascalaphidae). *Revista Aragonesa de Entomologia*, 1: 15-17.

Gravely F H. 1911. Note on myrmeleonid and ascalaphid larvae found living free upon tree trunks. *Journal and Proceedings of the Asiatic Society of Bengal*, 7: 3.

Gravely G H and Maulik S. 1911. Notes on the development of some Indian Ascalaphidae and Myrmeleonidae. *Records of the Indian Museum*, 6: 101-110.

Guan Z-H. 1990. General Entomology. Vol. 1. 2nd Ed. Agriculture Press, Beijing. 212-213. [管致和, 1990. 昆虫学通论. 上册. 第二版. 北京: 农业出版社. 212-213.]

Guilding L. 1827. Communication on *Ascalaphus macleayanus*. *Transactions of the Linnean Society of London*, 15: 509-512.

Gusten R. 1996. A review of epidermal glands in the order Neuroptera (Insecta). Pure and applied research in neuropterology. Proceedings of the Fifth International Symposium on Neuropterology Cairo, Egypt, 2-6 May 1994 (Insecta: Neuroptera, Megaloptera, Raphidioptera). 129-146.

Hagen H A. 1858. Russlands Neuropteren. *Stettiner Entomologische Zeitung*, 19: 110-134.

Hagen H A. 1860. Beitrag zur Kenntniss der Myrmeleon-Arten. *Stettiner Entomologiche Zeitung*, 21: 359-369.

Hagen H A. 1861. Synopsis of the Neuroptera of North America, with a list of the South American species, prepared for the Smithsonian Institution. *Smithsonian Miscellaneous Collections*, 4(1): 1-347.

Hagen H A. 1866. Hemerobidarum Synopsis synonymica. *Stettiner Entomologische Zeitung*, 27: 369-462.

Hagen H A. 1873a. Die Larven von *Myrmeleon*. *Stettiner Entomologische Zeitung*, 34: 249-295, 377-398.

Hagen H A. 1873b. Die Larven von *Ascalaphus*. *Stettiner Entomologische Zeitung*, 34: 33-62.

Hagen H A. 1887. Stray notes on Myrmeleonidae, Part 2. *Canadian Entomologist*, 19: 133-136, 147-156.

Hagen H A. 1888. Stray notes on Myrmeleonidae, Part 5. *Canadian Entomologist*, 20: 185-191, 204-211.

Halstead J A. 1989. On the biology and rarity of the owlfly *Ululodes arizonensis* in California (Neuroptera: Ascalaphidae). *Pan-Pacific Entomologist*, 65: 418-419.

Háva J. 2000a. The genus *Deleproctophylla* Lefèbvre, 1842 (Insecta: Neuroptera: Planipennia: Ascalaphidae) from the collection of the department of Entomology, National Museum Prague. *Casopis Narodniho Muzea Rada Prirodovedna*, 169: 16.

Háva J. 2000b. The genus *Libelloides* Tjeder (Insecta: Neuroptera: Planipennia: Ascalaphidae) from the collection of the department of Entomology, National Museum Prague. *Casopis Narodniho Muzea Rada Prirodovedna*, 169: 101-104.

Henry C S. 1972. Eggs and rapagula of Ululodes and Ascaloptynx (Neuroptera: Ascalaphidae): a comparative study. *Psyche*, 79: 1-22.

Henry C S. 1973. The biology of two North American ascalaphids (Neuroptera: Ascalaphidae). Ph. D. Dissertation, Harvard University. 358.

Henry C S. 1976. Some aspects of the external morphology of larval owlflies (Neuroptera: Ascalaphidae), with particular reference to Ululodes and Ascaloptynx. *Psyche*, 83(1): 1-31.

Henry C S. 1977. The behavior and life histories of two North American ascalaphids. *Annals of the Entomological Society of American*, 70(2): 179-195.

Henry C S. 1978a. An evolutionary and geographical overview of repagula (abortive eggs) in the Ascalaphidae (Neuroptera). *Proceedings of the Entomological Society of Washington*, 80(1): 75-86.

Henry C S. 1978b. An unusual *Ascalaphid larvae* (Neuroptera: Ascalaphidae) from southern Africa, with comments on larval evolution within the Myrmeleontoidea. *Psyche*, 85(2/3): 265-274.

Henry C S. 1978c. The egg, repagulum, and larva of *Byas albistigma* (Neuroptera: Ascalaphidae): morphology, behavior and phylogenetic significance. *Systematic Entomology*, 3: 9-18.

Henry C S, Penny D and Adams P A. 1992. The neuropteroid orders of Central America (Neuroptera and Megaloptera). Chapter 28, 432-458. In: Quintero D and Aiello A. 1992. Insects of Panama and Mesoamerica: Selected Studies. Oxford Science Publications, Oxford, England. 1-692.

Henwood G A. 1977. Antlions of north east Nigeria (Nemopteridae, Ascalaphidae, Myrmeleonidae). Nigerian Field, London. 42(3): 111-117.

Hölzel H. 1969. Beitrag zur Systematik der Myrmeleoniden (Neuroptera-Planipennia, Myrmeleonidae). *Annalen des Naturhistorischen Museums in Wien*, 73: 275-320.

Hölzel H. 1970a. Myrmeleonidae aus den westlichen Teilen der Mongolei (Neuroptera-Planipennia). Ergebnisse der Mongolisch-Deutschen Biologischen Expeditionen seit 1962, Nr. 47. *Mitteilungen aus dem Zoologischen Museum in Berlin*, 46: 247-264.

Hölzel H. 1970b. Ergebnisse der zoologischen forschungen von dr. z. kaszab in der Mongolei. Beitrag zur kenntnis der Myrmeleoniden der *Mongoleon* (Neuroptera: Planipennia). *Acta Zoological Academiae Scientiarum Huggaricae*, 16(1-2): 115-136.

Hölzel H. 1972. Die Neuropteren Vorderasiens Ⅳ. Myrmeleonidae. *Beitäge zur Naturkundlichen Forschung in Südwestdeutschland*, 1: 3-103.

Hölzel H. 1976. Revision der europäischen Creoleon-Arten (Planipennia, Myrmeleonidae). *Zeitschrift der Arbeitsgemeinschaft Österreichischer Entomologen*, 28: 33-38.

Hözel H. 1983. Insects of Saudi Arabia. Neuroptera: Fam. Ascalaphidae. *Fauna of Saudi Arabia*, 5: 235-239.

Hu J-F. 1935. Catalogus Insectorum Sinensium (Catalogue of Chinese Insects). The Fan Memorial Institute of Biology, Peiping. 223-246. [胡经甫, 1935. 中国昆虫名录. 北平: 静生生物调查所. 223-246.]

Hynd W R B. 1992. New items in neuropteran distribution (Insecta: Neuroptera: Berothidae, Dilaridae, Ascalaphidae, Myrmeleontidea). 189-192. In: Canard M, Aspöck H and Mansell W. Current Research in Neuropterology. Proceedings of the Fourth International Symposium on Neuropterology. 414.

Insom E, Centina P and Carfi S. 1979. Some Italian Neuroptera Planipennia (Osmilidae, Ascalaphidae, Myrmeleonidae). *Redia*, 62: 35-52.

Ishihara T. 1970. Myrmeleonidae. 4th Ed. Vol. 3. Hokuryukan, Tokyo. 161-162.

Jiang S-H. 1993. Ascalaphidae, Catalogue of the Insect Specimens (Insect Collections of Huazhong Agricultural University). Beijing Agriculture University Press, Beijing. 17. [江世宏, 1993. 蝶角蛉科, 昆虫标本名录 (华中农业大学昆虫标本馆藏). 北京: 北京农业大学出版社. 17.]

Kacirek A. 1998a. Contribution to the knowledge of families Myrmeleontidae, Ascalaphidae and Nemopteridae (Neuropteria) of Turkey. *Klapalekiana*, 34(3-4): 183-188.

Kacirek A. 1998b. Myrmeleontidae und Ascalaphidae der kroatischen Insel Krk (Neuroptera). *Acta Musei Reginaehradecensis*, Ser.A, 26: 23-26.

Kevan D K McE. 1992. Antlion ante Linné: [Myrmekoleon] to *Myrmeleon* (Insecta: Neuroptera: Myrmeleonidae). 203-232. In: Canard M, Aspöck H and Mansell M W. 1992. Current Research in Neuropterology. Proceedings of the Fourth International Symposium on Neuropterology (24-27 June 1991, Bagnères-de-Luchon, Haute-Garonne, France). Privately printed, Toulouse. 1-414.

Kimmins D E. 1929. A note on *Acmonotus incusifer* McLachlan (Ascalaphidae). *The Entomologist*, 62: 135.

Kimmins D E. 1938a. *Nelees* Navás 1912, a pre-occupied name in the Myrmeleonidae (Neuroptera). *Annals and Magazine of Natural History*, 2(11): 366.

Kimmins D E. 1938b. *Ptyngidricerus iranensis* n. sp. (Neuroptera: Ascalaphidae). *Revue Frençise d'ntomologie*, 4: 253-254.

Kimmins D E. 1939. A review of the genera of the Psychopsidae (Neuroptera), with a description of a new species. *Annals and Magazine of Natural History*, 11(4): 144-153.

Kimmins D E. 1949. Notes on Ascalaphidae in the British Museum Collections, with descriptions of new species. *The Annals and Magazine of Natural History*, Ser.12, 2: 1-29.

Kimmins D E. 1950. Some new African Ascalaphidae (Neuroptera). *The Annals and Magazine of Natural History*, 3(12): 242-252.

Klapálek F. 1901. Neuropteroiden. 203-221. In: Horváth G. 1901. Zoologische Ergebnisse der dritten asiatischen Forschungsreise des Grafen Eugen Zichy. Vol. 2. V. Hornyánszky, Budapest and W. Hiersemann, Leipzig. 1-470.

Klapálek F. 1913. Die bisher aus dem ostafrikanischen Inselgebiet und Mozambique bekannten Neuropteren nebst Beschreibung einiger Myrmeleoniden-und Ascalaphiden-Larven. 377-399. In: A Voeltzkow. Reise in Ostafrika in den Jahren 1903-1905. Vol.3. E. Schweizerbart, Stuttgart. 1-404.

Klug J C F. 1834. Symbolae physicae, seu icons et descriptions corporum naturalium novorum aut minus cognitorum, quae ex itineribus per Libyam, Aegyptum, Nubiam, Dongalem, Syriam, Arabiam et Habessiniam …P.C.Hemprich et C.G.Ehrenberg, studio annis 1820-25 redierunt. Pars Zoologica, C.G.Ehrenbeug, ad Berolini. Mittler, Berlin. 1829-45, 5 vols) 4: sheets a-1, 10 color Plates(Plates 35 and 36 with Neuropterida figures).

Klug J C F. 1836. Versuch einer systematischen Feststellung der Insecten-Familie: Panorpatae und Auseinandersetzung ihrer Gattungen und Arten. *Abhandlungen der Königlichen Akademie der Wissenschaften*, 1836: 81-108.

Kotenko A G. 1999. Insects from the Red Data Book of Ukraine in the Opuksky Natue Reseve (in Crimea). *Vestnik Zoologii*, 33(4-5): 34.

Kral K. 2002. Ultraviolet vision in European owlflies (Neuroptera: Ascalaphidae): a critical review. *European Journal of Entomology*, 99: 1-4.

Krivokhatsky V A. 1992. New taxa of Asiatic ant-lions (Neuroptera: Myrmeleontidae). *Entomologicheskoe Obozrenie*, 71: 405-413, 502.

Krivokhatsky V A. 1995. A Catalog of the Type-Specimens in the Collection of the Zoological Institute Russian Academy of Sciences, Insecta, Neuroptera. Zoologicheskii Institut RAN, Sankt-Peterburg. 6-7.

Krivokhatsky V A. 1996a. New synonymies in Asian antlions (Neuroptera: Myrmeleontidae). *Zoosystematica Rossica*, 5(2): 289-290.

Krivokhatsky V A. 1996b. Two new species of Palearctic antlions (Neuroptera: Myrmeleontidae). *Entomologicheskoe Obozrenie*, 75(3): 643-648.

Krivokhatsky V A. 1998a. Antlions (Neuroptera: Myrmeleontidae) of the Palaearctic Region (morphology, classification, zoogeography). Ph.D. dissertation. Zoological Institue, Russian Academy of Sciences, St.-Petersburg. 1-364.

Krivokhatsky V A. 1998b. Addtions to the knowledge of the genus *Epacanthaclisis* Okamato, 1910 (Neuroptera: Myrmeleontidae). *Journal of Neuropterology*, 1: 37-54.

Krivokhatsky V A. 1998c. Lacewings of the families Myrmeleontidae und Ascalaphidae (Neuroptera) from the A. P. Fedtschenko Collection identified by R. McLachlan. *Entomologicheskoe Obozreni*, 77(2): 428-430.

Krivokhatsky V A and Piryulin D D. 1997. Composition, origin and current changes of Myrmeleontidae (Neuroptera) fauna in the Aral Sea Region. *Zoologicheskiy Zhurnal*, 76: 1150-1159.

Krivokhatsky V A and Zakharenko A V. 1993. Neuroptera from the European part of the former USSR. *Kharkov Entomological Society Gazette,* 1(2): 34-83.

Krivokhatsky V A and Zakharenko A V. 1994. Ant-lions of the genera *Euroleon* Esben-Petersen, 1918 and *Kirghizoleon* gen. n. (Neuroptera: Myrmeleontidae) of Palaearctic. *Entomologicheskoe Obozrenie*, 73: 690-699.

Krivokhatsky V A, Wang Z-L and Wang X-L. 2012. New records and new synonyms of ant-lions (Neuroptera, Myrmeleontidae) from China. *Entomological Obozrenie*, 91, 4: 569-582.

Kuwayama S. 1927. On a new species of Psychopsidae from Formosa. *Insecta Matsumurana*, 1: 123-126.

Kuwayama S. 1957. Notes on the Neuroptera-Planipennia from Shikoku. *Gensei*, 5(2): 1-3.

Kuwayama S. 1959. On the genera *Myrmeleon* and *Grocus* in Japan and adjacent territories. *Kontyû*, 27: 66-69.

Kuwayama S. 1961. On the Neuroptera-Planipennia from Manchuria. N. E. district of China. *Kontyû*, 29: 258-261.

Kuwayama S. 1962. A revisional synopsis of the Neuroptera in Japan. *Pacific Insects*, 4(2): 325-412.

Kuwayama S. 1964. On the Neuroptera of the Ryukyus. *Insecta Matsumurana*, 27: 38-48.

Kuwayama S. 1966a. The type specimens of the Neuroptera in the collection of the Entomological Institute, Hokkaido University. *Insecta Matsumurana*, 28: 133-140.

Kuwayama S. 1966b. Neuroptera of Iran and Afghanistan. *Results Kyoto University Science Expedition to Karakoram & Hindukush*, 8: 221-224.

Lacroix J L. 1923. Faune des Planipennes de France. Ascalaphidae. *Bulletin de la Société d'l Étude des Sciences Naturelles d'l Elbeuf*, 41: 65-100.

Lago P K and Testa III S. 1989. Records of owlflies (Neuroptera: Ascalaphidae) from Mississippi, with a key to species. *Entomological News*, 100: 11-17.

Latreille P A. 1810. Considérations générales sur l'ordre naturel des animaux composant les classes des Crustacés, des Arachnides, et des Insectes; avec un tableau méthodique de leurs genres, disposés en familles. Schoell, Paris. 1-444.

Leach W E. 1814. Zoological miscellany; being descriptions of new, or interesting animals. Vol. 1. Printed By B. McMillan, London. 1-102.

Lefèbvre A. 1842. Le genre *Ascalaphus* Fabr. *Guérin-Ménéville*, 4: 1-10.

Leraut P. 1980. Liste des Planipennes de France [Neuroptera]. *Bulletin de la Société Entomologique de France*, 85: 237-253.

Letardi A. 1991. Ascalafidi europei e del Medio Oriente della collezione del Museo di Zoologia dell'niversit di Roma (Planipennia, Ascalaphidae). *Fragmenta Entomologica*, 23: 35-44.

Letardi A. 1994. Ascalafidi: un gruppo di insetti da rincorrere Per Prati, musei e biblioteche (Neuroptera, Ascalaphidae). *Bollettino dell'Associazione Romana di Entomologia*, 49(3-4): 45-54.

Letardi A and Migliaccio E. 2002. Neuropterida of the Abruzzo National Park, Italy. *Acta Zoologica Academiae Scientiarum Hungaricae*, 48(Suppl. 2): 149-154.

Letourneau D K and Dyer L A. 1998. Experimental test in lowland tropical forest shows top-down effects through four trophic levels. *Ecology*, 79: 1678.

Linnaeus C. 1746. Fauna Suecica sistens animalia sveciae regni: qvadrupedia, aves, amphibia, pisces, insecta, vermes, distributa par classes & ordines, genera & species. Cum differenttis specierum, synonymis autorum, nominibus incolarum, locis habitationum, descriptionibus insectorum. Conradum Wishoff et Georg. Jac. Wishoff, Lugduni Batavorum. 1-411.

Linnaeus C. 1758. Systema natura per regna tria naturae secundum classes, ordines, genera, species, cum characteribus, differentiis, synonymis, locis Vol. 1. 10th Ed. Salvii, Holmiae. 1-824.

Linnaeus C. 1764. Museum S: ae R: ae M: tis ludovicae ulricae reginae svecorum, gothorum, vandalorumque & c. & c. & c. in quo animalia rarioa, Exotica, imprimis Insecta et Concilia describuntur et determinantur. Stockhomiae: Laurentii Salvii 1(VIII)+722 pages.

Linnaeus C. 1767. Systema natura per regna tria naturae secundum classes, ordines, genera, species, cum characteribus, differentiis, synonymis, locis Vol. 1 Pars II. 12th Ed. Laurentii Salvii, Holmiae. 533-1327.

Liu Y-P, Zhong A-F and Zhou H-H. 1998. Ecological study on ant-lions in northern Guangdong Province. *Chinese Journal of Applied Ecology*, 9(5): 496-498. [刘翊鹏, 钟爱芳, 周汉辉, 1998. 粤北蚁蛉生态学的初步研究. 应用生态学报, 9(5): 496-498.]

Lo Valvo F. 1994. Nuovi dati sulla distribuzione delle specie siciliane di Myrmeleontidae e Ascalaphidae (Insecta, Planipennia). *Naturalista Siciliano*, 4(18): 255-264.

Luppova E P. 1973a. A new species of Ascalaphidae (Neuroptera) from Tadzhikistan. *Proceedings of the Academy of Sciences of the Tadzhik SSR*, 16(8): 82-86.

Luppova E P. 1973b. On the ascalaphid fauna (Neuroptera, Ascalaphidae) of central Asia. *Notes of the Academy of Sciences of the Tadzhik SSR, Series Biological Sciences*, 1: 38-42.

McLachlan R. 1875. Neuroptera *s. str.*, Planipennia. 1-24. In: Fedtschenko A P. Reise in Turkestan von Alexis Fedtschenko, auf veranlassung des General-Gouverneurs von Turkestan, General von Kaufmann, hrsg. von der Gesellschaft der Freunde der Naturwissenschaften in Moskau, Vol.2. pt.5. Moskou. 1-445.

McLachlan R. 1891. Descriptions of new species of holophthalmous Ascalaphidae. *Transactions of the Entomological Society of London*, 1891: 509-515.

McLachlan R. 1894. On two small collections of Neuroptera from Tachien-lu, in the province of Szechwan, western China, on the frontier of Tibet. *Annals and Magazine of Natural History*, 13(6): 424-425.

MacLeod E G. 1964. A comparative morphological study of the head capsule and cervix of larval Neuroptera (Insecta). Ph. D. Thesis. Harvard Univ. Library. 528.

MacLeod E G. 1970. The Neuroptera of the Baltic Amber. Ⅰ. Ascalaphidae, Nymphidae, and Psychopsidae. *Psyche*, 77(2): 147-158.

MacNeill C D. 1962. Observations on the flight behavior of an ascalaphid of the genus *Ululodes*. *Pan-Pacific Entomologist*, 38(3): 186-188.

Makarkin V N and Menon F. 2005. New species of the Mesochrysopidae (Insecta, Neuroptera) from the Crato Formation of Brazil (Lower Cretaceous), with taxonomic treatment of the family. *Cretaceous Research*, 26: 801-812.

Mansell M W. 1985. The ant-lions of southern Africa (Neuroptera: Myrmeleontidae). Introduction and genus *Bankisus* Navás. *Journal of the entomological Society of southern Africa*, 48(1): 189-212.

Mansell M W. 1987. The ant-lions of southern Africa (Neuroptera: Myrmeleontidae): genus *Cymothales*

Gerstaecker, including extralimital species. *Systematic Entomology*, 12: 181-219.

Mansell M W. 1988. The Myrmeleontidae (Neuroptera) of southern Africa: genus *Tricholeon* Esben-Petersen. *Neuroptera International*, 5: 45-55.

Mansell M W. 1994. The Ascalaphidae of the Afrotropical Region (Neuroptera). *African Entomology*, 2: 80.

Markl W. 1954. Vergleichend-morphologische Studien zur Systematik und Klassifikation der Myrmeleoniden (Insecta: Neuroptera). *Verhandlungen der Naturforschende Gesellschaft in Basel*, 65(2): 178-263.

Martins-Neto R G. 1997. Neurópteros (Insecta, Planipennia) da Formaço Santana (Cretáceo Inferior), Bacia do Araripe, Nordeste do Brasil. X - Descriço de novos táxons (Chrysopidae, Babinskaiidae, Myrmeleontidae, Ascalaphidae e Psychopsidae). *Revista da Universidade de Guarulhos, Série Ciências Exatas e Technológicas*, 2(4): 68-83.

Martynova O M. 1962. Nadotryad Neuropteroidea. 269-282. In: Orlov Y A. Arthropoda—Tracheata and Chelicerata. Akademiia Nauk SSSR, Moskva. 1-560.

Matsumura S. 1900. On the Japanese Neuroptera [in Japanese]. *Zoological Magazine* (*Tokyo*), 12: 15-17.

Matsumura S. 1905. Thousand insects of Japan. Vol. 1. Keiseisha Co., Tokyo. 1-213.

Matsumura S. 1931. 6000 illustrated insects of Japan-Empire. Tokoshoin Co., Tokyo. 1-1156.

Matsura T. 1987. Nomenclature of the Japanese pit-building antlions (Neuroptera, Myrmeleontidae)[in Japanese]. *Kontyû, Tokyo*, 55(3): 543-548.

McClendon J F. 1902. The life history of *Ulula hyalina* Latreille. *American Naturalist*, 36: 421-429.

McLachlan R. 1867. New Genera and Species, &c., of Neuropterous Insects; and a revision of Mr.F.Walker's British Museum Catalogue of Neuroptera, Part Ⅱ(1853), as far as the end of the genus *Myrmeleon*. *Journal of the Linnean Society of London, Zoology*, 9(1868): 230-281.

McLachlan R. 1869. New species etc. of Hemerobiinae, with sunonymic notes (first series). *Entomologist's Monthly Magazine*, 6: 21-27.

McLachlan R. 1871. An attempt towards a systematic classification of The family Ascalaphidae. *The Journal of the Linnean Society of London, Zoology*, 11: 219-276.

McLachlan R. 1873. Notes sur les Myrméléonides décrits par M. le Dr. Rambur. *Annali de la Société Entomologique de Belgique*, 16:127-141.

McLachlan R. 1875a. A sketch of our present knowledge of the neuropterous fauna of Japan (excluding Odonata and Trichoptera). *Transactions of the Entomological Society of London*, 23: 167-190.

McLachlan R. 1875b. Descriptions de plusieurs Nevroptères-Planipennes et Trichoptères nouveaux de l'île de Célébes et de quelques espèces nouvelles de Dipseudopsis avec considérations sur ce genre. *Tijdschrift voor Entomologie*, 18: 1-21.

McLachlan R. 1887. Insecta in itinere Cl. N. Przewalskii in Asia centrali novissime lecta. Ⅻ. Neuroptera Ⅱ. Perlides, Planipennes et Trichoptères. *Horae Societatis Entomologicae Rossicae*, 21: 448-457.

McLachlan R. 1891a. An asiatic Psychopsis (*Ps. birmana*, n. sp.). *Entomologist's Monthly Magazine*, 27: 320-321.

McLachlan R. 1894a. Two new species of Myrmeleonidae from Madagascar. *Annals and Magazine of Natural History* (6), 13: 514-517.

McLachlan R. 1898. Neuroptera-Planipennia collected in Algeria by the Rev. A. E. Eaton. *Transactions of the [Royal] Entomological Society of London*, 46: 151-168.

Michel B. 1998. Descriptions d'1 un nouveau genre et de deux nouvelles espéces d'1 *Ascalaphes afrotropicaux* (Neuroptera: Ascalaphidae). *Bulletin de la Société Entomologique de France*, 103: 45-50.

Michel B. 2000. Contribution à la connaissance des Ascalaphes du Mali et description de la femelle de *Tytomyia flinti* Tjeder, 1992 (Neuroptera, Ascalaphidae). *Bulletin de la Société b) Entomologique de France*, 105: 53-59.

Michel B. 2001. On the eggs and the hatching of afrotropical Ascalaphids (Neuroptera, Ascalaphidae). *Bulletin de la Societe Entomologique de France*, 106(4): 401-408.

Michel B. 2005. A contribution to knowledge of the owlflies of Thailand (Neuroptera, Ascalaphidae). *Deutsche Entomologische Zeitschrift*, 52(2): 217-223.

Miller R B and Stange L A. 1985. Description of the antlion larva *Navasoleon boliviana* Banks with biological notes (Neuroptera: Myrmeleontidae). *Neuroptera International*, 3(3): 119-126.

Miller R B, Stange L A and Wang H-Y. 1999. New species of antlions from Taiwan (Neuroptera: Myrmeleontidae). *Journal of the National Taiwan Museum*, 52(2): 47-78.

Monserrat V J. 1977. A new variety of *Ascalaphus longicornis* L. in the South-east of Spain (Neuroptera, Ascalaphidae). *Graellsia*, 31: 187-192.

Monserrat V J. 1985. Nuevos datos sobre los Myrmeleontoidea ibéricos (Neur., Plan., Myrmeleonidae, Ascalaphidae, Nemopteridae). *Boletin da Sociedade Portuguesa de Entomologia, Suplemento*, 12: 475-489.

Monserrat V J and Marin F. 1989. Contribution to the knowledge of the Neuroptera from Cantabria (Insecta: Neuropteroidea). *Boletin de la Asociacion Espanola de Entomologia*, 13: 287-298.

Müller O F. 1764. Favna Insectorvm Fridrichsdalina, sive methodica descriptio insectorvm agri Fridrichsdalensis, cvm characteribvs genericis et specificis, nominibvs tribialibvs, locus natalibvs, iconibvs allegatis, novisqve pluribvs speciebvs additis. Io. Frid. Gleditschii, Hafniae et Lipsiae. 1-360.

Nakahara W. 1913a. On three new species of Myrmeleonidae from Japan and Formosa (Neur. Planip.). *Entomological News*, *Philadelphia*, 24: 297-301.

Nakahara W. 1913b. On the Japanese Myrmeleontidae. Nakahara. three new species of Myrmeleonidae from Japan and Formosa (Neur. Planip.). *Entomoleogical News*, 24: 527-528.

Nakahara W. 1913c. A list of the Japanese Myrmeleontidae and the distribution of Mantispidae in Japan. *Insect World*, 17: 94-99.

Nakahara W. 1913d. On the family Myrmeleontidae. *Zoological Magazine* (Tokyo), 25: 619-620.

Nakahara W. 1971. On three species of the Myrmeleontidae from Formosa (Neuroptera). *Kontyû*, 39: 61.

Navás L. 1901. Notas neuropterológicas. Ⅱ. Ascalãidos de Espaňl a. *Butlletí de la Institució Catalana d'Història Natural*, 1(1): 19.

Navás L. 1905. Notas zoológicas, Ⅷ. Mis excursiones durante el verano de 1904. *Boletín de la Sociedad Aragonesa de Ciencias Naturales*, 4: 125.

Navás L. 1906. Notas zoológicas, Ⅻ. Novedades zoológicas De Aragón. *Boletín de la Sociedad Aragonesa de Ciencias Naturales*, 5: 200.

Navás L. 1909a. Notas Neuropterológicas X. Sobre Ascaláfidos. *Butlletí de la Institució Catalana d'Història Natural*, 1(9): 52-57.

Navás L. 1909b. Notas neuropterológicas. XI. Mirmeleónido nuevo de Madagascar. *Butlletí de la Institució Catalana d'Història Natural*, 9(1): 71-72.

Navás L. 1910a. Hemeróbidos (Ins. Neur.) nuevos con la clave de las tribus y géneros de la familia. *Brotéria (Zoológica)*, 9: 69-90.

Navás L. 1910b. Monografia de los Nemoptéridos (Insectos Neurópteros). *Memorias de la Real Academia de Ciencias y Artes de Barcelona*, (3)8: 341-408.

Navás L. 1911a. Névroptères nouveaux de l'extrème Orient. *Revue Russe d'Entomologie*, 11(1): 111-117.

Navás L. 1911b. Notes sur quelques Névroptères. I. *Insecta, Rennes*, 1: 239-246.

Navás L. 1911c. Notas sobre Neuropteros del Museo de Munich. *Mitteilungen der Munchener Entomologischen Gesellschaft*, 2: 22-28.

Navás L. 1911d. Notes sur quelques Névroptères d'Afrique (Series 1). *Revue Zoologique Africaines*, 10(3): 135-202.

Navás L. 1912a. Ascalafidos (Ins. Neur.). *Sudamericanos Broteria*, 10: 202-233.

Navás L. 1912b. Insectos neurópteros nuevos o poco conocidos. *Memorias de la Real Academia de Ciencias y Artes de Barcelona*, 10(3): 135-202.

Navás L. 1912c. Neurópteros nuevos de América [unnumbered part 1]. *Brotéria (Zoológica)*, 10: 194-202.

Navás L. 1912d. Notas sobre Mirmeleónidos (Ins. Neur.). *Brotéria (Zoológica)*, 10: 29-75.

Navás L. 1912e. Myrmeléonides nouveaux de l'extrème Orient (Neuroptera). *Revue Russe d'Entomologie*, 12: 110-114.

Navás L. 1912f. Sinopsis de los Ascaláfidos (Ins. Neur.). *Arxius de L'Institut de Ciències. Institut d'Estudis Catalans, Seccio de Ciències*, 1: 45-143.

Navás L. 1912g. Synopsis de Névroptères de Belgique. *Revue Mensuelle de la Société Entomologique Namuroise*, 12: 9-13, 27-31, 35-39, 47-51, 57-59, 63-67, 72-75, 80-82, 91-95, 104-107, 116-119, 128-130.

Navás L. 1912h. Myrméléonides (Ins. Névr) Nouveaux ou peu connus. *Annales de la Societe Scientifique de bruxelles*, 36: 203-248.

Navás L. 1913a. Expedition to the central western Sahara. X. Quelques Névroptères du Sahara Français. *Novitates Zoologicae*, 20: 444-458.

Navás L. 1913b. Neuroptera asiatica. II series. *Revue Russe d'Entomologie*, 13: 424.

Navás L. 1913c. Neurópteros del R. Museo Zoológica de Napoles. *Annuario del Museo Zoológico della R. Universita di Napoli*, 4(3): 1-11.

Navás L. 1913d. Neuroptera asiatica. I series. *Revue Russe d'Entomologie*, 13(2): 271-284.

Navás L. 1913e. Ascalafidos sudamericanos. *Revista Chilena de Historia Natural*, 17: 41-74.

Navás L. 1913f. Bemerkungen über die Neuropetren der Zoologischen Staatssammlung in München. V. *Mitteilungen der Münchener Entomologischen Gesellschaft*, 4 : 9-15.

Navás L. 1913g. Sinopsis de los Ascaláfidos (Ins. Neur). *Extret. Arxius. Inst. C., Publ. IInst. C., Barcelona*, 1(3): 81-83.

Navás L. 1914a. Névroptères de l'Indo-Chine. 1re série. *Isecta Rennes*, 4: 133-142.

Navás L. 1914b. Neurópteros sudamericanos. *Broteria-serie Zoological*, 12: 45-56.

Navás L. 1914c. Neuropteros nuevos de Africa. *Memorias de la Real Academia de Ciencias y Artes de Barcelona*, 10(3): 627-653.

Navás L. 1914d. Myrméléonides (Ins. Névr) Nouveaux ou critiques. *Annales de la Societe Scientifique de bruxelles*, 38: 229-254.

Navás L. 1914e. Neurópteros de la Tripolitania. Serie II. *Annali del Museo Civico di Storia Naturale Giacomo Doria*, 6(3): 202-209.

Navás L. 1914f. Neurópteros de Oceania. Serie I, III. *Revista de la Real Academia de Ciencias Exactas Fisicas y Naturales de Madrid*, 12: 464-483; 13: 231-236.

Navás L. 1914g. Neurópteros nuevos o poco conocidos (Segunda y Tercera serie). *Memorias de la Real Academia de Ciencias y Artes de Barcelona*, 11(3): 105-119, 193-215.

Navás L. 1914h. Insectes Névroptères. 1. Planipennia et Mecoptera in: Voyage de Ch. Alluaud et R. Jeannel en Afrique Orientale (1911-1912). Résultats scientifiques. Insectes Névroptères. I. Planipennia et Mecoptera. *Mem.* (Paris), No. 24: 1-52.

Navás L. 1914i. Névroptères de l'l Indo-Chine. *Insecta*, 4: 133-134.

Navás L. 1914j. Névroptères nouveaux de l'Amerique du Nord. IIème série. *Entomologische Zeitschrift, Frankfurt am Main*, 28: 18-20, 25-26.

Navás L. 1915a. Some Neuroptera from the United States. *Bulletin of the Brooklyn Entomological Society*, 10: 50-54.

Navás L. 1915b. Neurópteros nuevos o poco conocidos (Cuarta [IV, V] serie). *Memorias de la Real Academia de Ciencias y Artes de Barcelona*, 11(3): 373-398, 455-480.

Navás L. 1916. Neuroptera nova Africana. VII Series. *Memorie dell'Accademia Pontifica dei Nuovi Lincei, Rome*, 2(2): 51-58.

Navás L. 1917a. Insecta nova. II Series. *Memorie dell'Accademia Pontifica dei Nuovi Lincei* (Rome), 2(3): 12-22.

Navás L. 1917b. Névroptères de l'Indo-Chine. 2e série. *Insecta, Rennes*, 7: 8-17.

Navás L. 1918. Quelques Névroptères d'Algérie. *Insecta, Rennes*, 8: 167-176.

Navás L. 1919a. Neurópteros de España nuevos. Segunda [II] serie. *Boletín de la Sociedad entomológica de España*, 2: 218-223.

Navás L. 1919b. Algunos insectos Neurópteros de la República Argentina. Serie tercera [III]. *Revista de la Real Academia de Ciencias Exactas Fisicas y Naturales de Madrid*, 17: 287-305.

Navás L. 1919c. Insecta nova. VI Series. *Memorie dell'Accademia Pontifica dei Nuovi Lincei, Rome*, 5(2): 11-19.

Navás L. 1919d. Névroptères de l'Indo-Chine. 3e série. *Insecta, Rennes*, 9: 185-194.

Navás L. 1920a. Sur des Névroptères nouveaux ou critiques. *Annales de la Societe Scientifique de bruxelles*, 39:

189-203.

Navás L. 1920b. A contribution to the knowledge of the Neuropterous Insects of Algeria. *Novitates Zoologicae*, 26: 283-290.

Navás L. 1920c. Cronica Cientifica. *Boletín de la Sociedad Aragonesa de Ciencias Naturales*, 19: 52-56, 99-104, 157-164, 192-201.

Navás L. 1921. Comunicaciones entomológicas. Ⅳ. Insectos nuevos criticos ó poco conocidos *Revista de la Academia Ciencias Exactas Fisico-Quimicas y Naturales de Zaragosa*, 6: 61-81.

Navás L. 1922. Algunos insectos del Museo Entomológico de Berlín "Deutsches Entomologisches Museum." *Brotéria* (*Zoológica*), 20: 87-92.

Navás L. 1923a. Estudis sobre Neuròpters (Insects). *Arxius de l'Institut* (*d'Estudis, Catalans, Seccio*) *de Ciencias* (Barcelona), 7: 179-203.

Navás L. 1923b. Insecta nova. Ⅸ Series. *Memorie dell'Accademia Pontifica dei Nuovi Lincei, Rome*, 6(2): 9-18.

Navás L. 1923c. Insecta orientalia. Ⅰ Series. *Memorie dell'Accademia Pontifica dei Nuovi Lincei, Rome*, 6(2): 29-41.

Navás L. 1923d. Quelques Myrméléonides (Ins. Névr.) d'Afrique. *Annales de la Société Scientifique de Bruxelles*, 43(1): 143-147.

Navás L. 1923e. *Fauna de Catalunya. Entomologia de Catalunya. Neuròpters. Fascicle Ⅰ. Neuròpters Propis*. Publicacions de l'Institut d'Estudis Catalans, seccio de Ciències, Barcelona. 1-270.

Navás L. 1923f. Algunos insectos del Brasil. 2.a série. *Revista do Museu Paulista, Sao Paulo*, 13: 767-774.

Navás L. 1924a. Myrméléonides (Ins. Névr) Nouveaux ou critiques 2me série (Ⅰ). *Annales de la Societe Scientifique de bruxelles*, 43: 70-74.

Navás L. 1924b. Insecta orientalia Ⅱ seris. *Accademia delle Scienze Nuovi Lincei*, 7: 211-215.

Navás L. 1925. Insectos exóticos nuevos o poco conocidos. Segunda [Ⅱ] serie. *Memorias de la Real Academia de Ciencias y Artes de Barcelona*, 19(3): 181-200.

Navás L. 1926a. Névroptères d'Egypte et de Palestine. 2me and 3me partie. *Bulletin de la Societé royale Entomologique d'Egypte*, 10: 26-62.

Navás L. 1926b. Insectos exóticos Neurópteros y afines. *Broteria-serie Zoological*, 23: 79-81.

Navás L. 1926c. Insecta orientalia. Ⅳ series. *Memorie dell'Accademia Pontifica dei Nuovi Lincei, Rome*, 9(2): 111-120.

Navás L. 1926d. Insecta nova. Series Ⅺ. *Memorie dell'Accademia Pontifica dei Nuovi Lincei, Rome*, 9(2): 101-110.

Navás L. 1927a. Insectos del Museo de Paris. *Broteria* (*ser. Zool.*), 24(1): 5-33.

Navás L. 1927b. Névroptères de la Chine. *Arkiv for Zoologi*, 19A: 1-5.

Navás L. 1927c. Insecta orientalia Ⅴ. *Memorie Della Pont, Accademia Delle Scienze-l Nnovi Lincei.* Ser.2., 10: 11-26.

Navás L. 1927d. Insecta nova. Series Ⅻ. *Memorie dell'Accademia Pontifica dei Nuovi Lincei, Rome*, 10(2): 1-10.

Navás L. 1927e. Insectos nuevos de la península ibérica. *Boletín de la Sociedad Entomologica de España*, 10: 78-84.

Navás L. 1928a. Comunicaciones entomológicas. 10. Insectos de la India. 1.a serie. *Revista de la [Real] Academia de Ciencias Exactas Fisico-Quimicas y Naturales de Zaragoza*, 12(1): 177-197.

Navás L. 1928b. Insectos del Museo de Estocolmo. *Revista de la Real Academia de Ciencias Exactas Fisicas y Naturales de Madrid*, 24: 28-39.

Navás L. 1929a. Comunicaciones entomológicas 10. Insectos de la India (Serie 1). *Revista de la Academia Ciencias Exactas Fisico-Quimicas y Naturales de Zaragosa*, 12: 177-197.

Navás L. 1929b. *Insecta orientalia Ⅵ-Ⅶ.* Memorie Della Pont, Accademia Delle Scienze-l Nnovi Lincei. Ser.2., 12: 33, 43-44.

Navás L. 1929c. Ricerche faunistiche nelle isole italiane dell'Egeo. 2. Neurópteros. *Archivio Zoologico Italiano*, 13: 187-191.

Navás L. 1930a. Insectos del Museo de Pairs. 5,6. serie. *Broteria: serie Zoological*, 26: 5-24, 120-144.

Navás L. 1930b. *Neurocolinus* nom. nov. for *Colinus* Navás, 1925 and *Chenbergus* nom. nov. for *Brachycentrus* Taschenberg, 1865. *Boletín de la Sociedad Entomologica de España*, 13: 42-43.

Navás L. 1930c. Insecta nova. Series Ⅹ Ⅴ. *Memorie dell'Accademia Pontifica dei Nuovi Lincei, Rome*, 14(2): 409-418.

Navás L. 1930d. Insecta orientalia. Ⅷ Series. *Memorie dell' Accademia Pontifica dei Nuovi Lincei Rome*. 2(14): 409-418.

Navás L. 1930e. Neurópteros. (5a. Série). *Insectos del Museo de Paris, Brotéria*, 26: 18-19.

Navás L. 1931a. El Moncayo. *Revista de la [Real] Academia de Ciencias Exactas Fisico-Quimicas y Naturales de Zaragoza*, 15(1): 49-90.

Navás L. 1931b. Decadas de Insectos Nuevos (1-3). *Revista de la Real Academia de Ciencias Exactas Fisicas y Naturales de Madrid*, 26: 60-86.

Navás L. 1931c. Insectes du Congo Belge (Série Ⅴ). *Revue de Zoologie et de Botanique Africaines*, 20(3): 263-265.

Navás L. 1932a. Décadas de insectos nuevos. Década 19, 21. *Brotéria (Ciências Naturais)*, 28: 62-73, 109-119.

Navás L. 1932b. Spedizione scientifica all'oasi di Cufra (Marzo-Luglion 1931). Insetti Neurotteri ed affini. *Annali del Museo Civico di Storia Naturale Giacomo Doria*, Genoa, 55: 409-421.

Navás L. 1932c. Crónica Científica. *Boletín de la Sociedad Ibérica de Ciencias Naturales*, 31: 22-28, 61-74, 85-94, 129-132.

Navás L. 1932d. Insectos suramericanos. Quinta [Ⅴ] serie. *Revista de la Real Academia de Ciencias Exactas Fisicas y Naturales de Madrid*, 29: 53-66.

Navás L. 1932e. Reseña científica de historia natural. Primer [Ⅰ] semestre. *Razón y Fe*, 54-64.

Navás L. 1933. Insectes du Congo Belge. Série Ⅷ. *Revue de Zoologie et de Botanique Africaines*, 23: 308-318.

Navás L. 1934a. Insectos del Museo de Hamburgo. 2.a serie. *Memorias de la Real Academia de Ciencias y Artes de Barcelona*, 23(3): 499-508.

Navás L. 1934b. Insectos suramericanos. Novena [IX] serie. *Revista de la Real Academia de Ciencias Exactas Fisicas y Naturales de Madrid*, 31: 155-184.

Navás L. 1935a. Neurópteros exóticos 2.ⁿ Serie (I). *Memòries L'acadèmia de ciències I arts de Barcelona*, 25(3): 37-59.

Navás L. 1935b. Spedizione zoological del Marchese Saverio Patrizi nel Basso Giuba e nell'oltregiuba, Giugno-Agosto 1934. XII. Neurotterii. *Annali del Museo Civico de Storia Naturale Giacomo Doria* (Genoa), 58 (13): 50-55.

Navás L. 1936a. Décadas de insectos nuevos. Década 28. *Brotéria* (*Ciências Naturais*), 32: 161-170.

Navás L. 1936b. Insectes du Congo Belge. Série IX. *Revue de Zoologie et de Botanique Africaines*, 28: 333-368.

Navás L. 1936c. Mission Scientifique de l'Omo. Tome III. Fascicule 19. Neuroptera, Embioptera, Plecoptera, Ephemeroptera et Trichoptera. *Memoires du Museum Nationale d'Histoire Naturelle, Paris*, (N.S.)4: 101-128.

Navás L. 1940. Neurópteros nuevos o eríticos. VI. *Congres Internationál de Entomologíe* (Madrid, 1935), 1 : 97-102.

Nawa T. 1905. First survey of the insect-fauna of Gifu Prefecture. *Insect World*, 9: 444-449.

Needham J G. 1909. Ascalaphidae. *The Records of the Indian Museum*, 3:196-199.

Nel A. 1991. Nouveaux insects neuroptéroides fossils de l'Oligocène de France (Neuroptera et Megaloptera). *Bulletin du Muséum National d'Historire Naturelle, Paris*, 12: 327-349.

New T R. 1971. Ovariolar dimorphism and repagula formation in some South American Ascalaphidae (Neuroptera). *Journal of Entomology*, Ser.A., 46: 73-77.

New T R. 1984. Revision of the Australian Ascalaphidae. *Australian Journal of Zoology, Supplementary Series*, 100: 1-86.

New T R. 1985. A revision of the Australian Myrmeleontidae (Insecta: Neuroptera). I . Introduction, Myrmeleontini Protoplectrini. *Australian Journal of Zoology Supplementary Series*, 104: 1-90.

New T R. 1986. Absence of repagula in Australian Ascalaphidae (Neuroptera). *Australian Entomological Magazine*, 12: 125-126.

New T R. 1988. The Psychopsidae (Insecta: Neuroptera) of Australia and the Oriental Region. *Invertebrate Taxonomy*, 2: 841-883.

New T R. 1991a. Commentary: Prospects and priorities for conservation of Neuroptera. *Neuroptera International*, 6: 195-204.

New T R. 1991b. Insects of Australia. A Textbook for Students and Research Workers. 2nd Ed. Vol. 1. Melbourne University Press, Melbourne. 525-542.

Newman E. 1853. Proposed division of Neuroptera into two classes. *Zoologist*, 11: 181-204.

Okamoto H. 1905. Hokkaido ni okeru Myakushimoku. *Transactions of the Sapporo Natural History Society*, 1: 111-117.

Okamoto H. 1909. On the Japanese Ascalaphidae. *Zoological Magazine*, 21: 499-508.

Okamoto H. 1910a. Die Myrmeleoniden Japans. *Wiener Entomologische Zeitung*, 29(4-5): 275-300.

Okamoto H. 1910b. Die Ascalaphiden Japans. *Wiener Entomologische Zeitung*, 29: 57-65.

Okamoto H. 1914. Verzeichnis der japanischen Myrmeleoniden. *Zoological Magazine*, 26: 249-250.

Okamoto H. 1926. Some Myrmeleontidae and Ascalaphidae from Corea. *Insecta matsurana*, Ⅰ(1): 8-22.

Okamoto H. 1932. Neuroptera. 1524-1555. In: Esaki, et al. Nippon Konchu Zukan. 1st Ed. Hokuryukam, Co. Tokyo.

Okamoto H. 1934. Notes. *Kontyû*, 8:101-102.

Olivier G A. 1811. Encyclopedie méthodique. *Histoire Naturelle*, 8 (Insectes): 123-126.

Orfila R N. 1949. Notas criticas sobre Ascalaphidae (Neurop.). *Anales de la Sociedad Cientifica Argentina*, 148: 187-194.

Oswald J D. 1988. Remarks on the taxonomy of three recently discovered generic nomina oblita in the falimy Ascalaphidae (Neuroptera). *Neuroptera International*, 5: 89-92.

Oswald J D. 1995. Revision of the southeast Asican silky lacewing Genus *Balmes* (Neuroptera: Psychopsidae). *Tijdschrift Voor Entomologie*, 138(1): 89-101.

Oswald J D. 2007. Neuropterida species of the world: a catalogue of the species-group names of the extant and fossil Neuropterida (Insecta: Neuroptera, Megaloptera and Raphidioptera) of the World. URL: http://lacewing.tamu.edu/Species-Catalogue/index.html [2016-1-3].

Oswald J D and Penny N D. 1991. Genus-group names of the Neuroptera, Megaloptera and Raphidioptera of the world. *Occassional Papers California Academy of Sciences 147*, December no.147: 1-94.

Pallas P S. 1771. Reise durch verschiedene Provinzen des Russischen Reichs. Vol. 1. Kayserlichen Academie der Wissenschaften, St. Petersburg. 1-469.

Pantaleoni R A. 1990. The Neuroptera (Neuropteroidea) of the Bidente-Ronco Valley (Apennine of Romagna). *Bollettino Dell'Istituto di Entomologia "Guido Grandi" della Universita Degli Studi di Bologna*, 54: 89-142.

Pantaleoni R A. 1991. Insecta Neuropteroidea of the collection of the Agricultural Entomology Institute, University of Padua. *Bollettino Dell'Istituto di Entomologia "Guido Grandi" della Universita Degli Studi di Bologna*, 45: 73-99.

Pantaleoni R A. 1999. Neuropterida described by A. Costa with type designation. *Deutsche Entomologische Zeitschrift*, (*N.F.*), 46: 249-261.

Pantaleoni R A and Letardi A. 1998. Neuropterida of the collection of the Entomology institute 'Guido Grandi' of Bologna. *Bollettino Dell'Istituto di Entomologia "Guido Grandi" della Universita Degli Studi di Bologna*, 52: 15-45.

Penny N D. 1981a. Neuroptera of the Amazon Basin. Part 3. Ascalaphidae. *Acta Amazonica*, 11: 605-651.

Penny N D. 1981b. Review of the generic level classification of the New World Ascalaphidae (Neuroptera). *Acta Amazonica*, 11: 391-406.

Penny N D. 1982. Neuroptera of the Amazon basin. Pt. 3. Ascalaphidae. *Acta Amazon*, 11: 605-681.

Penny N D. 2002. A guide to the lacewings (Neuroptera) of Costa Rica. *Proceedings of the California Academy of Sciences*, 53(12): 176-186, 293-299.

Penny N D and de Freitas S. 2000. Two new genera of Neotropical Chrysopini (Neuroptera: Chrysopidae).

Journal of the Kansas Entomological Society, 73: 164-170.

Penny N D, Tauber C A and de León T. 2000. A new species of *Chrysopa* from western North America with a key to North American species (Neuroptera: Chrysopidae). *Annals of the Entomological Society of America*, 93: 776-784.

Penny N D, Tauber C A, de León T and Tauber M J. 2000. The genus *Ceraeochrysa* (Neuroptera: Chrysopidae) of America North of Mexico: larvae, adults, and comparative biology. *Annals of the Entomological Society of America*, 93: 1195-1221.

Perez D. 2000. Annotated List of the Neuroptera of Hispaniola, with New Faunistic Records of Some Species. *Journal of Neuropterology*, 3: 9-24.

Péringuey L. 1910. Description of a new or little known species of the Hemerobiidae (Order Neuroptera) from South Africa. *Annals of the South African Museum*, 5: 433-454.

Pieper H and Willmann R. 1980. Die Larven griechischer Ascalaphiden-Arten (Ins., Planipennia). *Stuttgarter Beiträe zur Naturkunde*, Ser.A., 337: 1-11.

Piotrowski H O. 1969. Zur morphologie, Anatomie, und Biologie der Ameisenjungfer, Euroleon nostras Fourcroy. Diplomarbeit, University Heidelberg. 1-87.

Principi M M. 1958. II volo degli Ascalafidi. *Natura e Montagna*, 5: 1-3.

Puisségur C. 1965a. Remarques sur trios especes d'4 *Ascalaphus* F. (Planip, Ascalaphidae) dans le midi de la France. *Vie et Milieu*, 12: 583-592.

Puisségur C. 1965b. Presence d'4 *Ascalaphus ottomanus* Guerin dans les Basses-Alpes (Planip, Ascalaphidae). *Entomologiste*, 21(3): 34-35.

Puisségur C. 1967. Contribution zoogéographique, anatomique et Biologique à la connaissance de sept espéces et d'1 un hybride interspécifique d'4 *Ascalaphus* F. (Planip, Ascalaphidae). *Vie et Milieu*, C(18): 103-158.

Radermacher J C M. 1779. Register der Geslagten van de drie Ryken der Natur naar den 12. druk, van het Systhema Natura van Carolus Linnaeus tot No. 1228 van de vegetabilia vervolgens naar de herbarius ambonensis. *Verhandelingen van het Bataviaasch Genootschap van Kunsten en Wetenschappen*, 1: 87-109.

Rafael J A. 1991. Insects collected during the Maraca Project, Roraima, Brazil: complementary list. *Acta Amazonica*, 21: 325-336.

Ragonot P. 1878. Notes on the eggs and larvae of *Ascalaphus longicornis*. *Annales de la Société Entomologique de France*, 8(5): 120.

Rambur J P. 1842. *Histoire Naturelle des Insectes, Névroptères*. Librairie encyclopédique de Roret. Fain et Thunot, Paris. 1-534.

Rambur M P. 1938. Faune entomologique de I'Andalousie. Vol.2: Tafel 9. Arthus Bertrand, Libraire-Bertrand, Libraire-Editeur. Paris.

Redondo V M. 1991. Nota sobre un neuroptero nuevo para la Peninsula Iberica (Neuropt. Ascalaphidae). *Zapateri, Revista Aragonesa de Entomología*, 1: 43.

Reginald B C. 2001. Vibrational communication and the ecology of group-living, herbivorous insects.

American Zoologist, 41: 1215-1221.

Rehfeldt G. 1989. Eine massenwanderung von *Deleproctophylla dusmeti* Navás (Neuroptera: Ascalaphidae) in der Cra (Frankreich). *Entomologische Zeitschrift*, 99: 65-67.

Remy P. 1948. Distribution géogrephique du Névroptére Planipenne *Ascalaphus longicornis. a*) *L'entomologiste*, 4: 82-83.

Ren B-Z, Li D-Z, Yang Y-L and Li Y. 2001. Study on forestal insects and diversity in Jilin province (I). *Journal of Jilin Agricultural University*, 23(4): 28-36. [任炳忠, 李典忠, 杨彦龙, 李玉, 2001. 吉林省农林昆虫区系及多样性的研究（I）. 吉林农业大学学报, 23(4): 28-36.]

Riek E F. 1967. Structures of unknown, possibly stridulatory, function of the wings and body of Neuroptera; with an appendix on other endopterygote orders. *Australian Journal of Zoology*, 15:337-348.

Rousset A. 1973. Morphologie externe et caractères distinctifs des larves de trois espèces d'Ascalaphes. *Bulletin de la Societe Entomologique de France*, 78: 164-178.

Schacht W. 2002. Weitere Insekten aus Gambia, Westafrica (Coleoptera, Buprestidae, Scarabaeidae; Diptera: Asilidae, Asteiidae, Tabanidae; Hymenoptera: Apidae, Scoliidae; Planipennia, Ascalaphidae, Myrmeleontidae). *Entomofauna*, 23(13): 149-154.

Schäffer J C. 1763. Das Zweifalter- oder Afterjüngferchen. J. L. Montag, Regensburg. 1-26.

Schouteden H. 1916. Pentatomiens nouveaux du Congo Belge. *Revue de Zoologie Africaines*, 4: 298-313.

Schröder C. 1925. Überordnung: Neuropteroidea Handl. oder Planipennia (Banks)(Netzflugler). 825-839. In: Gustav F. Handbuch der Entomologie. Vol 3. Jena, Gustav Fischer. 1-839.

Scopoli J A. 1763. Entomologia Carniolica, Exhibens Insecta Carnioliae Indigena et Distributa in Ordines, Genera, Species, Varietates, Methodo Linneana. Ioannis Thomae Trattner, Vindobonae. 1-418.

Sharp D. 1918. Neuroptera (incl. Panorpatae). *Zoological Record*, 55(12): 193-195.

Shetlar D J. 1977. The biosystematics of the Nearctic Ascalaphidae (Insecta: Neuropteroidea: Planipennia), with notes on biology and morphology. Ph.D. Thesis, The Pennsylvania State University, U.S.A. 246.

Skaife S H. 1953. African Insect Life. Longmans Green and Co., London. 1-387.

Smithers C N. 1984. The Neuroptera of Barrow and nearby islands off the west coast of Western Australia. *Australian Entomological Magazine*, 11(4/5): 61-68.

Soldanski H. 1912. Zoologische Ergebnisse der Expedition des Herrn G. Tessmann nach Sül d-Kamerun und Spanisch-Guinea. *Die Ascalaphiden. Mitteilungen aus dem Zoologischen Museum in Berlin*, 6: 117-123.

Someren V G L. 1925. Notes on the life history and insect food preferences of a lichen-like ascalaphid larva at Nairobi. *Transactions of the Royal Entomological Society of London*, 72: 59-65.

Sonan J. 1938. On the life-history of *Hybris subjacens* Walker (Neuroptera: Ascalaphidae). *Transactions of the Natural History Society of Formosa*, 28: 272-274.

Spencer D R. 1992. Occurrence of *Ululodes quadrimaculata* (Neuroptera: Ascalaphidae) in Michigan. *Great Lakes Entomologist*, 25: 307-308.

Stange L A. 1967. Catalogo de Neuroptera de Argentina y Uruguay. *Acta Zoologica Lilloana*, 22: 5-87.

Stange L A. 1970a. Revision of the ant-lion tribe Brachynemurini (Neuroptera: Myrmeleontidae) of North America. *University of California, Publications in Entomology*, 55: 1-192.

Stange L A. 1970b. A generic revision and catalog of the Western Hemisphere Glenurini with the description of a new genus and species from Brazil. *Los Angeles County Muaeum. Contributions in Science*, 186 : 1-28.

Stange L A. 1976. Clasificacion y catalogo mundial de la Tribu Dendroleontini con la redescripcion del genero *Voltor* Navás (Neuroptera: Myrmeleontidae). *Acta Zoologica Lilloana*, 31: 261-320.

Stange L A. 1994. Reclassification of the New World antlion genera formely included in the tribe Brachynemurini (Neuroptera: Myrmeleontidae). *Insecta Mundi*, 1(8): 29-42.

Stange L A. 1999. A new species of *Eremoleon* Banks from Costa Rica (Neuroptera: Myrmeleontidae). *Journal of Neuropterology*, 2: 5-10.

Stange L A. 2004. A systematic catalog, bibliography and classification of the world antlions (Insecta: Neuroptera: Myrmeleontidae). *Memoirs of the American Entomological Institute*, 74: 1-565.

Stange L A and Wang X-Y. 1997. Checklist of Neuroptera of Taiwan. *Journal of National Taiwan Museum*, 50(1): 47-56.

Stange L A and Miller R B. 1985. A generic review of the Acanthaclisine antlions based on larvae (Neuroptera: Myrmeleontidae). *Insecta Mundi*, 1(1): 29-42.

Stange L A and Miller R B. 1994. Reclassification of the New World antlion genera formely included in the tribe Brachynemurini (Neuroptera: Myrmeleontidae). *Insecta Mundi*, 8: 67-119.

Stange L A and Wang X-Y. 1998. Guide Book to Insects in Taiwan. Shuxin Press, Taibei. 18: 180-241. [史坦吉, 王效岳, 1998. 认识台湾的昆虫. 台北: 淑馨出版社. 18: 180-241.]

Stange L A, Miller R B and Wang X-Y. 2003. Identification and biology of Myrmeleontidae (Neuroptera) in Taiwan. I-Lan County Muaeum of Natural History, I-Lan. 1-160.

Steinmann H. 1963. Myrmeleontidae of Hungary (Neuroptera). *Folia Entomologica Hungarica*, (N.S.)16: 211-226.

Stelzl M. 1991. Investigations on food of Neuroptera-adults (Neuropteroidea, Insecta) in Central Europe. With a short discussion of their role as natural enemies of insect pests. *Journal of Applied Entomology*, 111(5): 469-477.

Steven. 1822. Myrméleon. 43-51. In: Fischer v. W G. Entomographia Imperii Russici. Vol. 1. Société Imperiale des Naturalistes, Moskau.1-210.

Stevenson G B. 1964. Ant-lion. 105. In: Curtis Publishing Company. Audubon Nature Encyclopedia. Vol. 1 (Ac-Be). National Audubon Society, New York. 1-112.

Strand E. 1908. A review of Esben-Petersen (1906): 'Neuroptera Danica, Planipennia.' *Zoologisches Zentralblatt*, 15: 155.

Stušk P and Hamdorf K. 1999. Properties of pupil mechanisms in owl-fly *Ascalaphus macaronius* (Neuroptera). *Journal of Comparative Physiology*, 184: 99-106.

Sun M-X and Wang X-L. 2006. A taxonomic study on the genus *Protacheron* of Ascalaphidae (Neuroptera, Myrmeleontoidea). *Acta Zootaxonomica Sinica*, 31: 403-407.

Sziráki G. 1998. An annotated checklist of the Ascalaphidae species known from Asia and from the Pacific Islands. *Folia Entomologica Hungarica*, 59: 57-72.

Sziráki G. 2000. Data to the knowledge of the Asian Ascalaphidae (Neuroptera), with description of a new subspecies. *Folia Entomologica Hungarica*, 61: 87-93.

Sziráki G. 2010. Taxonomic and nomenclatural questions of some coniopterygid species (Neuroptera). *Folia Historico-Naturalia Musei Matraensis*, 34: 141-150.

Sziráki G. 2011. Order Neuroptera, family Nemopteridae. *Arthropod fauna of the UAE*, 4: 66-71.

Táborsky K. 1936. Prispevek k poznani Ascalaphidu (Planipennia-Ascalaphidae I). *Acta Societatis Entomologicae Cechosloveniae*, 33: 164-165.

Táborský K. 1939. Sur les relations mutuelles entre les espèces *Ascalaphus rhomboideus* Schneider et *Ascalaphus cretensis* V. d. Weele. *Vestnik Ceskoslovenske Zoologicke Spolecnosti*, 6/7: 454-461.

Tang Z-T. 1987. Insect Taxonomy. China Forestry Publishing House, Beijing. 151-152. [唐祖庭, 1987. 昆虫分类学. 北京: 中国林业出版社. 151-152.]

Throne A L. 1972. The Neuroptera-Suborder Planipennia of Wisconsin. Part III. Mantispidae, Ascalaphidae, Myrmeleontidae, and Coniopterygidae. *Great Lakes Entomologist*, 5: 119-128.

Tian G-H. 2003. A new tussah pest——Myrmeleontidae from Hulunbeir Inner Mongolia. *China Sericulture*, 4: 97. [田国华, 2003. 内蒙古呼伦贝尔市发现柞蚕害虫新种类——蚁蛉. 中国蚕业, 4: 97.]

Tillyard R J. 1916. Studies in Australian Neuroptera. No.ii. Descriptions of new genera and species of the families Osmylidae, Myrmeleontidae, and Ascalaphidae. *Proceedings of the Linnean Society of New South Wales*, 41: 41-70, 221-248.

Tillyard R J. 1918. Mesozoic insects of Queensland. No. 3. Odonata and Protodonata [and postscripts]. *Proceedings of the Linnean Society of New South Wales*, 43: 417-436.

Tillyard R J. 1926. The Insects of Australia and New Zealand. Sydney.

Tillyard R J, Schneider G T, Navás L and Banks N. 1996. Venational homologies and nomenclature in Chrysopidae, with comments on the Myrmeleontoidea (Insecta: Neuroptera). Pure and applied research in neuropterology. Proceedings of the Fifth International Symposium on Neuropterology Cairo, Egypt, 2-6 May 1994 (Insecta: Neuroptera, Megaloptera, Raphidioptera). Association Mondiale des Nevropteristes, Toulouse, France. 19-30.

Tjeder B. 1941. A new species of Myrmeleontidae from Scandinavia. Preliminary description. *Opuscula Entomologica*, 6: 73-74.

Tjeder B. 1972. Two necessary alterations in long-established genus nomenclature in Ascalaphidae (Neuroptera). *Entomologica Scandinavica*, 3: 153-155.

Tjeder B. 1977. Distal abdominal segments and sclerotized parts of genitalia in Ascalaphidae (Neuroptera). *Annales Entomologici Fennici*, 43(2): 61-65.

Tjeder B. 1980. Ascalaphidae (Neuroptera) from Senegal and the Gambia. *Entomologica Scandinavica*, 11: 401-412.

Tjeder B. 1986. A new species of *Ascalaphus* (Neuroptera, Ascalaphidae) from SW Tunisia. *Neuroptera International*, 4: 117-121.

Tjeder B. 1989. A new genus and species of Ascalaphidae from south western Africa (Insecta: Neuroptera). *Journal of the Entomological Society of Southern Africa*, 52(1): 149-155.

Tjeder B. 1992. The Ascalaphidae of the Afrotropical Region (Neuroptera). 1. External morphology and bionomics of the family Ascalaphidae, and taxonomy of the subfamily Haplogleniinae including the tribes Proctolyrini n. tribe, Melambrotini n. tribe, Campylophlebini n. tribe, Tmesibasini n. tribe, Allocormodini n. tribe, and Ululomyiini n. tribe of Ascalaphidae. *Entomologica Scandinavica, Supplement*, 41: 3-169.

Tjeder B and Hansson C. 1992. The Ascalaphidae of the Afrotropical Region (Neuroptera). 2. Revision of the tribe Ascalaphini (subfam. Ascalaphinae) excluding the genus *Ascalaphus* Fabricius. *Entomologica Scandinavica, Supplement*, 41: 171-237.

Tjeder B and Waterston A R. 1977. *Ptyngidricerus venustus* n. sp. from Oman and Iran (Neuroptera: Ascalaphidae). *Entomologica Scandinavica*, 8: 87-92.

Truxal F and Jenkins P. 1941. An ascalaphid larva note. *Journal of the Kansas Entomological Society*, 14: 71.

Villers C J. 1789. Caroli Linnaei entomologia, faunae Suecicae descriptionibus aucta Vol. 3. Piestre & Delamolliere, Lugduni. 1-657.

Vogtsberger R C. 1990. First United States record of *Ascalobyas* (Neuroptera: Ascalaphidae), a range extension from northeastern Mexico to Texas. *Entomological News*, 101: 158-160.

Walker F. 1853. List of the Specimens of Neuropterous Insects in the Collection of the British Museum. Part Ⅱ.–(Sialides-Nemopterides). British Museum, London. 193-476.

Walker F. 1860. Characters of undescribed Neuroptera in the collection of W. W. Saunders. *Transactions of the [Royal] Entomological Society of London*, (N.S.) 5(2): 176-199.

Wan X and Wang X-L. 2003. Study on classification of Myrmeleontidae. *Entomological Knowledge*, 40(3): 218-223. [万霞，王心丽, 2003. 蚁蛉科分类研究概况. 昆虫知识, 40(3): 218-223.]

Wan X and Wang X-L. 2010. Review of the genus *Epacanthaclisis* Okamoto, 1910 in China (Neuroptera: Myrmeleontidae). *Zootaxa*, 2545: 47-57.

Wan X, Wang X-L and Yang X-K. 2006. Study on the genus *Layahima* Navás (Neuroptera: Myrmeleontidae) from China. *Proceedings of the Entomological Society of Washington*, 108(1): 35-44.

Wan X, Yang X-K and Wang X-L. 2004. Study on the genus *Dendroleon* from China (Neuroptera: Myrmeleontidae). *Acta Zootaxonomica Sinica*, 29(3): 497-508.

Wan X and Wang X-L. 2010. Review of the genus *Epacanthaclisis* Okamoto, 1910 in China (Neuroptera: Myrmeleontidae). *Zootaxa*, 2545: 47-57.

Wang A-Q, Wang Z-L and Wang X-L. 2012. Review of the genus *Creoleon* Tillyard from China (Neuroptera: Myrmeleontidae). *Acta Zootaxonomica Sinica*, 37(3): 671-675.

Wang X-L. 2003. Study on terminology of wing venation of Myrmeleontidae (Neuroptera: Myrmeleontidae). *Journal of China Agricultural University*, 8(5): 21-25. [王心丽, 2003. 蚁蛉科脉序名称研究（脉翅目：蚁蛉科）. 中国农业大学学报, 8(5): 21-25.]

Wang X-L. 2009. A new species of the antlion genus *Euroleon* Esben-Petersen from China (Neuroptera: Myrmeleontidae). *Zootaxa*, 2303: 53-56.

Wang X-L and Bao R. 2006. A taxonomic study on the genus *Balmes* Navás from China (Neuroptera, Psychopsidae). *Acta Zootaxonomica Sinica*, 31: 846-850.

Wang X-L and Yang J-K. 2001. Ascalaphidae. 310-311. In: Wu H and Pan C-W. Insects of Tianmu Mountain. Science Press, Beijing. 1-764. [王心丽, 杨集昆, 2001. Ascalaphidae. 310-311. 见: 吴鸿, 潘承文主编, 天目山昆虫. 北京: 科学出版社. 1-764.]

Wang X-L, Ao W-G and Wang Z-L. 2012. Review of the genus *Gatzara* Navás, 1915 from China (Neuroptera: Myrmeleontoidea). *Zootaxa*, 3408: 34-46.

Wang X-L, Sun M-X and Liang A-P. 2008. New species of the owl-fly genus *Suhpalacsa* Lefèbvre from China (Neuroptera: Ascalaphidae). *Zootaxa*, 1808: 53-60.

Wang X-L and Yang J-K. 2002. A new species of Ascalaphidae in Henan Province (Neuroptera: Ascalaphidae). *Acta Zootaxonomica Sinica*, 27(3): 562-564. [王心丽, 杨集昆, 2002. 河南省蝶角蛉一新种 (脉翅目: 蝶角蛉科). 动物分类学报, 27(3): 562-564.]

Wang X-L, Zhang X-B and Ao W-G. 2010. A new label-card for insect specimen. *Entomological Knowledge*, 47(3): 604-605. [王心丽, 张徐波, 敖伟光, 2010. 一种新型的昆虫标本标签卡. 昆虫知识, 47(3): 604-605.]

Wang Z-L and Wang X-L. 2008. A catalogue of *Dendroleon* Brauer, 1866 (Neuroptera, Myrmeleontidae) From China, with description of a new species. *Acta Zootaxonomica Sinica*, 33(1): 42-45.

Weele H W. 1903. Description of a new genus and species of holophthalmous Ascalaphidae. *Notes from the Leyden Museum*, 23: 234-236.

Weele H W. 1904. New and little-known Neuroptera. *Notes from the Leyden Museum*, 24: 203-215.

Weele H W. 1906. Ueber die von Prof. Dr. A. Gerstaecker beschreibenen Ascalaphidae (Neuroptera). *Notes from the Leyden Museum*, 26: 226-228.

Weele H W. 1907. Note on the Ascalaphidae (Planipennia) described by Linnaeus. *Notes from the Leyden Museum*, 28: 153-157.

Weele H W. 1908. Ascalaphiden. *Collections Zoologiques du Baron Edm de Selys Longchamps*, 8: 1-326.

Weele H W. 1909a. Ascalaphiden. Collections Zoologiques du Baron Edm. De Selys Longchamps. Catalogue Systématique et Descriptif. *Fascicle Bruxelles*: *Hayez*, 8: 1-326.

Weele H W. 1909b. A new and curious Burmese ascalaphid from the Genoa Museum (Glyptobasis spinicornis). *Notes from the Leyden Museum*, 30: 245-247.

Weele H W and Jacobson E. 1909. Mecoptera and Planipennia of Insulinde, with biological notes. *Notes from the Leyden Museum*, 31: 1-100.

Weele M H. 1909. Catalogue des Ascalaphides des Collections du Muséum. *Exlrait du Bulletin du Muséum d`histoire naturelle*, 4: 1-5.

Westwood J O. 1867. Descriptions of new species of Mantispidae in the Oxford and British Museums. *Transactions of the* [*Royal*] *Entomological Society of London*, 15: 501-508.

Westwood J O. 1888. Notes on the life-history of various species of the neuropterous genus *Ascalaphus*. *Transactions of the Royal Entomological Society of London*, 36: 1-12.

Wheeler W M. 1930. Demons of Dust. First edition, W. W. Norton, New York. 1-378.

Williner G J. 1991. *Albardia furcata* Weele, 1903 (Ascalaphidae: Albardiinae). *Revista de la Sociedad Argentina de Ciencias Naturales*, C(49): 1-4.

Withycombe C L. 1925a. Some aspects of the biology and morphology of the Neuroptera. With special reference to the immature stages and their possible phylogenetic significance. *Transactions of the Entomological Society of London*, 303-411.

Withycombe C L. 1925b. The Larva of *Suhpalacsa* (Neuroptera): a correction. *Translations of the Entomological of Society of London*, 73: 641.

Yang J-K. 1978. Neuroptera. 267-268. In: Institute of Zoology, Chinese Academy of Sciences, Zhejiang Agricultural University. Insects as Natural Enemies. Science Press, Beijing. 1-300. [杨集昆, 1978. 脉翅目. 267-268. 见: 中国科学院动物研究所, 浙江农业大学编, 天敌昆虫图册. 北京: 科学出版社. 1-300.]

Yang J-K. 1986. Thirty new species and four new genera of Neuroptera from Yunnan, and the family Nemopteridae new to China. *Acta Agriculturae Universitatis Pekinensis*, 12: 153-166, 423-434. [杨集昆, 1986. 云南脉翅目三十新种四新属描述及旌蛉科的中国新记录. 北京农业大学学报, 12: 153-166, 423-434.]

Yang J-K. 1987a. Neuroptera. 191-219. In: Zhang S-M. Agricultural Insects, Spiders, Plant Diseases and Weeds of Xizang. Vol. 1. Xizang Renmin Press House, Xizang. 1-879. [杨集昆, 1987a. 脉翅目. 191-219. 见: 章士美主编, 西藏农业病虫杂草(一). 拉萨: 西藏人民出版社. 1-879.]

Yang J-K. 1987b. Forest Insects of Yunnan. Yunnan Science and Technology Publishing House, Kunming. 510-521. [杨集昆. 1987b. 云南森林昆虫. 昆明: 云南科技出版社. 510-521.]

Yang J-K. 1988. Neuroptera. 193-213. In: Chinese Academy of Sciences, the scientific expedition team. Tibet Namjagbarwa Region Insects. Science Press, Beijing. 1-621. [杨集昆, 1988. 脉翅目. 193-213. 见: 中国科学院登山科学考察队, 西藏南迦巴瓦峰地区昆虫编. 北京: 科学出版社. 1-621.]

Yang J-K. 1992a. Neuroptera. 438-454. In: Chinese Academy of Sciences, The Qinghai-Tibet Plateau comprehensive scientific survey team. Insects of the Hengduan Mountains Region. Vol. 1. Science Press, Beijing. 1-865. [杨集昆, 1992a. 脉翅目. 438-454. 见: 中国科学院青藏高原综合科学考察队编, 横断山区昆虫(一). 北京: 科学出版社. 1-865.]

Yang J-K. 1992b. Neuroptera. 644-651. In: Peng J-W and Liu Y-Q. Field Guide to Forest Insects in Hunan. Hunan Science and Technology Press, Changsha. 1-650. [杨集昆, 1992b. 脉翅目. 644-651. 见: 彭建文, 刘友樵编, 湖南森林昆虫图鉴. 长沙: 湖南科学技术出版社. 1-650.]

Yang J-K. 1997. Neuroptera. 613-620. In: Yang X-K. The Yangtze River Three Gorges Insects. Chongqing University Press, Chongqing. 1-620. [杨集昆, 1997. 脉翅目. 613-620. 见: 杨星科编, 长江三峡库区昆虫. 重庆: 重庆出版社. 1-620.]

Yang J-K. 1999a. Ascalaphidae. 113. In: Chen S-C. Pictorial Handbook of Rare and Precious Insects in China. China Agriculture Press, Beijing. 1-332. [杨集昆, 1999a. 蝶角蛉科. 113. 见: 陈树椿编, 中国珍惜昆虫图鉴. 北京: 中国农业出版社. 1-332.]

Yang J-K. 1999b. Neuroptera. 140-167. In: Huang F-S. Insects of Fujian. Vol. 3. Fujian Science and Technology Publishing House, Fuzhou. 1-143. [杨集昆, 1999b. 脉翅目. 140-167. 见: 黄复生编, 福建昆虫志. 第三卷. 福州: 福建科学技术出版社. 1-143.]

Yang J-K. 1999c. Psychopsidae. 131. In: Huang B-K. Fauna of Insects Fujian Province of China. Vol. 3.

Fujian Science and Technology Press, Fuzhou. 1-354.

Yang J-K and Wang X-L. 1997. The Yangtze River Three Gorges Insects. Chongqing Press, Chongqing. 609-620. [杨集昆, 王心丽, 1997. 长江三峡库区昆虫. 重庆: 重庆出版社. 609-620.]

Yang J-K and Wang X-L. 2002. Neuroptera. 269-301. In: Huang F-S. Forest Insects of Hainan. Science Press, Beijing. 1-1096. [杨集昆, 王心丽, 2002. 脉翅目. 269-301. 见: 黄复生编, 海南森林昆虫. 北京: 科学出版社. 1-1096.]

Yang J-K, Liu Z-Q and Yang X-K. 1995. Neuroptera. 276-285. In: Wu H. East China Baishanzu Insects. China Forestry Publishing House, Beijing. 1-586. [杨集昆, 刘志琦, 杨星科, 1995. 脉翅目. 276-285. 见: 吴鸿编, 华东百山祖昆虫. 北京: 中国林业出版社. 1-586.]

Yao X-Y, Chang R, Liu J-H, Li Y, Bao H-S and Si G-Y. 1995. Catalog of natural enemy insect on Sugar Crops from Shaanxi (Continued). *Sugar Crops of China*, 3: 62. [姚徙义, 常儒, 刘吉海, 李元, 鲍恒生, 司贵雨, 1995. 陕西省甜菜害虫天敌昆虫名录 (续). 中国糖料, 3: 62.]

You L-S. 1996. Introduction of Entomological monographs <Predatory natural enemy insects>. *Journal of Hunan Agricultural University*, 22(5): 500-505. [游兰韶, 1996. 昆虫学专著《捕食性天敌昆虫》内容简介. 湖南农业大学学报, 22(5): 500-505.]

Yuan F. 1995. Insect Taxonomy. China Agriculture Press, Beijing. 276-277. [袁锋, 1995. 昆虫分类学. 北京: 中国农业出版社. 276-277.]

Yuan F, Hua B-Z, Yang C-J, Zhang Y-L, Lei Y-X and Zhao S-F. 1997. An investigation of tabacco insect fauna in Shaanxi Province and its classification system. *Journal of Northwest Sci-Tech University of Agriculture and Forestry*, 25(2): 27-36. [袁锋, 花保祯, 杨从军, 张雅林, 雷耀先, 赵淑芳, 1997. 陕西省烟田昆虫区系调查与分类体系. 西北农业大学学报, 25(2): 27-36.]

Zahradka F. 1904. Acanthaclysis. *Societas Entomologica*, 19: 89.

Zakharenko A V and Krivokhatsky V A. 1993. Neuroptera from the European part of the former USSR. *Kharkov Entomological Society Gazette*, 1(2): 34-83.

Zaki M. 1917. Note on a species of *Ascalaphus*. *Bulletin de la Societe Entomologique d'Egypte*, 5: 21-22.

Zhan Q-B, Ábrahám, L and Wang X-L. 2011. A new record species of *Myrmeleon* Linaeus from China (Neuroptera, Myrmeleontidae). *Acta Zootaxonomica Sinica*, 36(4): 994-996.

Zhan Q-B and Wang X-L. 2012. First record of the genus *Bankisus* Navás, 1912 in China, with description of a new species (Neuroptera: Myrmeleontidae). *Zookeys*, 204: 41-46.

Zhan Q-B, Wang Z-L, Ábrahám L and Wang X-L. 2012b. A new species of *Dendroleon* Brauer, 1866 (Neuroptera, Myrmeleontidae) from China. *Zootaxa*, 3547: 64-70.

Zhan Q-B, Wang Z-L and Wang X-L. 2012a. A New record genus and two new record species of Myrmeleontinae from China (Neuropetra, Myrmeleontidae). *Acta Zootaxonomica Sinica*, 37(1): 239-242.

Zhang H-C, Gu D-X, Zhang X-D and Zhou H-H. 2000. Population dynamics of the antlion *Myrmeleon sagax* (Walker). *Entomological Knowledge*, 37(3): 155-158. [张恒超, 古德祥, 张宣达, 周汉辉, 2000. 穴蚁蛉的自然种群动态. 昆虫知识, 37(3): 155-158.]

Zhang S-M and Zhao Y-X. 1996. The Geographical Distribution of Agricultural and Forest Insects in China. China Agriculture Press, Beijing. 194. [章士美, 赵泳祥, 1996. 中国农林昆虫地理分布. 北京: 中国

农业出版社. 194.]

Zhao X-F. 1981. List of insects in Fujian Province. Science and Technology Press, Fujian. 104. [赵修复, 1981. 福建省昆虫名录. 福州: 福建科学技术出版社. 104.]

Zhou H-H and Yang J-K. 2000. The Enigmatic Myrmeleontidae. China Agricultural Science and Technology Press, Beijing. 1-153. [周汉辉, 杨集昆, 2000. 谜一般的蚁蛉. 北京: 中国农业科技出版社. 1-153].

Zhou H-H and Zhang X-D. 1997. The influence of feeding amount on the development duration of *Myrmeleon sagax* (Walker) larvae. *Entomological Knowledge*, 34: 288-291. [周汉辉, 张宣达, 1997. 穴蚁蛉幼虫期的食物量对各虫态历期的影响研究. 昆虫知识, 34: 288-291.]

Zhou X-S (Mount Huangshan). 1997. Ascalaphidae in Mountain of Huangshan. *Anhui Forestry*, 1: 21. [周学尚 (黄山), 1997. 黄山蝶角蛉. 安徽林业, 1: 21.]

Zhou Y. 2001. Insect Atlas by Chou-Yao. Henan Science and Technology Publishing House, Zhengzhou. 301-303. [周尧, 2001. 周尧昆虫图集. 郑州: 河南科学技术出版社. 301-303.]

英文摘要

English Summary

The present work deals with the Myrmeleontoidea fauna of China. Myrmeleontoidea includes five families: Myrmeleontidae, Ascalaphidae, Psychopsidae, Nemopteridae and Nymphidae according to Withycombe (1925a). The former four families occur in China and Nymphidae are distributed only in Australia. This book consists of two sections, general section and taxonomic section. The general section include the historic review of classification, taxonomic systems, morphology, faunal analysis and biology of the four families respectively. In the taxonomic section, 4 families, 44 genera and 151 species in Myrmeleontoidea from China are recognized, including Myrmeleontidae: 2 subfamilies, 6 tribes, 31 genera, 116 species; Ascalaphidae: 2 subfamilies, 11 genera, 29 species; Psychopsidae: 1 genus, 5 species; Nemopteridae 1 genus, 1 species. Most of them are described or re-described. Some species which were recorded from China by previous researchers have not been found in China yet and have not been examined some species from Taiwan. For these species we give the information about them, but didn't provide description. The keys to the families and subfamilies, keys to the Chinese tribes, genera and species of the four families of Myrmeleontoidea are presented.

Most materials examined are deposited in the Insect Collections of China Agricultural University. Each specimen examined was given a database number corresponding to ICCAU collection code entry.

Key to family

1 Apex of antennae inflated, hammer-like or clavate ··· 2
- Apex of antennae not inflated ··· 3

2 Antennae clavate, no more than 1/3 of body length ··· **Myrmeleontidae**
- Antennae hammer-like, usually more than 1/2 of body length ··· **Ascalaphidae**

3 Hindwing very long and thin, ribbon-like ··· **Nemopteridae**
- Hindwing not ribbon-like ··· 4

4 Wings broad like wing of butterfly, forewing with triplica (Sc, R_1 and Rs equispaced and parallel to wing stigma) ··· **Psychopsidae**
- Wings not broad like wing of butterfly, forewing without triplica, only in Australia ··· **Nymphidae**

Myrmeleontidae Latreille, 1802

Myrmeleontidae is one of the largest in Neuroptera. There are about 1522 species known from the world. Among them 116 species recognized in 31 genera, 6 tribes and 2 families are known to occur in China.

Key to subfamilies

1 Forewing CuP united with 1A ······························ **Myrmeleontinae**

Forewing CuP not united with 1A ······························ 2

2 1A with five branches in hindwing, only in Australia ······························ **Stilbepteryginae**

1A with less than four branches in hindwing ······························ **Palpirinae**

Myrmeleontinae Latreille, 1802

Myrmeleontinae is the largest subfamily with about 87% of the described species from the world. Six tribes of this subfamily are known to occur in China.

Key to tribes

Recompose based on the keys by Stange (1994, 2004)

1 Forewing vein CuP originates well distad of basal crossvein, or obsolete, forewing vein 2A runs in fairly even curve to hind margin ······························ 2

Forewing vein CuP originates or very near basal crossvein; forewing vein 2A variable ······························ 6

2 Labial palpus longer than width of head, sensory hair extend to apex ······························ **Maulini**

Labial palpus shorter than width of head, sensory hair not reaching apex ······························ 3

3 Inter antennae longer than diameter of scape; female terminalia 9-interior gonapophysis relatively big, digging setae longer than width of 9-interior gonapophysis ······························ ***Myrmecaelurini**

Inter antennae shorter than diameter of scape; female terminalia 9-interior gonapophysis middle and small size, no digging setae, or shorter than width of 9-interior gonapophysis ······························ 4

4 Profemur with row of clavate setae; or mesofemoral sense hair longer than femur ······ **Brachynemurini**

Profemur without row of clavate setae; or mesofemoral sensory hair much shorter than femur except *Gnopholeon* ······························ 5

5 Tibial spurs absent, or mesofemoral sense hair as long as or longer than femur ············ **Gropholeontini**

Tibial spurs present, or mesofemoral sense hair no more than 1/2 as long as femur ············ **Lemolemini**

6 Forewing vein 2A runs in fairly even curve toward 3A ······························ 7

Forewing vein 2A runs close to 1A for short distance, then bends at sharp angle toward 3A ·············· 9

7 Origin of vein Rs before fork of CuA, often 1-2 presectoral crossveins in hindwing ····· ***Dendroleontini**

Origin of vein Rs after fork of CuA in hindwing ······························ 8

8 Tibial spurs strongly curved ································ ***Acanthaclisini**

Tibial spurs not strongly curved ································ ***Myrmecaelurini**

9 Hindwing 1-3 presectoral crossveins, male without pilula axillaris ································ ***Nemoleontini**

Hindwing no less than 4 presectoral crossveins, male with or without pilula axillaris ································ 10

10 Hindleg 1st tarsus longer than 5th tarsus; foreleg coax with long white setae; female terminalia 9-interior gonapophysis with many long and curved digging setae ································ ***Nesoleontini**

Hindleg 1st tarsus shorter than 5th tarsus; foreleg coax without long white setae; female terminalia 9-interior gonapophysis without many long and curved digging setae ································ ***Myrmeleontini**

* Occur in China.

Dendroleontini Banks, 1899

Thirty-three species in six genera of this tribe are known in China.

Key to genera

1 Tibial spurs absent ································ ***Bankisus***

Tibial spurs present ································ 2

2 Claws strongly bent, close to setal patch on the distal tarsomere ································ ***Bullanga***

Claws not strongly bent, not close distal tarsomere ································ 3

3 Male without pilula axillaris, female without 8-interior gonapophysis ································ ***Layahima***

Male with pilula axillaris, female with 8-interior gonapophysis ································ 4

4 Interantennal distance less than diameter of antennal scape, male sometimes one abdominal segment swollen, sometimes with hair pencils or abdominal gland, wings elongate ································ ***Epacanthaclisis***

Interantennal distance more than diameter of antennal scape, male abdomen without swollen segments, hair pencils and abdominal gland, wings broad ································ 5

5 Female 8-interior gonapophysis shorter than 8-external gonapophysis ································ ***Dendroleon***

Female 8-interior gonapophysis as long as or longer than 8-external gonapophysis ································ ***Gatzara***

Bankisus Navás, 1912

Only one species: *Bankisus sparsus* Zhan & Wang, 2012

Bullanga Navás, 1917

Three species was recorded in China, but only *Bullaga florida* (Navás, 1913) are verified.

Dendroleon Brauer, 1866

Key to species

1 Anastomosis place of CuA and CuP+1A without arch-shape stripe ······ 2
Anastomosis place of CuA and CuP+1A with an arch-shape stripe ······ 3
2 Pronotum yellowish, without spot, distal and outer margin with several big spots in hindwing ······ ***D. lii***
Pronotum yellowish, with a pair of brown marks, hindwing almost without spot ······ ***D. longicruris***
3 Male abdomen longer than hindwing, outer margin of hindwing concave ······ ***D. falcatus***
Male abdomen shorter than hindwing, outer margin of hindwing not concave ······ 4
4 Hindwing without spot at hypostigmatic cell ······ ***D. esbenpeterseni***
Hindwing with a big spot at hypostigmatic cell ······ 5
5 The bow-like stripe at anastomosis place of CuA and CuP+1A uninterrupted extending to the wing margin ······ ***D. pupillaris***
The bow-like stripe at anastomosis place of CuA and CuP+1A interrupted extending to the wing margin ······ 6
6 Hindwing at basal half part with spots ······ ***D. callipterum***
Hindwing at basal half part without spot ······ 7
7 A large cloud-shape macula at rhegma area in hindwing, the anterior part of pronotum before suture narrow, onion shape ······ ***D. motuoensis***
A small spot at rhegma area in hindwing, the anterior part of pronotum before suture not onion shape ··· 8
8 The marks in wings dark brown, the marks at apical and outer margin in hindwing distinct ······ ***D. pantherinus***
The marks in wings pale brown, the marks at apical and outer margin in hindwing usually indistinct ······ ***D. similis***

Epacanthaclisis Okamoto, 1910

Key to species

1 Wings with obvious dense brown spots and short stripes, pronotum at anterior 1/3 part with 2 big black marks or whole black, at posterior 2/3 part with 2 lateral stripes ······ 2
Wings without obvious markings except the area of rhegma and the anastomosis place of CuA2 and CuP+1A, veins color alternative between pale and dark, pronotum with 4 black stripes ······ 3
2 The spots of forewings on the base part more than that on the terminal part, pronotum dark brown, spots on anterior part dim ······ ***E. maculosus***
The spots of forewings distributing equality, pronotum yellow with two large dark spots on anterior part ······ ***E. maculatus***
3 The marks on the area of rhegma and the anastomosis place of CuA and CuP+1A punctate or dim ······ 4
The marks on the area of rhegma and the anastomosis place of CuA and CuP+1A line shape ······ 5

4 Spurs extending to apex of the 2nd tarsomere in fore- and midleg, and spurs as long as basitarsus in hindleg; pronotum with two pairs of longitudinal black stripes, the lateral stripes almost equal wide to the middle stripes and straight, interrupted two parts by yellow ································ ***E. amydrovittata***

Spurs extending to apex of the 3rd tarsomere in fore- and midleg, and spurs as long as two (1st and 2nd) segments of tarsi in hindleg; pronotum with two pairs of longitudinal black stripes, the lateral stripes obviously narrower than the middle stripes and curving ································ ***E. minanus***

5 Male with a pair of abdominal hair-pencils ································ 6

Male without a pair of abdominal hair-pencils ································ 8

6 Stripes on the area of rhegma and the anastomosis place of CuA and CuP+1A equal to or longer than hypostigmal cell; the lateral longitudinal dark brown stripes on pronotum straight and thin ······ ***E. banksi***

Stripes on the area of rhegma and the anastomosis place of CuA and CuP+1A shorter than hypostigmal cell; the lateral longitudinal dark brown stripes on pronotum curly ································ 7

7 Vertex and occiput dark brown without any spot; a pair of middle longitudinal dark brown stripes on pronotum almost completely united, the lateral stripes wider; female 8- interior gonapophysis as long as 1/3 8-external gonapophysis ································ ***E. ningshanus***

Vertex and occiput dark brown with yellow spots; a pair of middle longitudinal dark brown stripes on pronotum united on posterior part and separated on anterior part, the lateral stripes thin; female 8-interior gonapophysis shorter than 1/4 of 8-external gonapophysis ································ ***E. continentalis***

8 Pronotum yellow with two pair of black stripes ································ ***E. moiwanus***

Pronotum brown with a big yellow spot on each posterior angle ································ ***E. batangana***

Gatzara Navás, 1915

Key to species

1 Forewing rhegma area with a linear stripe, hindwing without cloud-shape macula ································ 2

Forewing rhegma area with a dot, hindwing with cloud-shape macula ································ 3

2 Apex of hindwing with a black stripe, forewing rhegma area with a meniscus-shape macula, wings outer margin somewhat concave ································ ***G. nigrivena***

Apex of hindwing without black stripe, forewing rhegma area with an oblique line, wings outer margin not concave ································ ***G. angulineura***

3 Vertex with a pair of transverse and a pair of vertical stripes, two spots near compound eyes ············· 4

Vertex with complicated macula like as leopard skin ································ 5

4 Forewings with a integral eye-like spot, anal region without distinct brown macula, the spot on the area of rhegma of hindwings as large as or somewhat larger than that of forewings ················ ***G. qiongana***

Forewings without an eye-like spot or eye-like spots uncompleted, anal region with distinct brown macula, the spot on the area of rhegma of hindwings more than twice as large as that of forewings ································ ***G. decorilla***

5 Forewings with a half eye-like spots, anal region with distinct brown macula, vertex macula like as

leopard skin ·· *G. decorosa*

Forewings with a integral eye-like spot, anal region without distinct brown macula, vertex with five pale brown and five dark brown transverse stripes ·· *G. petrophila*

Layahima Navás, 1912

Key to species

1 Forewing costal area with single row of cells ·· 2

Forewing costal area with two rows of cells for a long distance before stigma ·· 3

2 Hindleg spurs straight, exceeding 4th tarsomere ·· *L. wuzhishanus*

Hindleg spurs curved, reaching to 2nd tarsomere ·· *L. elegans*

3 Hindleg spurs reaching to 3rd tarsomere, forewing costal area with two rows of cells at 2/5 area from stigma to wing base ·· *L. yangii*

Hindleg spurs reaching to 2nd tarsomere, forewing costal area with two rows of cells at more than 1/2 area from stigma to wing base ·· 4

4 Forewing costal area with two rows of cells at 2/3 area from stigma to wing base; pronotum yellowish, with black stripes ·· *L. chiangi*

Forewing costal area with two rows of cells at slightly more than 1/2 area from stigma to wing base; pronotum black, each anterior angle pale black ·· *L. validum*

Acanthaclisini Navás, 1912

There are six species in five genera of this tribe known to occur in China.

Key to genera

1 Spurs gently curved ·· 2

Spurs bent at nearly right angle, often with flange ·· 3

2 Hind wing with two large dark spots, hind femur with elongate sensory hair ·· *Stiphroneura*

Hind wing without large dark spots, hind femur without elongate sensory hair ·· *Heoclisis*

3 Forewing costal area with mostly one row of cells, only near to stigma biareolate ·· *Centroclisis*

Forewing costal area with mostly two row of cells ·· 4

4 Hind femur without elongate sensory hair, claw without flange, male ectoproct short, two times shorter than width ·· *Synclisis*

Hind femur with elongate sensory hair, claw with flange, male ectoproct long, three times longer than width ·· *Acanthaclisis*

Acanthaclisis Rambur, 1842

Only one species: *Acanthaclisis pallida* Mclachlan, 1887

Centroclisis Navás, 1909

Only one species: *Centroclisis negligens* (Navás, 1911)

Heoclisis Navás, 1923

Only one species: *Heoclisis sinensis* Navás, 1923

Synclisis Navás, 1919

Key to species

Pronotum with obvious macula, anterior Banksian line of forewing and hindwing distinct, like as a longitudinal vein ································ ***S. japonica***

Pronotum with dim macula, anterior Banksian line of forewing and hindwing indistinct ·········· ***S. kawaii***

Stiphroneura Gerstaecker, 1885

Only one species: *Stiphroneura inclusa* (Walker, 1853)

Myrmeleontini Latreille, 1802

There are 34 species in 3 genera of this tribe known to occur in China.

Key to genera

1 Forewing vein CuP+1A and CuA2 run parallel for a long distance, connected at near the middle of wing ································ ***Euroleon***

Forewing vein CuP+1A and CuA2 not parallel, fused at 1/4 of wing base ································ 2

2 Forewing costal area with single row of cells ································ ***Myrmeleon***

Forewing costal area with two row of cells before stigma ································ ***Hagenomyia***

Euroleon Esben-Petersen, 1918

Key to species

1 Wings without spot, pronotum yellow with 2 L-shaped black stripes; area between antennae black, clypeus yellow with 2 black spots; abdomen black ··· ***E. sjostedti***

Wings with spot ··· 2

2 Thorax and abdomen yellow or yellowish-brown, pronotum yellow, with 2 brown short longitudinal stripes in anterior part, 2 brown horizontal stripes in posterior part; vertex black, area between antennae yellowish-brown; frons with 2 black spots, clypeus yellow with 2 black spots ··· ***E. flavicorpus***

Body black, or at least abdomen black ··· 3

3 Body large, forewing 32-42 mm, wings with many black spots; tarsus black; pronotum black, with yellow longitudinal stripe in the middle; pilula axillaris two times more than metathorax spiracle, clypeus mainly black, yellowish near labrum ··· ***E. polyspilus***

Body small, forewing no more than 35 mm, wings with a few small spots; tarsus brown, or at least 1st tarsomere light brown, pilula axillaris equal to metathorax spiracle ··· 4

4 Frons light color with 2 dark spots; clypeus mostly yellow with a dark cross band; pronotum yellow with brown spots and stripes, forewing 22-28 mm ··· ***E. parvus***

Frons back, clypeus mainly black, anterior and lateral edges of it yellow; pronotum dark brown, lateral margin yellow usually expanding inward, some individuals with a yellow longitudinal line in the middle, and sometimes a pair of yellow spots appear in the black brown area; forewing 29-35 mm ··· ***E. coreanus***

Hagenomyia Banks, 1911

Key to species

1 Wing stigma white, large and distinct ··· ***H. brunneipennis***

Wing stigma indistinct ··· 2

2 Head yellowish with distinct black spot ··· ***H. coalitus***

Head black to black brown or reddish brown, without distinct black spot ··· 3

3 Fore leg spurs reaching at least to middle of 3rd tarsomere ··· 4

Fore leg spurs reaching to terminal of 2nd tarsomere ··· 5

4 Forewing crossveins 33 from origin of Rs to hypostigmatic cell, two row of cells before hypostigmatic cell; male without pilula axillaris ··· ***H. conjuncta***

Forewing crossveins 25 from origin of Rs to hypostigmatic cell, single row of cells before hypostigmatic cell; male with pilula axillaris ··· ***H. guangxiensis***

5 Forewing with single row of cells between vein CuA1 and posterior Banksian line in basal half part, male without pilula axillaris ··· ***H. angustala***

Forewing with two or more row of cells between vein CuA1 and posterior Banksian line in basal half part ··· 6

6 ♀: 8-interior gonapophysis finger-like, about 2/3 long as 8-external gonapophysis; pronotum brownish without light middle line···················· ***H. fuscithoraca***

♀: 8-interior gonapophysis round, about half long as 8-external gonapophysis; pronotum brownish with light middle line···················· ***H. micans***

Note: *H. sagax* and *H. sumatrensis* are not in the key, because we have not examined the specimens of them.

Myrmeleon **Linnaeus, 1767**

Key to species

1 Wing yellowish-brown; hindwing slightly longer than forewing, concave in the outer margin ···················· ***M. ferrugineipennis***

Wing hyaline, hindwing as long as or slightly shorter than forewing, not concave in the outer margin ···2

2 Vertex and occipital area black without spot···················· 3

Vertex and occipital area black with light spot ···················· 5

3 Crossveins more than 25 from origin of Rs to hypostigmatic cell, posterior Banksian-line of forewing well noticeable, 7-8 cells in two rows ···················· ***M. trivialis***

Crossveins less than 20 from origin of Rs to hypostigmatic cell, posterior Banksian-line of forewing not present or only faintly noticeable, less than 7 cells ···················· 4

4 2-4 cells in two rows between CuP+1A and posterior margin in anal area of forewing, posterior Banksian-line of forewing faintly noticeable ···················· ***M. bore***

5-6 cells in two rows between CuP+1A and posterior margin in anal area of forewing, posterior Banksian-line of forewing absent ···················· ***M. formicarius***

5 Pronotum with 2 black triangle spots in anterior part, vertex and occipital area with many black spots ···················· ***M. trigonois***

Pronotum without black triangle spot···················· 6

6 Forewing crossveins 12 from origin of Rs to hypostigmatic cell, head light reddish brown, frons with brown middle line, pronotum light brown with middle and lateral yellow line···················· ***M. immanis***

Forewing crossveins 14 or more from origin of Rs to hypostigmatic cell, head black or dark brown, frons without brown middle line, pronotum black or dark brown ···················· 7

7 Occipital area with 2 big yellow spots···················· ***M. bimaculatus***

Occipital area with 1 yellow annular spot···················· 8

8 Forewing crossveins 22 from origin of Rs to hypostigmatic cell, origin of Rs opposite fork of CuA, 7-8 cells in two rows between CuP+1A and posterior margin in anal area···················· ***M. circulis***

Forewing crossveins 14 from origin of Rs to hypostigmatic cell, origin of Rs behind fork of CuA, 1-4 cells in two rows between CuP+1A and posterior margin in anal area···················· ***M. fuscus***

Note: *M. krempfi*, *M. nekkacus*, *M. alticola*, *M. heppneri*, *M. littorralis*, *M. persimilis*, *M. punctinervis*, *M. taiwanensis*, *M. wangi* are not in the key, because we have not examined the specimens of them.

Nemoleontini Banks, 1911

There are 30 species in 11 genera of this tribe known to occur in China.

Key to genera

1 Forewing origin of Rs before fork of CuA ························ 2
Forewing origin of Rs behind fork of CuA ························ 3
2 Forewing in middle part of posterior margin concave, spurs reaching to 4th tarsomere ·········· ***Cymatala***
Forewing posterior margin not concave, spurs reaching to end of 2nd tarsomere ···················· ***Yunleon***
3 Forewing CuA2 and CuP+1A run parallel to middle part, not fused ························ 4
Forewing CuA2 and CuP+1A not parallel, gradually close to the confluence ························ 5
4 Claw with teeth at 1/3 of apical part, spurs reaching to end of 1st tarsomere ············ ***Pseudoformicaleo***
Claw smooth without teeth, spurs reaching to end of 3rd tarsomere ························ ***Creoleon***
5 Wings hook-like in apical part, with densely brown stripes ························ ***Indoleon***
Wings not hook-like in apical part, hyaline with sparse stripes ························ 6
6 Forewing≤6 presectoral crossveins ························ ***Mesonemurus***
Forewing≥7 presectoral crossveins ························ 7
7 Hindwing with 2 presectoral crossveins ························ ***Deutoleon***
Hindwing with 1 presectoral crossvein ························ 8
8 Spurs short and straight, reaching to or exceeding end of 1st tarsomere ························ ***Paraglenurus***
Spurs curved in the end or straight, reaching to or exceeding end of 2nd tarsomere ························ 9
9 Spurs straight, reaching to or exceeding end of 2nd tarsomere ························ ***Indophanes***
Spurs strong curved, reaching to or exceeding end of 4th tarsomere ························ 10
10 Hindwing without rhegma; male ectoproct elongate finger-like ························ ***Distonemurus***
Hindwing with rhegma, male ectoproct short not finger-like ························ ***Distoleon***

Creoleon Tillyard, 1918

Key to species

1 Vein completely yellow ························ ***C. cinnamomea***
Vein black alternate with yellow ························ 2
2 Venation only faintly marked with black and yellow; pronotum yellow with 2 brown bands, each band with a yellow interrupted area on anterior part; vertex yellow with 2 black cross stripes; 8-external gonapophysis shorter finger-like, longer than width ························ ***C. plumbeus***
Venation strongly marked with black and yellow; pronotum yellow with 2 brown bands, each band with 2 yellow spots; vertex mostly black with 1 yellow cross stripe near pronotum; 8-external gonapophysis round, length equal to width ························ ***C. aegyptiacus***

Cymatala Yang, 1986

Only one species: *Cymatala pallora* Yang, 1986

Deutoleon Navás, 1927

Key to species

Forewing veins yellow, without black spot at anastomosis of CuA2 and CuP +1A, the black medial stripe with indistinct lateral branch on pronotum ································ ***D. lineatus***

Forewing veins black and yellow alternating, with one conspicuous spot at anastomosis of CuA2 and CuP+1A, the black medial stripe with lateral branch on pronotum ································ ***D. turanicus***

Distoleon Banks, 1910

Key to species

1 Pronotum mainly yellowish, hindwing with a brown stripe from rhegma to apical margin, its color gradually lighter ································ ***D. bistrigatus***

Pronotum mainly brown or black, hindwing without stripe reaching to apical margin ································ 2

2 Anastomosis place of CuA and CuP+1A in forewing and rhegma in hindwing both with nearly big circular spot ································ ***D. nigricans***

Anastomosis place of CuA and CuP+1A in forewing and rhegma in hindwing with small or linear spot ································ 3

3 Both forewing and hindwing with many hyaline spots ································ ***D. subtentus***

Both forewing and hindwing without hyaline spot or only one ································ 4

4 Pronotum anterior lateral angle yellow ································ ***D. yunnanus***

Pronotum anterior lateral angle black ································ 5

5 Spot at anastomosis place of CuA and CuP+1A brow like ································ ***D. symphineurus***

Spot at anastomosis place of CuA and CuP+1A short linear ································ 6

6 Pronotum with yellow stripe on both sides, bending inward in anterior part ································ ***D. tesselatus***

Pronotum with yellow stripe on both sides, bending outward in anterior part ································ ***D. tibetanus***

Note: *D. cornutus*, *D. formosanus* and *D. littolalis* are not in the key, because we have not examined the specimens of them.

Distonemurus Krivokhatsky, 1992

Only one species: *Distonemurus desertus* Krivokhatsky, 1992

Indoleon Banks, 1913

Only one subspecies: *Indoleon tacitus sinecus* Yang, 2002

Indophanes Banks, 1940

Only one species, *Indophanes sinensis* Banks, 1940 is recognized in China, and other species, *Indophanes audax* (Walker, 1853) was recorded in China by Navás (1927b), but we have not found any specimen of this species in China.

Mesonemurus Navás, 1920

Key to species

Forewing with many dark spots, outer side of CuA2 with 2 big cells, anterior Banksian line indistinct………………………………………………… ***M. mongolicus***

Forewing almost without spot, outer side of CuA2 with 3 big cells, anterior Banksian line distinct………………………………………………… ***M. guentheri***

Paraglenurus Weele, 1909

Key to species

Forewing with one big white spot in apical part; spot at anastomosis of CuA2 and CuP +1A wide, length 2 times of width; hindwing rhegma far bigger than spot at anastomosis place of CuA2 and CuP+1A in forewing………………………………………………… ***P. japonicus***

Forewing with one small white spot in apical part; spot at anastomosis of CuA2 and CuP +1A linear, length more than 3 times of width; spot at rhegma in hindwing smaller than spot at anastomosis place of CuA2 and CuP+1A in forewing ………………………………………………… ***P. pumilus***

Note: *P. littoralis* and *P. lotzi* are not in the key, because we have not examined the specimens of them.

Pseudoformicaleo Weele, 1909

Only one species: *Pseudoformicaleo nubecula* (Gerstaecker, 1885)

Yunleon Yang, 1986

Key to species

Male hindwing without spot, female hindwing with a brown oblique stripe near outer margin; male abdomen longer than hindwing, female abdomen shorter than hindwing ······················ ***Y. longicorpus***

Male unknown, female hindwing with 4 yellow brown spots in apical part; female abdomen shorter than hindwing ·· ***Y. fluctosus***

Myrmecaelurini Esben-Petersen, 1918

There are 9 species in 4 genera of this tribe known to occur in China.

Key to genera

1 Forewing spot at anastomosis place of CuA and CuP+1A oblique line, male abdomen without hair-pencil, female 7th abdominal sternite with finger-like protuberance on posterior margin both sides ··· ***Mongoleon***

Forewing without spot at anastomosis place of CuA and CuP+1A, male abdomen with two pair hair-pencils, female 7th abdominal sternite with straight posterior margin ······································ 2

2 Male ectoproct long tail-like, ectoproct protuberance≥abdomen width lateral view ·········· ***Aspoeckina***

Male ectoproct short tail-like, ectoproct protuberance<abdomen width lateral view ························ 3

3 Forewing Rs not extend to below hypostigmatic cell, male gonarcus terminal bent and sharp··· ***Nohoveus***

Forewing Rs extend to 1/3 below hypostigmatic cell, male gonarcus terminal straight and thick ·· ***Myrmecaelurus***

Aspoeckina Hölzel, 1972

Only one species: *Aspoeckina uralensis* Hölzel, 1969

Mongoleon Hölzel, 1970

Key to species

1 Forewing before origin of Rs with several two row of cells, anterior and posterior Banksian lines distinct like as a brown line ··· ***M. pilosus***

Forewing before origin of Rs without two row of cells, anterior Banksian line indistinct, posterior Banksian line absent··· 2

2 Above eye smooth without long eyelash, forewing with 5 or less cross vines from origin of Rs to hypostigmatic cell ·· ***M. kaszabi***

Above eye with 4-5 long eyelashes, forewing with 6-8 cross vines from origin of Rs to hypostigmatic cell ···***M. modestus***

Myrmecaelurus Costa, 1855

Only one species, *Myrmecaelurus major* McLachlan, 1875 is recognized in China.

Myrmecaelurus saevus (Walker, 1853) was recorded from China by Stange (2004), but we have not found any specimen of this species in China.

Nohoveus Navás, 1918

Key to species

1 Wing veins mainly yellowish, pronotum yellow with a middel black stripe, lateral stripes indistinct ······ ······ *N. simplicis*

Wing veins mostly black alternate with yellow, pronotum yellow with a middel black stripe and a pair of distinct lateral black stripes ······ 2

2 Vertex mainly yellow with a black middle line and a pair of black dots ······ *N. zigan*

Vertex mainly black with a black middle line, without a pair of black dots or black dot connected with black area, frons black ······ *N. atrifrons*

Nesoleontini Markl, 1954

There are 3 species in 1 genus of this tribe known to occur in China.

Cueta Navás, 1911

Key to species

1 Forewing and hindwing with 11-15 presectoral crossveins ······ *C. sauteri*

Forewing and hindwing with 7-8 presectoral crossveins ······ 2

2 Forewing with many fragmentary brown maculae along veins, hindleg femur without black long setae··· ······ *C. plexiformia*

Forewing a few macula, except rhegma distinct, hindleg femur with a row of black long setae shorter than femur ······ *C. lineosa*

Palparinae Banks, 1911

This subfamily has 20 genera and distribute mainly in Africa, a few species occur in Asia, Europe and South America. Till now only one species, *Palpares sinicus* Yang, 1986 is known from China.

Ascalaphidae Lefèbvre, 1842

This family has 3 subfamilies in the world. Two subfamilies of them and 11 genera 29 species are known to occur in China.

Key to subfamilies

1 Eye divided by a transverse furrow into upper and lower portions ··························· ***Ascalaphinae**

Eye entire, without transverse furrow ··· 2

2 Antennae≥1/2 length of forewing ··· ***Haplogleniinae**

Antennae shorter than 1/3 length of forewing ·· **Albardiinae**

* occur in China

Haplogleniinae Newman, 1853

There are 9 species in 2 genera known to occur in China.

Key to genera

Forewing and hindwing with 2 row of cells in apical area, forewing axillary usually projecting ···· ***Idricerus***

Forewing and hindwing with 3 row of cells in apical area, forewing axillary usually not projecting ··· ***Protidricerus***

Idricerus McLachlan, 1871

key to species

1 Forewing axillary not projecting, 2-3 cells along before converging point of CuA2 and CuP in hindwing ··· ***I. xianganus***

Forewing axillary projecting, one cell along before converging point of CuA2 and CuP in hindwing ····· 2

2 Wings densely covered yellowish brown speckles along viens, stigma dark brown ············ ***I. decrepitus***

Wing hyaline no mark, stigma pale yellow ·· ***I. sogdianus***

Note: *I. weelei* is not in the key, because we have not examined the specimen of it.

Protidricerus Weele, 1908

Key to species

1 Wing wide, outer margin and posterior margin of hindwing bow like, CuA2 along 2 cells, forewing axillary not projecting ·· ***P. elwesii***

Wing narrow, outer margin and posterior margin of hindwing flat curve or almost straight, CuA2 along 1 cell, forewing axillary somewhat projecting ·· 2

2 Hindwing outer margin and posterior margin flat curve, CuA2 distinct, Cu area with 3-4 row of cells ···· ··· ***P. exilis***

Hindwing outer margin and posterior margin almost straight, CuA2 indistinct, Cu area with 2-3 row of cells ··· 3

3 Cu area with 2 row of cells, occasional 1 or 2 middle row of cells disconnect each other···· ***P. steropterus***

Cu area with 3 row of cells, middle row of cells more and connect each other················· ***P. japonicus***

Note: *P. philippinensis* is not in the key, because we have not examined the specimen of it.

Ascalaphinae Lefèbvre, 1842

There are 20 species in 9 genera known to occur in China.

Key to genera

1 Wings with yellow and dark brown color, wing shape near triangle, abdomen short and thick ·· ***Libelloides***

Wings without yellow color, wing shape varied·· 2

2 Forewing axillary awl like, base part of hindwing narrow as stem ·································· ***Nousera***

Forewing axillary not awl like, base part of hindwing not very narrow ·································3

3 Wings near foot shape, hindwing with one row of long oblique veins between 1A and posterior margin, these oblique veins longer than cross veins between CuP and 1A······························ ***Protacheron***

Wings not as mention of the 3rd item···4

4 Wings, at least forewing, apical area 4 row of cells, antennae scape of male cylindrical, higher than eye, thorax lateral with one yellow oblique stripe ···5

Wings apical area≤3 row of cells, antennae scape of male not cylindrical, lower than eye················6

5 Male and female abdomen shorter than hindwing; male ectoprocts long and clamp like, base segments of antennae no saw tooth·· ***Ascalohybris***

Male abdomen longer than hindwing, female abdomen shorter than hindwing; male ectoprocts short, base segment of antennae with saw tooth ··· ***Acheron***

6 Male ectoprocts long with one lateral branch in the middle, thorax covered dense long hairs ···· ***Bubopsis***

Male ectoprocts short, thorax hairs short and few ··7

7 Body mainly yellow, lateral and legs near completely yellow, frons, clypeus and gena yellow············· ·· ***Ascalaphus***

Body mainly black or dark brown··8

8 Forewing apical area 3 row of cells, if 2 row of cells, male abdomen notable longer than hindwing ·· ***Maezous***

Forewing apical area 2 row of cells, male abdomen equal to or somewhat longer than hindwing, if 3 row of cells and wing wide nearly like triangle shape, dark anterior margin absent··············· ***Suphalomitus***

Acheron Lefèbvre, 1842

Only one species: *Acheron trux* (Walker, 1853)

Ascalaphus Fabricius, 1775

Key to species

Mesoscutum without processus at anterior margin, notum yellow, proscutum with a pair of black cross stripes, metascutum with a pair of black big marks, mesoscutum with 2 pair of black stripes ····· ***A. dicax***

Mesoscutum with a processus at anterior margin, notum yellow with 1 pair of wide stripes through all notum ·· ***A. placidus***

Ascalohybris Sziráki, 1998

Key to species

Frons and gena same color, male ectoprocts length > 4 times width ································ ***A. subjacens***

Frons and gena different color, gena with a pale edge round eye, male ectoprocts length ≈ 3 times width ·· ***A. oberthuri***

Bubopsis McLachlan, 1898

Only one species: *Bubopsis tancrei* Weele, 1908

Libelloides Schaeffer, 1763

Key to species

Forewing with brown big mark, hindwing dark brown at distal part, with a yellow big spot················· ·· ***L. macaronius***

Forewing without brown big mark, hindwing pale brown at distal part, without a yellow big spot ········· ·· ***L. sibiricus***

Maezous Ábrahám, 2008

Key to species

1 Hindwing near triangle, outer margin and posterior margin bow like, costal area dark color ··············· 2

Hindwing near rectangle, outer margin and posterior margin almost straight, costal area pale ············· 4

2 Cu area 4-5 row of cells in forewing, 3-4 rows in hindwing, costal area dark color extending half apical area ·· ***M. jianfanglinganus***

Cu area 5-6 row of cells in forewing, 4-5 rows in hindwing, apical area hyaline or mainly brown········· 3

3 Wings tawny, apical area hyaline, thorax notum no distinct mark, thorax lateral brown at anterior 1/3 part, pale brown color at posterior 2/3 part·· ***M. fumialus***

Wings hyaline, apical area dark brown, thorax notum yellow with distinct dark mark, thorax lateral black at lower half part, pale at upper half part ··· ***M. fuscimarginatus***

4 Body length 25 mm, male abdomen shorter than forewing ··· ***M. formosanus***

Body length＞30 mm, male abdomen obviously longer than forewing ··· ***M. umbrosus***

Nousera Navás, 1923

Only one species: *Nousera gibba* Navás, 1923

Protacheron Weele, 1908

Key to species

Forewing with yellowish brown spot at base, hindwing with two similar spots at posterior margin (Himalaya) ··· ***P. westermanni***

Forewing no spot at base, hindwing hyaline or pale brown, no dark mark in male, with a yellowish brown stripe along outer margin in female ··· ***P. philippinensis**

* Occur in China

Suphalomitus Weele, 1908

Key to species

1 Forewing apical area 3 row of cells, thorax notum with yellow middle stripe ··· ***S. formosanus***

Forewing apical area 2 row of cells, thorax notum without yellow middle stripe ··· 2

2 Hindwing Cu area 3 row of cells ··· ***S. lutemaculatus***

Hindwing Cu area 2 row of cells ··· 3

3 Clypeus and labrum brown, first abdomen segment obviously lower than the second segment, hindwing Cu area distal single row including 3-4 cells, thorax pleura brown, meso- and metapleura yellow at upper part ··· ***S. xcavates***

Clypeus brown, labrum black, first abdomen segment somewhat lower than the second segment, hindwing Cu area distal single row including 4-5 cells, thorax pleura brown ··· ***S. nigrilabiatus***

Note: *S. rufimaculatus* is not in the key, because we have not examined the specimen of it.

Psychopsidae Navás, 1916

There are 5 species in 1 genus of this family known to occur in China.

Balmes Navás, 1910

Key to species

1 Forewing costal and terminal gradate series present, a large irregular fuscous macula in the middle, and one small spot near the middle gradate series in outer side ········ ***B. formosus***

Forewing costal and terminal gradate series absent ········ 2

2 Wings white, forewing with many distinct brown spots at wing margin, vena triplica and M scope, middle and internal gradate series with big brown spots ········ ***B. chikuni***

Wings pale brown, no spot at middle and internal gradate series in forewing ········ 3

3 Forewing with distinct brown spots at vena triplica, M scope and hind margin ········ ***B. terissinus***

Forewing marks dim ········ 4

4 Vertex with a pair of apophysis, ectoprocts without a tongue-shaped sclerite at distal margin posterior view ········ ***B. birmanus***

Vertex without a pair of apophysis, ectoprocts with a tongue-shaped sclerite at distal margin posterior view ········ ***B. notabilis***

Nemopteridae Burmeister, 1839

Nemopteridae has 2 subfamilies, 40 genera about 150 species in the world (Aspöck *et al.*, 2001b), mainly distributed in the Mediterranean Sea, West Africa, Australia and South America, only one species was reported in China.

Only one species: *Nemopistha sinica* Yang, 1986

中 名 索 引

（按汉语拼音排序）

H

J

K

L

M

N

学名索引

A

B

《中国动物志》已出版书目

《中国动物志》

兽纲　第六卷　啮齿目 (下)　仓鼠科　罗泽珣等　2000，514 页，140 图，4 图版。

兽纲　第八卷　食肉目　高耀亭等　1987，377 页，66 图，10 图版。

兽纲　第九卷　鲸目　食肉目 海豹总科　海牛目　周开亚　2004，326 页，117 图，8 图版。

鸟纲　第一卷　第一部　中国鸟纲绪论　第二部　潜鸟目　鹳形目　郑作新等　1997，199 页，39 图，4 图版。

鸟纲　第二卷　雁形目　郑作新等　1979，143 页，65 图，10 图版。

鸟纲　第四卷　鸡形目　郑作新等　1978，203 页，53 图，10 图版。

鸟纲　第五卷　鹤形目　鸻形目　鸥形目　王岐山、马鸣、高育仁　2006，644 页，263 图，4 图版。

鸟纲　第六卷　鸽形目　鹦形目　鹃形目　鸮形目　郑作新、冼耀华、关贯勋　1991，240 页，64 图，5 图版。

鸟纲　第七卷　夜鹰目　雨燕目　咬鹃目　佛法僧目　鴷形目　谭耀匡、关贯勋　2003，241 页，36 图，4 图版。

鸟纲　第八卷　雀形目　阔嘴鸟科　和平鸟科　郑宝赉等　1985，333 页，103 图，8 图版。

鸟纲　第九卷　雀形目　太平鸟科　岩鹨科　陈服官等　1998，284 页，143 图，4 图版。

鸟纲　第十卷　雀形目　鹟科(一)　鸫亚科　郑作新、龙泽虞、卢汰春　1995，239 页，67 图，4 图版。

鸟纲　第十一卷　雀形目　鹟科(二)　画眉亚科　郑作新、龙泽虞、郑宝赉　1987，307 页，110 图，8 图版。

鸟纲　第十二卷　雀形目　鹟科(三)　莺亚科　鹟亚科　郑作新、卢汰春、杨岚、雷富民等　2010，439 页，121 图，4 图版。

鸟纲　第十三卷　雀形目　山雀科　绣眼鸟科　李桂垣、郑宝赉、刘光佐　1982，170 页，68 图，4 图版。

鸟纲　第十四卷　雀形目　文鸟科 雀科　傅桐生、宋榆钧、高玮等　1998，322 页，115 图，8 图版。

爬行纲　第一卷　总论　龟鳖目　鳄形目　张孟闻等　1998，208 页，44 图，4 图版。

爬行纲　第二卷　有鳞目　蜥蜴亚目　赵尔宓、赵肯堂、周开亚等　1999，394 页，54 图，8 图版。

爬行纲　第三卷　有鳞目　蛇亚目　赵尔宓等　1998，522 页，100 图，12 图版。

两栖纲　上卷　总论　蚓螈目　有尾目　费梁、胡淑琴、叶昌媛、黄永昭等　2006，471 页，120 图，16 图版。

两栖纲　中卷　无尾目　费梁、胡淑琴、叶昌媛、黄永昭等　2009，957 页，549 图，16 图版。

两栖纲 下卷 无尾目 蛙科 费梁、胡淑琴、叶昌媛、黄永昭等 2009，888 页，337 图，16 图版。
硬骨鱼纲 鲽形目 李思忠、王惠民 1995，433 页，170 图。
硬骨鱼纲 鲇形目 褚新洛、郑葆珊、戴定远等 1999，230 页，124 图。
硬骨鱼纲 鲤形目(中) 陈宜瑜等 1998，531 页，257 图。
硬骨鱼纲 鲤形目(下) 乐佩绮等 2000，661 页，340 图。
硬骨鱼纲 鲟形目 海鲢目 鲱形目 鼠鱚目 张世义 2001，209 页，88 图。
硬骨鱼纲 灯笼鱼目 鲸口鱼目 骨舌鱼目 陈素芝 2002，349 页，135 图。
硬骨鱼纲 鲀形目 海蛾鱼目 喉盘鱼目 鮟鱇目 苏锦祥、李春生 2002，495 页，194 图。
硬骨鱼纲 鲉形目 金鑫波 2006，739 页，287 图。
硬骨鱼纲 鲈形目(四) 刘静等 2016，312 页，142 图，15 图版。
硬骨鱼纲 鲈形目(五) 虾虎鱼亚目 伍汉霖、钟俊生等 2008，951 页，575 图，32 图版。
硬骨鱼纲 鳗鲡目 背棘鱼目 张春光等 2010，453 页，225 图，3 图版。
硬骨鱼纲 银汉鱼目 鳉形目 颌针鱼目 蛇鳚目 鳕形目 李思忠、张春光等 2011，946 页，345 图。
圆口纲 软骨鱼纲 朱元鼎、孟庆闻等 2001，552 页，247 图。
昆虫纲 第一卷 蚤目 柳支英等 1986，1334 页，1948 图。
昆虫纲 第二卷 鞘翅目 铁甲科 陈世骧等 1986，653 页，327 图，15 图版。
昆虫纲 第三卷 鳞翅目 圆钩蛾科 钩蛾科 朱弘复、王林瑶 1991，269 页，204 图，10 图版。
昆虫纲 第四卷 直翅目 蝗总科 癞蝗科 瘤锥蝗科 锥头蝗科 夏凯龄等 1994，340 页，168 图。
昆虫纲 第五卷 鳞翅目 蚕蛾科 大蚕蛾科 网蛾科 朱弘复、王林瑶 1996，302 页，234 图，18 图版。
昆虫纲 第六卷 双翅目 丽蝇科 范滋德等 1997，707 页，229 图。
昆虫纲 第七卷 鳞翅目 祝蛾科 武春生 1997，306 页，74 图，38 图版。
昆虫纲 第八卷 双翅目 蚊科(上) 陆宝麟等 1997，593 页，285 图。
昆虫纲 第九卷 双翅目 蚊科(下) 陆宝麟等 1997，126 页，57 图。
昆虫纲 第十卷 直翅目 蝗总科 斑翅蝗科 网翅蝗科 郑哲民、夏凯龄 1998，610 页，323 图。
昆虫纲 第十一卷 鳞翅目 天蛾科 朱弘复、王林瑶 1997，410 页，325 图，8 图版。
昆虫纲 第十二卷 直翅目 蚱总科 梁络球、郑哲民 1998，278 页，166 图。
昆虫纲 第十三卷 半翅目 姬蝽科 任树芝 1998，251 页，508 图，12 图版。
昆虫纲 第十四卷 同翅目 纩蚜科 瘿棉蚜科 张广学、乔格侠、钟铁森、张万玉 1999，380 页，121 图，17+8 图版。
昆虫纲 第十五卷 鳞翅目 尺蛾科 花尺蛾亚科 薛大勇、朱弘复 1999，1090 页，1197 图，25 图版。
昆虫纲 第十六卷 鳞翅目 夜蛾科 陈一心 1999，1596 页，701 图，68 图版。
昆虫纲 第十七卷 等翅目 黄复生等 2000，961 页，564 图。
昆虫纲 第十八卷 膜翅目 茧蜂科(一) 何俊华、陈学新、马云 2000，757 页，1783 图。
昆虫纲 第十九卷 鳞翅目 灯蛾科 方承莱 2000，589 页，338 图，20 图版。

昆虫纲 第二十卷 膜翅目 准蜂科 蜜蜂科 吴燕如 2000，442 页，218 图，9 图版。

昆虫纲 第二十一卷 鞘翅目 天牛科 花天牛亚科 蒋书楠、陈力 2001，296 页，17 图，18 图版。

昆虫纲 第二十二卷 同翅目 蚧总科 粉蚧科 绒蚧科 蜡蚧科 链蚧科 盘蚧科 壶蚧科 仁蚧科 王子清 2001，611 页，188 图。

昆虫纲 第二十三卷 双翅目 寄蝇科(一) 赵建铭、梁恩义、史永善、周士秀 2001，305 页，183 图，11 图版。

昆虫纲 第二十四卷 半翅目 毛唇花蝽科 细角花蝽科 花蝽科 卜文俊、郑乐怡 2001，267 页，362 图。

昆虫纲 第二十五卷 鳞翅目 凤蝶科 凤蝶亚科 锯凤蝶亚科 绢蝶亚科 武春生 2001，367 页，163 图，8 图版。

昆虫纲 第二十六卷 双翅目 蝇科(二) 棘蝇亚科(一) 马忠余、薛万琦、冯炎 2002，421 页，614 图。

昆虫纲 第二十七卷 鳞翅目 卷蛾科 刘友樵、李广武 2002，601 页，16 图，136+2 图版。

昆虫纲 第二十八卷 同翅目 角蝉总科 犁胸蝉科 角蝉科 袁锋、周尧 2002，590 页，295 图，4 图版。

昆虫纲 第二十九卷 膜翅目 螯蜂科 何俊华、许再福 2002，464 页，397 图。

昆虫纲 第三十卷 鳞翅目 毒蛾科 赵仲苓 2003，484 页，270 图，10 图版。

昆虫纲 第三十一卷 鳞翅目 舟蛾科 武春生、方承莱 2003，952 页，530 图，8 图版。

昆虫纲 第三十二卷 直翅目 蝗总科 槌角蝗科 剑角蝗科 印象初、夏凯龄 2003，280 页，144 图。

昆虫纲 第三十三卷 半翅目 盲蝽科 盲蝽亚科 郑乐怡、吕楠、刘国卿、许兵红 2004，797 页，228 图，8 图版。

昆虫纲 第三十四卷 双翅目 舞虻总科 舞虻科 螳舞虻亚科 驼舞虻亚科 杨定、杨集昆 2004，334 页，474 图，1 图版。

昆虫纲 第三十五卷 革翅目 陈一心、马文珍 2004，420 页，199 图，8 图版。

昆虫纲 第三十六卷 鳞翅目 波纹蛾科 赵仲苓 2004，291 页，153 图，5 图版。

昆虫纲 第三十七卷 膜翅目 茧蜂科(二) 陈学新、何俊华、马云 2004，581 页，1183 图，103 图版。

昆虫纲 第三十八卷 鳞翅目 蝙蝠蛾科 蛱蛾科 朱弘复、王林瑶、韩红香 2004，291 页，179 图，8 图版。

昆虫纲 第三十九卷 脉翅目 草蛉科 杨星科、杨集昆、李文柱 2005，398 页，240 图，4 图版。

昆虫纲 第四十卷 鞘翅目 肖叶甲科 肖叶甲亚科 谭娟杰、王书永、周红章 2005，415 页，95 图，8 图版。

昆虫纲 第四十一卷 同翅目 斑蚜科 乔格侠、张广学、钟铁森 2005，476 页，226 图，8 图版。

昆虫纲 第四十二卷 膜翅目 金小蜂科 黄大卫、肖晖 2005，388 页，432 图，5 图版。

昆虫纲 第四十三卷 直翅目 蝗总科 斑腿蝗科 李鸿昌、夏凯龄 2006，736 页，325 图。

昆虫纲 第四十四卷 膜翅目 切叶蜂科 吴燕如 2006，474 页，180 图，4 图版。

昆虫纲 第四十五卷 同翅目 飞虱科 丁锦华 2006，776 页，351 图，20 图版。

昆虫纲 第四十六卷 膜翅目 茧蜂科 窄径茧蜂亚科 陈家骅、杨建全 2006，301 页，81 图，32 图版。

昆虫纲 第四十七卷 鳞翅目 枯叶蛾科 刘有樵、武春生 2006，385 页，248 图，8 图版。

昆虫纲 蚤目(第二版，上下卷) 吴厚永等 2007，2174 页，2475 图。

昆虫纲 第四十九卷 双翅目 蝇科(一) 范滋德、邓耀华 2008，1186 页，276 图，4 图版。

昆虫纲 第五十卷 双翅目 食蚜蝇科 黄春梅、成新月 2012，852 页，418 图，8 图版。

昆虫纲 第五十一卷 广翅目 杨定、刘星月 2010，457 页，176 图，14 图版。

昆虫纲 第五十二卷 鳞翅目 粉蝶科 武春生 2010，416 页，174 图，16 图版。

昆虫纲 第五十三卷 双翅目 长足虻科(上下卷) 杨定、张莉莉、王孟卿、朱雅君 2011，1912 页，1017 图，7 图版。

昆虫纲 第五十四卷 鳞翅目 尺蛾科 尺蛾亚科 韩红香、薛大勇 2011，787 页，929 图，20 图版。

昆虫纲 第五十五卷 鳞翅目 弄蝶科 袁锋、袁向群、薛国喜 2015，754 页，280 图，15 图版。

昆虫纲 第五十六卷 膜翅目 细蜂总科(一) 何俊华、许再福 2015，1078 页，485 图。

昆虫纲 第五十七卷 直翅目 螽斯科 露螽亚科 康乐、刘春香、刘宪伟 2013，574 页，291 图，31 图版。

昆虫纲 第五十八卷 襀翅目 叉襀总科 杨定、李卫海、祝芳 2014，518 页，294 图，12 图版。

昆虫纲 第五十九卷 双翅目 虻科 许荣满、孙毅 2013，870 页，495 图，17 图版。

昆虫纲 第六十卷 半翅目 扁蚜科 平翅绵蚜科 乔格侠、姜立云、陈静、张广学、钟铁森 2017，414 页，137 图，8 图版。

昆虫纲 第六十一卷 鞘翅目 叶甲科 叶甲亚科 杨星科、葛斯琴、王书永、李文柱、崔俊芝 2014，641 页，378 图，8 图版。

昆虫纲 第六十二卷 半翅目 盲蝽科(二) 合垫盲蝽亚科 刘国卿、郑乐怡 2014，297 页，134 图，13 图版。

昆虫纲 第六十三卷 鞘翅目 拟步甲科(一) 任国栋等 2016，534 页，248 图，49 图版。

昆虫纲 第六十五卷 双翅目 鹬虻科、伪鹬虻科 杨定、董慧、张魁艳 2016，476 页，222 图，7 图版。

昆虫纲 第六十七卷 半翅目 叶蝉科 (二) 大叶蝉亚科 杨茂发、孟泽洪、李子忠 2017，637 页，312 图，27 图版。

昆虫纲 第六十八卷 脉翅目 蚁蛉总科 王心丽、詹庆斌、王爱芹 2018，285 页，2 图，38 图版。

无脊椎动物 第一卷 甲壳纲 淡水枝角类 蒋燮治、堵南山 1979，297 页，192 图。

无脊椎动物 第二卷 甲壳纲 淡水桡足类 沈嘉瑞等 1979，450 页，255 图。

无脊椎动物 第三卷 吸虫纲 复殖目(一) 陈心陶等 1985，697 页，469 图，10 图版。

无脊椎动物 第四卷 头足纲 董正之 1988，201 页，124 图，4 图版。

无脊椎动物 第五卷 蛭纲 杨潼 1996，259 页，141 图。

无脊椎动物 第六卷 海参纲 廖玉麟 1997，334 页，170 图，2 图版。

无脊椎动物 第七卷 腹足纲 中腹足目 宝贝总科 马绣同 1997，283 页，96 图，12 图版。

无脊椎动物 第八卷 蛛形纲 蜘蛛目 蟹蛛科 逍遥蛛科 宋大祥、朱明生 1997，259 页，154 图。

无脊椎动物 第九卷 多毛纲(一) 叶须虫目 吴宝铃、吴启泉、丘建文、陆华 1997，323 页，180 图。

无脊椎动物 第十卷 蛛形纲 蜘蛛目 圆蛛科 尹长民等 1997，460 页，292 图。

无脊椎动物 第十一卷 腹足纲 后鳃亚纲 头楯目 林光宇 1997，246 页，35 图，24 图版。

无脊椎动物 第十二卷 双壳纲 贻贝目 王祯瑞 1997，268 页，126 图，4 图版。

无脊椎动物 第十三卷 蛛形纲 蜘蛛目 球蛛科 朱明生 1998，436 页，233 图，1 图版。

无脊椎动物 第十四卷 肉足虫纲 等辐骨虫目 泡沫虫目 谭智源 1998，315 页，273 图，25 图版。

无脊椎动物 第十五卷 粘孢子纲 陈启鎏、马成伦 1998，805 页，30 图，180 图版。

无脊椎动物 第十六卷 珊瑚虫纲 海葵目 角海葵目 群体海葵目 裴祖南 1998，286 页，149 图，20 图版。

无脊椎动物 第十七卷 甲壳动物亚门 十足目 束腹蟹科 溪蟹科 戴爱云 1999，501 页，238 图，31 图版。

无脊椎动物 第十八卷 原尾纲 尹文英 1999，510 页，275 图，8 图版。

无脊椎动物 第十九卷 腹足纲 柄眼目 烟管螺科 陈德牛、张国庆 1999，210 页，128 图，5 图版。

无脊椎动物 第二十卷 双壳纲 原鳃亚纲 异韧带亚纲 徐凤山 1999，244 页，156 图。

无脊椎动物 第二十一卷 甲壳动物亚门 糠虾目 刘瑞玉、王绍武 2000，326 页，110 图。

无脊椎动物 第二十二卷 单殖吸虫纲 吴宝华、郎所、王伟俊等 2000，756 页，598 图，2 图版。

无脊椎动物 第二十三卷 珊瑚虫纲 石珊瑚目 造礁石珊瑚 邹仁林 2001，289 页，9 图，55 图版。

无脊椎动物 第二十四卷 双壳纲 帘蛤科 庄启谦 2001，278 页，145 图。

无脊椎动物 第二十五卷 线虫纲 杆形目 圆线亚目(一) 吴淑卿等 2001，489 页，201 图。

无脊椎动物 第二十六卷 有孔虫纲 胶结有孔虫 郑守仪、傅钊先 2001，788 页，130 图，122 图版。

无脊椎动物 第二十七卷 水螅虫纲 钵水母纲 高尚武、洪惠馨、张士美 2002，275 页，136 图。

无脊椎动物 第二十八卷 甲壳动物亚门 端足目 蛾亚目 陈清潮、石长泰 2002，249 页，178 图。

无脊椎动物 第二十九卷 腹足纲 原始腹足目 马蹄螺总科 董正之 2002，210 页，176 图，2 图版。

无脊椎动物 第三十卷 甲壳动物亚门 短尾次目 海洋低等蟹类 陈惠莲、孙海宝 2002，597 页，237 图，4 彩色图版，12 黑白图版。

无脊椎动物 第三十一卷 双壳纲 珍珠贝亚目 王祯瑞 2002，374 页，152 图，7 图版。

无脊椎动物 第三十二卷 多孔虫纲 罩笼虫目 稀孔虫纲 稀孔虫目 谭智源、宿星慧 2003，295 页，193 图，25 图版。

无脊椎动物 第三十三卷 多毛纲(二) 沙蚕目 孙瑞平、杨德渐 2004，520 页，267 图，1 图版。

无脊椎动物 第三十四卷 腹足纲 鹑螺总科 张素萍、马绣同 2004，243 页，123 图，5 图版。

无脊椎动物 第三十五卷 蛛形纲 蜘蛛目 肖蛸科 朱明生、宋大祥、张俊霞 2003，402 页，174 图，5 彩色图版，11 黑白图版。

无脊椎动物 第三十六卷 甲壳动物亚门 十足目 匙指虾科 梁象秋 2004，375 页，156 图。

无脊椎动物　第三十七卷　软体动物门　腹足纲　巴锅牛科　陈德牛、张国庆　2004，482 页，409 图，8 图版。

无脊椎动物　第三十八卷　毛颚动物门　箭虫纲　萧贻昌　2004，201 页，89 图。

无脊椎动物　第三十九卷　蛛形纲　蜘蛛目　平腹蛛科　宋大祥、朱明生、张锋　2004，362 页，175 图。

无脊椎动物　第四十卷　棘皮动物门　蛇尾纲　廖玉麟　2004，505 页，244 图，6 图版。

无脊椎动物　第四十一卷　甲壳动物亚门　端足目　钩虾亚目(一)　任先秋　2006，588 页，194 图。

无脊椎动物　第四十二卷　甲壳动物亚门　蔓足下纲　围胸总目　刘瑞玉、任先秋　2007，632 页，239 图。

无脊椎动物　第四十三卷　甲壳动物亚门　端足目　钩虾亚目(二)　任先秋　2012，651 页，197 图。

无脊椎动物　第四十四卷　甲壳动物亚门　十足目　长臂虾总科　李新正、刘瑞玉、梁象秋等　2007，381 页，157 图。

无脊椎动物　第四十五卷　纤毛门　寡毛纲　缘毛目　沈韫芬、顾曼如　2016，502 页，164 图，2 图版。

无脊椎动物　第四十六卷　星虫动物门 螠虫动物门　周红、李凤鲁、王玮　2007，206 页，95 图。

无脊椎动物　第四十七卷　蛛形纲　蜱螨亚纲　植绥螨科　吴伟南、欧剑峰、黄静玲　2009，511 页，287 图，9 图版。

无脊椎动物　第四十八卷　软体动物门　双壳纲　满月蛤总科　心蛤总科　厚壳蛤总科　鸟蛤总科　徐凤山　2012，239 页，133 图。

无脊椎动物　第四十九卷　甲壳动物亚门　十足目　梭子蟹科　杨思谅、陈惠莲、戴爱云　2012，417 页，138 图，14 图版。

无脊椎动物　第五十卷　缓步动物门　杨潼　2015，279 页，131 图，5 图版。

无脊椎动物　第五十一卷　线虫纲　杆形目　圆线亚目(二)　张路平、孔繁瑶　2014，316 页，97 图，19 图版。

无脊椎动物　第五十四卷　环节动物门　多毛纲(三)　缨鳃虫目　孙瑞平、杨德渐　2014，493 页，239 图，2 图版。

无脊椎动物　第五十五卷　软体动物门　腹足纲　芋螺科　李凤兰、林民玉　2016，288 页，168 图，4 图版。

无脊椎动物　第五十六卷　软体动物门　腹足纲　凤螺总科、玉螺总科　张素萍　2016，318 页，138 图，10 图版。

无脊椎动物　第五十七卷　软体动物门　双壳纲 樱蛤科　双带蛤科 徐凤山、张均龙　2017，236 页，50 图，15 图版。

无脊椎动物　第五十九卷　蛛形纲　蜘蛛目 漏斗蛛科　暗蛛科 朱明生、王新平、张志升　2017，727 页，384 图，5 图版。

《中国经济动物志》

兽类 寿振黄等 1962，554 页，153 图，72 图版。

鸟类 郑作新等 1963，694 页，10 图，64 图版。

鸟类(第二版) 郑作新等 1993，619 页，64 图版。

海产鱼类 成庆泰等 1962，174 页，25 图，32 图版。

淡水鱼类 伍献文等 1963，159 页，122 图，30 图版。

淡水鱼类寄生甲壳动物 匡溥人、钱金会 1991，203 页，110 图。

环节(多毛纲) 棘皮 原索动物 吴宝铃等 1963，141 页，65 图，16 图版。

海产软体动物 张玺、齐钟彦 1962，246 页，148 图。

淡水软体动物 刘月英等 1979，134 页，110 图。

陆生软体动物 陈德牛、高家祥 1987，186 页，224 图。

寄生蠕虫 吴淑卿、尹文真、沈守训 1960，368 页，158 图。

《中国经济昆虫志》

第一册 鞘翅目 天牛科 陈世骧等 1959，120 页，21 图，40 图版。

第二册 半翅目 蝽科 杨惟义 1962，138 页，11 图，10 图版。

第三册 鳞翅目 夜蛾科(一) 朱弘复、陈一心 1963，172 页，22 图，10 图版。

第四册 鞘翅目 拟步行虫科 赵养昌 1963，63 页，27 图，7 图版。

第五册 鞘翅目 瓢虫科 刘崇乐 1963，101 页，27 图，11 图版。

第六册 鳞翅目 夜蛾科(二) 朱弘复等 1964，183 页，11 图版。

第七册 鳞翅目 夜蛾科(三) 朱弘复、方承莱、王林瑶 1963，120 页，28 图，31 图版。

第八册 等翅目 白蚁 蔡邦华、陈宁生，1964，141 页，79 图，8 图版。

第九册 膜翅目 蜜蜂总科 吴燕如 1965，83 页，40 图，7 图版。

第十册 同翅目 叶蝉科 葛钟麟 1966，170 页，150 图。

第十一册 鳞翅目 卷蛾科(一) 刘友樵、白九维 1977，93 页，23 图，24 图版。

第十二册 鳞翅目 毒蛾科 赵仲苓 1978，121 页，45 图，18 图版。

第十三册 双翅目 蠓科 李铁生 1978，124 页，104 图。

第十四册 鞘翅目 瓢虫科(二) 庞雄飞、毛金龙 1979，170 页，164 图，16 图版。

第十五册 蜱螨目 蜱总科 邓国藩 1978，174 页，707 图。

第十六册 鳞翅目 舟蛾科 蔡荣权 1979，166 页，126 图，19 图版。

第十七册 蜱螨目 革螨股 潘 综文、邓国藩 1980，155 页，168 图。

第十八册 鞘翅目 叶甲总科(一) 谭娟杰、虞佩玉 1980，213 页，194 图，18 图版。

第十九册 鞘翅目 天牛科 蒲富基 1980，146 页，42 图，12 图版。

第二十册 鞘翅目 象虫科 赵养昌、陈元清 1980，184 页，73 图，14 图版。

第二十一册 鳞翅目 螟蛾科 王平远 1980，229 页，40 图，32 图版。

第二十二册 鳞翅目 天蛾科 朱弘复、王林瑶 1980，84 页，17 图，34 图版。

第二十三册　螨　目　叶螨总科　王慧芙　1981，150页，121图，4图版。
第二十四册　同翅目　粉蚧科　王子清　1982，119页，75图。
第二十五册　同翅目　蚜虫类(一)　张广学、钟铁森　1983，387页，207图，32图版。
第二十六册　双翅目　虻科　王遵明　1983，128页，243图，8图版。
第二十七册　同翅目　飞虱科　葛钟麟等　1984，166页，132图，13图版。
第二十八册　鞘翅目　金龟总科幼虫　张芝利　1984，107页，17图，21图版。
第二十九册　鞘翅目　小蠹科　殷惠芬、黄复生、李兆麟　1984，205页，132图，19图版。
第三十册　膜翅目　胡蜂总科　李铁生　1985，159页，21图，12图版。
第三十一册　半翅目(一)　章士美等　1985，242页，196图，59图版。
第三十二册　鳞翅目　夜蛾科(四)　陈一心　1985，167页，61图，15图版。
第三十三册　鳞翅目　灯蛾科　方承莱　1985，100页，69图，10图版。
第三十四册　膜翅目　小蜂总科(一)　廖定熹等　1987，241页，113图，24图版。
第三十五册　鞘翅目　天牛科(三)　蒋书楠、蒲富基、华立中　1985，189页，2图，13图版。
第三十六册　同翅目　蜡蝉总科　周尧等　1985，152页，125图，2图版。
第三十七册　双翅目　花蝇科　范滋德等　1988，396页，1215图，10图版。
第三十八册　双翅目　蠓科(二)　李铁生　1988，127页，107图。
第三十九册　蜱螨亚纲　硬蜱科　邓国藩、姜在阶　1991，359页，354图。
第四十册　蜱螨亚纲　皮刺螨总科　邓国藩等　1993，391页，318图。
第四十一册　膜翅目　金小蜂科　黄大卫　1993，196页，252图。
第四十二册　鳞翅目　毒蛾科(二)　赵仲苓　1994，165页，103图，10图版。
第四十三册　同翅目　蚧总科　王子清　1994，302页，107图。
第四十四册　蜱螨亚纲　瘿螨总科(一)　匡海源　1995，198页，163图，7图版。
第四十五册　双翅目　虻科(二)　王遵明　1994，196页，182图，8图版。
第四十六册　鞘翅目　金花龟科　斑金龟科　弯腿金龟科　马文珍　1995，210页，171图，5图版。
第四十七册　膜翅目　蚁科(一)　唐觉等　1995，134页，135图。
第四十八册　蜉蝣目　尤大寿等　1995，152页，154图。
第四十九册　毛翅目(一)　小石蛾科　角石蛾科　纹石蛾科　长角石蛾科　田立新等　1996，195页 271图，2图版。
第五十册　半翅目(二)　章士美等　1995，169页，46图，24图版。
第五十一册　膜翅目　姬蜂科　何俊华、陈学新、马云　1996，697页，434图。
第五十二册　膜翅目　泥蜂科　吴燕如、周勤　1996，197页，167图，14图版。
第五十三册　蜱螨亚纲　植绥螨科　吴伟南等　1997，223页，169图，3图版。
第五十四册　鞘翅目　叶甲总科(二)　虞佩玉等　1996，324页，203图，12图版。
第五十五册　缨翅目　韩运发　1997，513页，220图，4图版。

Serial Faunal Monographs Already Published

FAUNA SINICA

Mammalia vol. 6 Rodentia III: Cricetidae. Luo Zexun *et al.*, 2000. 514 pp., 140 figs., 4 pls.

Mammalia vol. 8 Carnivora. Gao Yaoting *et al.*, 1987. 377 pp., 44 figs., 10 pls.

Mammalia vol. 9 Cetacea, Carnivora: Phocoidea, Sirenia. Zhou Kaiya, 2004. 326 pp., 117 figs., 8 pls.

Aves vol. 1 part 1. Introductory Account of the Class Aves in China; part 2. Account of Orders listed in this Volume. Zheng Zuoxin (Cheng Tsohsin) *et al.*, 1997. 199 pp., 39 figs., 4 pls.

Aves vol. 2 Anseriformes. Zheng Zuoxin (Cheng Tsohsin) *et al.*, 1979. 143 pp., 65 figs., 10 pls.

Aves vol. 4 Galliformes. Zheng Zuoxin (Cheng Tsohsin) *et al.*, 1978. 203 pp., 53 figs., 10 pls.

Aves vol. 5 Gruiformes, Charadriiformes, Lariformes. Wang Qishan, Ma Ming and Gao Yuren, 2006. 644 pp., 263 figs., 4 pls.

Aves vol. 6 Columbiformes, Psittaciformes, Cuculiformes, Strigiformes. Zheng Zuoxin (Cheng Tsohsin), Xian Yaohua and Guan Guanxun, 1991. 240 pp., 64 figs., 5 pls.

Aves vol. 7 Caprimulgiformes, Apodiformes, Trogoniformes, Coraciiformes, Piciformes. Tan Yaokuang and Guan Guanxun, 2003. 241 pp., 36 figs., 4 pls.

Aves vol. 8 Passeriformes: Eurylaimidae-Irenidae. Zheng Baolai *et al.*, 1985. 333 pp., 103 figs., 8 pls.

Aves vol. 9 Passeriformes: Bombycillidae, Prunellidae. Chen Fuguan *et al.*, 1998. 284 pp., 143 figs., 4 pls.

Aves vol. 10 Passeriformes: Muscicapidae I: Turdinae. Zheng Zuoxin (Cheng Tsohsin), Long Zeyu and Lu Taichun, 1995. 239 pp., 67 figs., 4 pls.

Aves vol. 11 Passeriformes: Muscicapidae II: Timaliinae. Zheng Zuoxin (Cheng Tsohsin), Long Zeyu and Zheng Baolai, 1987. 307 pp., 110 figs., 8 pls.

Aves vol. 12 Passeriformes: Muscicapidae III Sylviinae Muscicapinae. Zheng Zuoxin, Lu Taichun, Yang Lan and Lei Fumin *et al.*, 2010. 439 pp., 121 figs., 4 pls.

Aves vol. 13 Passeriformes: Paridae, Zosteropidae. Li Guiyuan, Zheng Baolai and Liu Guangzuo, 1982. 170 pp., 68 figs., 4 pls.

Aves vol. 14 Passeriformes: Ploceidae and Fringillidae. Fu Tongsheng, Song Yujun and Gao Wei *et al.*, 1998. 322 pp., 115 figs., 8 pls.

Reptilia vol. 1 General Accounts of Reptilia. Testudoformes and Crocodiliformes. Zhang Mengwen *et al.*, 1998. 208 pp., 44 figs., 4 pls.

Reptilia vol. 2 Squamata: Lacertilia. Zhao Ermi, Zhao Kentang and Zhou Kaiya *et al.*, 1999. 394 pp., 54 figs., 8 pls.

Reptilia vol. 3 Squamata: Serpentes. Zhao Ermi *et al.*, 1998. 522 pp., 100 figs., 12 pls.

Amphibia vol. 1 General accounts of Amphibia, Gymnophiona, Urodela. Fei Liang, Hu Shuqin, Ye Changyuan and Huang Yongzhao *et al.*, 2006. 471 pp., 120 figs., 16 pls.

Amphibia vol. 2 Anura. Fei Liang, Hu Shuqin, Ye Changyuan and Huang Yongzhao *et al.*, 2009. 957 pp., 549 figs., 16 pls.

Amphibia vol. 3 Anura: Ranidae. Fei Liang, Hu Shuqin, Ye Changyuan and Huang Yongzhao *et al.*, 2009. 888 pp., 337 figs., 16 pls.

Osteichthyes: Pleuronectiformes. Li Sizhong and Wang Huimin, 1995. 433 pp., 170 figs.

Osteichthyes: Siluriformes. Chu Xinluo, Zheng Baoshan and Dai Dingyuan *et al.*, 1999. 230 pp., 124 figs.

Osteichthyes: Cypriniformes II. Chen Yiyu *et al.*, 1998. 531 pp., 257 figs.

Osteichthyes: Cypriniformes III. Yue Peiqi *et al.*, 2000. 661 pp., 340 figs.

Osteichthyes: Acipenseriformes, Elopiformes, Clupeiformes, Gonorhynchiformes. Zhang Shiyi, 2001. 209 pp., 88 figs.

Osteichthyes: Myctophiformes, Cetomimiformes, Osteoglossiformes. Chen Suzhi, 2002. 349 pp., 135 figs.

Osteichthyes: Tetraodontiformes, Pegasiformes, Gobiesociformes, Lophiiformes. Su Jinxiang and Li Chunsheng, 2002. 495 pp., 194 figs.

Ostichthyes: Scorpaeniformes. Jin Xinbo, 2006. 739 pp., 287 figs.

Ostichthyes: Perciformes IV. Liu Jing *et al.*, 2016. 312 pp., 143 figs., 15 pls.

Ostichthyes: Perciformes V: Gobioidei. Wu Hanlin and Zhong Junsheng *et al.*, 2008. 951 pp., 575 figs., 32 pls.

Ostichthyes: Anguilliformes Notacanthiformes. Zhang Chunguang *et al.*, 2010. 453 pp., 225 figs., 3 pls.

Ostichthyes: Atheriniformes, Cyprinodontiformes, Beloniformes, Ophidiiformes, Gadiformes. Li Sizhong and Zhang Chunguang *et al.*, 2011. 946 pp., 345 figs.

Cyclostomata and Chondrichthyes. Zhu Yuanding and Meng Qingwen *et al.*, 2001. 552 pp., 247 figs.

Insecta vol. 1 Siphonaptera. Liu Zhiying *et al.*, 1986. 1334 pp., 1948 figs.

Insecta vol. 2 Coleoptera: Hispidae. Chen Sicien *et al.*, 1986. 653 pp., 327 figs., 15 pls.

Insecta vol. 3 Lepidoptera: Cyclidiidae, Drepanidae. Chu Hungfu and Wang Linyao, 1991. 269 pp., 204 figs., 10 pls.

Insecta vol. 4 Orthoptera: Acrioidea: Pamphagidae, Chrotogonidae, Pyrgomorphidae. Xia Kailing *et al.*, 1994. 340 pp., 168 figs.

Insecta vol. 5 Lepidoptera: Bombycidae, Saturniidae, Thyrididae. Zhu Hongfu and Wang Linyao, 1996. 302 pp., 234 figs., 18 pls.

Insecta vol. 6 Diptera: Calliphoridae. Fan Zide *et al.*, 1997. 707 pp., 229 figs.

Insecta vol. 7 Lepidoptera: Lecithoceridae. Wu Chunsheng, 1997. 306 pp., 74 figs., 38 pls.

Insecta vol. 8 Diptera: Culicidae I. Lu Baolin *et al.*, 1997. 593 pp., 285 pls.

Insecta vol. 9 Diptera: Culicidae II. Lu Baolin *et al.*, 1997. 126 pp., 57 pls.

Insecta vol. 10 Orthoptera: Oedipodidae, Arcypteridae III. Zheng Zhemin and Xia Kailing, 1998. 610 pp.,

323 figs.

Insecta vol. 11 Lepidoptera: Sphingidae. Zhu Hongfu and Wang Linyao, 1997. 410 pp., 325 figs., 8 pls.

Insecta vol. 12 Orthoptera: Tetrigoidea. Liang Geqiu and Zheng Zhemin, 1998. 278 pp., 166 figs.

Insecta vol. 13 Hemiptera: Nabidae. Ren Shuzhi, 1998. 251 pp., 508 figs., 12 pls.

Insecta vol. 14 Homoptera: Mindaridae, Pemphigidae. Zhang Guangxue, Qiao Gexia, Zhong Tiesen and Zhang Wanfang, 1999. 380 pp., 121 figs., 17+8 pls.

Insecta vol. 15 Lepidoptera: Geometridae: Larentiinae. Xue Dayong and Zhu Hongfu (Chu Hungfu), 1999. 1090 pp., 1197 figs., 25 pls.

Insecta vol. 16 Lepidoptera: Noctuidae. Chen Yixin, 1999. 1596 pp., 701 figs., 68 pls.

Insecta vol. 17 Isoptera. Huang Fusheng *et al.*, 2000. 961 pp., 564 figs.

Insecta vol. 18 Hymenoptera: Braconidae I. He Junhua, Chen Xuexin and Ma Yun, 2000. 757 pp., 1783 figs.

Insecta vol. 19 Lepidoptera: Arctiidae. Fang Chenglai, 2000. 589 pp., 338 figs., 20 pls.

Insecta vol. 20 Hymenoptera: Melittidae and Apidae. Wu Yanru, 2000. 442 pp., 218 figs., 9 pls.

Insecta vol. 21 Coleoptera: Cerambycidae: Lepturinae. Jiang Shunan and Chen Li, 2001. 296 pp., 17 figs., 18 pls.

Insecta vol. 22 Homoptera: Coccoidea: Pseudococcidae, Eriococcidae, Asterolecaniidae, Coccidae, Lecanodiaspididae, Cerococcidae, Aclerdidae. Wang Tzeching, 2001. 611 pp., 188 figs.

Insecta vol. 23 Diptera: Tachinidae I. Chao Cheiming, Liang Enyi, Shi Yongshan and Zhou Shixiu, 2001. 305 pp., 183 figs., 11 pls.

Insecta vol. 24 Hemiptera: Lasiochilidae, Lyctocoridae, Anthocoridae. Bu Wenjun and Zheng Leyi (Cheng Loyi), 2001. 267 pp., 362 figs.

Insecta vol. 25 Lepidoptera: Papilionidae: Papilioninae, Zerynthiinae, Parnassiinae. Wu Chunsheng, 2001. 367 pp., 163 figs., 8 pls.

Insecta vol. 26 Diptera: Muscidae II: Phaoniinae I. Ma Zhongyu, Xue Wanqi and Feng Yan, 2002. 421 pp., 614 figs.

Insecta vol. 27 Lepidoptera: Tortricidae. Liu Youqiao and Li Guangwu, 2002. 601 pp., 16 figs., 2+136 pls.

Insecta vol. 28 Homoptera: Membracoidea: Aetalionidae and Membracidae. Yuan Feng and Chou Io, 2002. 590 pp., 295 figs., 4 pls.

Insecta vol. 29 Hymenoptera: Dyrinidae. He Junhua and Xu Zaifu, 2002. 464 pp., 397 figs.

Insecta vol. 30 Lepidoptera: Lymantriidae. Zhao Zhongling (Chao Chungling), 2003. 484 pp., 270 figs., 10 pls.

Insecta vol. 31 Lepidoptera: Notodontidae. Wu Chunsheng and Fang Chenglai, 2003. 952 pp., 530 figs., 8 pls.

Insecta vol. 32 Orthoptera: Acridoidea: Gomphoceridae, Acrididae. Yin Xiangchu, Xia Kailing *et al.*, 2003. 280 pp., 144 figs.

Insecta vol. 33 Hemiptera: Miridae, Mirinae. Zheng Leyi, Lü Nan, Liu Guoqing and Xu Binghong, 2004. 797 pp., 228 figs., 8 pls.

Insecta vol. 34 Diptera: Empididae, Hemerodromiinae and Hybotinae. Yang Ding and Yang Chikun, 2004.

334 pp., 474 figs., 1 pls.

Insecta vol. 35 Dermaptera. Chen Yixin and Ma Wenzhen, 2004. 420 pp., 199 figs., 8 pls.

Insecta vol. 36 Lepidoptera: Thyatiridae. Zhao Zhongling, 2004. 291 pp., 153 figs., 5 pls.

Insecta vol. 37 Hymenoptera: Braconidae II. Chen Xuexin, He Junhua and Ma Yun, 2004. 518 pp., 1183 figs., 103 pls.

Insecta vol. 38 Lepidoptera: Hepialidae, Epiplemidae. Zhu Hongfu, Wang Linyao and Han Hongxiang, 2004. 291 pp., 179 figs., 8 pls.

Insecta vol. 39 Neuroptera: Chrysopidae. Yang Xingke, Yang Jikun and Li Wenzhu, 2005. 398 pp., 240 figs., 4 pls.

Insecta vol. 40 Coleoptera: Eumolpidae: Eumolpinae. Tan Juanjie, Wang Shuyong and Zhou Hongzhang, 2005. 415 pp., 95 figs., 8 pls.

Insecta vol. 41 Diptera: Muscidae I. Fan Zide *et al.*, 2005. 476 pp., 226 figs., 8 pls.

Insecta vol. 42 Hymenoptera: Pteromalidae. Huang Dawei and Xiao Hui, 2005. 388 pp., 432 figs., 5 pls.

Insecta vol. 43 Orthoptera: Acridoidea: Catantopidae. Li Hongchang and Xia Kailing, 2006. 736pp., 325 figs.

Insecta vol. 44 Hymenoptera: Megachilidae. Wu Yanru, 2006. 474 pp., 180 figs., 4 pls.

Insecta vol. 45 Diptera: Homoptera: Delphacidae. Ding Jinhua, 2006. 776 pp., 351 figs., 20 pls.

Insecta vol. 46 Hymenoptera: Braconidae: Agathidinae. Chen Jiahua and Yang Jianquan, 2006. 301 pp., 81 figs., 32 pls.

Insecta vol. 47 Lepidoptera: Lasiocampidae. Liu Youqiao and Wu Chunsheng, 2006. 385 pp., 248 figs., 8 pls.

Insecta Saiphonaptera(2 volumes). Wu Houyong *et al.*, 2007. 2174 pp., 2475 figs.

Insecta vol. 49 Diptera: Muscidae. Fan Zide *et al.*, 2008. 1186 pp., 276 figs., 4 pls.

Insecta vol. 50 Diptera: Syrphidae. Huang Chunmei and Cheng Xinyue, 2012. 852 pp., 418 figs., 8 pls.

Insecta vol. 51 Megaloptera. Yang Ding and Liu Xingyue, 2010. 457 pp., 176 figs., 14 pls.

Insecta vol. 52 Lepidoptera: Pieridae. Wu Chunsheng, 2010. 416 pp., 174 figs., 16 pls.

Insecta vol. 53 Diptera Dolichopodidae(2 volumes). Yang Ding *et al.*, 2011. 1912 pp., 1017 figs., 7 pls.

Insecta vol. 54 Lepidoptera: Geometridae: Geometrinae. Han Hongxiang and Xue Dayong, 2011. 787 pp., 929 figs., 20 pls.

Insecta vol. 55 Lepidoptera: Hesperiidae. Yuan Feng, Yuan Xiangqun and Xue Guoxi, 2015. 754 pp., 280 figs., 15 pls.

Insecta vol. 56 Hymenoptera: Proctotrupoidea(I). He Junhua and Xu Zaifu, 2015. 1078 pp., 485 figs.

Insecta vol. 57 Orthoptera: Tettigoniidae: Phaneropterinae. Kang Le *et al.*, 2013. 574 pp., 291 figs., 31 pls.

Insecta vol. 58 Plecoptera: Nemouroides. Yang Ding, Li Weihai and Zhu Fang, 2014. 518 pp., 294 figs., 12 pls.

Insecta vol. 59 Diptera: Tabanidae. Xu Rongman and Sun Yi, 2013. 870 pp., 495 figs., 17 pls.

Insecta vol. 60 Hemiptera: Hormaphididae, Phloeomyzidae. Qiao Gexia, Jiang Liyun, Chen Jing, Zhang Guangxue and Zhong Tiesen, 2017. 414 pp., 137 figs., 8 pls.

Insecta vol. 61 Coleoptera: Chrysomelidae: Chrysomelinae. Yang Xingke, Ge Siqin, Wang Shuyong, Li

Wenzhu and Cui Junzhi, 2014. 641 pp., 378 figs., 8 pls.

Insecta vol. 62 Hemiptera: Miridae(II): Orthotylinae. Liu Guoqing and Zheng Leyi, 2014. 297 pp., 134 figs., 13 pls.

Insecta vol. 63 Coleoptera: Tenebrionidae(I). Ren Guodong *et al.*, 2016. 534 pp., 248 figs., 49 pls.

Insecta vol. 65 Diptera: Rhagionidae and Athericidae. Yang Ding, Dong Hui and Zhang Kuiyan. 2016. 476 pp., 222 figs., 7 pls.

Insecta vol. 67 Hemiptera: Cicadellidae (II): Cicadellinae. Yang Maofa, Meng Zehong and Li Zizhong. 2017. 637pp., 312 figs., 27 pls.

Insecta vol. 68 Neuroptera: Myrmeleontoidea. Wang Xinli, Zhan Qingbin and Wang Aiqin. 2018. 285 pp., 2 figs., 38 pls.

Invertebrata vol. 1 Crustacea: Freshwater Cladocera. Chiang Siehchih and Du Nanshang, 1979. 297 pp.,192 figs.

Invertebrata vol. 2 Crustacea: Freshwater Copepoda. Shen Jiarui *et al.*, 1979. 450 pp., 255 figs.

Invertebrata vol. 3 Trematoda: Digenea I. Chen Xintao *et al.*, 1985. 697 pp., 469 figs., 12 pls.

Invertebrata vol. 4 Cephalopode. Dong Zhengzhi, 1988. 201 pp., 124 figs., 4 pls.

Invertebrata vol. 5 Hirudinea: Euhirudinea and Branchiobdellidea. Yang Tong, 1996. 259 pp., 141 figs.

Invertebrata vol. 6 Holothuroidea. Liao Yulin, 1997. 334 pp., 170 figs., 2 pls.

Invertebrata vol. 7 Gastropoda: Mesogastropoda: Cypraeacea. Ma Xiutong, 1997. 283 pp., 96 figs., 12 pls.

Invertebrata vol. 8 Arachnida: Araneae: Thomisidae and Philodromidae. Song Daxiang and Zhu Mingsheng, 1997. 259 pp., 154 figs.

Invertebrata vol. 9 Polychaeta: Phyllodocimorpha. Wu Baoling, Wu Qiquan, Qiu Jianwen and Lu Hua, 1997. 323pp., 180 figs.

Invertebrata vol. 10 Arachnida: Araneae: Araneidae. Yin Changmin *et al.*, 1997. 460 pp., 292 figs.

Invertebrata vol. 11 Gastropoda: Opisthobranchia: Cephalaspidea. Lin Guangyu, 1997. 246 pp., 35 figs., 28 pls.

Invertebrata vol. 12 Bivalvia: Mytiloida. Wang Zhenrui, 1997. 268 pp., 126 figs., 4 pls.

Invertebrata vol. 13 Arachnida: Araneae: Theridiidae. Zhu Mingsheng, 1998. 436 pp., 233 figs., 1 pl.

Invertebrata vol. 14 Sacodina: Acantharia and Spumellaria. Tan Zhiyuan, 1998. 315 pp., 273 figs., 25 pls.

Invertebrata vol. 15 Myxosporea. Chen Chihleu and Ma Chenglun, 1998. 805 pp., 30 figs., 180 pls.

Invertebrata vol. 16 Anthozoa: Actiniaria, Ceriantharis and Zoanthidea. Pei Zunan, 1998. 286 pp., 149 figs., 22 pls.

Invertebrata vol. 17 Crustacea: Decapoda: Parathelphusidae and Potamidae. Dai Aiyun, 1999. 501 pp., 238 figs., 31 pls.

Invertebrata vol. 18 Protura. Yin Wenying, 1999. 510 pp., 275 figs., 8 pls.

Invertebrata vol. 19 Gastropoda: Pulmonata: Stylommatophora: Clausiliidae. Chen Deniu and Zhang Guoqing, 1999. 210 pp., 128 figs., 5 pls.

Invertebrata vol. 20 Bivalvia: Protobranchia and Anomalodesmata. Xu Fengshan, 1999. 244 pp., 156 figs.

Invertebrata vol. 21 Crustacea: Mysidacea. Liu Ruiyu (J. Y. Liu) and Wang Shaowu, 2000. 326 pp., 110 figs.

Invertebrata vol. 22 Monogenea. Wu Baohua, Lang Suo and Wang Weijun, 2000. 756 pp., 598 figs., 2 pls.

Invertebrata vol. 23 Anthozoa: Scleractinia: Hermatypic coral. Zou Renlin, 2001. 289 pp., 9 figs., 47+8 pls.

Invertebrata vol. 24 Bivalvia: Veneridae. Zhuang Qiqian, 2001. 278 pp., 145 figs.

Invertebrata vol. 25 Nematoda: Rhabditida: Strongylata I. Wu Shuqing *et al*., 2001. 489 pp., 201 figs.

Invertebrata vol. 26 Foraminiferea: Agglutinated Foraminifera. Zheng Shouyi and Fu Zhaoxian, 2001. 788 pp., 130 figs., 122 pls.

Invertebrata vol. 27 Hydrozoa and Scyphomedusae. Gao Shangwu, Hong Hueshin and Zhang Shimei, 2002. 275 pp., 136 figs.

Invertebrata vol. 28 Crustacea: Amphipoda: Hyperiidae. Chen Qingchao and Shi Changtai, 2002. 249 pp., 178 figs.

Invertebrata vol. 29 Gastropoda: Archaeogastropoda: Trochacea. Dong Zhengzhi, 2002. 210 pp., 176 figs., 2 pls.

Invertebrata vol. 30 Crustacea: Brachyura: Marine primitive crabs. Chen Huilian and Sun Haibao, 2002. 597 pp., 237 figs., 16 pls.

Invertebrata vol. 31 Bivalvia: Pteriina. Wang Zhenrui, 2002. 374 pp., 152 figs., 7 pls.

Invertebrata vol. 32 Polycystinea: Nasellaria; Phaeodarea: Phaeodaria. Tan Zhiyuan and Su Xinghui, 2003. 295 pp., 193 figs., 25 pls.

Invertebrata vol. 33 Annelida: Polychaeta II Nereidida. Sun Ruiping and Yang Derjian, 2004. 520 pp., 267 figs., 193 pls.

Invertebrata vol. 34 Mollusca: Gastropoda Tonnacea, Zhang Suping and Ma Xiutong, 2004. 243 pp., 123 figs., 1 pl.

Invertebrata vol. 35 Arachnida: Araneae: Tetragnathidae. Zhu Mingsheng, Song Daxiang and Zhang Junxia, 2003. 402 pp., 174 figs., 5+11 pls.

Invertebrata vol. 36 Crustacea: Decapoda, Atyidae. Liang Xiangqiu, 2004. 375 pp., 156 figs.

Invertebrata vol. 37 Mollusca: Gastropoda: Stylommatophora: Bradybaenidae. Chen Deniu and Zhang Guoqing, 2004. 482 pp., 409 figs., 8 pls.

Invertebrata vol. 38 Chaetognatha: Sagittoidea. Xiao Yichang, 2004. 201 pp., 89 figs.

Invertebrata vol. 39 Arachnida: Araneae: Gnaphosidae. Song Daxiang, Zhu Mingsheng and Zhang Feng, 2004. 362 pp., 175 figs.

Invertebrata vol. 40 Echinodermata: Ophiuroidea. Liao Yulin, 2004. 505 pp., 244 figs., 6 pls.

Invertebrata vol. 41 Crustacea: Amphipoda: Gammaridea I. Ren Xianqiu, 2006. 588 pp., 194 figs.

Invertebrata vol. 42 Crustacea: Cirripedia: Thoracica. Liu Ruiyu and Ren Xianqiu, 2007. 632 pp., 239 figs.

Invertebrata vol. 43 Crustacea: Amphipoda: Gammaridea II. Ren Xianqiu, 2012. 651 pp., 197 figs.

Invertebrata vol. 44 Crustacea: Decapoda: Palaemonoidea. Li Xinzheng, Liu Ruiyu, Liang Xingqiu and Chen Guoxiao, 2007. 381 pp., 157 figs.

Invertebrata vol. 45 Ciliophora: Oligohymenophorea: Peritrichida. Shen Yunfen and Gu Manru, 2016. 502 pp., 164 figs., 2 pls.

Invertebrata vol. 46 Sipuncula, Echiura. Zhou Hong, Li Fenglu and Wang Wei, 2007. 206 pp., 95 figs.

Invertebrata vol. 47 Arachnida: Acari: Phytoseiidae. Wu weinan, Ou Jianfeng and Huang Jingling. 2009. 511 pp., 287 figs., 9 pls.

Invertebrata vol. 48 Mollusca: Bivalvia: Lucinacea, Carditacea, Crassatellacea and Cardiacea. Xu Fengshan. 2012. 239 pp., 133 figs.

Invertebrata vol. 49 Crustacea: Decapoda: Portunidae. Yang Siliang, Chen Huilian and Dai Aiyun. 2012. 417 pp., 138 figs., 14 pls.

Invertebrata vol. 50 Tardigrada. Yang Tong. 2015. 279 pp., 131 figs., 5 pls.

Invertebrata vol. 51 Nematoda: Rhabditida: Strongylata (II). Zhang Luping and Kong Fanyao. 2014. 316 pp., 97 figs., 19 pls.

Invertebrata vol. 54 Annelida: Polychaeta (III): Sabellida. Sun Ruiping and Yang Dejian. 2014. 493 pp., 239 figs., 2 pls.

Invertebrata vol. 55 Mollusca: Gastropoda: Conidae. Li Fenglan and Lin Minyu. 2016. 288 pp., 168 figs., 4 pls.

Invertebrata vol. 56 Mollusca: Gastropoda: Strombacea and Naticacea. Zhang Suping. 2016. 318 pp., 138 figs., 10 pls.

Invertebrata vol. 57 Mollusca: Bivalvia: Tellinidae and Semelidae. Xu Fengshan and Zhang Junlong. 2017. 236 pp., 50 figs., 15 pls.

Invertebrata vol. 59 Arachnida: Araneae: Agelenidae and Amaurobiidae. Zhu Mingsheng, Wang Xinping and Zhang Zhisheng. 2017. 727 pp., 384 figs., 5 pls.

ECONOMIC FAUNA OF CHINA

Mammals. Shou Zhenhuang *et al.*, 1962. 554 pp., 153 figs., 72 pls.

Aves. Cheng Tsohsin *et al.*, 1963. 694 pp., 10 figs., 64 pls.

Marine fishes. Chen Qingtai *et al.*, 1962. 174 pp., 25 figs., 32 pls.

Freshwater fishes. Wu Xianwen *et al.*, 1963. 159 pp., 122 figs., 30 pls.

Parasitic Crustacea of Freshwater Fishes. Kuang Puren and Qian Jinhui, 1991. 203 pp., 110 figs.

Annelida. Echinodermata. Prorochordata. Wu Baoling *et al.*, 1963. 141 pp., 65 figs., 16 pls.

Marine mollusca. Zhang Xi and Qi Zhougyan, 1962. 246 pp., 148 figs.

Freshwater molluscs. Liu Yueyin *et al.*, 1979.134 pp., 110 figs.

Terrestrial molluscs. Chen Deniu and Gao Jiaxiang, 1987. 186 pp., 224 figs.

Parasitic worms. Wu Shuqing, Yin Wenzhen and Shen Shouxun, 1960. 368 pp., 158 figs.

Economic birds of China (Second edition). Cheng Tsohsin, 1993. 619 pp., 64 pls.

ECONOMIC INSECT FAUNA OF CHINA

Fasc. 1 Coleoptera: Cerambycidae. Chen Sicien *et al.*, 1959. 120 pp., 21 figs., 40 pls.

Fasc. 2 Hemiptera: Pentatomidae. Yang Weiyi, 1962. 138 pp., 11 figs., 10 pls.

Fasc. 3 Lepidoptera: Noctuidae I. Chu Hongfu and Chen Yixin, 1963. 172 pp., 22 figs., 10 pls.

Fasc. 4 Coleoptera: Tenebrionidae. Zhao Yangchang, 1963. 63 pp., 27 figs., 7 pls.

Fasc. 5 Coleoptera: Coccinellidae. Liu Chongle, 1963. 101 pp., 27 figs., 11pls.

Fasc. 6 Lepidoptera: Noctuidae II. Chu Hongfu *et al.*, 1964. 183 pp., 11 pls.

Fasc. 7 Lepidoptera: Noctuidae III. Chu Hongfu, Fang Chenglai and Wang Lingyao, 1963. 120 pp., 28 figs., 31 pls.

Fasc. 8 Isoptera: Termitidae. Cai Bonghua and Chen Ningsheng, 1964. 141 pp., 79 figs., 8 pls.

Fasc. 9 Hymenoptera: Apoidea. Wu Yanru, 1965. 83 pp., 40 figs., 7 pls.

Fasc. 10 Homoptera: Cicadellidae. Ge Zhongling, 1966. 170 pp., 150 figs.

Fasc. 11 Lepidoptera: Tortricidae I. Liu Youqiao and Bai Jiuwei, 1977. 93 pp., 23 figs., 24 pls.

Fasc. 12 Lepidoptera: Lymantriidae I. Chao Chungling, 1978. 121 pp., 45 figs., 18 pls.

Fasc. 13 Diptera: Ceratopogonidae. Li Tiesheng, 1978. 124 pp., 104 figs.

Fasc. 14 Coleoptera: Coccinellidae II. Pang Xiongfei and Mao Jinlong, 1979. 170 pp., 164 figs., 16 pls.

Fasc. 15 Acarina: Lxodoidea. Teng Kuofan, 1978. 174 pp., 707 figs.

Fasc. 16 Lepidoptera: Notodontidae. Cai Rongquan, 1979. 166 pp., 126 figs., 19 pls.

Fasc. 17 Acarina: Camasina. Pan Zungwen and Teng Kuofan, 1980. 155 pp., 168 figs.

Fasc. 18 Coleoptera: Chrysomeloidea I. Tang Juanjie *et al.*, 1980. 213 pp., 194 figs., 18 pls.

Fasc. 19 Coleoptera: Cerambycidae II. Pu Fuji, 1980. 146 pp., 42 figs., 12 pls.

Fasc. 20 Coleoptera: Curculionidae I. Chao Yungchang and Chen Yuanqing, 1980. 184 pp., 73 figs., 14 pls.

Fasc. 21 Lepidoptera: Pyralidae. Wang Pingyuan, 1980. 229 pp., 40 figs., 32 pls.

Fasc. 22 Lepidoptera: Sphingidae. Zhu Hongfu and Wang Lingyao, 1980. 84 pp., 17 figs., 34 pls.

Fasc. 23 Acariformes: Tetranychoidea. Wang Huifu, 1981. 150 pp., 121 figs., 4 pls.

Fasc. 24 Homoptera: Pseudococcidae. Wang Tzeching, 1982. 119 pp., 75 figs.

Fasc. 25 Homoptera: Aphidinea I. Zhang Guangxue and Zhong Tiesen, 1983. 387 pp., 207 figs., 32 pls.

Fasc. 26 Diptera: Tabanidae. Wang Zunming, 1983. 128 pp., 243 figs., 8 pls.

Fasc. 27 Homoptera: Delphacidae. Kuoh Changlin *et al.*, 1983. 166 pp., 132 figs., 13 pls.

Fasc. 28 Coleoptera: Larvae of Scarabaeoidae. Zhang Zhili, 1984. 107 pp., 17. figs., 21 pls.

Fasc. 29 Coleoptera: Scolytidae. Yin Huifen, Huang Fusheng and Li Zhaoling, 1984. 205 pp., 132 figs., 19 pls.

Fasc. 30 Hymenoptera: Vespoidea. Li Tiesheng, 1985. 159pp., 21 figs., 12pls.

Fasc. 31 Hemiptera I. Zhang Shimei, 1985. 242 pp., 196 figs., 59 pls.

Fasc. 32 Lepidoptera: Noctuidae IV. Chen Yixin, 1985. 167 pp., 61 figs., 15 pls.

Fasc. 33 Lepidoptera: Arctiidae. Fang Chenglai, 1985. 100 pp., 69 figs., 10 pls.

Fasc. 34 Hymenoptera: Chalcidoidea I. Liao Dingxi *et al.*, 1987. 241 pp., 113 figs., 24 pls.

Fasc. 35 Coleoptera: Cerambycidae III. Chiang Shunan. Pu Fuji and Hua Lizhong, 1985. 189 pp., 2 figs., 13 pls.

Fasc. 36 Homoptera: Fulgoroidea. Chou Io *et al.*, 1985. 152 pp., 125 figs., 2 pls.

Fasc. 37 Diptera: Anthomyiidae. Fan Zide *et al.*, 1988. 396 pp., 1215 figs., 10 pls.

Fasc. 38 Diptera: Ceratopogonidae II. Lee Tiesheng, 1988. 127 pp., 107 figs.

Fasc. 39 Acari: Ixodidae. Teng Kuofan and Jiang Zaijie, 1991. 359 pp., 354 figs.

Fasc. 40 Acari: Dermanyssoideae, Teng Kuofan *et al.*, 1993. 391 pp., 318 figs.

Fasc. 41 Hymenoptera: Pteromalidae I. Huang Dawei, 1993. 196 pp., 252 figs.

Fasc. 42 Lepidoptera: Lymantriidae II. Chao Chungling, 1994. 165 pp., 103 figs., 10 pls.

Fasc. 43 Homoptera: Coccidea. Wang Tzeching, 1994. 302 pp., 107 figs.

Fasc. 44 Acari: Eriophyoidea I. Kuang Haiyuan, 1995. 198 pp., 163 figs., 7 pls.

Fasc. 45 Diptera: Tabanidae II. Wang Zunming, 1994. 196 pp., 182 figs., 8 pls.

Fasc. 46 Coleoptera: Cetoniidae, Trichiidae, Valgidae. Ma Wenzhen, 1995. 210 pp., 171 figs., 5 pls.

Fasc. 47 Hymenoptera: Formicidae I. Tang Jub, 1995. 134 pp., 135 figs.

Fasc. 48 Ephemeroptera. You Dashou *et al.*, 1995. 152 pp., 154 figs.

Fasc. 49 Trichoptera I: Hydroptilidae, Stenopsychidae, Hydropsychidae, Leptoceridae. Tian Lixin *et al.*, 1996. 195 pp., 271 figs., 2 pls.

Fasc. 50 Hemiptera II: Zhang Shimei *et al.*, 1995. 169 pp., 46 figs., 24 pls.

Fasc. 51 Hymenoptera: Ichneumonidae. He Junhua, Chen Xuexin and Ma Yun, 1996. 697 pp., 434 figs.

Fasc. 52 Hymenoptera: Sphecidae. Wu Yanru and Zhou Qin, 1996. 197 pp., 167 figs., 14 pls.

Fasc. 53 Acari: Phytoseiidae. Wu Weinan *et al.*, 1997. 223 pp., 169 figs., 3 pls.

Fasc. 54 Coleoptera: Chrysomeloidea II. Yu Peiyu *et al.*, 1996. 324 pp., 203 figs., 12 pls.

Fasc. 55 Thysanoptera. Han Yunfa, 1997. 513 pp., 220 figs., 4 pls.

图版 I

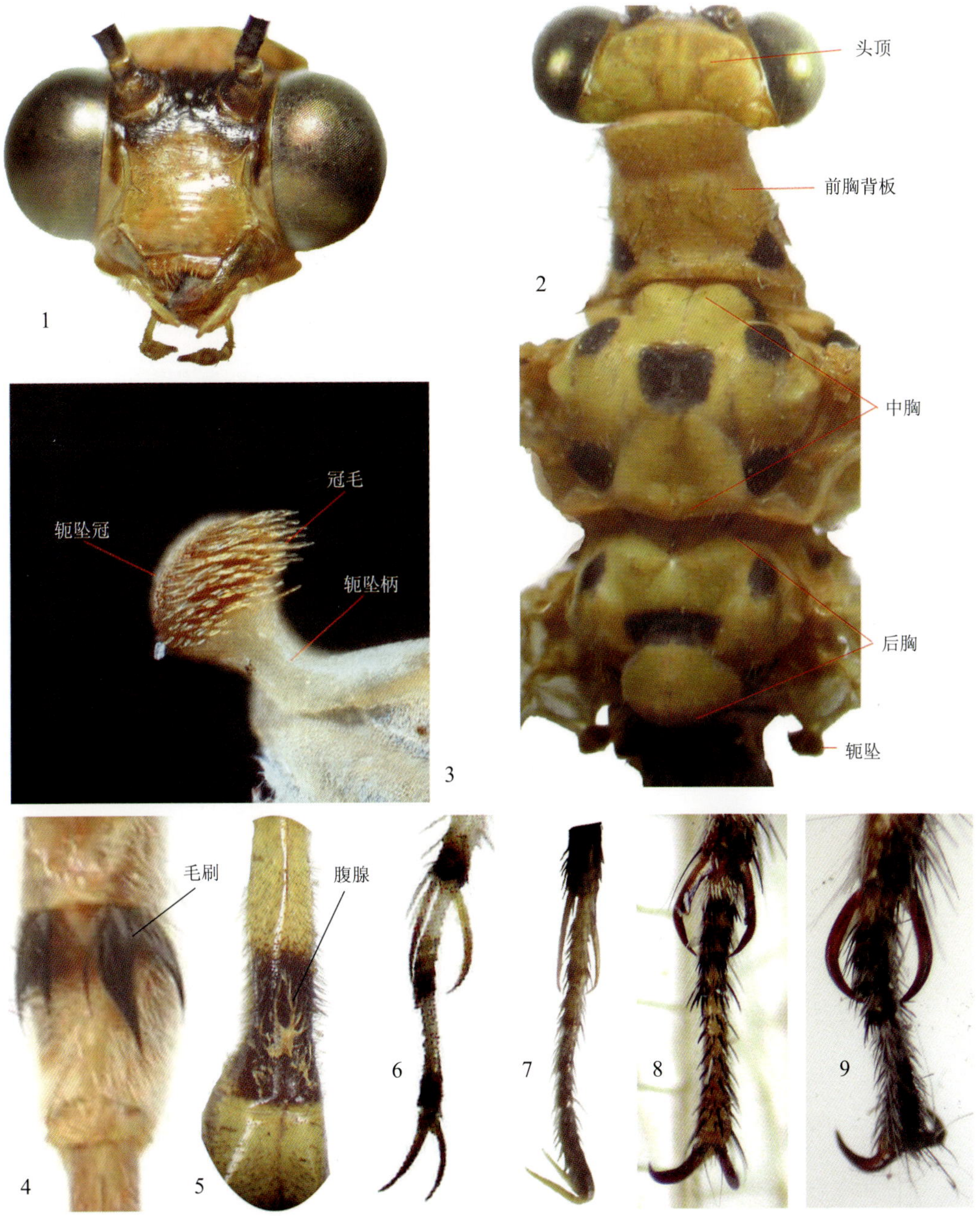

1. 丽翅树蚁蛉 *Dendroleon callipterum* Wan & Wang 头部正面观；2. 长腿树蚁蛉 *Dendroleon longicruris* (Yang) 头胸背面观；3. 朝鲜东蚁蛉 *Euroleon coreanus* (Okamoto) 轭坠结构；4. 尾棘蚁蛉 *Acanthaclisis pallida* McLachlan 毛刷；5. 闽溪蚁蛉 *Epacanthaclisis minanus* (Yang) 腹腺；6. 杨雅蚁蛉 *Layahima yangii* Wan & Wang 距、爪略弯曲；7. 长裳帛蚁蛉 *Bullanga florida* (Navás) 爪强弯向跗节；8. 尾棘蚁蛉 *Acanthaclisis pallida* McLachlan 距弯成直角有扩边；9. 南击大蚁蛉 *Synclisis kawaii* (Nakahara) 距强弯

图版 II

1. 狭翅蚁蛉 *Myrmeleon trivialis* Gerstaecker 脉序图；2. 陆溪蚁蛉 *Epacanthaclisis continentalis* Esben-Petersen 前翅；3. 尾棘蚁蛉 *Acanthaclisis pallida* McLachlan 前后翅

图版 XXIII

1. 狭翅玛蝶角蛉 *Maezous umbrosus* (Esben-Petersen) ♂; 2. 凹腰苏蝶角蛉 *Suphalomitus excavatus* Yang ♂; 3. 尖峰岭玛蝶角蛉 *Maezous jianfanglinganus* (Yang & Wang) ♂; 4. 褐边玛蝶角蛉 *Maezous fuscimarginatus* (Wang & Sun) ♂; 5. 黄斑苏蝶角蛉 *Suphalomitus lutemaculatus* Yang ♀; 6. 烟翅玛蝶角蛉 *Maezous fumialus* (Wang & Sun) ♂

图版 XXIV

1. 台斑苏蝶角蛉 *Suphalomitus formosanus* Esben-Petersen ♂；2. 凸腋蝶角蛉 *Nousera gibba* Navás ♀；3. 胸突蝶角蛉 *Ascalaphus placidus* (Gerstaecker) ♀；4. 浅边脊蝶角蛉 *Ascalohybris oberthuri* (Navás) ♂；5. 黑唇苏蝶角蛉 *Suphalomitus nigrilabiatus* Yang ♀；6. 叉尾蝶角蛉 *Bubopsis tancrei* Weele ♀

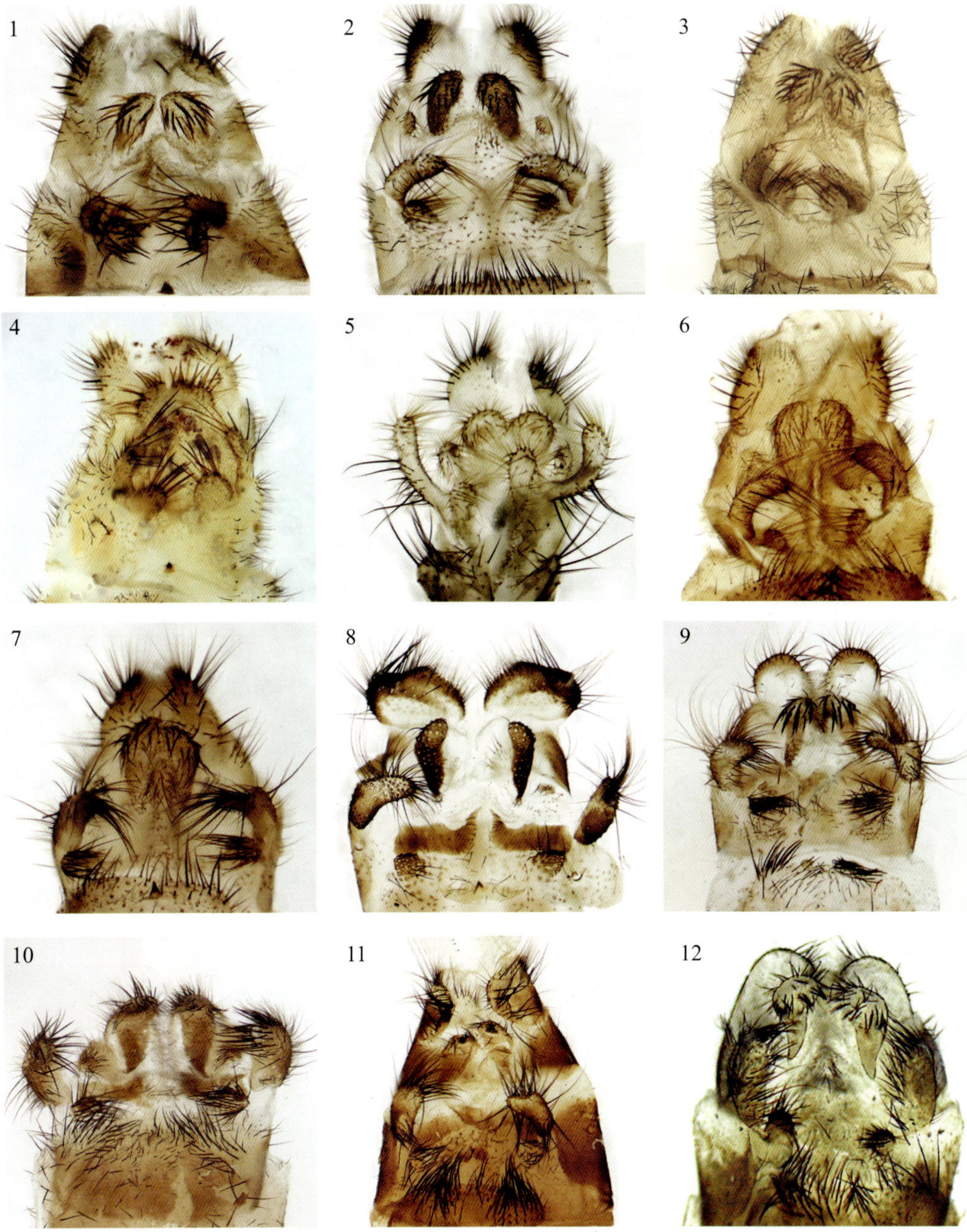

1. 丽翅树蚁蛉 *Dendroleon callipterum* Wan & Wang♀；2. 长裳帛蚁蛉 *Bullanga florida* (Navás)♀；3. 李氏树蚁蛉 *Dendroleon lii* Wan & Wang♀；4. 长腿树蚁蛉 *Dendroleon longicruris* (Yang)♀；5. 墨脱树蚁蛉 *Dendroleon motuoensis* Wang ♀；6. 褐纹树蚁蛉 *Dendroleon pantherinus* (Fabricius) ♀；7. 中华树蚁蛉 *Dendroleon similis* Esben-Petersen ♀；8. 班克溪蚁蛉 *Epacanthaclisis banksi* Krivokhatsky ♀；9. 陆溪蚁蛉 *Epacanthaclisis continentalis* Esben-Petersen ♀；10. 闽溪蚁蛉 *Epacanthaclisis minanus* (Yang) ♀；11. 墨溪蚁蛉 *Epacanthaclisis moiwanus* (Okamoto) ♀；12. 隐纹溪蚁蛉 *Epacanthaclisis amydrovittata* Wan & Wang ♀

图版 XXVI

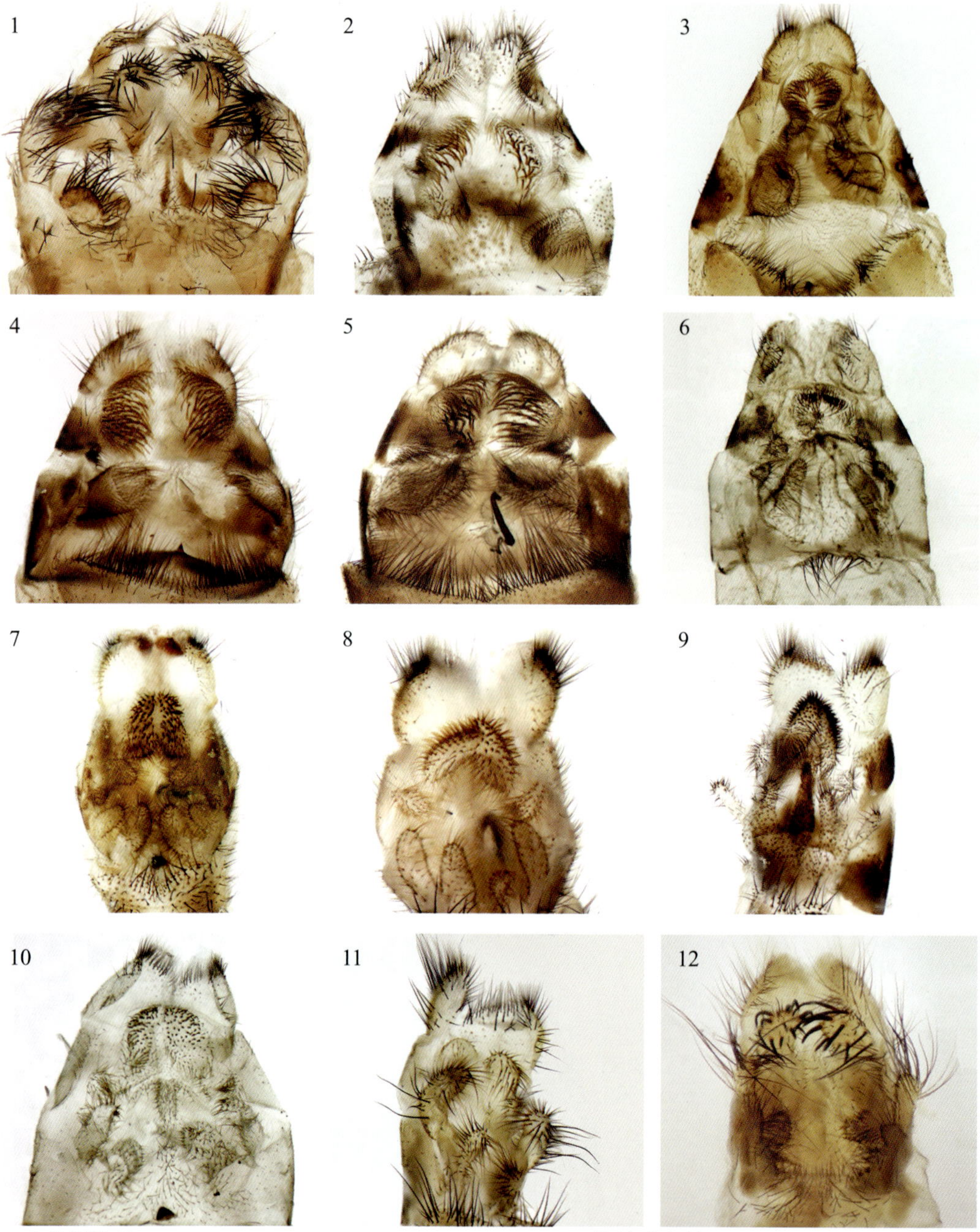

1. 宁陕溪蚁蛉 *Epacanthaclisis ningshanus* Wan & Wang ♀; 2. 澜沧雅蚁蛉 *Layahima chiangi* Banks ♀; 3. 美雅蚁蛉 *Layahima elegans* (Banks) ♀; 4. 五指山雅蚁蛉 *Layahima wuzhishanus* (Yang) ♀; 5. 杨雅蚁蛉 *Layahima yangii* Wan & Wang ♀; 6. 角脉锦蚁蛉 *Gatzara angulineura* (Yang) ♀; 7. 小华锦蚁蛉 *Gatzara decorilla* (Yang) ♀; 8. 华美锦蚁蛉 *Gatzara decorosa* (Yang) ♀; 9. 黑脉锦蚁蛉 *Gatzara nigrivena* Wang ♀; 10. 琼花锦蚁蛉 *Gatzara qiongana* (Yang) ♀; 11. 镰翅树蚁蛉 *Dendroleon falcatus* Zhan & Wang ♀; 12. 尾棘蚁蛉 *Acanthaclisis pallida* McLachlan ♀

图版 XXVII

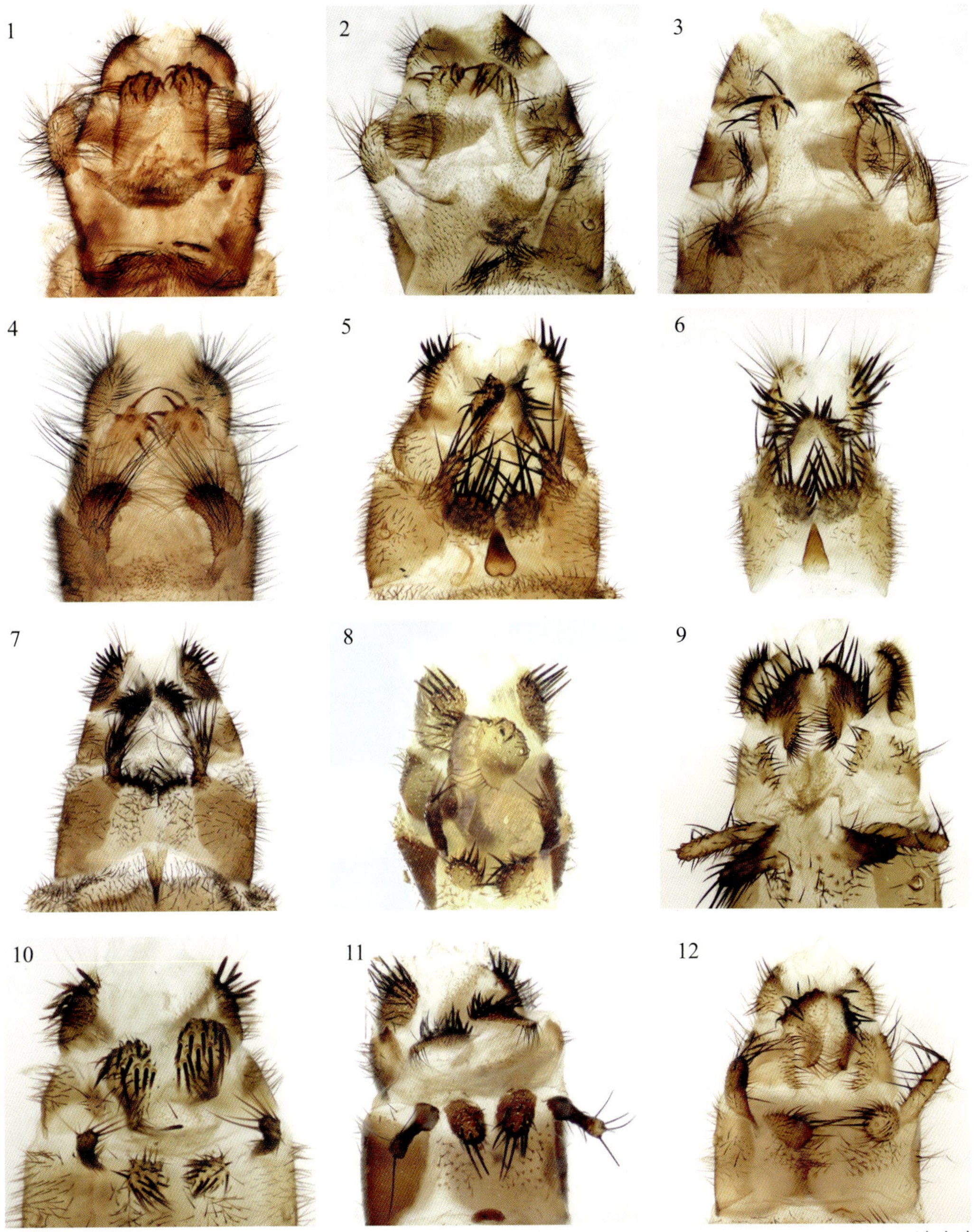

1. 单中大蚁蛉 *Centroclisis negligens* (Navás) ♀；2. 南击大蚁蛉 *Synclisis kawaii* (Nakahara) ♀；3. 追击大蚁蛉 *Synclisis japonica* (McLachlan) ♀；4. 黎母硕蚁蛉 *Stiphroneura inclusa* (Walker) ♀；5. 朝鲜东蚁蛉 *Euroleon coreanus* (Okamoto) ♀；6. 黄体东蚁蛉 *Euroleon flavicorpus* Wang ♀；7. 多斑东蚁蛉 *Euroleon polyspilus* (Gerstaecker) ♀；8. 窄翅哈蚁蛉 *Hagenomyia angustala* Bao & Wang ♀；9. 褐胸哈蚁蛉 *Hagenomyia fuscithoraca* Yang ♀；10. 连脉哈蚁蛉 *Hagenomyia coalitus* (Yang) ♀；11. 连黑哈蚁蛉 *Hagenomyia conjuncta* Yang ♀；12. 云痣哈蚁蛉 *Hagenomyia brunneipennis* Esben-Petersen ♀

图版 XXVIII

1. 闪烁哈蚁蛉 *Hagenomyia micans* (McLachlan) ♀；2. 双斑蚁蛉 *Myrmeleon bimaculatus* Yang ♀；3. 钩臀蚁蛉 *Myrmeleon bore* (Tjeder) ♀；4. 环蚁蛉 *Myrmeleon circulis* Bao & Wang ♀；5. 棕蚁蛉 *Myrmeleon fuscus* Yang ♀；6. 浅蚁蛉 *Myrmeleon immanis* Walker ♀；7. 角蚁蛉 *Myrmeleon trigonois* Bao & Wang ♀；8. 狭翅蚁蛉 *Myrmeleon trivialis* Gerstaecker ♀；9. 锈翅蚁蛉 *Myrmeleon ferrugineipennis* Bao & Wang ♀；10. 小东蚁蛉 *Euroleon parvus* Hölzel ♂；11. 丽翅树蚁蛉 *Dendroleon callipterum* Wan & Wang ♂；12. 强雅蚁蛉 *Layahima validum* (Yang) ♀

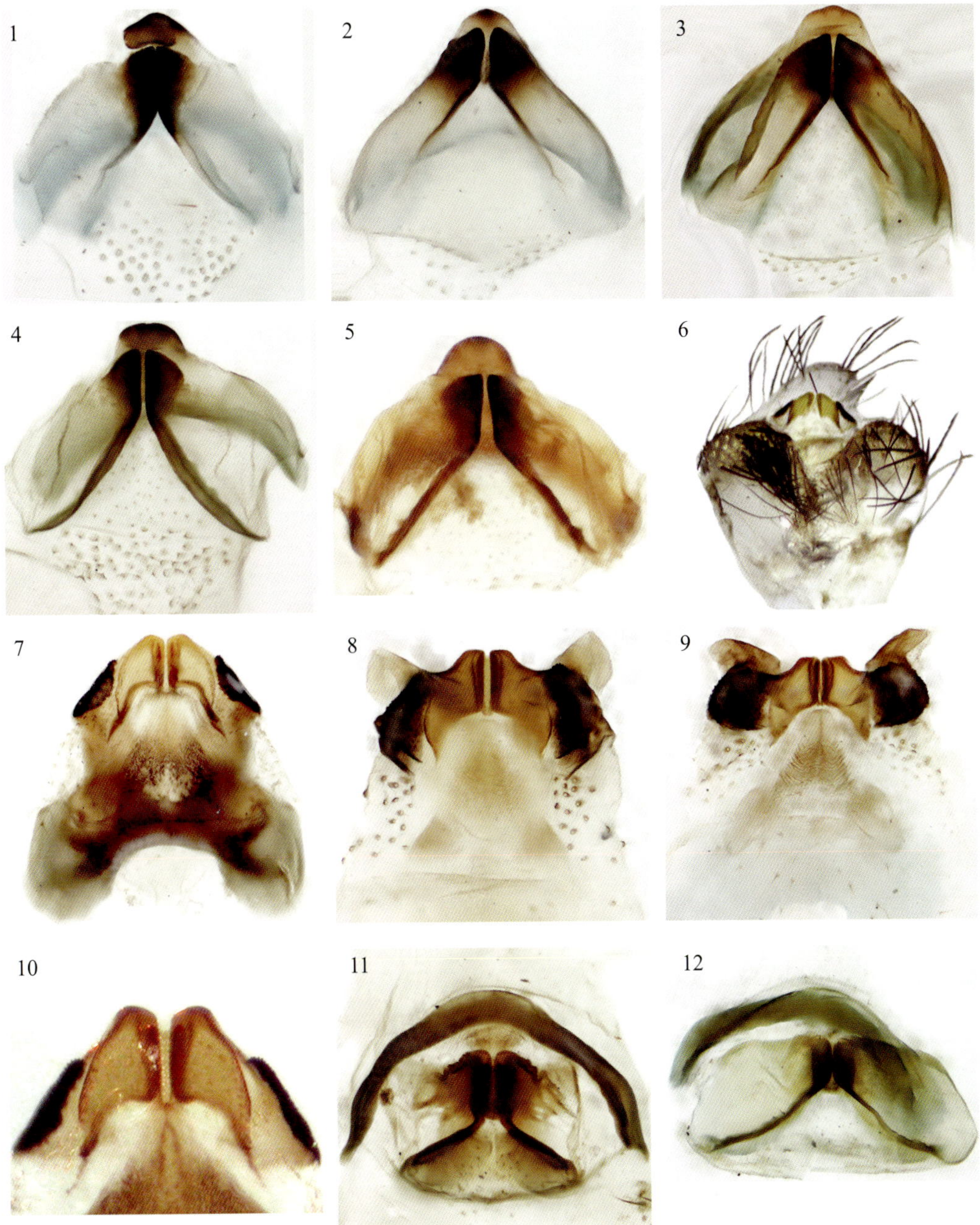

1. 长裳帛蚁蛉 *Bullanga florida* (Navás) ♂；2. 李氏树蚁蛉 *Dendroleon lii* Wan & Wang ♂；3. 长腿树蚁蛉 *Dendroleon longicruris* (Yang) ♂；4. 褐纹树蚁蛉 *Dendroleon pantherinus* (Fabricius) ♂；5. 中华树蚁蛉 *Dendroleon similis* Esben-Petersen ♂；6. 班克溪蚁蛉 *Epacanthaclisis banksi* Krivokhatsky ♂；7. 陆溪蚁蛉 *Epacanthaclisis continentalis* Esben-Petersen ♂；8. 多斑溪蚁蛉 *Epacanthaclisis maculosus* (Yang) ♂；9. 闽溪蚁蛉 *Epacanthaclisis minanus* (Yang) ♂；10. 宁陕溪蚁蛉 *Epacanthaclisis ningshanus* Wan & Wang ♂；11. 澜沧雅蚁蛉 *Layahima chiangi* Banks ♂；12. 美雅蚁蛉 *Layahima elegans* (Banks) ♂

图版 XXX

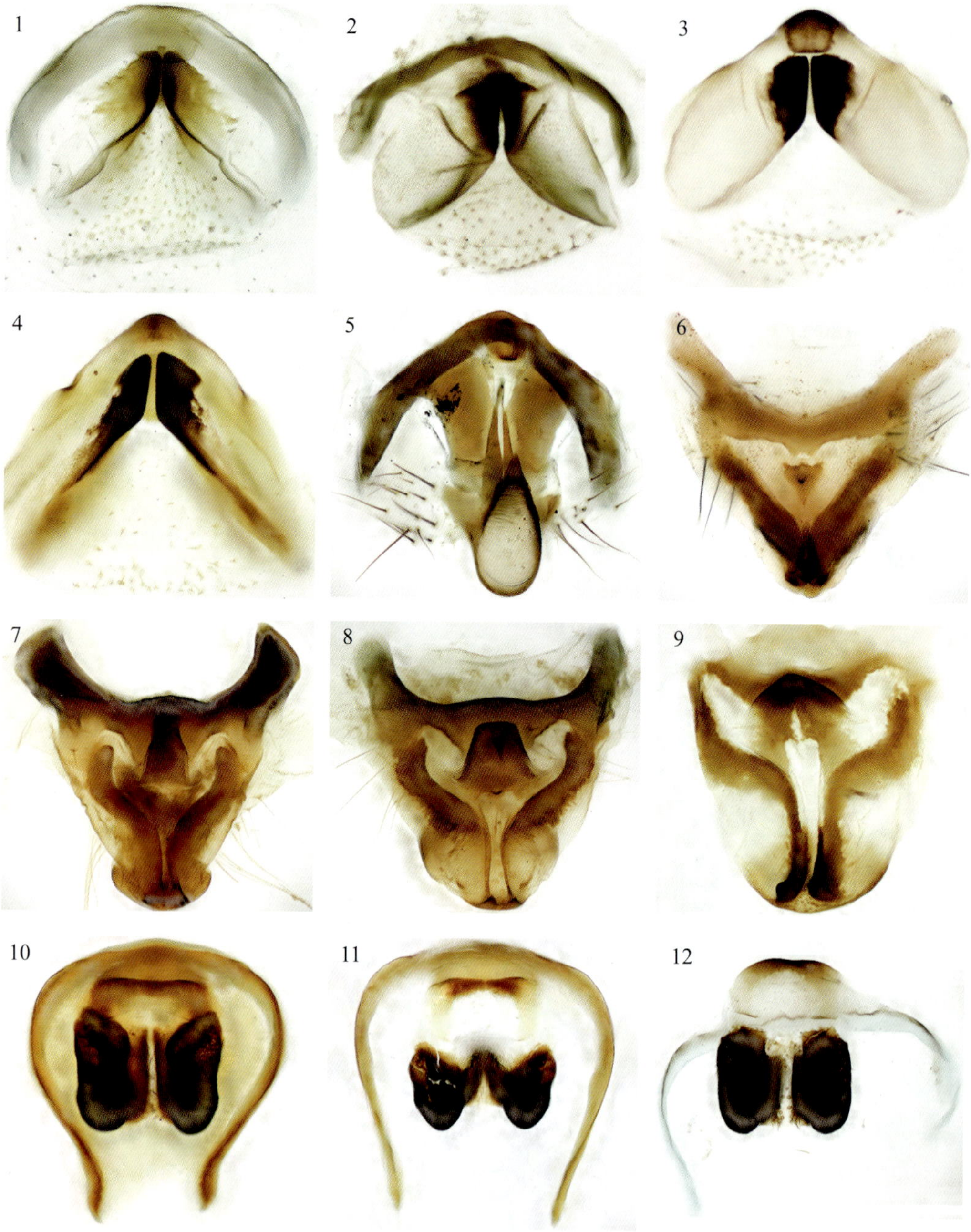

1. 强雅蚁蛉 *Layahima validum* (Yang) ♂；2. 小华锦蚁蛉 *Gatzara decorilla* (Yang) ♂；3. 华美锦蚁蛉 *Gatzara decorosa* (Yang) ♂；4. 镰翅树蚁蛉 *Dendroleon falcatus* Zhan & Wang ♂；5. 尾棘蚁蛉 *Acanthaclisis pallida* McLachlan ♂；6. 单中大蚁蛉 *Centroclisis negligens* (Navás) ♂；7. 南击大蚁蛉 *Synclisis kawaii* (Nakahara) ♂；8. 追击大蚁蛉 *Synclisis japonica* (McLachlan) ♂；9. 黎母硕蚁蛉 *Stiphroneura inclusa* (Walker) ♂；10. 朝鲜东蚁蛉 *Euroleon coreanus* (Okamoto) ♂；11. 黄体东蚁蛉 *Euroleon flavicorpus* Wang ♂；12. 多斑东蚁蛉 *Euroleon polyspilus* (Gerstaecker) ♂

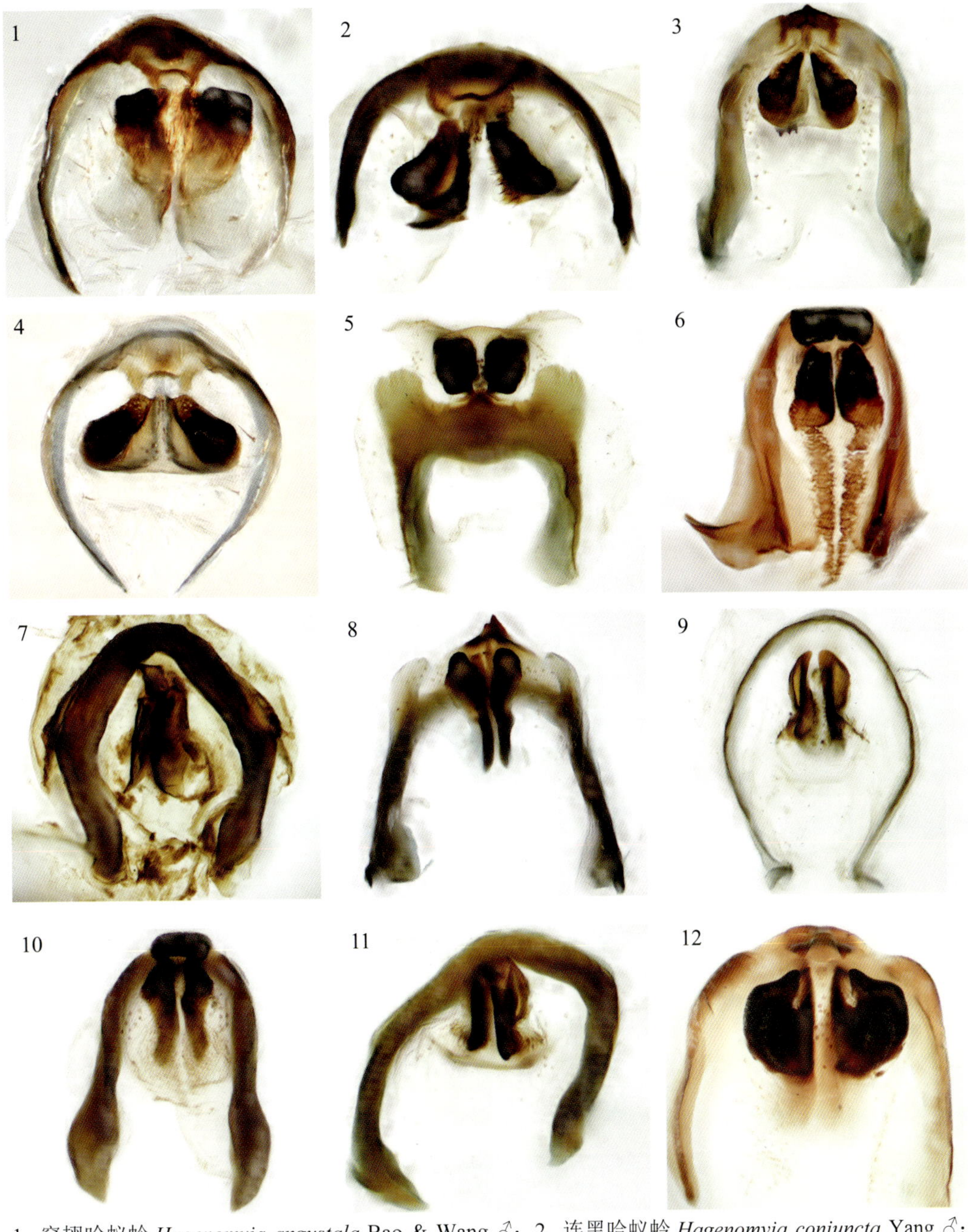

1. 窄翅哈蚁蛉 *Hagenomyia angustala* Bao & Wang ♂；2. 连黑哈蚁蛉 *Hagenomyia conjuncta* Yang ♂；3. 云痣哈蚁蛉 *Hagenomyia brunneipennis* Esben-Petersen ♂；4. 广西哈蚁蛉 *Hagenomyia guangxiensis* Bao & Wang ♂；5. 双斑蚁蛉 *Myrmeleon bimaculatus* Yang ♂；6. 钩臀蚁蛉 *Myrmeleon bore* (Tjeder) ♂；7. 环蚁蛉 *Myrmeleon circulis* Bao & Wang ♂；8. 锈翅蚁蛉 *Myrmeleon ferrugineipennis* Bao & Wang ♂；9. 棕蚁蛉 *Myrmeleon fuscus* Yang ♂；10. 浅蚁蛉 *Myrmeleon immanis* Walker ♂；11. 角蚁蛉 *Myrmeleon trigonois* Bao & Wang ♂；12. 狭翅蚁蛉 *Myrmeleon trivialis* Gerstaecker ♂

图版 XXXII

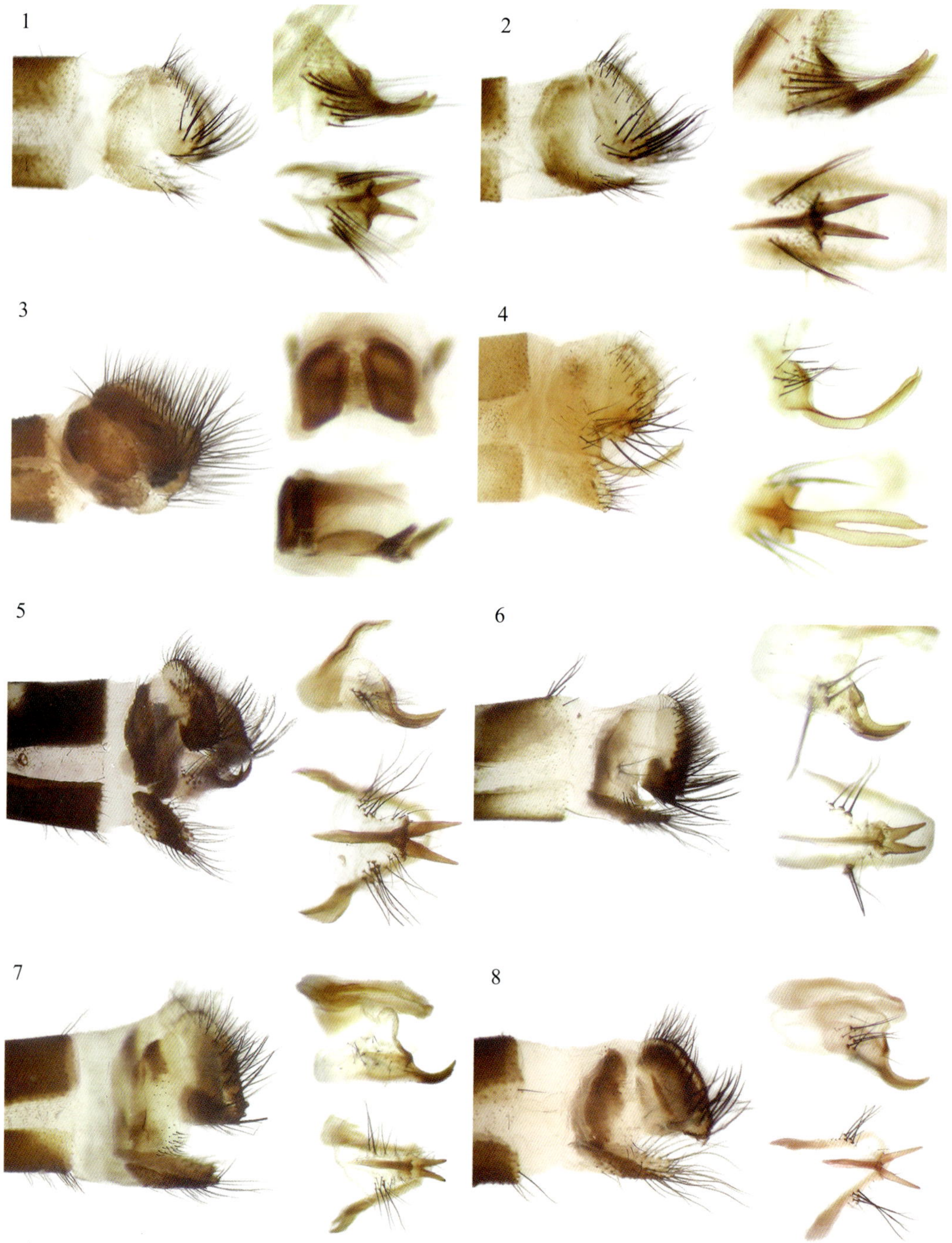

1. 闽平肘蚁蛉 *Creoleon cinnamomea* (Navás) ♂；2. 朴平肘蚁蛉 *Creoleon plumbeus* (Olivier) ♂；3. 长腹云蚁蛉 *Yunleon longicorpus* Yang ♂；4. 浅波翅蚁蛉 *Cymatala pallora* Yang ♂；5. 黑斑距蚁蛉 *Distoleon nigricans* (Matsumura) ♂；6. 棋腹距蚁蛉 *Distoleon tesselatus* Yang ♂；7. 云南距蚁蛉 *Distoleon yunnanus* Yang ♂；8. 紊脉距蚁蛉 *Distoleon symphineurus* Yang ♂

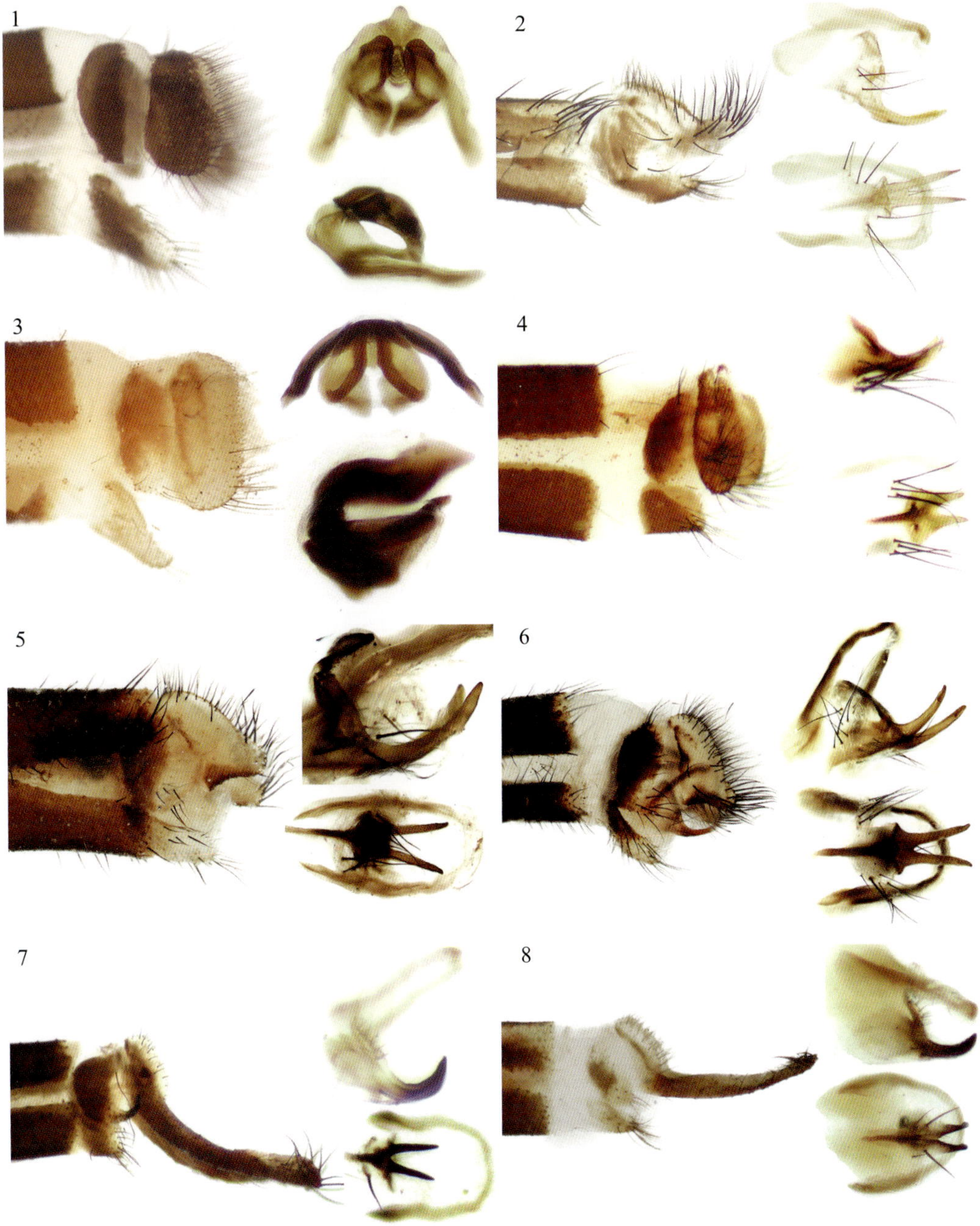

1. 白云蚁蛉 *Paraglenurus japonicus* (McLachlan) ♂; 2. 沙臀蚁蛉 *Distonemurus desertus* Krivokhatsky ♂; 3. 中华英蚁蛉 *Indophanes sinensis* Banks ♂; 4. 齿爪蚁蛉 *Pseudoformicaleo nubecula* (Gerstaecker) ♂; 5. 条斑次蚁蛉 *Deutoleon lineatus* (Fabricius) ♂; 6. 图兰次蚁蛉 *Deutoleon turanicus* Navás ♂; 7. 蒙双蚁蛉 *Mesonemurus mongolicus* Hölzel ♂; 8. 格双蚁蛉 *Mesonemurus guentheri* Hölzel ♂

图版 XXXIV

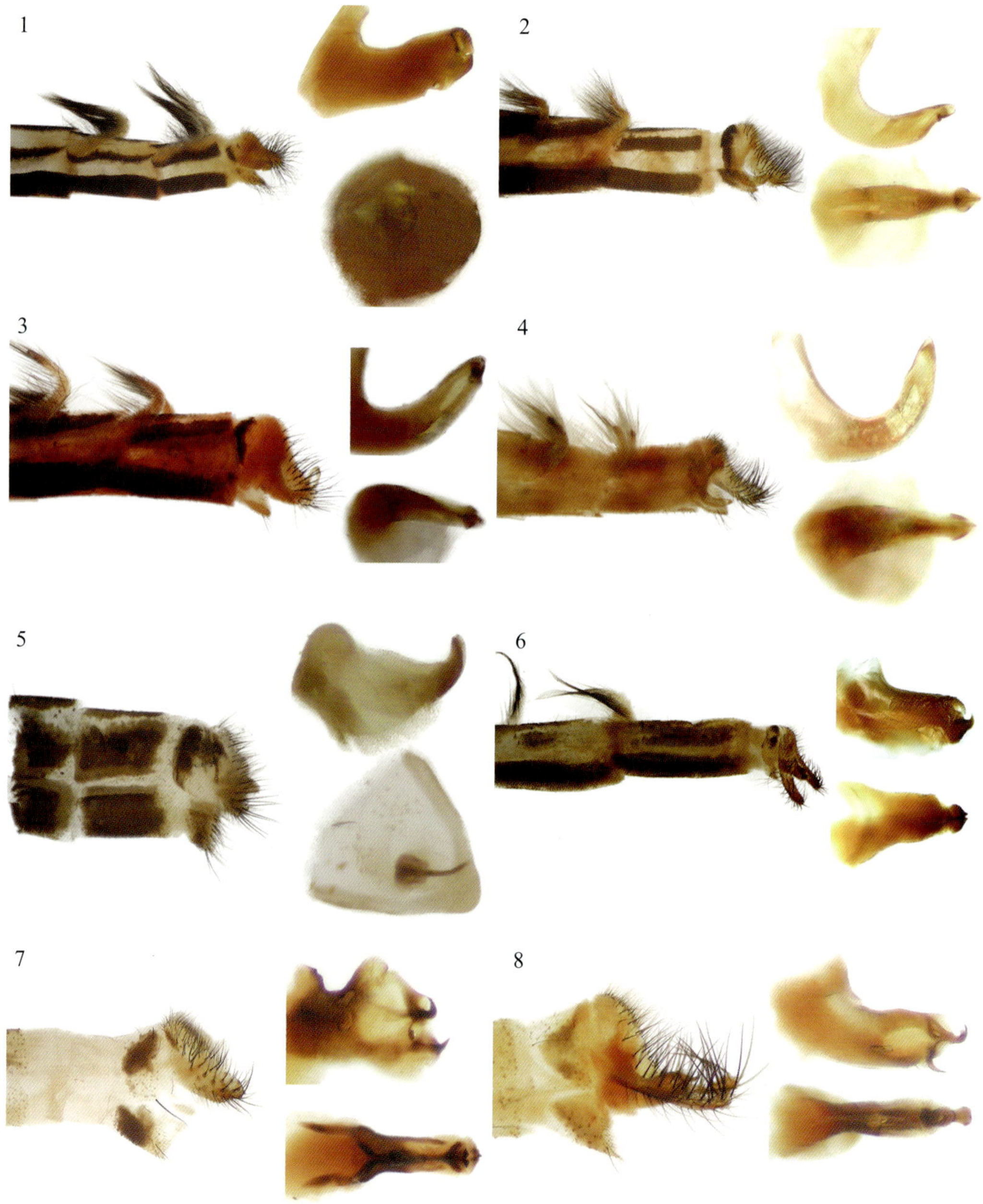

1. 大囊蚁蛉 *Myrmecaelurus major* McLachlan ♂；2. 黑瑙蚁蛉 *Nohoveus atrifrons* Hölzel ♂；3. 点斑瑙蚁蛉 *Nohoveus zigan* (Aspöck, Aspöck & Hölzel) ♂；4. 素瑙蚁蛉 *Nohoveus simplicis* (Krivokhatsky) ♂；5. 卡蒙蚁蛉 *Mongoleon kaszabi* Hölzel ♂；6. 乌拉尔阿蚁蛉 *Aspoeckina uralensis* (Hölzel) ♂；7. 索氏多脉蚁蛉 *Cueta sauteri* (Esben-Petersen) ♂；8. 线斑多脉蚁蛉 *Cueta lineosa* (Rambur) ♂

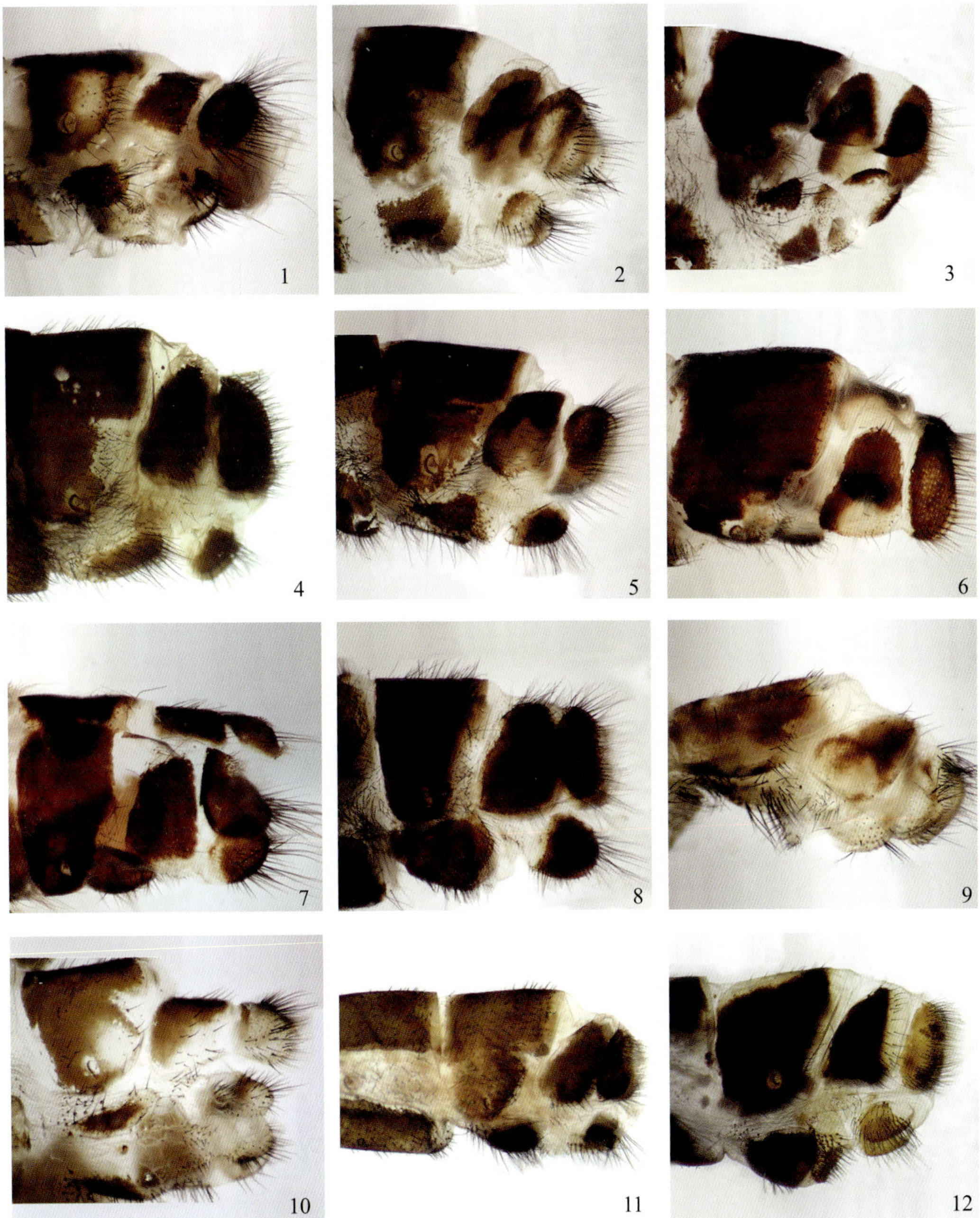

1. 银完眼蝶角蛉 *Idricerus decrepitus* (Walker) ♀; 2. 素完眼蝶角蛉 *Idricerus sogdianus* McLachlan ♀; 3. 原完眼蝶角蛉 *Protidricerus exilis* (McLachlan) ♀; 4. 宽原完眼蝶角蛉 *Protidricerus elwesii* (McLachlan) ♀; 5. 狭翅原完眼蝶角蛉 *Protidricerus steropterus* Wang & Yang ♀; 6. 日原完眼蝶角蛉 *Protidricerus japonicus* (McLachlan) ♀; 7. 斑翅丽蝶角蛉 *Libelloides macaronius* (Scopoli) ♀; 8. 黄花丽蝶角蛉 *Libelloides sibiricus* (Eversmann) ♀; 9. 锯角蝶角蛉 *Acheron trux* (Walker) ♀; 10. 菲律宾足翅蝶角蛉 *Protacheron philippinensis* (Weele) ♀; 11. 狭翅玛蝶角蛉 *Maezous umbrosus* (Esben-Petersen) ♀; 12. 黄脊蝶角蛉 *Ascalohybris subjacens* (Walker) ♀

图版 XXXVI

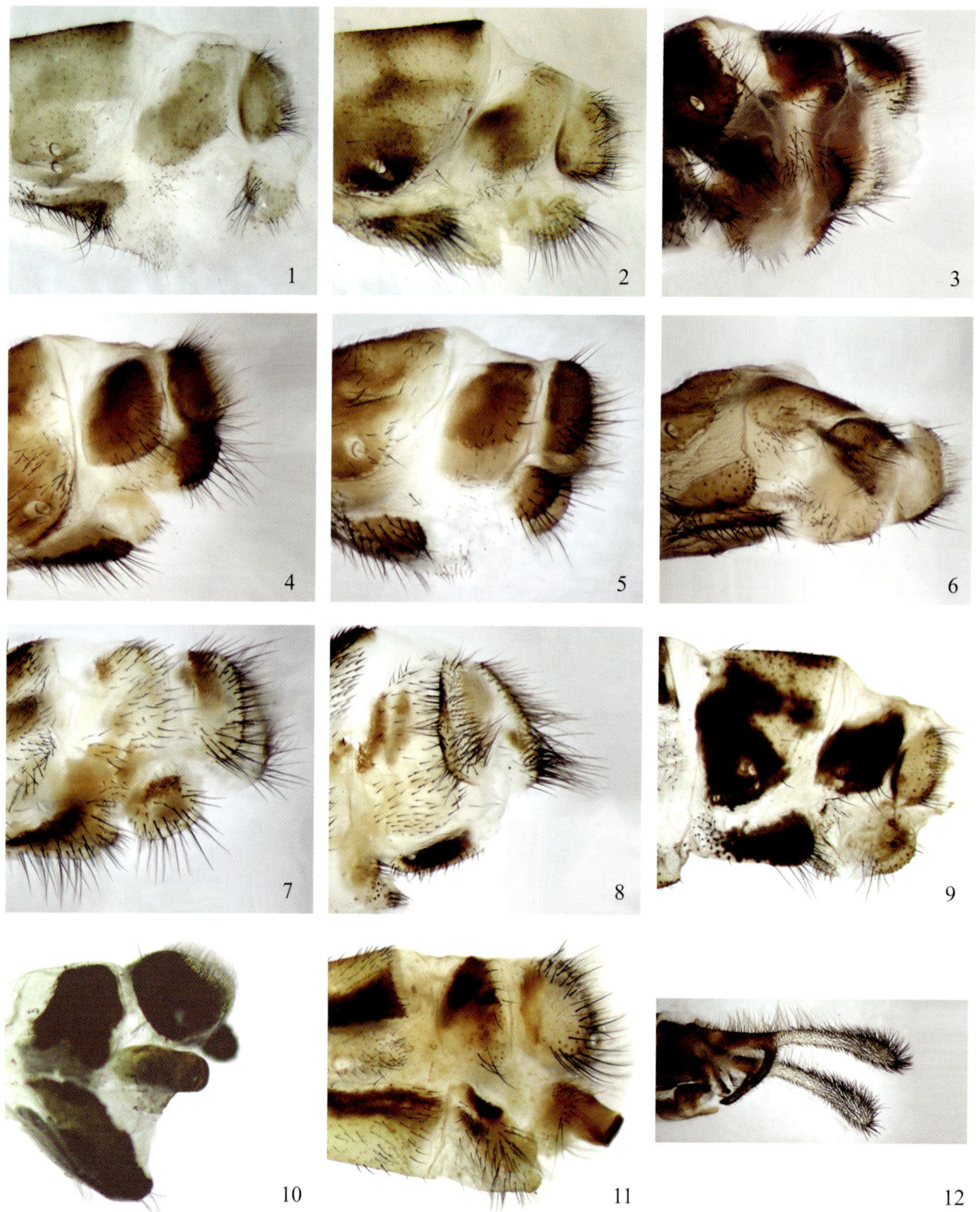

1. 尖峰岭玛蝶角蛉 *Maezous jianfanglinganus* (Yang & Wang) ♀；2. 褐边玛蝶角蛉 *Maezous fuscimarginatus* (Wang & Sun) ♀；3. 黄斑苏蝶角蛉 *Suphalomitus lutemaculatus* Yang ♀；4. 黑唇苏蝶角蛉 *Suphalomitus nigrilabiatus* Yang ♀；5. 凹腰苏蝶角蛉 *Suphalomitus excavatus* Yang ♀；6. 台斑苏蝶角蛉 *Suphalomitus formosanus* Esben-Petersen ♀；7. 胸突蝶角蛉 *Ascalaphus placidus* (Gerstaecker) ♀；8. 叉尾蝶角蛉 *Bubopsis tancrei* Weele ♀；9. 凸腋蝶角蛉 *Nousera gibba* Navás ♀；10. 台斑苏蝶角蛉 *Suphalomitus formosanus* Esben-Petersen ♂；11. 胸突蝶角蛉 *Ascalaphus placidus* (Gerstaecker) ♂；12. 叉尾蝶角蛉 *Bubopsis tancrei* Weele ♂

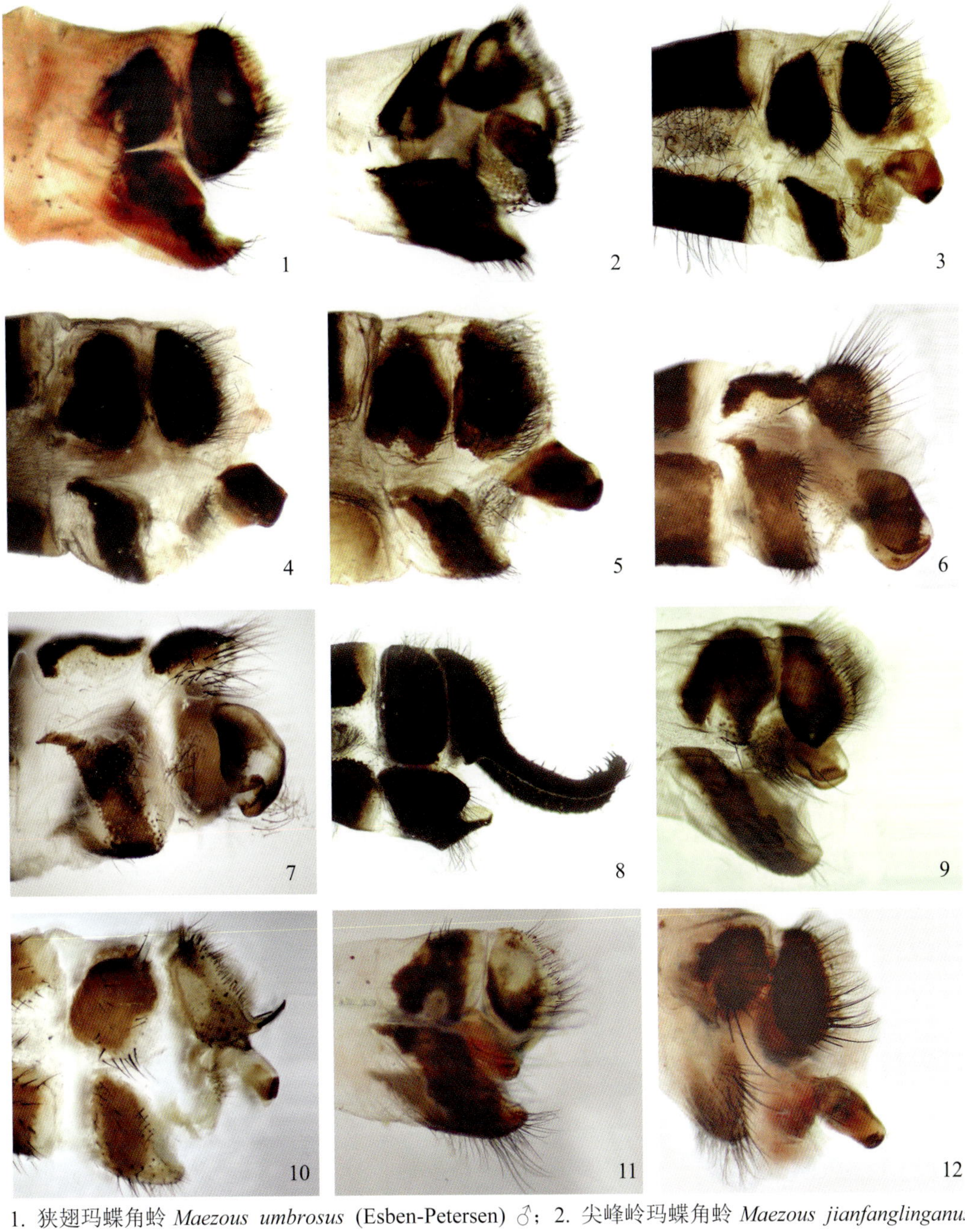

1. 狭翅玛蝶角蛉 *Maezous umbrosus* (Esben-Petersen) ♂；2. 尖峰岭玛蝶角蛉 *Maezous jianfanglinganus* (Yang & Wang) ♂；3. 银完眼蝶角蛉 *Idricerus decrepitus* (Walker) ♂；4. 白肚原完眼蝶角蛉 *Protidricerus palliventralis* Yang ♂；5. 宽原完眼蝶角蛉 *Protidricerus elwesii* (McLachlan) ♂；6. 狭翅原完眼蝶角蛉 *Protidricerus steropterus* Wang & Yang ♂；7. 日原完眼蝶角蛉 *Protidricerus japonicus* (McLachlan) ♂；8. 黄花丽蝶角蛉 *Libelloides sibiricus* (Eversmann) ♂；9. 烟翅玛蝶角蛉 *Maezous fumialus* (Wang & Sun) ♂；10. 菲律宾足翅蝶角蛉 *Protacheron philippinensis* (Weele) ♂；11. 褐边玛蝶角蛉 *Maezous fuscimarginatus* (Wang & Sun) ♂；12. 凹腰苏蝶角蛉 *Suphalomitus excavatus* Yang ♂

图版 XXXVIII

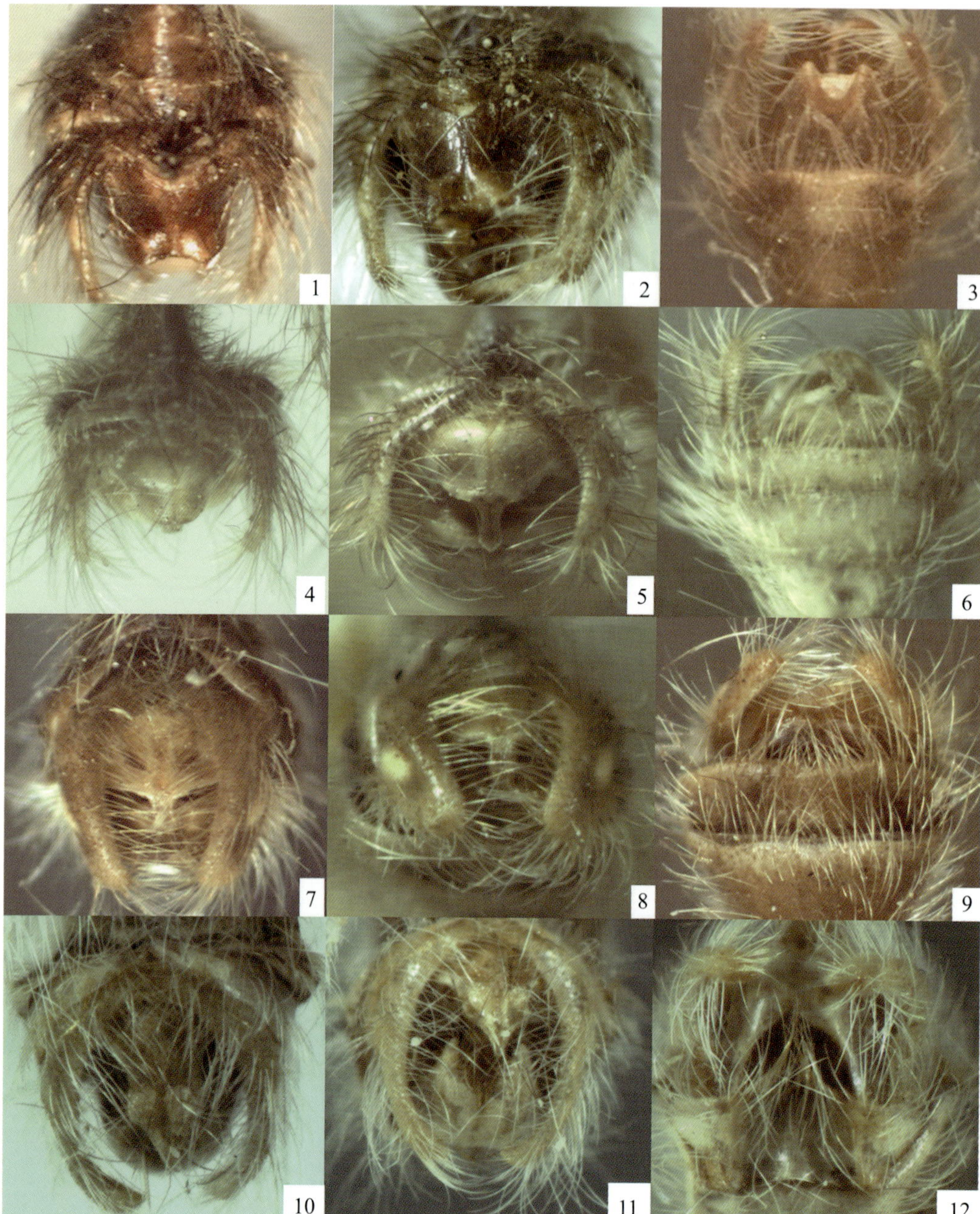

雄性腹末节：1-3. 滇缅巴蝶蛉 *Balmes birmanus* (McLachlan)；4-6. 显赫巴蝶蛉 *Balmes notabilis* Navás；7-9. 川贵巴蝶蛉 *Balmes terissinus* Navás；10-12. 集昆巴蝶蛉 *Balmes chikuni* Wang & Bao；1、4、7、10. 背面观；2、5、8、11. 后面观；3、6、9、12. 腹面观

(Q-4178.01)
ISBN 978-7-03-056785-7
9 787030 567857 >
定价：198.00 元